D0492018

Le Colporteur et la mort

La Cape de Plymouth

KATE SEDLEY

Le Colporteur et la mort

La Cape de Plymouth

FRANCE LOISIRS
123, boulevard de Grenelle, Paris

Le Colporteur et la mort est paru sous le titre *Death and the Chapman*.
La Cape de Plymouth est paru sous le titre *The Plymouth Cloak*.

Ces ouvrages ont été traduits de l'anglais par Claude Bonnafont.

Édition du Club France Loisirs, Paris,
réalisée avec l'autorisation de UGE.

ISBN 2-7441-2654-3.

Le Colporteur et la mort

Première partie

MAI 1471
BRISTOL

1

En cet an de grâce 1522, je suis un vieil homme. J'ai vécu sous le règne de cinq rois ; six rois, si l'on compte le jeune Édouard. A ma connaissance, je suis âgé de soixante-dix ans, un âge qui, selon la Bible, est la durée du séjour terrestre de l'homme et, quand mon heure viendra, je ne serai pas affligé de partir. Les choses ne sont plus ce qu'elles étaient, comme je ne cesse de le dire à mes enfants et petits-enfants. Et, j'y pense tout à coup, comme me le disait ma mère.

« Les choses ne sont plus ce qu'elles étaient lorsque j'étais enfant », répétait-elle en maniant vigoureusement son balai, envoyant voltiger par la porte poussière et fétus de paille, comme si elle s'efforçait de balayer avec eux les façons d'être et de penser modernes.

Je me rappelle cette petite maison de Wells[1] avec autant de précision que si je l'habitais hier encore. En revanche, mon père a pour moi l'apparence d'une ombre, ce qui n'est en rien surprenant puisqu'il mourut lorsque j'avais à peine quatre ans. Tailleur de pierre de son état, il était, d'après ma mère, très estimé. Une chose est sûre : lorsqu'il décéda après avoir chu d'un échafaudage alors qu'il travaillait à la voûte de la cathédrale, l'évêque – j'ai oublié son nom mais il était le prédécesseur de Robert Stillington – paya de ses deniers une petite pension à ma mère. Je pense sincèrement que ce fut l'origine de toutes ses idées : du fait qu'elle voulut que j'eusse une instruction et que je fusse capable de lire et d'écrire. Ce pour quoi elle me fit entrer comme novice chez les bénédictins de Glastonbury[2].

1. Ville du Somerset, au sud de Bristol, et siège du plus petit évêché d'Angleterre. La construction de la première cathédrale anglaise du gothique primitif y débuta en 1175. *(N.d.T.)*
2. Grande et riche abbaye anglaise, aujourd'hui en ruine, où subsiste la célèbre aubépine de la légende du Graal. *(N.d.T.)*

Pauvre femme, elle n'a jamais pu comprendre que je n'étais pas taillé pour la vie monastique. J'aimais le grand air. J'aimais être mon propre maître. Et je n'avais absolument pas l'oreille musicienne. Quand je chantais l'office, ma voix discordante rendait fous les autres novices et ce n'était là qu'une des nombreuses raisons pour lesquelles ils furent heureux de me voir prendre la porte. Mon excellente santé, demeurée telle jusqu'à ces dernières années, en était une autre. La plupart des moines et novices passaient une bonne partie de leur temps à l'infirmerie, surtout en hiver, alors que je ne me souviens pas y avoir séjourné une seule fois pendant mes années à Glastonbury. Et j'ai toujours eu d'excellentes dents qui ne m'ont jamais causé ni rages ni maux. J'en ai perdu deux, forcément, et quelques autres me tracassent quand le vent souffle de l'est, mais peut-on espérer mieux à soixante-dix ans ?

La vraie raison pour laquelle je quittai l'abbaye et pris la route, après la mort de ma mère, était beaucoup plus fondamentale que le ressentiment que j'inspirais à mes frères bénédictins. Elle se situait entre Dieu et moi ; et l'abbé, qui était un homme sage et tolérant, le comprit. Ce n'était pas que je doutasse de l'existence d'un autre monde, d'un au-delà. C'est simplement que je n'ai jamais pu être tout à fait certain que le christianisme détînt toutes les réponses. Souvent, en marchant parmi les chênes et les hêtres, surtout au crépuscule, j'ai fait l'expérience du pouvoir que les antiques arbres sacrés exerçaient sur l'esprit de nos ancêtres saxons. Tendues vers moi dans les ténèbres, ces vieilles ramures arthritiques et noueuses raniment la mémoire de la race. Plus souvent que je veux l'admettre, j'ai regardé craintivement derrière moi, m'attendant, contre toute raison et contre ma propre croyance, à voir surgir la silhouette de Robin Goodfellow, de Hodekin ou du terrible Homme vert[1].

Notez bien, c'est une hérésie que j'ai gardée pour moi. Je ne suis pas assez stupide pour la crier à voix haute. Surtout de nos jours, alors que le pape Léon vient d'attribuer au roi Henri VIII le titre de *Fidei Defensor* pour sa réfutation écrite, lancée au moine allemand Martin Luther. Et je me confie par écrit pour la seule raison que je sens n'avoir plus beaucoup de temps devant moi. Pourquoi ai-je ce sentiment ? Rien de particulier ne le

1. Personnages de la mythologie nordique. *(N.d.T.)*

justifie. Rien que je puisse vraiment montrer du doigt. Juste une impression générale de malaise, le fait que je me lève à contrecœur le matin, le fait que je manque de patience à l'égard de ma fille, de mes fils et de leurs enfants. Je suis fatigué de l'entreprenante jeunesse moderne, de sa façon de se mettre en avant et de sa conviction inébranlable que Henri Tudor et son fils, notre roi, ont délivré ce pays de l'emprise d'un monstre. J'ai eu le privilège de connaître notre précédent roi Richard, et même de lui être de quelque utilité. Dieu le bénisse !

Mais, de nos jours, une autre hérésie se développe, probablement pire que la première. Le Richard dont le peuple parle aujourd'hui serait un monstre bossu, imprégné de sang, pétri de cruauté. Mais ce n'est pas l'homme dont je me souviens, encore que je n'aie pas l'intention d'écrire un pamphlet politique : juste un compte rendu de mes jeunes années qui, à de nombreux égards, furent étranges.

Lorsque ma mère mourut, avant que j'aie prononcé mes vœux définitifs, et que je me suis senti libre de passer outre ses désirs et de quitter l'abbaye, je décidai de devenir colporteur. Une décision inattendue, pensez-vous sans doute, de la part d'un garçon qui savait lire et écrire que d'aller colporter des articles de mercerie à travers les campagnes. Mais, après ces années où j'avais vécu cloîtré, entravé par des règles et des règlements, j'avais besoin de liberté, d'être mon propre maître. Je voulais voir les différentes régions de ce pays qui est nôtre et que je connaissais à peine et seulement par ouï-dire. Et surtout, je voulais voir Londres.

Je trouve cela curieux à présent, de retour au cœur du Somerset, dont je contemple les vallées ombreuses et les collines couvertes d'épaisses forêts, l'odeur chaude et puissante de la terre pénétrant mes narines. Mais en ce temps-là, Londres était mon objectif, le lieu où j'allais faire fortune. Je ne fis jamais fortune, bien sûr. Je n'étais pas bâti pour devenir un autre Richard Whittington[1]. Mais, si je n'ai pas gagné beaucoup d'argent, je me suis découvert un talent dans un autre domaine. Je me suis aperçu que j'étais doué pour résoudre les énigmes et débrouiller les

1. Fils de chevalier, il devint marchand à Londres. Il fut quatre fois Lord-maire de la ville, prêta des sommes considérables à Henri V et fonda nombre d'institutions charitables et publiques. Il mourut en 1423. *(N.d.T.)*

mystères qui déconcertent les autres. En fait, les Mémoires que j'entreprends sont consacrés à ces mystères dans l'espoir qu'un jour, après ma mort, mes enfants y trouveront assez d'intérêt pour les lire.

Tout a commencé avec l'affaire de la disparition de Clement Weaver, un jeune homme que je n'avais jamais vu et dont je n'avais pas entendu parler avant ce matin de mai de l'an de grâce 1471. Il y avait alors peu de temps que j'avais pris la route. Ma mère était morte à Noël, l'année précédente, et grâce à son esprit d'économie, elle m'avait laissé une petite, très petite somme d'argent. Avec laquelle j'avais acheté mon premier fonds à un vieux colporteur qui abandonnait la route et souhaitait passer ses derniers jours chez les moines de Glastonbury. Je n'étais pas en mesure d'acquérir aussi son âne, mais j'étais jeune et fort, grand et vigoureux pour mon âge, tout à fait capable de porter ma balle sur mon dos, bien arrimée à mes épaules carrées. C'est ainsi que j'ai débuté, débordant de confiance ; parti de Wells, je me dirigeai vers Bristol, m'arrêtant dans les villages que je traversais pour y vendre ma marchandise. Je passai le 1er mai à Whitchurch où j'aidai les villageois à cueillir et rentrer l'aubépine, puis me rendis à l'église pour célébrer la fête de saint Philippe et de saint Jacques ; ce fut pour moi une alliance satisfaisante de l'antique culte forestier de nos ancêtres saxons et des exigences de la Sainte Église qui régit toutes nos vies. J'approchai des murs de Bristol le 2 mai.

A plusieurs centaines de mètres de la porte de Redcliffe, j'aurais déjà pu dire qu'un événement malencontreux se passait. Au milieu d'une activité anormale, des hommes armés allaient et venaient, et le crescendo du bruit filtrait à travers les murs de la ville comme l'eau s'infiltre à travers un barrage. Près de l'église St Mary, des tentes et tous les vestiges laissés par des hommes qui ont passé quelques nuits à la belle étoile indiquaient un camp militaire à présent levé ; des hommes qui couraient en tous sens comme des fourmis donnaient l'impression d'avoir hâte de partir. Un ordre de marche inopiné ? me demandai-je. Il y avait manifestement de la panique dans l'air.

Alors que j'approchai de la porte, l'ermite de la ville, loqueteux, crasseux et puant jusqu'au ciel, sortit précipitamment de son taudis pour m'examiner et me tendre son écuelle. Mais un coup d'œil à ma jeunesse, à mes vêtements rapiécés et reprisés suffit : sur son visage buriné par les intempéries, l'espoir fit place à la déception. Il marmonna Dieu sait quoi dans sa barbe broussailleuse et disparut prestement. Bristol était et demeure une ville très riche ; par son importance, elle vient juste après Londres, et il n'avait pas de temps à perdre avec de pauvres besogneux de mon espèce.

Lorsque j'entrai dans le corps de garde, le bruit devint assourdissant. Il ressemblait étrangement à celui d'une armée en marche. Le garde de service était un homme hargneux, au visage affreusement grêlé, et dont le teint naturellement coloré fonçait de façon alarmante tandis qu'il se bagarrait pour régler et contrôler la circulation accrue sous la porte. Les routes commençaient d'être bouchées par les fermiers et les commerçants qui vaquaient à leur tâche quotidienne, auxquels se mêlaient les pèlerins en route pour Cantorbéry, Holywell ou Walsingham, et ils étaient nombreux qui s'arrêtaient *en route*[1] pour visiter les sites de Bristol. A leur cohue s'ajoutait l'incessant va-et-vient des soldats entre le château et le camp hors les murs de la ville.

– Que se passe-t-il ? demandai-je au garde.

J'avais mal choisi mon moment. L'homme discutait âprement avec un grand fermier décharné, à propos de l'octroi que celui-ci devait acquitter pour le mouton qu'il conduisait au marché. Le garde s'interrompit le temps de décharger sa bile sur moi.

– Des soldats ! cracha-t-il. De sacrés foutus soldats qui nous arrivent. Qui bouffent nos victuailles, boivent notre vin et c'est à nous d'payer la foutue note !

Il se retourna vers le fermier qui, ayant eu le temps de reprendre son souffle, était plus convaincu que jamais d'avoir été surtaxé.

Je les laissai à leur mouton et m'engageai dans la Redcliffe Street de l'autre côté de la porte. Quand je parvins à la Grande Croix au centre de la ville, il devenait difficile d'avancer. Les défilés fréquents de fantassins et les incursions d'hommes d'armes venus du château paralysaient pratiquement le reste de la circulation. Tandis que j'hésitais, me demandant si j'allais commencer aussitôt à frapper aux portes ou me trouver un repas dans une des auberges – ma grande carcasse nécessitait d'être

1. En français dans le texte. *(N.d.T.)*

régulièrement nourrie, autre particularité qui me rendait impropre à la vie monastique –, je me trouvai soudain poussé de côté sans cérémonie tandis qu'un groupe de cavaliers frayaient un passage pour deux femmes qui chevauchaient au milieu d'eux. Comme tous les passants contraints de se muer en spectateurs, je les examinai avec curiosité. La plus âgée regardait droit devant elle, impérieusement ignorante de l'humble marée populaire qui déferlait autour d'elle. Le visage mince et dur, creusé de rides, portait les marques de la souffrance et quand une voix derrière moi murmura : « C'est la reine Marguerite », je réalisai avec un choc que ce devait être Marguerite d'Anjou, femme du roi Henri VI. Que pouvait-elle bien faire à Bristol ?

Mon regard se tourna vers sa compagne, une svelte jeune fille qui semblait trop frêle pour maîtriser le grand bai brun qu'elle montait. Tout de noir vêtue, elle portait manifestement le deuil. Venue des Backs[1], une brise soudaine remonta High Street et souleva un instant le voile qui couvrait son visage, révélant, noyées dans une pâleur mortelle et des os saillants, les petites taches sombres des yeux. Déjà elle avait levé une main gantée pour rattraper l'étoffe épaisse et s'y enfouir. Puis elle disparut ainsi que sa cavalcade, faisant sonner les pavés de Corn Street dont l'extrémité débouche sur le pont qui franchit la Frome. Nous suivîmes tous un moment du regard les silhouettes qui s'amenuisaient, puis chacun reprit sa route, songeant à ses affaires et maugréant contre ce retard. Pour ma part, revenant à l'objet fondamental de mes préoccupations avant cette pause forcée, je décidai que les borborygmes de mon estomac méritaient toute mon attention et demandai à ma plus proche voisine l'adresse d'une auberge où l'on me servirait un repas correct, où la bière ne me serait pas chichement mesurée.

C'était une bonne femme ronde et simple dont je décidai aussitôt qu'elle était moins vieille que le réseau de fines rides qui entouraient ses yeux ne le donnait à penser. Les yeux, eux-mêmes, étaient brun foncé, légèrement opaques et, de ce fait, mystérieux. Mais lorsqu'elle sourit – ce qu'elle fit après m'avoir soigneusement examiné des pieds à la tête –, ils brillèrent, conférant à son visage une expression infiniment plus plaisante que celle qu'il arborait jusqu'alors. Son vêtement simple, fait de fin

1. Prairies et terrains vagues en bordure de l'Avon et du port. *(N.d.T.)*

drap noir, tissé et teint à la maison, et l'absence totale de bijou indiquaient un humble statut et n'enfreignaient sûrement en rien les lois somptuaires que le Parlement édicte avec régularité et que nous, Anglais, ignorons avec une égale constance. Dans les mèches de cheveux qui s'échappaient de son capuchon de laine vert, des traînées grises se mêlaient au châtain terne.

– Vous cherchez un lieu où manger, c'est ça ? demanda-t-elle en suçant sa lèvre inférieure, me donnant ainsi l'impression qu'elle essayait de gagner du temps et que d'autres pensées occupaient par priorité son esprit. Laissez-moi réfléchir... Il y a Abyngdon, derrière l'église de Tous-les-Saints, en bas de la rue, un peu après Corn Street. On l'appelle aussi *La Treille verte*, ce qui n'y change rien. Ensuite, il y a *La Pleine Lune*, mais, à midi, la salle est généralement bondée de visiteurs venus voir le prieuré de St James. Il y a *Le Cerf blanc* au bout de Broad Street. Et aussi *L'Homme qui court*... Tout bien réfléchi, je ne vous recommanderais pas cette dernière maison. Elle était excellente du temps que Thomas Prynne en était le patron – c'était un grand ami de mon maître et il le demeure –, mais il est allé tenter sa chance à Londres. Il y possède *La Tête du Baptiste* dans Crooked Lane, du côté de Thames Street...

Sa voix s'éteignit. Elle regardait au loin, comme si elle contemplait quelque chose qu'elle aurait préféré ne pas voir. Il lui fallut un effort considérable pour se reprendre et m'accorder de nouveau son attention.

– Vous êtes colporteur ?

– Oui.

– D'où venez-vous ? A vous entendre, je dirais que vous êtes du comté.

– Je suis né à Wells, répondis-je, car je ne voyais à ce moment aucune raison de m'étendre davantage. Merci de vos indications. Je vais essayer l'auberge Abyngdon qui est la plus proche.

– Attendez !

La femme posa sur mon bras une main replète et je me souviens avoir pensé que sa poigne était étonnamment ferme.

– Il doit être près de midi. Vous êtes en retard pour le dîner. Nous avons pris le nôtre il y a près d'une heure. Mais si vous voulez m'accompagner le temps que je fasse ma course, vous pourrez ensuite venir chez moi en ma compagnie et je veillerai moi-même à ce que vous soyez nourri. Nous avons une bonne table à Broad Street. Rien n'est trop bon pour un échevin de Bristol.

J'hésitai, subitement incertain du terrain où je m'étais aventuré. Elle parlait avec assez d'autorité pour que je me demande si je ne m'étais pas trompé en lui imputant une humble condition.

– L'échevin est-il votre mari ? hasardai-je.

Un gloussement étouffé monta des profondeurs de sa gorge.

– Vous plaisantez ! Ai-je l'air d'être la femme d'un échevin ? Mais non ! Bien sûr que non ! C'est mon maître. Je tiens la maison pour lui et... et ses enfants.

Elle eut une légère hésitation, comme si elle allait corriger ce qu'elle venait de dire ; puis, manifestement, elle se ravisa, saisit mon bras de nouveau et referma cette fois sa main grasse dans le creux de mon coude.

– Si vous me prêtez votre appui jusqu'à Marsh Street, nous n'en irons que plus vite. Je n'ai plus vingt ans.

Nous suivîmes Corn Street, en évitant les monceaux de détritus devant les maisons et les monticules de charognes face à une boucherie. Quantité de porcs et de chèvres entravaient aussi notre progression ; légalement, ils n'avaient aucun droit de vagabonder dans l'enceinte de la ville, mais les bons citoyens de Bristol ignoraient ce règlement avec la même désinvolture que les populations des autres villes, du nord au sud du pays. S'il est une chose que j'ai apprise dans mon existence, c'est que les Anglais considèrent toute loi comme un défi : il faut la tourner ou l'enfreindre. Je crois que mon souvenir le plus vivace de cette promenade est le tintamarre des cloches. Nous en entendions à Glastonbury, bien entendu, car elles sonnaient les différents offices de la journée, mais il s'agissait de ma première incursion dans une ville et jamais je n'avais entendu résonner simultanément tant de carillons : égrenant les heures du jour, convoquant les citoyens à des réunions, les avertissant de l'ouverture des tribunaux de la ville ou appelant simplement le fidèle à prier dans l'une des nombreuses églises de Bristol.

Marsh Street grouillait de marins ; les uns, à peine débarqués, s'affairaient à la recherche du premier bordel venu ; les autres étaient tout près d'embarquer sur un des nombreux vaisseaux à l'ancre le long des Backs, chargés de vin ou de savon, ou sur quelque navire de charge à destination de rivages étrangers. Devant un des entrepôts qui se succédaient le long des quais bruissants d'activité, un roulier chargeait son chariot de balles de drap, tissé, je l'appris plus tard, par les tisserands qui vivaient et travaillaient dans le faubourg de Redcliffe, sur l'autre rive de l'Avon.

Le roulier redressa la tête et, nous voyant approcher, nous salua de la main.

– Vous êtes en retard, Marjorie, l'accusa-t-il. Je suis quasiment prêt à partir. Quels sont les ordres cette fois ?

– Comme d'habitude. Quand vous arriverez à Londres, vous irez directement au Steelyard[1]. Livraison aux marchands de la Hanse et à personne d'autre.

Se tournant vers moi, elle ajouta en guise d'explication :

– Les *Easterlings*[2] paient comptant et l'échevin y tient beaucoup. D'après lui, les Londoniens veulent qu'on leur fasse crédit, puis ils essaient de régler de mauvaises dettes avec toute espèce de pacotille : balles de tennis, paquets de cartes, balles de passementerie...

Elle gloussa de nouveau, puis ajouta, ironique :

– Ils peuvent refiler ça dans les autres comtés mais pas lors de leurs transactions avec Bristol.

Elle plongea la main dans la poche de sa jupe dont elle sortit un feuillet de papier cacheté à la cire rouge qu'elle tendit au roulier.

– Et si vous remettiez ceci pour moi, je vous serais obligée.

Une pièce de monnaie changea de main.

L'homme acquiesça de bon cœur et glissa la lettre dans sa jaquette graisseuse, constellée de taches de nourriture.

– Pour votre cousine, c'est ça ? N'ayez pas peur ! Je veillerai à ce qu'elle lui arrive. Et le Grand Tout-Puissant ? Je parie qu'il paiera une fois le travail terminé. Comme d'habitude.

– Qu'espériez-vous d'autre ? demanda Marjorie en souriant. Vous savez aussi bien que moi comment travaille l'échevin.

– Bah ! On peut toujours poser la question. Juste au cas où un miracle aurait lieu un beau jour. C'est bon, je m'en vais.

1. Siège du comptoir londonien de la Ligue hanséatique. *(N.d.T.)*
2. Commerçants des rives de la Baltique, généralement d'origine allemande. Bénéficiant d'une sorte d'exterritorialité, ils respectaient les lois allemandes et les règles de la Hanse. *(N.d.T.)*

Dites à l'échevin Weaver que je le verrai dans une semaine, à mon retour.

Le roulier me salua d'un petit coup de tête et disparut dans l'entrepôt. Un peu plus loin, quelques marins ivres titubaient en rigolant, au ras bord sur le quai, et beuglaient une chanson à boire : *« Grêle et vallon, souffle le vent ! Le prieur de Prickingham a un gros.... »*

Ma compagne poussa un cri peu convaincant et plaqua ses deux mains sur ses oreilles.

– Tout va bien, lui dis-je gravement. Ils ont chanté *« a un gros orteil »*.

– J'imagine ! C'est ce qu'ils veulent dire qui importe.

Avec une sévérité railleuse, elle ajouta :

– Ces imbéciles seront bientôt à l'eau et ils retrouveront leurs esprits devant le guet. Quoi qu'il en soit, c'est leur affaire, pas la nôtre. Alors, si vous voulez bien me rendre votre bras, nous irons de ce pas à Broad Street où vous aurez le repas que je vous ai promis. A propos, comment vous appelez-vous ?

– Roger.

– Et moi, Marjorie Dyer[1]. C'était le métier de mon père. A présent, il est mort, Dieu ait son âme !

Elle serra mon bras et ralentit l'allure.

– Je suis désolée d'être si lente mais cette chaleur ne vaut rien à mes jambes. Courage ! Nous n'en avons plus pour longtemps.

– Tant mieux, dis-je. Mon dernier repas est très loin. Je meurs de faim.

2

Je m'aperçois que je n'ai pas encore avancé d'explications relatives aux événements politiques qui se déroulaient à Bristol au cours de cette chaude matinée de mai. Eh bien... la politique est assommante. Comme le sont les dates et les faits. Mais, dans la mesure où ces événements et leurs conséquences survenues

1. L'anglais *dyer* signifie teinturier. *(N.d.T.)*

quelques mois plus tard affectèrent, encore que faiblement, ma propre histoire et l'élucidation de ma première énigme, je me sens obligé d'en brosser le vaste arrière-plan. Ce sera court, je le promets. Car je peux difficilement attendre des jeunes débutants de la génération présente, fiévreusement préoccupés de nouveaux mondes et de nouvelle science, qu'ils tentent de débrouiller l'écheveau touffu d'intrigues et de luttes qu'était l'Angleterre du siècle passé. Moi-même en savais bien peu à leur âge. Le savoir que je possède maintenant est le résultat des années, de la lecture et de l'assemblage de fragments de conversations et de connaissances grappillés pendant des années.

En l'an 1399, le roi Richard II fut déposé, puis finalement assassiné par son cousin, Henri de Bolingbroke, qui usurpa la couronne sous le nom de Henri IV.

L'héritier reconnu de Richard – il n'eut pas d'enfant – était son cousin, Roger Mortimer, petit-fils du troisième fils d'Édouard III. Henri était le fils de Jean de Gand, fils plus jeune du même monarque ; de cette situation, une querelle dynastique sanglante surgit un demi-siècle plus tard.

Richard Plantagenêt, duc d'York, descendant direct de Roger Mortimer, revendiqua la couronne que portait son cousin, le roi Henri VI, petit-fils de Bolingbroke. York y fut poussé par l'hostilité tenace de la femme d'Henri, la reine Marguerite d'Anjou ; il était soutenu par son beau-frère, le comte de Salisbury, et par le fils aîné de ce dernier, le comte de Warwick.

Le premier coup fut frappé le 22 mai 1455 ; cinq ans plus tard, York et Salisbury perdirent tous deux la vie lors de la bataille de Wakefield. Six mois après la mort de son père, le fils aîné du duc d'York fut couronné roi à l'abbaye de Westminster sous le nom d'Édouard IV.

Tout alla d'abord pour le mieux, et ce jeune homme de dix-huit ans, apparemment facile à vivre, manifesta la gratitude et le respect appropriés aux architectes de sa victoire, la famille de Neville, celle de sa mère, dont le chef, le puissant comte de Warwick, était le neveu.

En l'an 1464, cependant, alors que Warwick multipliait les efforts pour parvenir à une alliance avec la France, grâce au mariage d'Edouard avec Bona de Savoie, Édouard épousa secrètement Élisabeth Woodville, veuve de Lord Grey, un lancastrien ; âgée de cinq ans de plus que son époux, Élisabeth Woodville était déjà mère de deux fils.

Ce mariage lui aliéna non seulement le comte de Warwick mais aussi son propre frère George, duc de Clarence. Le plus jeune frère du roi, Richard, duc de Gloucester, lui demeura loyal, en dépit de sa haine pour la famille Woodville.

En 1469, les Neville enlevèrent le roi et cherchèrent à gouverner le pays par le truchement de leur prisonnier. Cette tentative ayant échoué, Warwick essaya d'invoquer la bâtardise d'Édouard et de l'évincer du trône au profit du duc de Clarence qui avait épousé Isabel, la fille aînée du comte. Lorsque ce plan s'effondra lui aussi, Warwick, Clarence et leurs femmes, ainsi que la plus jeune fille de Warwick, Anne, s'enfuirent en France. Là, modifiant totalement sa tactique, le comte fit la paix avec Marguerite d'Anjou, en exil, et tomba d'accord pour restaurer sur le trône Henri VI, alors en prison. Anne Neville fut mariée à Édouard de Lancastre, fils d'Henri et de Marguerite.

A l'automne de 1470, l'année qui précède le début de mon récit, trois mois avant la mort de ma mère et huit mois avant que je quitte Wells pour Bristol, Warwick et Clarence revinrent en Angleterre avec des hommes et de l'argent fournis par Louis, roi de France[1]. Victime à la fois de sa propre folie et d'une tactique médiocre, le roi Édouard fut pris dans un piège. Accompagné du duc de Gloucester et d'une poignée d'amis fidèles, il s'enfuit en Bourgogne, se jetant lui-même à la merci du duc Charles, époux de sa sœur Marguerite.

Élisabeth Woodville, ses trois petites filles et les deux jeunes enfants du duc de Gloucester cherchèrent refuge dans l'abbaye de Westminster ou celle qui avait été reine donna naissance à un garçon qui reçut le nom de son père.

L'année suivante, au mois de mars, Edouard d'York revint réclamer son trône. Ayant débarqué à Ravenspur, lui et son plus jeune frère marchèrent vers le sud sans rencontrer pratiquement de résistance. Trahissant son beau-frère, le duc de Clarence les rejoignit à Banbury ; début avril, Édouard était à Londres.

Warwick, qui était à Coventry, marcha soudain contre eux mais il fut vaincu et trouva la mort à Barnet, le jour de Pâques.

1. Il s'agit de Louis XI qui cherchait à faire la paix avec l'Angleterre pour avoir les mains libres face à Charles le Téméraire, duc de Bourgogne. *(N.d.T.)*

Le lendemain, Marguerite d'Anjou, son fils et sa belle-fille débarquèrent à Weymouth où ces terribles nouvelles les accueillirent. Au lieu d'attaquer Londres, la reine et son armée se dirigèrent vers le nord-ouest dans le dessein d'opérer la jonction au pays de Galles avec Jasper Tudor, demi-frère du roi Henri. Elle fit son entrée à Bristol à la fin avril. Quelques jours plus tard, elle apprit que le roi Édouard, déjà parvenu à Malmesbury, fonçait ventre à terre à travers le pays pour lui barrer la route. Et le 2 mai, ce jeudi chaud et ensoleillé où j'entendis prononcer pour la première fois le nom de Clement Weaver, elle et ses troupes quittaient la ville en hâte dans une tentative éperdue pour gagner de vitesse le roi Édouard.

Par les abords étroits de Tower Lane, nous approchions de la demeure de l'échevin Weaver. Je me souviens de son petit jardin clos : un pommier et un poirier en pleine floraison, un parterre d'herbes aromatiques et de simples, une bordure de fleurs tout le long d'un des murs et l'appentis des lieux d'aisances. Marjorie Dyer choisit une clé dans l'imposant trousseau attaché à sa ceinture et ouvrit la porte qui donnait sur la cuisine.

Des joncs recouvraient le sol pavé de pierre. Le pot de fer suspendu au-dessus du feu contenait manifestement le ragoût destiné au souper de la famille. Une poêle à frire en fer, un mortier et son pilon, différentes louches et cuillers, jattes et aiguières étaient rassemblés sur la table de bois. Des quartiers de bœuf et de mouton salés pendaient au plafond par des crochets. Cela me rappela la cuisine de ma mère, encore que celle-ci fût beaucoup plus grande. Allons, Roger, sois honnête. Nous n'avions qu'une seule pièce dans la maison de ma mère. Je n'avais jamais connu le luxe d'une salle indépendante.

Haute de plusieurs étages, cette maison comprenait certainement un office et une entrée, en plus d'une salle commune. Et sûrement aussi plusieurs chambres à coucher. Mais, là encore, je n'en savais pas davantage sur les chambres à coucher que sur les salles communes. Chez moi, je dormais sur un lit bas à roulettes dans un coin de la cuisine et, à l'abbaye, dans le dortoir des novices. C'était la première demeure de gentilhomme en laquelle j'eusse jamais pénétré.

– Asseyez-vous, me dit Marjorie Dyer en désignant de la tête un tabouret couvert de drap rouge et vert, placé près du foyer.

Laissez votre balle près de la porte, je regarderai plus tard vos marchandises. J'ai besoin d'aiguilles et de fil. En auriez-vous ?

Je répondis que j'en avais et fis glisser avec soulagement de mon dos le lourd fardeau. Je m'étais levé pratiquement avec le soleil et commençais à me sentir fatigué. Je m'effondrai sur le tabouret qu'elle m'avait assigné, aussi loin que possible du feu qui dégageait une chaleur intense et de la fumée qui me faisait pleurer. Tout en s'affairant autour de moi, ma compagne me jaugeait de ses yeux bruns et perspicaces.

– Vous êtes un gars bien découplé. Je dirais presque aussi grand que le roi Édouard. Et l'on dit qu'il mesure plus de six pieds.

– L'avez-vous jamais rencontré ? demandai-je, avec une curiosité moins vive que d'ordinaire car la chaleur commençait à m'engourdir.

Marjorie me tendit un mazer[1] de bière et les vertus du breuvage amer et froid ravivèrent mon esprit.

– Juste entr'aperçu. Il y a dix ans de cela quand il séjournait à Bristol. Très grand et très beau ; blond comme vous, avec des yeux bleus de la même nuance que les vôtres. Les femmes en étaient folles, dit-elle en souriant. Je crois savoir que quelques maris furent cocufiés au cours de sa visite. On dit que c'est un grand coureur de jupons.

Le ton sur lequel elle prononça cette dernière phrase était chargé d'interrogation et je levai les yeux en secouant la tête :

– Je suis toujours puceau, dis-je. A l'abbaye, les occasions étaient rares de sortir de cet état;

En venant de Marsh Street, je lui avais fourni un résumé de ma vie.

Elle gloussa doucement avant d'éclater d'un gros rire de gorge.

– Ce n'est pas ce que j'ai entendu dire.

Je haussai les épaules.

– Oh, je sais, des rumeurs circulent à propos des monastères et je ne doute pas que certains soient le lieu d'un certain relâchement. Mais nous avions un maître des novices particulièrement sévère.

1. Pot en bois d'érable, généralement sculpté. *(N.d.T.)*

Ce fut son tour de hausser les épaules qu'elle avait très charnues.

– Vous êtes jeune. Rien ne presse.

Son visage s'assombrit fugitivement tandis qu'elle dégageait pour moi une place à la table.

– Pourtant je ne devrais pas dire ça. La jeunesse à elle seule n'est pas une garantie de longévité.

Elle me fit signe d'approcher mon tabouret et alla remplir une assiette de quelques louches de ragoût.

Je me levai et, portant d'une main mon mazer à moitié vide, de l'autre mon tabouret, je traversai la pièce et vins m'asseoir à la table.

– Je pense que la peste sévira de nouveau cet été.

Marjorie posa devant moi l'assiette de viande et de légumes bouillis. Il y avait aussi du pain noir, un morceau de fromage au lait de chèvre dans une feuille de patience et un plat de ces petits poireaux verts et blancs que l'on peut manger crus.

– Je ne parlais pas forcément de maladie, dit-elle. Il y a aussi... les accidents... et les meurtres.

Dans le silence soudain qui suivit ces mots, je n'entendis plus que le crépitement du feu.

J'avalai la cuillerée de ragoût que j'avais dans la bouche et répétai :

– Des meurtres ?

Car il ne s'agissait pas d'une remarque fortuite, sa façon de parler et son regard me le disaient. Le mot avait pour elle un sens particulier.

Elle remplit mon mazer à la cuve à bière placée près de la porte et approcha un autre tabouret de la table.

– Oubliez ce que j'ai dit. Je ne devrais pas parler des malheurs de la famille avec un étranger.

Je m'essuyai la bouche du revers de ma manche. J'avais des manières plutôt frustes à l'époque.

– Ce n'est pas juste, protestai-je. Vous n'auriez pas dû éveiller ma curiosité pour refuser ensuite de me dire de quoi il s'agit. Qui donc a été assassiné parmi vos connaissances ?

Marjorie prit un petit poireau dans le plat et se mit à le grignoter.

– C'était une simple remarque. Je n'ai pas dit que je connaissais qui que ce soit...

Elle me jeta un regard en coin et, devant mon air sceptique, capitula.

– Très bien. Et cependant je ne devrais rigoureusement rien dire. De plus, personne n'est sûr qu'il s'agisse d'un meurtre. Pour l'instant, on parle simplement d'une... disparition.

– Qui a disparu ?

J'étais pour l'heure d'autant plus intrigué que les tiraillements impérieux de mon estomac étaient en voie d'apaisement. Par la porte de la cuisine nous parvenaient les bruits lointains de la ville grouillante et affairée, que stimulait ce chaud printemps.

– Le fils de l'échevin, répondit-elle enfin, réticente, comme si elle eût préféré n'avoir pas parlé.

Néanmoins, elle poursuivit :

– Il a disparu l'hiver dernier à Londres.

J'arrachai un morceau à la miche de pain.

– Vous voulez dire qu'ils n'ont jamais retrouvé le corps ? Mais, dans ce cas, qu'est-ce qui vous fait croire que c'est un meurtre ?

– Les circonstances de sa disparition.

Elle se pencha et croisa ses bras ronds sur la table.

– Clement n'avait aucune raison de s'enfuir, si c'est ce que vous pensez.

Cette possibilité avait effectivement traversé mon esprit, je devais l'admettre, et je n'étais pas disposé à l'abandonner de sitôt.

– Quel âge avait maître Clement ?

– À peu près le même que vous. Peut-être était-il un peu plus vieux.

Je réfléchis à cette information.

– Ma mère disait sans cesse que je suis né la même année que le duc de Gloucester. D'où je pense que je dois avoir dix-neuf printemps.

Ma compagne hocha la tête.

– Ce doit être quelque chose comme ça. Clement devait avoir environ neuf ans lorsque le roi Édouard s'est rendu à Bristol.

– Avec dix ans de plus, il est à l'âge où il aurait pu se quereller avec son père et décider d'être son propre maître.

Marjorie secoua la tête.

– Non ! dit-elle avec force. Clement s'entendait bien avec son père, tout comme sa sœur. L'échevin est un père indulgent. Trop indulgent, si vous voulez mon avis. Depuis la mort de sa femme, il y a un an à la Saint-Michel, Alison et son frère sont tout pour lui. Et maintenant qu'Alison est près de se marier, il va être très seul mais il ne fera rien pour l'en empêcher. Il n'est pas question de repousser le mariage pour qu'il puisse la garder plus longtemps près de lui. Pourtant, j'en connais des hommes assez égoïstes pour agir de la sorte, quoi que vous mijotiez de dire pour la défense de votre sexe.

– Je ne mijote rien de ce genre, protestai-je d'un ton apaisant. Je suis sans illusions sur les défauts des gens, qu'ils soient hommes ou femmes. L'humanité a de nombreuses faiblesses.

– Une tête mûre sur de jeunes épaules ! se moqua-t-elle. Dire que j'aurai vécu assez longtemps pour voir ça !

J'ignorai la remarque.

– Ainsi, Clement Weaver n'a pas disparu de son propre gré. L'échevin l'a-t-il fait rechercher ?

– Bien sûr qu'il l'a fait, stupide garçon ! Lui-même s'est rendu à Londres où il a séjourné des mois, ainsi que son frère et deux de ses neveux. Ils ont ratissé la ville de fond en comble. Ils se sont même débrouillés pour s'assurer l'aide de Lord Stanley, mais en vain. L'on n'a jamais retrouvé Clement. Il a purement et simplement disparu de la surface de la terre.

J'avais terminé mon ragoût et fixais mon assiette vide d'un regard qui en disait long. Je fus un peu surpris de voir Marjorie Dyer, sensible à l'allusion, se lever pour aller la remplir.

– Vous n'aurez jamais besoin de demander, commenta-t-elle sèchement.

Inutile de dire que je n'avais pas prononcé un mot. J'acceptai docilement l'assiette pleine qu'elle posa devant moi, vidai mon mazer et m'attaquai à mon ragoût avec délectation. Quand je pus de nouveau parler, je dis :

– Vous avez suscité ma curiosité. Après être allée si loin, pourquoi ne pas me raconter toute l'histoire ? Je veux dire, bien sûr, si vous en avez le temps. Je vois que vous êtes une femme très occupée.

– Et moi, je vois que vous avez la langue bien pendue quand ça vous arrange ! Une façon à vous de charmer les oiseaux du ciel, aurait dit mon père.

Et je n'ai pas le temps de m'asseoir et de bavarder avec vous. J'ai un lait caillé à faire pour le souper. Toutefois, il n'y a pas si long à dire et quelques minutes n'y changeront pas grand-chose. Si cela vous intéresse vraiment, bien sûr.

Faute de pouvoir répondre autrement, car j'avais la bouche pleine, j'opinai du chef. Mais, avant qu'elle eût pu commencer, nous fûmes interrompus. La porte qui donnait sur l'entrée s'ouvrit et une jeune fille de mon âge, peut-être un peu plus jeune, entra dans la cuisine. Je supposai, et ce fut aussitôt confirmé, que c'était la fille de la maison, Alison Weaver.

Elle n'était pas vraiment ce qu'on aurait appelé une jolie fille. Elle avait le nez trop fort et une grande bouche un peu trop volontaire. Mais des cils très longs et très épais frangeaient ses beaux yeux dont le délicat ton noisette était moucheté de vert. Sa peau avait la couleur du miel et, en dépit de la mode, elle n'essayait pas de la blanchir. Mince, dotée de pieds et de mains menus, elle dégageait néanmoins une impression de robustesse qui supplanta l'idée première que je m'étais faite d'une vulnérabilité douce et docile.

– Marjorie... dit-elle.

Elle s'interrompit brusquement et, l'œil fixé sur moi et mon assiette de ragoût, demanda :

– Qui est-ce ?

Marjorie, me sembla-t-il, était un peu nerveuse, un peu mal à l'aise face à cette jeune fille qu'elle avait dû connaître enfant. Je croyais presque sentir de l'antipathie entre elles.

– C'est un colporteur. Il m'a donné le bras pour revenir de Marsh Street parce que mes jambes me faisaient souffrir.

Sur la défensive, elle improvisait et me lança en catimini un bref coup d'œil qui me signifiait clairement de ne pas la contredire. Jusqu'à présent, elle n'avait dit que la vérité.

– Je me suis sentie faible et il m'a ramenée à la maison. Il m'a semblé que le moins que je pouvais faire était de lui offrir quelque chose à manger.

La jeune fille continuait de me fixer, puis elle hocha rapidement la tête.

– C'est bon, dit-elle. Dans la mesure où tu n'en feras pas une habitude. Tu connais les principes de père à propos des domestiques qui reçoivent des étrangers.

Je regardai Marjorie ; la légère rougeur de ses joues témoignait de son dépit et, l'espace d'un instant, je me demandai pourquoi elle restait dans cette demeure. Quantité de raisons se présentèrent à mon esprit mais, avant même que j'aie pu les formuler, Alison Weaver s'adressait à moi :

– Quel genre de marchandises proposez-vous ?

Je reposai la cuiller dans mon assiette et m'essuyai la bouche, du revers de la main, cette fois.

– J'ai de très beaux galons, bredouillai-je, et quelques très jolis rubans de couleur. Des aiguilles, des fils, des jouets... L'assortiment habituel, terminai-je platement.

Rien qu'à voir sa jupe vert sombre de beau drap de laine aux parements noirs, je pouvais conclure que l'échevin ne regardait pas à la dépense quand il s'agissait d'habiller sa fille. Un rosaire de corail entourait son poignet gauche et une bague d'émail noir, montée sur un anneau d'or, ornait un de ses doigts. Elle portait d'autres bagues, dont certaines étaient garnies de pierres précieuses, et plusieurs chaînes d'or autour du cou. On comprenait sans peine que son père était riche. Je doutais que le genre d'articles contenus dans ma balle pût l'intéresser.

Comme je l'ai dit, j'étais jeune alors et j'avais été coupé du monde pendant des années. J'ignorais ce que je sais aujourd'hui : les femmes sont incapables de résister à la tentation d'acheter, surtout lorsqu'il s'agit de parer leur corps.

– Montrez-moi ! ordonna-t-elle.

Je me levai en hâte pour aller chercher ma balle dans le coin tandis que Marjorie Dyer faisait de la place sur la table afin que je puisse étaler mon assortiment. Je l'avais trouvé plaisant quand je l'avais acheté au vieux colporteur mais à présent qu'il était exposé, il avait piètre allure. À moins que ce ne fût simplement parce que je le voyais avec le regard que je prêtais à Alison Weaver ; elle le comparait sans doute aux marchandises qu'elle pouvait s'offrir dans les boutiques de Bristol et de Londres. Mais je n'aurais pas dû m'en faire. Sans un coup d'œil sur les autres articles, elle tendit instinctivement sa main étroite et brune vers le plus beau : une longueur de ruban broché ivoire. Elle l'approcha de la lumière et le laissa ruisseler entre ses doigts comme une cascade chatoyante jusqu'au sol poussiéreux. Pour la première fois depuis son entrée dans la cuisine, elle sourit.

– Comme il est beau. Regarde, Marjorie ! Je m'en servirai pour garnir le décolleté de ma robe de mariage. Je le prends. Toute la pièce.

Elle ne demanda pas le prix.

– Paye cet homme, Marjorie. Je n'ai pas d'argent sur moi. Père te remboursera quand il reviendra.

A mon avis, Marjorie n'était pas trop contente. Elle s'éloigna en traînant les pieds à la recherche de sa bourse tandis qu'Alison, d'un geste de la main, me renvoyait à ma place à table.

– Vous feriez aussi bien de terminer votre repas.

Je la remerciai poliment, remballai le reste de mes affaires, dis à Marjorie le prix du ruban et empochai l'argent avant de me rasseoir devant mon ragoût, à présent froid et figé sur l'assiette. Grisâtre et peu appétissant, il ne me disait plus rien qui vaille, si bien que je repoussai l'assiette et terminai ma bière. J'étais sur le point de dire que je devais partir quand Alison Weaver tira un autre tabouret et s'assit près de moi.

– De quoi parliez-vous tous les deux quand je suis entrée ? demanda-t-elle d'un ton accusateur.

3

Un silence gêné s'ensuivit. Je voyais que Marjorie Dyer se demandait si elle allait dire la vérité. Je vidai les dernières gouttes de ma bière et lus le bout-rimé gravé dans le fond du mazer : *« Femmes, si vous voulez qu'au maître ce lieu plaise, Laissez-le reposer et y prendre ses aises. »* Une jolie pensée, certes, mais rares étaient les maîtresses de maison disposées à la mettre en œuvre. Et, de fait, pourquoi l'auraient-elles fait ? Pour la plupart, elles travaillaient dur, du lever au coucher du soleil. C'était le cas de ma mère. Je ne parle pas des nobles, vous le comprenez, ni même de la fille de l'échevin Weaver. A cette époque de ma vie, j'en savais très peu sur ce genre de femmes.

Marjorie s'éclaircit la voix, mais sa maîtresse fut plus prompte :

– Vous parliez de Clement, n'est-ce pas ? Tu sais que père n'aime pas que tu parles de nos histoires à des étrangers ! Tu es une commère, Marjorie, et tu sais ce qui arrive aux commères : on les plonge dans la mare.

A ce point, la jeune fille parut s'adoucir, mais je voyais à l'expression de Marjorie que la réprimande l'avait blessée, d'autant plus profondément qu'elle avait été proférée devant moi. Une fois de plus, je me demandai quelle était la vraie nature des relations entre elle et cette famille. D'un côté, elle semblait détenir la position privilégiée d'une vieille domestique de confiance, de l'autre celle d'un bouc émissaire.

– Allons, je suppose qu'il n'y a pas grand mal, reprit Alison. Que lui as-tu dit exactement ?

– Seulement que maître Clement a disparu l'hiver dernier à Londres.

– Et que l'on n'a pas entendu parler de lui depuis, ajoutai-je. Ceci mis à part, je ne sais rien. Si bien que vous n'avez pas à craindre que j'ébruite aux alentours vos affaires de famille. Je vais reprendre la route.

Je fis mine de me lever de mon tabouret mais la jeune fille m'enjoignit de me rasseoir. Elle avait l'air d'une personne habituée à être obéie et, à l'époque, je n'étais pas accoutumé à me lever de moi-même. Elle me regardait avec curiosité.

– Vous ne parlez pas comme les colporteurs que j'ai rencontrés. Qui êtes-vous ?

Une fois de plus, je racontai l'histoire de ma vie et fus heureux d'observer quand j'approchai de la fin que, pour la première fois, elle me regardait comme si j'étais un être humain et non un meuble. Je pourrais ajouter qu'elle appréciait ce qu'elle voyait. J'étais beau garçon à cet âge, même si c'est moi qui le dis. Quand je cessai de parler, elle demeura les coudes sur la table et cala son menton entre ses mains, de petites mains qui frémissaient légèrement comme des oiseaux captifs.

– Vous intéresserait-il d'entendre toute l'histoire ? demanda-t-elle. A propos de la disparition de mon frère.

– S'il vous intéresse vous-même de me la dire, répondis-je gravement.

– Qu'en penses-tu, Marjorie ? Père serait-il contrarié ?

Marjorie haussa les épaules.

– Cela se pourrait, mais il n'est pas là, n'est-ce pas ? Il ne sera pas de retour avant une heure ou deux. Il assiste à une réunion de la corporation et ensuite à un office à la chapelle du Temple... C'est la chapelle des tisserands, ajouta-t-elle à mon adresse. Elle est dédiée à sainte Catherine, leur patronne.

Alison reproduisit le haussement d'épaules de la gouvernante.

– Dans ce cas, ce qu'il ignore ne peut le blesser.

Ma vie durant, je n'ai cessé de m'émerveiller du pragmatisme des femmes : je crois qu'elles sont nées sans scrupules. Néanmoins, je m'en suis réjoui à maintes reprises et je m'en félicitai ce jour-là, car ma curiosité avait été stimulée et me laisser partir sans l'avoir satisfaite aurait été aussi cruel que refuser un verre à un homme qui meurt de soif. Comme si elle lisait dans mes pensées, Marjorie Dyer demanda :

– Dois-je nous verser de la bière ?

Sa maîtresse acquiesça :

– Et ouvre un peu plus la porte. On manque d'air ici, avec ce feu.

La gouvernante prit mon mazer vide et en descendit deux autres d'une étagère ; elle les remplit tous trois au baril. Puis elle ouvrit plus grand la porte et les parfums du jardin entrèrent dans la pièce. Avec l'après-midi, la chaleur s'était accrue au point de chatoyer légèrement dans l'air. La lumière frémissait comme une feuille de métal, et l'appel faible et lointain d'un oiseau fut un bref instant le seul bruit dans l'air tranquille et printanier. Puis la rumeur de la ville reflua lentement, comme la marée montante.

Alison Weaver but quelques gorgées de bière et fit glisser autour de son poignet son rosaire de corail.

– Je ne sais par quel bout commencer, dit-elle.

– Commencez par votre voyage à Londres. Il n'y a pas grand-chose à dire avant cela.

Il me parut que Marjorie avait parlé avec une brusquerie inutile mais, en la regardant, je m'aperçus qu'elle était émue. Clement Weaver avait probablement été son favori ; moins impérieux, peut-être, que sa sœur à la voix acide. Mentalement, je dessinai l'image d'un garçon tendre, à la voix douce, profondément affecté par la mort de sa mère.

Alison hocha la tête et but encore un peu avant de reprendre sa position initiale, les coudes sur la table et le menton calé entre ses mains.

– C'était l'année dernière, avant Noël, aux alentours de la Toussaint...

Elle s'était récemment fiancée à William Burnett, fils d'un autre échevin de Bristol et membre de la corporation des tisserands. Les Burnett, je le compris, étaient encore plus fortunés que les Weaver eux-mêmes ; ils possédaient une centaine de métiers à tisser dans le faubourg de Redcliffe et se targuaient de liens de parenté avec un noble qui habitait le même village que Burnett, peu distant de la ville. Cette alliance, donc, flattait une famille davantage que l'autre et l'échevin Weaver était déterminé à ne pas lésiner sur les préparatifs du mariage. La robe de noces de sa fille, en particulier, serait le summum de ce que l'argent permet d'acquérir et il estimait les marchands de Bristol indignes de fournir les tissus nécessaires. Alison fut donc dépêchée à Londres, en compagnie de Clement, et devait séjourner chez son oncle et sa tante, le frère de l'échevin et sa femme. Bien des années plus tôt, à l'occasion de son mariage, John Weaver, qui s'activait aussi dans le commerce du drap, avait choisi de chercher fortune dans la capitale et il semblait qu'il fût maintenant presque aussi riche que son aîné ; pas tout à fait autant, fort heureusement. Lui et sa femme habitaient dans la circonscription de Ward qui, m'informa Alison, apitoyée par mon ignorance avouée de la topographie de Londres et de ses environs, comprenait le marché aux bestiaux de Smithfield, le prieuré de St Bartholomew, le Temple et ses jardins qui descendent jusqu'à la berge de la Fleet. L'endroit présentait de surcroît l'avantage d'être à une distance commode de la circonscription de Portsoken où se trouvaient les logements des tisserands.

– Vous deviez tous deux demeurer chez votre oncle et votre tante ? demandai-je, profitant d'une pause d'Alison. Tous les deux ?

Apparemment, ce n'était pas le cas. John Weaver et sa femme, dame Alice, avaient deux grands fils dont l'un était marié et n'avait pas encore quitté la maison pour s'installer indépendamment. L'on pouvait offrir à Alison un lit bas à roulettes mais il n'y avait pas de place pour Clement. Comme le faisait l'échevin quand il se rendait dans la capitale, Clement devait loger à l'enseigne de *La Tête du Baptiste* dans Crooked Lane, près de Thames Street, une auberge dont Thomas Prynne, vieil ami de son père, était propriétaire. C'était lui qui la tenait.

– Rappelez-vous, je vous en ai parlé, intervint Marjorie en me poussant du coude. C'était le patron de l'auberge de *L'Homme qui court* avant qu'il ait décidé de tenter sa chance à Londres.

Je m'en souvenais et acquiesçai :

– Vous n'êtes guère tentée de recommander l'auberge maintenant que Thomas Prynne n'y est plus.

– Un excellent homme, confirma Marjorie. On l'aimait à Bristol et on l'y regrette. Lui et l'échevin étaient proches amis. Ils ont grandi ensemble dans le village de Bedminster.

L'échevin Weaver avait surclassé, et de loin, son camarade d'enfance et j'appris par la même occasion qu'il avait bâti lui-même sa carrière et n'avait pas hérité d'une fortune, contrairement à ses enfants. Ses enfants ? Ou son enfant ? Je regardai Alison, ce qui l'incita à poursuivre.

– Ainsi que je le disais, fit-elle en dardant son regard sur la gouvernante comme si elle lui en voulait de l'avoir interrompue, Clement devait loger à *La Tête du Baptiste*. Marjorie a raison à propos de Thomas Prynne, concéda-t-elle. Mon père le connaît depuis toujours. Quand nous étions petits, Clement et moi, nous l'appelions « oncle Thomas », malgré les remontrances de ma mère. Elle était née demoiselle de Courcy, vous savez, dit-elle, comme si ce fait expliquait tout, ce qui était vrai, à certains égards.

Ce nom témoignait qu'elle descendait de la vieille aristocratie normande et l'échevin, lors de son ascension, avait très certainement considéré cette union comme un atout. Je me demandai paresseusement quelle était l'importance de la dot que la demoiselle lui avait apportée. Médiocre, me dis-je. Je subodorai une famille appauvrie, pleine de prétention, mais contrainte par la dureté des temps de s'allier à l'argent des parvenus. Je m'interrogeai pensivement sur les chances de bonheur d'un tel couple.

Captivant de nouveau mon attention vagabonde, Alison reprit :

– Père n'aurait jamais laissé Clement loger ailleurs à Londres. Surtout pas à cette occasion. Il était absolument nécessaire que mon frère logeât chez quelqu'un en qui il avait confiance.

J'avalai une gorgée de bière.

– Pourquoi ? demandai-je alors que j'avais déjà deviné la réponse.

Alison fit jouer l'anneau d'émail et d'or à son doigt :

– Il portait sur lui beaucoup d'argent, la somme avec laquelle je devais acheter ma robe de mariée.

– Combien ? questionnai-je, oubliant, tant j'étais avide de

détails, que j'étais un minable colporteur et elle la fille d'un échevin.

Marjorie m'expédia un coup de pied sous la table.

Mais Alison était trop absorbée dans son récit pour remarquer mon impertinence, ou pour y réagir si elle s'en aperçut. Au cours des derniers mois, elle avait dû repasser maintes fois ces événements dans son esprit.

– Cent livres, dit-elle d'un ton pénétré, cent cinquante marks. Une partie, voyez-vous, était destinée à payer les *Easterlings* à la Steelyard. Mon père m'a dit plus tard qu'il leur avait, sans le vouloir, facturé trop cher une expédition et qu'il avait chargé Clement de les rembourser lorsqu'il serait à Londres.

– La somme était trop grosse pour être confiée à un jeune homme, l'interrompit Marjorie. Si vous voulez mon avis, c'était aller au-devant des ennuis.

– Personne n'a sollicité ton avis ! répliqua sa maîtresse d'un ton acerbe. D'ailleurs, personne ne savait quelle somme il transportait, pas même moi. Donc personne n'avait la moindre raison de soupçonner qu'il avait autant d'argent sur lui.

– Les bandits et les filous tentent forcément leur chance, dis-je avec douceur. Pour eux, tout et n'importe quoi, c'est toujours ça de pris. Deux marks ou vingt marks, ça vaut toujours la peine qu'on les vole. Et si le butin s'avère gros, c'est simplement qu'ils ont eu de la chance.

– C'est exactement ce que je disais ! opina doctement Marjorie. Si seulement j'avais su combien d'argent l'échevin confiait à maître Clement, j'aurais essayé de l'en dissuader ou je l'aurais convaincu d'y aller lui-même. Un jeune homme seul, portant une bourse gonflée d'or, court au-devant des ennuis. Surtout dans cette infâme ville de Londres !

Alison bondit sur ses pieds. Ses yeux noisette flamboyaient au point que les mouchetures vertes en avaient disparu, submergées par la rage.

– Tais-toi, Marjorie ! Tais-toi ! C'est trop facile d'avoir raison après coup.

Je trouvai ces mots un peu injustes. Si Marjorie avait eu connaissance de tous les faits, elle aurait exercé son bon sens avant l'événement et le malheur survenu à Clement aurait sans doute pu être évité. J'étais d'accord avec elle : l'échevin avait fait preuve d'une folle imprudence. Je me sentais contraint de prendre son parti et fis une tentative en ce sens :

– J'ai entendu dire que Londres est une ville très dangereuse.

Depuis le temps que nous parlions, remarquai-je alors, la lumière avait changé. Au-dessus du mur du jardin, les arbres et les toits lointains que l'on voyait par la porte ouverte brillaient soudain d'un vif éclat contre le ciel dont le bleu s'estompait en gris perle. La journée si belle s'achèverait avec la pluie. Comme pour confirmer mon impression, un faible roulement de tonnerre nous arriva de très loin. Je m'apprêtai de nouveau à me lever.

– Je dois reprendre la route. Il me faut gagner mon pain et trouver un logement avant que l'orage éclate.

Alison tourna dans ma direction sa tête fine et petite :

– Asseyez-vous ! ordonna-t-elle. Vous n'avez pas entendu la fin de l'histoire. Ne le souhaitez-vous pas ? ajouta-t-elle soudain d'une voix anxieuse.

– Si, beaucoup, dis-je, et c'était la vérité. Il y a simplement que je n'ai rien vendu aujourd'hui, excepté le ruban que vous m'avez acheté. J'ai besoin d'argent si je veux dormir au sec et en sécurité cette nuit. Et pas sous une haie.

Soucieuse de me voir l'imiter, elle reprit sa place devant la table. Je m'exécutai, alors même que mon bon sens plaidait en faveur d'un départ immédiat.

– Ce soir, vous pourrez dormir ici, dit-elle, tandis que Marjorie et moi ouvrions des yeux surpris. Près du feu de la cuisine. J'en parlerai à père quand il rentrera.

Je réalisai plus tard, en y repensant, que la disparition de son frère avait dû occuper l'essentiel de ses pensées conscientes et peut-être aussi la plupart de ses rêves. Ç'avait été certainement depuis cinq mois le principal sujet de conversation entre elle et ceux de son proche entourage. Ils en avaient discuté, ils en avaient débattu jusqu'à ce que plus personne ne trouvât rien de nouveau à dire. Chacun avait défendu jusqu'à l'écœurement le même point de vue. Elle avait besoin d'un esprit neuf et d'idées neuves avant de se résoudre à admettre qu'il n'y avait pas de solution à cette énigme, que son frère avait disparu, qu'on ne le reverrait probablement jamais vivant. Car, d'après ce que j'avais déjà entendu, je devais admettre que telle était l'issue la plus probable. Un riche jeune homme, victime d'un coup monté, assassiné pour son argent et son cadavre expédié dans la plus proche rivière, était-ce vraiment un fait sans précédent ? Certes non ! Cela faisait partie des hasards de la vie quotidienne. Les Écritures ne nous disent-elles pas d'ailleurs que l'homme né d'une femme n'a que peu de temps à vivre ? Meurtre, rapine, famine, peste sont tous des instruments de Dieu.

Avec un sursaut, je me rendis compte que je pensais comme les moines, mes professeurs, m'avaient appris à penser et comme, selon eux, j'étais censé penser. C'était en partie pour fuir cette acceptation abjecte du caractère inéluctable de la Volonté divine que j'avais décidé de ne pas prononcer mes vœux définitifs.

– Votre père ne permettra jamais qu'il couche ici, protesta Marjorie. Le colporteur doit être parti avant que l'échevin revienne.

– Je t'ai dit que je parlerai à père !

Ayant ainsi balayé les objections de la gouvernante, Alison se tourna vers moi.

– Alors, resterez-vous ? J'aurais pensé que le prix que j'ai payé pour ce ruban suffirait à vous acheter de quoi manger pendant au moins deux jours.

– Que j'ai payé, murmura Marjorie, pas assez bas toutefois pour être inaudible.

Je m'attendais à ce que sa maîtresse explosât de nouveau avec passion, mais Alison ignora la remarque et haussa les sourcils en me regardant.

– Si vous êtes sûre que votre père n'en sera pas contrarié, je serais reconnaissant de profiter d'un feu et d'un bon souper, dis-je.

Les premières gouttes de pluie commençaient à tomber, j'aperçus le léger crépitement sur le feuillage. L'air était lourd, immobile, mais un murmure ténu courait entre les branches signalant que la brise se levait. La nuit pourrait être humide et froide.

– Laissez-moi m'occuper de mon père, intima Alison autoritaire. Où donc en étions-nous ?

Sans attendre de son auditoire une réponse dont elle n'avait pas besoin, elle poursuivit :

– Les circonstances n'étaient pas celles que vous imaginez. Ni celles que Marjorie vous incite à croire. Mon frère n'a pas déambulé dans les rues de Londres avec tout cet argent dans la poche. Nous avons quitté Bristol le jour de la Toussaint et deux de nos hommes, Ned Stoner et Rob Short, étaient avec nous. Joan, ma femme de chambre, montait en croupe derrière Ned. Nous avons passé trois nuits sur la route et mon père avait loué quatre hommes supplémentaires pour nous accompagner jusqu'à Chippenham. Quand nous approchâmes de Londres, mon oncle envoya deux de ses domestiques jusqu'au village de Paddington pour nous escorter dans la ville et nous conduire jusqu'à nos destinations respectives.

Elle s'arrêta un instant pour reprendre son souffle. De nouveau, le grondement lointain du tonnerre nous parvint, plus proche cette fois. Le bruit de la pluie s'intensifiait.

– Donc, vous étiez bien protégés, dis-je.

– Pendant la plus grande partie du temps, oui, confirma-t-elle. Et même pendant la partie du trajet où nous étions seulement cinq, nous avons fait route avec un groupe de marchands rencontrés dans une auberge où nous avions logé. Mon père nous avait conseillé de le faire et nous lui avons obéi.

– Et ensuite ? demandai-je vivement car elle semblait sombrer dans un rêve. Qu'est-il arrivé lorsque vous êtes arrivés à Londres ?

– Quoi ? Oh ! Il tombait des seaux ; il avait plu pratiquement toute la journée si bien que mon oncle et ma tante avaient envoyé leur voiture pour moi et pour ma femme de chambre. Mais Bess, la jument de Clement, avait perdu un fer et l'on est convenus pour ne pas perdre de temps – c'était déjà la fin de l'après-midi et il commençait à faire noir, vous voyez – qu'il monterait en voiture avec nous et que Ned reviendrait à Paddington le lendemain matin pour rechercher Bess chez le maréchal-ferrant. Nous sommes donc allés d'abord à Dowgate Ward pour y déposer mon frère avant de poursuivre vers Farringdon. Il est sorti de voiture à l'angle de Thames Street et de Crooked Lane.

– Seul ? Pourquoi Ned ou Rob ne sont-ils pas restés avec lui ?

– Rob conduisait mon cheval et devait loger chez mon oncle, avec Joan et moi. Ned devait s'arrêter avec Clement à *La Tête du Baptiste*, mais les deux hommes de mon oncle semblaient tenir à sa compagnie. Ils ruminaient toutes sortes d'histoires au sujet de bandes d'hommes en armes qui ratissaient les rues de la ville, s'en prenant surtout aux femmes, et mon frère a pressé

Ned de faire ce qu'ils demandaient. Ned le rejoindrait plus tard, a dit Clement. De plus, l'auberge était à très petite distance dans la rue, visible de l'endroit où nous l'avons laissé.

Alison plongea l'index dans le fond de son mazer de bière et traça sur la table un plan rudimentaire.

– Ceci est Thames Street, dit-elle, et ceci – elle tira une autre ligne humide, perpendiculaire – Crooked Lane, qui mène jusqu'aux quais et à la Tamise. Ici, à l'angle où nous avons déposé Clement, se trouve une autre auberge appelée *La Confiance ; La Tête du Baptiste* est un peu plus bas, de l'autre côté de la rue. Nous en voyions l'enseigne et les lanternes suspendues au mur. Clement n'avait que quelques pas à faire et nous n'avons pas attendu. Les hommes de mon oncle étaient pressés de rentrer chez eux avant le couvre-feu ; nous étions tous désireux de nous mettre au lit. Je me suis penchée à la portière pour dire au revoir à Clement. Il était debout, recroquevillé dans sa cape, juste sous une torche fixée très haut près d'une fenêtre au premier étage de *La Confiance*. Il m'a répondu en agitant la main, puis, d'un geste impatient, nous a enjoints de repartir au plus vite. J'ai tiré les rideaux de la voiture et suis demeurée enfoncée dans mon siège jusqu'à l'arrivée. Je me souviens avoir dit à Joan à quel point j'étais fatiguée et combien je serais heureuse de me retrouver en sécurité chez ma tante. Il faisait un temps abominable. Je me souviens aussi que les torches vacillaient quand mon oncle et ma tante sont sortis pour nous accueillir. Ned est aussitôt reparti pour Crooked Lane et *La Tête du Baptiste*.

La voix d'Alison s'étrangla.

– Il n'y a pas trouvé Clement. Mon frère n'était pas là. Thomas Prynne a dit qu'il n'était jamais arrivé.

4

Dans le silence qui suivit, le tonnerre claqua de nouveau. J'étais si absorbé par le récit d'Alison Weaver que je n'avais pas remarqué l'éclair qui l'avait précédé. J'imaginais avec précision la silhouette de son frère tel qu'elle l'avait vu, serrant étroitement sa cape pour se protéger de la pluie battante, éclairé par la torche tremblante de l'auberge *La Confiance*, à quelques enjambées de l'abri sûr qui l'attendait. A *La Tête du Baptiste*, qu'il avait repérée, Thomas Prynne, le vieil ami de son père, s'apprêtait à lui souhaiter la bienvenue et un pot de *posset* [1] à la bière chaude infusait pour lui près du feu... Mais Clement Weaver n'était jamais arrivé.

Le coup de tonnerre nous fit tous sursauter. Marjorie recouvra son sens pratique en s'apercevant que la pluie giclait par la porte ouverte. Contrariée, elle claqua bruyamment la langue, se leva pour aller la fermer et, dans la foulée, se dirigea en grommelant vers l'âtre pour remuer le ragoût dans la marmite.

– Et ça cause ! Et ça cause ! J'en oublie tous mes devoirs. Encore une chance que la viande n'ait pas attaché et brûlé dans le fond...

Ni Alison ni moi ne lui prêtâmes grande attention.

– Était-il vraiment nécessaire que Ned vienne avec vous ? demandai-je. Vous auriez déjà disposé sans lui de trois hommes adultes pour vous protéger, vous et votre domestique.

– Vous oubliez que la période était particulièrement dangereuse, repartit Alison patiemment. Le comte de Warwick avait fait sortir de la Tour le roi Henri et l'avait proclamé de nouveau notre roi légitime. Les temples étaient bondés de partisans du roi Édouard et il s'en trouvait beaucoup partout ailleurs, dissimulés dans la ville. L'exécution du comte de Worcester remontait seulement à quelques semaines. Mon oncle m'a dit n'avoir jamais vu les Londoniens dans un tel état d'excitation fébrile et de nervosité. Et que le nombre des crimes augmentait de jour en jour.

Je m'en souvins alors. Nous-mêmes, reclus à Glastonbury, avions perçu les échos de la terrible violence dont la populace londonienne avait fait preuve lors de l'exécution du connétable du roi Édouard. Après qu'il avait fait empaler les corps et les têtes des rebelles sur des poteaux, le peuple avait surnommé le comte de Worcester le « Boucher d'Angleterre » ; il le haïssait. Mais, selon notre informateur, un frère itinérant, cette atrocité et cette haine ne pouvaient expliquer entièrement la férocité des Londoniens qui avaient bien failli mettre le prisonnier en pièces

1. Boisson chaude à base de lait caillé. *(N.d.T.)*

sur le chemin de l'échafaud. D'après les souvenirs du frère, c'était la première fois qu'il avait fallu reporter une exécution capitale, et que le prisonnier et les gardiens de la prison avaient dû se réfugier le temps d'une nuit dans la prison de Fleet. Je dus en convenir, John Weaver avait eu grandement raison de s'inquiéter de la sécurité de sa nièce et d'alarmer assez ses hommes pour qu'ils persuadent Ned de venir avec eux. De cette façon, ils n'étaient pas seuls responsables de la sécurité de l'hôte de leur maître. Rob, de toute façon, devait rester avec Alison et sa femme de chambre.

La gouvernante préparait un lait caillé.

– Votre père ne va tarder à rentrer, dit-elle à Alison. C'est bientôt l'heure du souper.

J'en fus surpris. Les quatre heures qui s'étaient écoulées depuis midi et ma rencontre avec Marjorie Dyer à la Croix Haute avaient passé si rapidement que j'aurais été tout près de croire qu'elle se trompait si je n'avais entendu les cloches des églises avoisinantes qui sonnaient les vêpres. Trois heures avant les complies, pensai-je automatiquement.

– Il ne sera pas là avant un moment, répondit Alison qui, tournant vers moi son regard, déclara :

Voilà toute l'histoire.

Je fronçai les sourcils.

– Vous dites que seuls votre père et votre frère savaient combien d'argent portait ce dernier. C'est peut-être vrai mais tous les gens concernés par cette entreprise périlleuse ont dû se rendre compte que votre frère avait de l'argent sur lui, une somme considérable, puisque chacun savait que vous alliez à Londres acheter votre robe de mariée.

– Qu'insinuez-vous par là ? fit Alison d'une voix stridente. Qu'un membre de la maison de mon père ou de celle de mon oncle pourrait être responsable de la disparition de Clement ?

– C'est ça que vous voulez dire ? renchérit Marjorie, le visage rouge et brûlant d'indignation.

C'était exact. Mes pensées coupables s'étaient égarées dans cette direction. Je m'étais dit que, peut-être, Ned, Rob ou l'un des hommes de John Weaver étaient de mèche avec une des nombreuses bandes de voleurs, pickpockets et assassins qui écumaient les rues de Londres, et qu'ils avaient averti à l'avance leurs complices criminels... Mais non ! Comment l'auraient-ils pu ? Aucun d'eux ne pouvait prévoir les circonstances exactes de l'arrivée de Clement Weaver, la perte du fer de sa monture qui l'avait empêché d'entrer à cheval directement dans la cour de *La Tête du Baptiste* et d'y mettre pied à terre sous le regard protecteur de l'accueillant Thomas Prynne. Personne non plus n'aurait pu prédire que Ned ne serait pas avec lui. La colère des deux femmes était justifiée. Je n'avais pas pris le temps de mesurer ce qu'impliquait ma question.

– Je suis désolé, dis-je. Il était stupide de ma part de sauter à cette conclusion extravagante.

– Et fausse de surcroît ! ajouta Alison.

Je me demandai si elle allait revenir sur son offre de me loger cette nuit mais elle poursuivit :

– L'auberge *La Confiance* ne m'a pas fait bonne impression.

– Vous pensez... Vous pensez qu'elle pourrait avoir quelque rapport avec la disparition de votre frère ?

Elle se mordillait la lèvre.

– Je n'ai aucune raison de le dire, admit-elle après un silence réticent. Mon père et mon oncle y ont procédé à des investigations lorsqu'ils recherchèrent Clement, mais le patron et les domestiques ont juré n'avoir rien vu ni entendu. Il n'y a aucune raison de mettre leur parole en doute. De même, rien ne permet de penser qu'ils aient quelque chose à voir avec le malheur arrivé à Clement.

– Cependant, vous pensez qu'ils pourraient avoir menti ?

Alison haussa les épaules.

– Il m'a semblé simplement que cet endroit avait quelque chose de sinistre, c'est tout. Je suis sans doute très pusillanime.

C'était aussi mon opinion que je n'exprimai pas. Elle avait vu l'auberge dans les conditions les plus défavorables, en fin d'après-midi, dans une lumière crépusculaire et sous des torrents de pluie, alors qu'elle avait faim et tombait de fatigue. Et elle l'avait forcément associée à la disparition de son frère qu'elle avait vu là pour la dernière fois, sous la flamme tourmentée de la torche... De nouveau, l'image surgit dans mon esprit, parfaitement claire.

J'hésitai un moment avant de poser ma dernière question, une question délicate qui pourrait mettre de nouveau en péril mon billet de logement près du feu de la cuisine. Néanmoins, en dépit de ce que Marjorie m'avait confié précédemment, je me sentais contraint de la poser, ne fût-ce que pour ma propre satisfaction. Où que je dorme, je dormirais d'un sommeil plus profond si je parvenais à ficeler les bouts pendants de cette affaire. J'ai toujours détesté les bouts pendants.

– Y aurait-il la moindre raison, commençai-je prudemment, pour que votre frère ait eu... ait pu avoir... ? Ce que j'essaie de dire est que...

Alison me coupa la parole d'une voix glaciale :

– Vous me demandez si Clement aurait pu voler son propre père ? La réponse est non.

J'aurais dû en rester là, mais je persistai. Je devais me convaincre moi-même qu'elle disait la vérité.

– Une très grosse somme d'argent était en jeu. L'on connaît des jeunes hommes qui ont succombé subitement à la tentation.

Je m'attendais à une rage déferlante et fus surpris qu'elle répondît à mon impertinence avec un calme relatif. Un calme assorti de froideur, je dois l'admettre.

– Clement et moi aimons notre père. Il ne nous a jamais donné de raisons de nourrir pour lui d'autres sentiments. Mon frère, surtout, a toujours été très proche de lui et il reprendra l'affaire quand mon père sera trop âgé. Il n'y a jamais eu entre eux la moindre discorde.

– Je vous l'avais déjà dit, me reprocha la gouvernante.

– Je sais.

J'avais un peu honte. Je voyais bien qu'elle était blessée par mon incapacité de la croire sur parole mais j'avais besoin d'une confirmation. Alison avait parlé avec une sincérité profonde et m'avait donné sa réponse sans hésitation.

Le silence s'appesantit, oppressant, paralysant. Il n'y avait rien à ajouter. Comme celle de Marjorie et comme celle d'Alison, bien qu'elle eût à l'instant parlé de son frère comme s'il était toujours vivant, ma conviction était faite : Clement Weaver avait été assassiné. Que ses assaillants eussent été ou non associés à l'auberge *La Confiance* – et je pensais que non –, il avait été attaqué, volé et tué l'an dernier par ce pluvieux après-midi de novembre, et l'on s'était débarrassé de son corps. Dans la lumière déclinante, glisser un couteau entre ses côtes avait été l'affaire d'un instant. Pas de bruit, pas de cris susceptibles d'être entendus à *La Tête du Baptiste* et d'alerter l'ami qui l'attendait. Même si Clement avait pu lancer quelque appel, sa voix aurait eu peu de chances de l'emporter sur le bruit de la pluie. Non, une fois tous les faits réunis, la réponse demeurait toujours la même, simple, évidente : Clement Weaver comptait au nombre des centaines d'hommes et de femmes assassinés tous les ans pour l'argent qu'ils portaient peut-être, ou n'avaient jamais porté. Le monde est un lieu dangereux et violent, comme m'en avait prévenu l'abbé Selwood lorsque j'avais quitté l'abbaye pour tenter ma chance loin de ses murs protecteurs.

Nous étions tous les trois si bien plongés dans nos réflexions respectives qu'aucun de nous n'entendit la porte d'entrée s'ouvrir et se refermer. Nous nous rendîmes compte du retour de l'échevin en entendant sa voix :

– Alison ? Marjorie ? Êtes-vous là ?

– Dieu du ciel ! s'écria Marjorie qui abandonna la confection de son lait caillé en faisant virevolter ses jupons. Votre père est rentré, la table n'est pas mise et je parie que l'heure du souper est passée depuis longtemps ! Et vous, allez au diable ! C'est votre faute si j'ai tant bavardé ! fit-elle en agitant dans ma direction une main nerveuse avant de se tourner vers Alison : Vous feriez mieux d'aller l'accueillir !

Mais la jeune fille se dirigeait déjà vers la porte en disant :

– Je suis ici, père. Le souper sera prêt dans un instant.

La porte de la cuisine se referma derrière elle.

– Dans un instant ! Vraiment, ronchonna Marjorie. Je ne serai pas prête avant une demi-heure.

Elle s'affairait, plus vive et rapide que je ne l'en aurais crue capable vu sa corpulence et les mauvaises jambes dont elle s'était plainte. Elle disposa des assiettes, des couteaux et des gobelets d'étain sur un plateau de cuivre battu qu'elle emporta à la salle où la famille prenait ses repas. De crainte de la gêner dans ses mouvements, je repris ma place près du feu et attendis patiemment qu'elle eût le temps de m'accorder son attention. Lorsqu'elle revint un instant plus tard, elle grommelait avec fureur.

– Et voilà que maître Burnett est revenu avec l'échevin et demande à partager son repas. M'a-t-on seulement prévenue ? Non ! Pour eux, je ne suis jamais qu'une domestique comme les autres !

La main protégée par un morceau de tissu, elle s'empara de la louche et se mit à remuer le ragoût avec énergie.

– Vous seriez-vous jamais douté que je suis la cousine de l'échevin ?

C'était donc ça. Marjorie était la parente pauvre de la famille Weaver. Voici qui expliquait l'étrangeté des ses relations avec Alison : par moments, celles de servante à maîtresse ; à d'autres, celles d'amie de la famille.

La porte du fond s'ouvrit et deux hommes entrèrent, petits et râblés tous les deux, avec les visages lourds aux joues creuses, la peau basanée et le cheveu sombre de la plupart des habitants de Bristol. Au cours des siècles, il y avait eu beaucoup de mariages mixtes entre eux et les Gallois du Sud et le teint celte l'avait emporté sur celui des Saxons. Le plus petit des deux hommes était manifestement le plus âgé ; je lui donnai un peu plus de trente printemps. Le jeune devait être de mon âge.

A mon avis, il s'agissait de Ned et de Rob, les domestiques de l'échevin.

– Inutile d'espérer maintenant votre pitance ! rouspéta Marjorie. Je suis en retard et maître William s'est invité à souper sans prévenir. Ôtez-vous de mes pattes, gros lourdauds ! Asseyez-vous près du feu avec le colporteur.

– Je reviendrai plus tard, maugréa le plus âgé des deux en haussant les épaules.

Il repartit vers le jardin. L'orage s'était apaisé aussi soudainement qu'il avait éclaté, le soleil avait reparu entre les nuages, et le doux parfum des fleurs et des plantes aromatiques flattait mes narines. Le jeune homme, en revanche, obtempéra ; tirant d'un coin de la pièce un autre tabouret recouvert du même drap vert et rouge, il vint s'asseoir près de moi.

Il salua d'un court hochement de tête en me regardant en coin, comme s'il ne savait pas trop ce que je pouvais faire là.

– Je m'appelle Roger, dis-je en lui offrant la main.

– Ned Stoner, grogna-t-il en me serrant les doigts à m'en briser les os.

Ainsi, j'avais devant moi le jeune homme qui, revenu à Crooked Lane, avait découvert que Clement Weaver n'y était pas, qu'il avait disparu de la face de la terre comme s'il n'avait jamais été. Furtivement, je fis l'inventaire de sa personne et ce que je vis me plut. Son apparence était passablement négligée. Des taches de graisse et d'aliments parsemaient le devant de son pourpoint, un accroc béait sur le genou gauche de ses épaisses chausses de laine, et ses souliers de cuir étaient râpés et poussiéreux. Mais, dans son visage honnête et ouvert, un sourire singulièrement amical ne demandait qu'à s'élargir et s'épanouir en un rire joyeux. De toute évidence, il aimait la vie et jamais je ne l'aurais soupçonné de vouloir nuire à quiconque ; j'aurais répondu de lui comme de moi. Il ne savait rien sur la disparition de son jeune maître, décidai-je.

Une décision arbitraire, direz-vous, et vous aurez raison. Rappelez-vous cependant que j'étais alors inexpérimenté, un jeunot qui ne savait rien du monde mais qui croyait tout connaître. Au cours des longues années qui me séparent de ce jeune homme, j'ai pu vérifier à maintes reprises qu'on ne juge pas un livre à sa couverture.

Alison reparut dans l'embrasure de la porte.

– Inutile d'espérer que les plats arriveront tout fumants sur la table, lança Marjorie d'un ton brusque, en posant une casserole d'œufs de pluvier sur le feu pour les faire bouillir. Je ne peux pas faire de miracle.

Ignorant sa sortie, la jeune fille pointa un doigt vers moi :

– Mon père veut vous voir.

Un silence stupéfait s'ensuivit : bouche bée, la gouvernante, Ned et moi la regardions sottement. Marjorie, la première, retrouva l'usage de sa langue :

– Pourquoi l'échevin voudrait-il voir un colporteur ?

Alison plissa le front et je remarquai pour la première fois ses sourcils, maladroitement épilés pour copier les arcades sourcilières pratiquement rases des grandes dames à la mode.

– Si c'était ton affaire, Marjorie, je te l'aurais dit.

Puis, se tournant vers moi, elle m'interpella d'une voix impatiente :

– Alors, vous venez ?

Avec un regard d'excuse vers la gouvernante, je me levai et lissai d'une main gauche mon pourpoint élimé. J'avais envisagé la possibilité que l'échevin annule la promesse que sa fille m'avait faite de me loger une nuit gratuitement ; qu'il souhaite le faire face à face m'inquiétait. Après tout, ce n'était pas moi qui avais enfreint les règles de sa maison.

Je suivis Alison dans l'entrée sur laquelle ouvraient la salle commune, la cuisine et l'office. Malgré mon inquiétude, je notai que le haut des fenêtres équipées de volets qui donnaient sur Broad Street était en verre. De nos jours, on s'extasie moins devant l'usage du verre dans les maisons privées mais, dans l'Angleterre de l'époque, c'était chose nouvelle et très coûteuse. L'échevin était réellement un homme très riche. Peints en rouge et en or, les montants de portes et les extrémités des poutres du plafond étaient sculptés d'oiseaux, de masques et de fleurs. Dans un angle, l'argenterie et les étains de la famille étaient présentés dans un grand vaisselier, décoré lui aussi, et deux fauteuils sculptés étaient sis de chaque côté de la cheminée. L'échevin occupait le plus grand, son futur gendre le second.

L'échevin Weaver était un homme trapu au teint coloré, avec des yeux noisette, mouchetés de vert semblables à ceux de sa fille, et des cheveux noirs déjà clairsemés au sommet du crâne. Il les portait d'une façon depuis longtemps passée de mode, tondus court au-dessus des oreilles, avec quelques mèches collées soigneusement en travers de son crâne rose et luisant. Sa longue robe ornée de fourrure était aussi d'un autre âge, assortie d'un capuchon ainsi que l'élégance le voulait au début de ce siècle. J'écris ceci *a posteriori*, vous le savez. Je connaissais alors le monde depuis trop peu de temps pour savoir ce qui était à la mode.

Sachez pourtant que j'en eus alors une assez bonne idée en regardant le fiancé d'Alison Weaver. La chevelure auburn de William Burnett lui arrivait aux épaules et sa frange épaisse lui tombait si bas sur les yeux que c'est à peine s'il pouvait voir. Son visage glabre, rasé de près, me rappela incontinent ma propre barbe de quelques jours. Moitié pourpre et moitié rouge, son justaucorps furieusement capitonné, étroitement ceinturé à la taille et indécemment court révélait une braguette brodée de glands. Mais l'œil se fixait irrésistiblement sur ses souliers à la poulaine, taillés dans un cuir souple écarlate et dont les pointes étaient si longues qu'elles étaient attachées à ses genoux par de fines chaînes d'or. Ces pointes rendaient la marche difficile. Quelques années plus tôt, une bulle du pape avait limité leur longueur à deux pouces, sous peine de malédiction papale. Mais, au motif que la malédiction du pape ne saurait faire de mal à une mouche, les cordonniers anglais avaient ignoré cet édit et continuaient de fabriquer ces extravagantes poulaines.

Sitôt sorti de la cuisine, j'avais commencé d'entendre la voix de l'échevin.

– Si le roi Édouard sort vainqueur de la bataille qui s'annonce, des amendes seront infligées et elles seront lourdes. J'ai prévenu les autres membres du conseil du danger qu'il y avait à laisser la Française entrer dans la ville, mais ils ne m'ont pas écouté. Certains représentants ont toujours été pour la maison de Lancastre. C'est une grave erreur, à mon avis, de prendre parti ouvertement. Le pendule a beaucoup trop oscillé ces dernières années pour que chacun soit parfaitement libre de ses opinions. Attendre et voir venir, telle est ma devise, et elle est judicieuse. Nous aurions pu trouver un prétexte pour fermer les portes. La peste est toujours une raison valable. Ils ne feront pas la même folle erreur à Gloucester, croyez-m'en. Là-haut, ils ont un sens aigu de leur protection.

William Burnett marmonna sans conviction, trop occupé qu'il était à lisser le satin pourpre d'une de ses manches pour s'intéresser vraiment aux soucis de l'échevin. Alison le regardait avec admiration.

Subitement conscient de ma présence, l'échevin transféra son attention de son futur beau-fils à ma personne qu'il examina d'un œil expert et perspicace. Je soutins pendant un bon moment cet examen, attendant l'ordre de quitter sa demeure. Mais rien de tel n'arriva ; après un silence qui me parut proprement insupportable, il parla :

– Ainsi, vous êtes le colporteur dont ma fille m'a parlé. Elle m'a dit que vous savez lire et écrire. Cela pourrait être utile, ajouta-t-il pensivement, comme s'il se parlait à lui-même.

5

Je ne voyais pas comment mon aptitude à lire et à écrire pourrait être utile à l'échevin Weaver, si bien que je gardai un silence diplomatique qui n'était pas sans espoir. Il me semblait au moins que mon hébergement pour la nuit était assuré. Il n'avait pas réagi comme un homme sur le point de me jeter à la rue.

Après une autre pause, il poursuivit d'un ton douloureux :

– Alison m'a dit également que vous êtes au courant de... de la disparition de mon fils.

Je hochai la tête doucement. Il était visible que ce sujet le plongeait dans une profonde détresse. Il déglutit avec effort et une de ses mains triturait sans relâche le parement d'agneau qui bordait sa robe.

– Je... je n'approuve pas que l'on bavarde avec des étrangers et que l'on informe tous les vagabonds de mes affaires de famille. Mais, dans votre cas, il se peut que ma fille ait été avisée de faire une exception.

J'étais toujours dans l'ignorance et jetai vers Alison un regard de biais mais elle semblait aussi perplexe que moi. L'échevin poursuivit :

– Vos voyages vous mènent-ils souvent à Londres ?

– Je... je...

– Après m'être éclairci la voix, je déclarai hâtivement :

– Je n'y suis jamais allé mais j'ai l'intention de le faire. Je n'ai pas pris la route depuis bien longtemps, voyez-vous. Maîtresse Alison a dû vous dire qu'il y a peu encore, j'étais novice chez les bénédictins de Glastonbury, mais Londres est mon objectif. S'il est habile, un homme peut y faire fortune.

S'arrachant à la contemplation extasiée des glands de sa braguette, William Burnett me gratifia d'un sourire méprisant.

– Vous vous voyez sans doute comme un nouveau Richard Whittington, n'est-ce pas ? Vous ne ferez pas une fortune de cet ordre en vendant des aiguilles, du fil et des rubans dans le Cheap[1]. De plus, précisa-t-il avec une condescendance accablante, Whittington était, après tout, fils de chevalier.

L'échevin Weaver le fit taire d'un geste impatient.

– Là n'est pas la question.

Il reporta son regard sur moi.

– La question, la voici. Je veux, mon garçon, lorsque vous arriverez à Londres, que vous ouvriez bien grands vos yeux et vos oreilles au moindre indice qui pourrait concerner le sort de mon fils. Vous pouvez vous mêler à des gens que ma condition m'interdit d'approcher. Certes, je suis capable de les interroger

1. Quartier de Londres en bordure de la City, bien connu pour son marché. *(N.d.T.)*

mais ce serait vain. S'ils ont quelque chose à dissimuler, ils mentiront plus vite que le chien peut courir. En revanche, ils parleront sans contrainte devant vous. Vous surprendrez des conversations auxquelles je n'aurais jamais accès. Alors, si vous entendez quelque chose, la moindre chose, dont vous pensez qu'elle pourrait avoir le moindre intérêt, qu'elle pourrait être une très mince indication de ce qui est arrivé à Clement, allez voir mon vieil ami, Thomas Prynne, à l'enseigne de *La Tête du Baptiste*, dans Crooked Lane ; il veillera à ce que votre message me parvienne. Qu'en dites-vous ? Ferez-vous cela pour moi ?

– Oui. Oui, bien sûr, dis-je, en me demandant si le pauvre homme se rendait compte qu'il se raccrochait à des fétus de paille.

Mais à quoi d'autre aurait-il pu se raccrocher ? Il ne pouvait se tourner simplement les pouces et admettre passivement que son fils unique était mort.

– Et comme vous savez lire et écrire, poursuivit-il, vous détenez un avantage. Vous pouvez voir quelque chose... lire quelque chose...

Là, ce n'était plus seulement se raccrocher à de faux espoirs, c'était carrément s'y suspendre.

– Si je peux découvrir quoi que ce soit, j'irai aussitôt trouver votre ami Thomas Prynne, lui assurai-je. Mais je ne serai pas à Londres avant plusieurs mois. Je n'ai que mes deux jambes et dois gagner ma vie en cours de route. Je gagne mon pain dans les villages et les hameaux éloignés des routes principales, des lieux retirés dont les habitants vivent loin du plus proche marché.

A ses épaules qui fléchirent et à son air abattu, je vis que l'échevin était déçu. Il s'était imaginé que je serais à Londres dans une ou deux semaines.

– En ce cas... dit-il, tambourinant des doigts sur le bras de son fauteuil. Quel que soit le moment où vous y parviendrez, vous m'obligeriez en étant à l'affût de tout.

Il s'efforçait de faire bonne figure et mon cœur s'émut. Il était clair qu'il n'était pas homme à décharger ses humeurs sombres sur des subalternes pour une contrariété qui n'était pas leur fait. Je comprenais pourquoi ses enfants l'aimaient tant. De plus, contrairement à une pratique très répandue chez les gens de sa classe, il ne les avait pas expédiés au loin pour qu'ils fussent élevés dans la maison d'un autre. Il les avait gardés près de lui et leur témoignait de l'affection, un comportement peu commun, excepté chez les pauvres. Il sourit, me signifia mon congé et ajouta :

– Ma fille m'a dit qu'elle vous a offert un lit près du feu de la cuisine pour la nuit. Si vous en avez besoin, vous êtes le bienvenu.

Je murmurai des remerciements et repartis pour la cuisine où Marjorie Dyer s'apprêtait à porter le plat de ragoût à la salle. Le menu comprenait également un pâté de viande, des œufs de pluvier et, en plus d'un plat débordant de beignets, une coupe remplie d'amandes et de raisins. Le lait caillé n'était encore qu'à moitié pris, mais Marjorie avait sorti une assiette de tartelettes aux fruits pour clore le repas. Si tel était le souper, me dis-je, qu'ont-ils pu manger pour le dîner ?

Lorsqu'elle revint après avoir servi ses maîtres, elle, Ned Stoner et moi nous assîmes à la table de la cuisine pour nous occuper de notre propre repas. Il y avait de nouveau du ragoût et du fromage au lait de chèvre, du pain noir et des légumes printaniers du jardin. Avec des airs de conspirateur, Marjorie sortit de Dieu sait où une assiette de doucettes, fourrées de jaune d'œuf, de crème, de safran, et sucrées au miel. L'autre homme, Rob, ne s'était toujours pas manifesté.

– Qu'est-ce que l'échevin attend de vous ? demanda Marjorie après avoir satisfait aux exigences de sa faim.

Quand je le lui eus expliqué, elle poussa un soupir à faire tourner les moulins et s'essuya la bouche sur le revers de sa manche.

– Pauvre homme ! dit-elle, avant d'exprimer avec une similitude troublante le reflet de ma propre pensée. Il se raccroche à de fols espoirs. Il ne peut accepter l'idée que maître Clement est mort.

Je me tournai vers Ned.

– Lorsque vous êtes revenu à l'auberge *La Confiance* ce soir-là, avez-vous remarqué quelque indice d'une lutte ?

Il se fourra une cuillerée de ragoût dans la bouche et répondit, la voix pâteuse :

– Y pleuvait...

Il mastiqua pendant quelques secondes puis ajouta :

– ... fort.

– Vous voulez dire que la pluie aurait fait disparaître toutes traces révélatrices ?

– Juste.

Il engloutit un énorme morceau de fromage qui compromit pendant deux bonnes minutes sa capacité de converser. Après qu'il l'eut avalé et sans lui laisser le temps de remplir de nouveau sa bouche, je lui demandai d'un ton pressant :

– Il n'y avait rien du tout ? Rien qui aurait pu être arraché au vêtement de votre maître ? Un bouton, par exemple ? Une boucle ? Un lambeau de tissu ?

Ned me dévisageait, les sourcils froncés. Il me prenait manifestement pour un fou.

– Y pleuvait, répéta-t-il. J'suis pas resté à ratisser la boue. En plus, fit-il en haussant les épaules, j'avais pas lieu d'chercher, s'pas ? J'pensais qu'le jeune maître y était arrivé sain et sauf à *La Tête du Baptiste*. C'est quand j'y suis arrivé qu'j'ai su qu'y avait disparu.

Une idée venait de me frapper.

– Et les bagages de votre maître ? Il les avait avec lui ?

Ned considéra la question avec autant de gravité que si je l'avais prié de m'expliquer un théorème abstrus de mathématique. Armée d'une cuiller pleine de ragoût, sa main, pas trop propre, aux ongles cernés de noir, tremblait d'impatience devant l'entrée de sa bouche. Il finit par hocher la tête :

– Ses fontes zétaient dans la voiture, avec Miss Alison. Rob et moi, on les zavait sorties pour lui et posées par terre. Je m'souviens qu'j'les ai vues à ses pieds quand on est partis. Y d'vait les porter qu'sur une p'tite distance.

Il exprima cette dernière indication sur le mode défensif, comme s'il craignait d'être accusé d'avoir manqué à ses devoirs. Le ragoût disparut dans l'avide et vaste caverne de sa bouche. Satisfait, il se mit à mâcher lentement.

– On ne les a jamais retrouvées, elles non plus ?

– Qu'est-ce qu'vous croyez, hein ? Vidées et jetées dans la Tamise.

Marjorie poussa vers moi l'assiette de doucettes.

– Servez-vous et cessez de vous tourmenter. Vous vous agitez avec cette affaire comme un chien aux prises avec un rat.

Elle baissa le ton et se pencha en travers de la table pour saisir ma main.

– Écoutez, mon garçon, oubliez tout ça. Maître Clement est mort et ni vous ni personne n'y pouvez rien. Il est tombé parmi les voleurs, comme l'homme dans la Bible. Il est bien naturel que l'échevin s'entête à voir les choses autrement ; il espère qu'un beau jour Clement reparaîtra ici ou là. Mais il n'en ira pas ainsi et, au plus profond de son cœur, il le sait. Si vous voulez être en règle avec votre conscience, le jour où finalement vous arriverez à Londres, allez poser quelques questions à l'auberge *La Confiance*, mais ne perdez pas davantage votre temps. Il n'y a rien à découvrir et, tôt ou tard, mon maître devra accepter la vérité.

Ned signifia son accord d'un vigoureux hochement de tête, car il venait d'enfourner d'un seul coup une doucette dont le miel et la crème dégoulinaient sur son menton. A contrecœur, car l'affaire m'intriguait, je fus, moi aussi, contraint de donner mon assentiment. Marjorie tenait des propos sensés. Tout de même, un souci lancinant, que je ne parvenais pas à définir, rôdait au fond de mon esprit.

Quand le souper fut terminé et la table desservie, je sortis dans le jardin. Au-delà des murs qui l'enserraient, la ville était plus tranquille, enfin délivrée du fracas des sabots et des sonneries incessantes des trompettes. Ce qui laissait à penser que Marguerite d'Anjou et ses troupes avaient quitté la ville et repris leur marche vers le nord. Débarrassée de cette présence militaire indésirable, Bristol pourrait se retrancher dans une accalmie inquiète en attendant l'issue de l'affrontement entre la reine et le roi Édouard. Où et dans quelles conditions aurait-il lieu ? Qui en sortirait vainqueur ? Peu de gens sans doute s'interrogeaient sur ces facteurs inconnus par ce beau soir de mai. Il faut, après tout, que la vie continue.

La beauté régnait sur le jardin. Les ombres mouvantes progressaient lentement sur les parterres d'herbes et de fleurs. Un oiseau s'égosillait sur les branches du poirier. L'orage avait lavé le ciel ; bleu clair et translucide, il annonçait qu'un beau jour suivrait celui-ci. La soirée n'incitait nullement à méditer sur la violence et la mort et il était facile d'oublier le sort de Clement Weaver. D'ailleurs, Marjorie avait raison. Il n'y avait rien à faire, l'échevin demandait l'impossible. Je n'avais aucune envie, me dis-je, d'être entraîné dans ses problèmes et ferais mieux de rester en dehors de tout ça. Je me rendis aux lieux d'aisances et fermai la porte derrière moi.

Quand j'en sortis, Rob revenait par la porte du jardin ; visiblement, il avait bu. Il avait pris son souper, essentiellement liquide, à mon avis, à l'auberge au bout de la rue et tanguait légèrement de-ci de-là. Il sourit stupidement en me voyant et chaloupa jusqu'à la porte pour retrouver la chaleur de la cuisine. J'entendis s'élever les reproches bruyants de Marjorie mais quand je rentrai à mon tour, Rob était déjà pelotonné au coin du feu, la tête posée sur un de ses bras, livré au sommeil et ronflant comme un sonneur.

Ces mêmes ronflements me réveillèrent au milieu de la nuit. Je soulevai lentement la tête de ma balle qui me servait d'oreiller, et fis du regard le tour de la cuisine.

Le feu charbonnait sous les cendres et nulle lumière ne filtrait entre les lattes des volets. Je distinguai la masse informe de Ned, recroquevillé dans son coin, et dont émanait le bruit d'une respiration calme et régulière. Par contre, Rob ronflait, sifflait et s'agitait continuellement dans son sommeil ; sa bouche grande ouverte émettait par rafales une haleine puante. De là où j'étais couché, je sentais des relents nauséabonds de bière aigre.

Je me redressai et m'assis pour détendre mes membres gourds. Sans doute m'étais-je endormi dans une mauvaise position car j'avais des douleurs tout le long de la jambe gauche et des fourmillements dans le bras. Subitement, je me sentis parfaitement éveillé, une sensation que j'éprouvais fréquemment et dont je savais la raison. C'était à peu de chose près à cette heure, deux heures du matin, que j'avais pris l'habitude de traîner mon corps réticent du dortoir des novices jusqu'au chœur pour chanter matines et laudes.

Je me recouchai et m'efforçai de me rendormir. Mes yeux, pourtant, refusaient de rester clos. Je contemplai au cœur des bûches à demi effondrées la couche épaisse de cendre grise qui frémissait sous le courant d'air venu de la porte. Un monde féerique de grottes et de cavernes s'ouvrait devant moi et, chaque fois qu'une goutte de résine prenait feu, une flamme jaillissante, bleue et jaune, s'élevait dans la cheminée. Une ombre bougea : luisant, gras et ronronnant, le chat de la cuisine vint s'allonger à côté de moi, son œil farouche me défiant de seulement l'effleurer. A voir son air satisfait tandis qu'il se pourléchait, il avait très bien soupé. Une souris ou un rat avait à jamais cessé de marauder dans la farine et le blé.

Mes paupières s'alourdissaient progressivement et je me sentais glisser à la frontière du sommeil...

J'étais debout devant l'auberge *La Confiance* dont je voyais clairement les deux mains jointes[1] de l'enseigne. Il pleuvait à verse et mon pourpoint trempé collait à mon dos. Au-dessus de ma tête, haut fixée sur le mur près d'une fenêtre aux volets clos, une torche chuintait et flamboyait sur son applique, ses flammes rabattues par le vent puissant. A mes pieds, deux fontes. Je me penchai pour les ramasser, avec des gestes gauches et entravés comme si je les accomplissais dans l'eau. A l'instant précis où ma main allait les saisir, quelque chose m'arrêta. Je me redressai lentement, scrutant les ténèbres. Issu de l'obscurité, quelque chose, à moins que ce ne fût quelqu'un, venait vers moi, mais j'avais beau écarquiller les yeux, je ne pouvais rien distinguer. Je savais simplement ceci inanimé ou vivant, cet être était le mal...

Je m'éveillai en sursaut et bondis sur mes pieds, baigné de sueur. Rob ronflait encore plus bruyamment mais, cela mis à part, tout était tranquille dans la cuisine. Le chat faisait sa toilette avant de s'installer sur la jonchée pour le reste de la nuit. Les joncs sentaient le moisi. Marjorie les changerait sûrement demain. J'essayai de fixer mon esprit sur ces détails banals afin de m'arrêter de trembler. Le rêve était toujours si vivace dans mon esprit que je sentais encore flotter l'aura du mal et dus faire appel à toute ma force de volonté pour ne pas éveiller les autres.

Au bout d'un moment, je me recouchai ; cette fois, le sommeil se déroba complètement. En réalité, je me refusais à sombrer dans l'inconscience de peur que le rêve se reproduisît. Le feu n'était plus à présent qu'une lueur indistincte et le froid s'était emparé de l'âtre et de la pièce. Les ténèbres pourtant ne cédaient pas et nombreuses étaient les heures qui me séparaient de l'aube.

Une planche craqua au-dessus de ma tête, une fois, deux fois, trois fois. Je crus d'abord qu'il s'agissait de poutres qui se tassaient, comme il arrive souvent la nuit dans les maisons lorsque le froid commence à tomber. Puis je me rendis compte que

1. Selon la science héraldique, deux mains jointes sont emblématiques de la foi et de la confiance. *(N.d.T.)*

là-haut, quelqu'un se déplaçait, traversant à pas de loup la pièce juste au-dessus. Dans des circonstances différentes, je n'y aurais pas accordé la moindre importance. Les gens ont des tas de raisons de quitter leur lit pendant la nuit et ce n'était sûrement pas mon affaire. Mais j'avais les nerfs tendus à se rompre ; j'avais besoin de réconfort, de savoir que quelqu'un d'autre était éveillé dans la maison ; j'avais besoin de me débarrasser des impressions laissées par mon cauchemar. Et, par-dessus tout, j'avais toujours souffert et souffre toujours d'une curiosité insatiable. Je me levai sans bruit et me dirigeai sur la pointe des pieds vers la porte de la cuisine. Tout en gardant un œil sur mes compagnons endormis, je soulevai avec précaution le loquet, franchis le seuil et pénétrai dans l'obscurité de l'entrée. On n'entendait plus un bruit à présent et, quand une tapisserie accrochée au mur se gonfla sous l'effet du courant d'air, je bondis comme une sauterelle. Je me ressaisis vigoureusement, m'avançai à pas furtifs vers l'escalier en colimaçon qui menait au sombre deuxième étage et posai un pied prudent sur la première marche. A mon grand soulagement, elle ne craqua pas et je grimpai à pas de velours jusqu'à ce que ma tête fût au niveau du premier palier. La porte d'une des chambres à coucher était entrebâillée ; mes yeux s'étant accommodés à l'obscurité, je distinguai la silhouette d'un beau lit à baldaquin. Pas besoin d'être sorcier pour en déduire que c'était la chambre de l'échevin et que c'était sans doute lui qui s'était déplacé.

Si quelqu'un me surprend, réalisai-je soudain, rôdant dans la maison comme un voleur dans la nuit, mon affaire sera mauvaise. A juste titre. On m'avait aimablement offert un abri et j'abusais de l'hospitalité de l'échevin en l'espionnant, lui et sa famille. Pour de mauvaises raisons, de surcroît : il n'en était aucune que je pouvais m'expliquer à moi-même.

Cependant, loin de songer à repartir, je m'assis sur une marche et continuai de scruter le palier. Au bout d'un moment me parvinrent des murmures, bientôt suivis d'un autre bruit qui me parut être celui d'un baiser. Quelques secondes encore et, tel un fantôme corpulent, Marjorie Dyer apparut dans l'embrasure de la chambre, vêtue d'une ondoyante chemise blanche. Elle ferma doucement la porte derrière elle, passa sur la pointe des pieds à quelques pouces de mon visage et s'évanouit sur la seconde volée de marches qui menait à sa chambre dans les combles.

Le sang me monta violemment au visage et je maudis avec véhémence mon indiscrétion. Qu'y avait-il de plus naturel que l'échevin veuf trouvât une forme de réconfort auprès de sa gouvernante qui était aussi sa cousine ? J'avais très profondément honte de moi et entamai ma descente le plus doucement possible. Comment avais-je pu être assez stupide pour imaginer qu'un événement sinistre se déroulait ? J'en rejetai la responsabilité sur le cauchemar, encore qu'il fût difficile d'expliquer pourquoi j'avais été si terrifié. Aujourd'hui, il semble n'avoir été rien de plus qu'un rêve désagréable.

Dans la cuisine, la situation était exactement telle que lors de ma sortie. Toujours endormi dans son coin, Ned suçait son pouce ; Rob ronflait comme un ivrogne ; ni l'un ni l'autre ne s'était éveillé pour constater ma disparition. Je repris ma place près du feu quasiment mort, posai la tête sur ma balle et m'enroulai dans mon manteau pour me réchauffer. Cette fois, je n'eus aucun mal à m'assoupir ; libéré de la crainte que le rêve revienne, j'étais une fois encore au bord du sommeil quand, de nouveau, je me retrouvai parfaitement éveillé. L'idée insaisissable qui m'avait tracassé toute la soirée, harcelant mon esprit, s'était enfin frayé un chemin. Si Clement Weaver avait été assassiné par des brigands pour son argent et ses biens, hypothèse la plus vraisemblable, pourquoi ses assaillants auraient-ils pris la peine de supprimer le corps ? Ayant vidé ses poches et saisi ses fontes, pourquoi ne l'auraient-ils pas abandonné sur la chaussée ? Pourquoi ralentir leur fuite en se chargeant d'un corps ?

Plus j'y songeais plus la chose me semblait absurde. Main prompte et pied léger sont à coup sûr les attributs essentiels des bandits de grand chemin. Une fois le délit accompli, un vide-gousset ou un voleur ordinaire se serait évanoui dans l'obscurité pour retrouver le monde scélérat dont il était issu, son dédale de ruelles, de tavernes et de bordels...

La lassitude me donnait le vertige. Il me semblait qu'un temps immense s'était écoulé depuis la veille et mon départ de Whitchurch de bon matin. J'avais mal à la tête et me sentais obsédé contre mon gré par une affaire qui ne me regardait pas.

J'avais pris la grand-route pour la liberté qu'elle offre, pour vivre selon mes goûts et non pour me mêler de sombres histoires qui ne me concernaient en rien. Mais si je voulais atteindre à cet état désirable, je devais apprendre à être moins curieux.

« Moins fouineur », aurait dit ma mère, car c'était là son expression la plus sévère pour désigner mon défaut. Je croyais encore l'entendre : « Tu dois apprendre, mon fils, à ne pas fourrer ton grand nez dans les affaires des autres. »

Dans un demi-sommeil, je résolus de partir à la pointe de l'aube, avant que quiconque fût éveillé. Je secouerais derrière moi la poussière de Bristol. Avec un peu de chance, j'arriverais à l'heure du dîner au village de Keynsham.

Deuxième partie

SEPTEMBRE 1471
CANTORBÉRY

6

Le tombeau du saint étincelait de centaines de pierres précieuses, incrustées si près les unes des autres qu'elles dissimulaient pour ainsi dire l'or dont elles étaient serties. Le cilice de saint Thomas Becket[1] était suspendu au-dessus du tombeau ; à gauche murmurait une petite source dont on avait vu couler du lait et du sang. Derrière, la crypte renfermait une des épées qui avaient tué l'archevêque ; dans le chœur, orné de plus de joyaux encore et de grosses perles laiteuses, se trouvait une peinture de la Vierge qui, disait-on, avait parlé au saint de son vivant. L'énorme rubis spinelle, le Royal de France, donné par le roi Louis, septième du nom, scintillait comme du feu liquide et les chandelles faisaient jaillir des étincelles des saphirs et des diamants.

La grande cathédrale, où Thomas Becket avait subi le martyre trois siècles plus tôt, abritait bien d'autres reliques : les ongles et le bras droit de saint George, quelques saintes épines qui avaient transpercé le front du Christ, une dent de Jean-Baptiste, un doigt de saint Urbain et la lèvre supérieure d'un des Saints Innocents. Même moi, tout récemment arrivé de Glastonbury, le plus vieux sanctuaire chrétien d'Angleterre, j'étais bouleversé par la sainteté du lieu et par la dévotion impressionnante des pèlerins.

Pendant la dernière partie de mon voyage, j'avais suivi à ma façon la route des pèlerins ; je l'avais rejointe après avoir quitté Southampton où j'étais allé refaire mon assortiment de marchandises, me fournissant auprès des bateaux qui relâchaient dans le port et au marché de High Street, près de l'église St Lawrence. En achetant en vrac aux grossistes, j'obtenais des prix

1. Archevêque assassiné en juillet 1170, sur ordre de Henri II Plantagenêt, dans le transept nord de la cathédrale et canonisé deux ans plus tard. *(N.d.T.)*

intéressants que j'augmentais du penny nécessaire à mon bénéfice quand je vendais aux habitants de villages et de hameaux reculés. Une existence plus rude que je ne prévoyais quand j'avais entrepris mes premiers périples. J'avais dormi aussi souvent sous les haies ou dans des granges venteuses que dans l'hôtellerie, au confort à peine moins spartiate, d'une abbaye ou d'un prieuré. Néanmoins, tout en sachant fort bien que j'avais bénéficié jusqu'ici de la belle saison et que l'hiver m'attendait, je n'aurais pas troqué cette existence contre la sécurité de quatre murs.

– Vous pousserez un autre refrain, l'ami, m'avait dit un soir un compagnon de route, quand les chemins seront bloqués par la neige ou couverts de verglas, et que les femmes n'oseront plus mettre le nez hors de la maison.

C'était un prêtre défroqué, renvoyé de sa paroisse pour quelque méfait et contraint de mendier sa vie de porte en porte. La nuit était mauvaise, je m'en souviens, et, pour nous soustraire à la pluie, nous avions cherché refuge dans une étable. Si le propriétaire nous avait surpris, il nous aurait à coup sûr chassés. Mais les vaches, déjà traites, n'avaient pas meuglé l'alarme et ruminaient sereinement leur bol alimentaire en nous considérant de leurs yeux solennels et indifférents.

Je n'avais pas de regrets, pas même dans ces rudes conditions, tandis que résonnait encore à mon oreille le discours pessimiste de mon compagnon. Je m'accommoderai de l'hiver quand il viendra, m'étais-je dit, en sortant de la sacoche suspendue à ma taille le pain et le fromage que j'avais partagés avec le défroqué au triste langage. Puis nous nous étions mutuellement égayés pendant cette nuit de sommeil entrecoupé en échangeant des anecdotes gaillardes sur l'Église et les hommes d'Église.

Mais en ce moment, dans le lieu consacré de Cantorbéry, j'avais honte de ma grivoiserie, et un sentiment fugace, proche de la nostalgie pour ma vie d'autrefois, me submergea. J'aurais voulu de nouveau être un frère de Glastonbury et me sentir assuré de l'amour du Christ. Je regardai le visage de la Vierge peinte, en quête d'un signe de l'approbation divine à propos de la décision que j'avais prise de quitter l'abbaye.

– Sainte Mère, priez pour moi, maintenant et à l'heure de ma mort.

Je me signai. A cet instant, je pris conscience d'une silhouette agenouillée à ma droite, vêtue de noir de la tête aux pieds, le visage dissimulé sous un voile épais. A côté de cette suppliante inconnue, légèrement en retrait, une jeune fille se tortillait, cherchant à soulager l'inconfort de ses genoux sur la pierre froide. Elle aussi portait le deuil, mais un grand deuil qui excluait l'éclat d'une croix d'or et d'un rosaire de jais, tel celui qui entourait le cou de la femme. De toute évidence, elles étaient maîtresse et servante.

Un courant d'air venu d'on ne sait où souleva le voile de la femme et je me crus aussitôt de retour à Bristol quand, cinq mois plus tôt, par un beau jour de mai, j'avais vu Anne Neville et Marguerite d'Anjou chevaucher dans Corn Street. A l'époque, elles étaient mère et belle-fille ; aujourd'hui, leur sort à toutes deux s'était modifié de façon irréversible. Car l'affrontement des armes que tous attendaient avait en fait eu lieu deux jours plus tard, à Tewkesbury, et le roi Edouard avait été victorieux. Édouard de Lancastre, fils de Marguerite et jeune mari d'Anne Neville, avait été tué pendant la bataille, bien que nos soi-disant historiens puissent vous assurer le contraire. Il ne fut pas assassiné plus tard par Richard de Gloucester, pas plus que ne le fut son père ; bien que Henri Plantagenêt eût été indéniablement mis à mort dans la Tour, sur les ordres du roi, Édouard et son Conseil auraient beaucoup souhaité que nous croyions que le pauvre homme mourut « de pur déplaisir et de mélancolie ». Marguerite d'Anjou était à l'époque prisonnière du roi tandis que sa belle-fille avait été rendue à sa sœur, Isabel, et vivait dans la maison du duc de Clarence dont elle était l'hôte respecté.

Je dois le rappeler ici : j'étais alors beaucoup moins au courant des événements qui se succédaient dans le vaste monde que mon récit le laisse penser ; mais, naturellement, je recueillais chemin faisant des bribes d'informations, surtout les plus importantes, telle l'issue de la bataille de Tewkesbury. Et même si je l'avais encore ignorée, je l'aurais forcément apprise à Cantorbéry où l'on parlait toujours des splendeurs de la visite estivale du roi Édouard, venu rendre grâces dans le sanctuaire de saint Thomas, non seulement pour sa victoire mais aussi pour la naissance de son fils, qui avait vu le jour dans le sanctuaire de Westminster pendant son exil.

Le rappel de ces événements réveilla le souvenir des Weaver auxquels, je dois l'admettre, j'avais bien peu pensé au cours des mois écoulés. L'épisode m'apparaissait irréel et distant, comme une chose survenue il y a très longtemps à quelqu'un d'autre. Je me souvins non sans remords que j'avais promis à l'échevin d'entreprendre des recherches concernant son fils quand j'arriverais à Londres. Mais, alors que la capitale continuait de m'attirer et demeurait mon objectif, je n'y étais pas encore parvenu. Toutefois, j'avais bien l'intention de m'y rendre quand je quitterais Cantorbéry ; savoir si, une fois là-bas, je tiendrais ma parole de rechercher Clement Weaver était une autre paire de manches. L'entreprise semblait à présent non seulement impossible mais vaine ; une perte de temps que je pouvais difficilement me permettre. Sa disparition datait à présent de dix mois et, de toute façon, qu'y avait-il à trouver que son entourage n'avait déjà découvert ? Plus j'y pensais et plus la promesse faite à son père me semblait absurde. J'étais sûr qu'après un tel laps de temps, l'échevin me pardonnerait.

La femme proche de moi s'était relevée et se préparait à sortir ; ce faisant, elle se rapprocha de sa domestique. La jeune fille intercepta mon regard ; elle abaissa comiquement les coins de sa bouche et sa grimace me signifiait à la fois qu'il n'était pas vraiment facile de s'entendre avec sa maîtresse et qu'elle y était résignée. De fait, la dame irritée se battait contre les plis de sa robe qu'elle lissa et disposa d'une main malhabile et agitée avant de se joindre à la multitude de pèlerins qui s'efforçaient de quitter le chœur. La jeune fille la suivit docilement et se retourna pour me sourire avant de disparaître dans la cohue. J'en gardai l'image d'un nez retroussé, de prunelles bleues et brillantes bordées de cils noirs comme le jais, et de cheveux foncés et bouclés, à en juger par les frisettes qui s'échappaient de son capuchon. Les vêtements noirs qu'elle portait rehaussaient la blancheur de sa peau. Son comportement donnait à penser qu'elle était d'un naturel joyeux, difficile à réprimer ; quant à ses manières, elles étaient pour le moins engageantes. Quel dommage, pensai-je, que je ne puisse en profiter car, selon toute vraisemblance, jamais nous ne nous reverrions. J'ignorais son nom, celui de sa maîtresse et le lieu où elles habitaient. Et puis, il fallait que je gagne ma vie et me remette à frapper aux portes.

On pouvait se faire pas mal d'argent à Cantorbéry où l'arrivée permanente de pèlerins venus de tout le pays entraînait un afflux incessant d'argent dans les poches des citoyens de la ville. On y trouvait plus de tavernes et de gargotes que dans les autres villes de cette importance que j'avais déjà traversées. Et beaucoup plus de désordres aussi ; il était rare que les rues fussent tranquilles. Des disputes éclataient fréquemment entre les intérêts cléricaux et séculiers de la ville ; entre le maire et l'archevêque, les clercs et les laïcs. Ils se querellaient à tout propos : les droits sur l'eau, le marché aux poissons, les autorités auxquelles il revenait d'arrêter les malfaiteurs, les immunités ecclésiastiques et le contrôle du commerce. C'était chose courante que de voir plusieurs bagarres quotidiennes dans les rues de Cantorbéry et l'on n'y jouait pas que des poings. J'y ai passé moins d'une semaine et j'ai vu plusieurs fois dégainer des poignards. Mais l'attitude des Anglais a toujours été anticléricale. Ils n'ont jamais accepté la puissance de Rome. Avant de quitter la cathédrale, je retournai près de la tombe de saint Thomas et m'agenouillai devant elle pour le prier. Je veux dire par là pour implorer son intercession auprès de notre Père qui est dans les cieux car j'avais abandonné la vie religieuse. Mais, Dieu sait pourquoi, les mots ne venaient pas. Je n'étais pas vraiment contrit. Au lieu de prier, je me demandai à quoi cela pourrait bien ressembler d'être mort depuis des centaines d'années, lorsque ma chair pourrissante, seule demeure que mon âme eût connue, se détacherait de mes os. Je me souviens avoir croisé les bras sur ma poitrine pour y chercher le soutien solide de ma peau et de mes os. Je m'imaginai gisant dans la terre froide tandis que le tourbillon des siècles se déploierait au-dessus de ma tête. Mais mon imagination était incapable de concevoir cet amoncellement d'années qui tisseraient leurs motifs sans cesse changeants tandis que moi, jadis si vivant, je retournerais en poussière...

Comme un chien qui s'ébroue au sortir de l'eau, je secouai mes sombres pensées et j'émergeai quelques minutes plus tard dans les rues affairées et dans la beauté fragile et cristalline d'un jour d'automne. Le ciel était d'un bleu délicat, qui se diluait à l'horizon en un vert doux et pâle, et le soleil de septembre me réchauffait le dos. J'étais vivant, j'étais jeune. Ma vie s'étendait devant moi. Rien d'autre ne comptait.

Je revis la jeune fille le lendemain.

J'avais fait de bonnes affaires dans la matinée : ventes

d'aiguilles, de fils, de rubans et surtout d'une coupe d'armoisin que j'avais achetée à bon compte au marché de Southampton et revendis près du double du prix que je l'avais payée. L'heure du dîner était passée ; j'avais faim et j'achetai dans une gargote deux pâtés à la viande que j'emportai sur les quais de la Stour. Je les dévorai, regrettant de ne pas m'en être offert un troisième, puis remplis ma gourde de cuir à la rivière et fis descendre mon repas à grand renfort d'eau claire et fraîche ; la bière d'Adam est parfois presque aussi délectable que la vraie.

Hors les murs de la ville, tout était plus serein et j'avais choisi un coin écarté, sous des saules pleureurs. La rivière étincelait sous le soleil, et l'odeur froide et piquante du début de l'automne imprégnait les lieux. Une brise légère faisait onduler les herbes vertes et argentées et, de l'endroit où j'étais assis, je voyais la route qui menait à la porte ouest. Deux cavaliers y passaient ; leurs montures, la robe trempée de sueur luisant comme du métal poli, soufflaient puissamment par leurs naseaux frémissants et mâchonnaient leur mors car on les avait mises au pas à l'approche de la ville. Ce fut le seul signe de vie que je perçus pendant un bon moment et je commençais à somnoler. Les nuits précédentes, depuis que j'étais à Cantorbéry, j'avais couché dans le dortoir de l'hôpital d'Eastbridge dont les autres hôtes n'avaient pas été d'aimables compagnons. Aux inévitables ronflements et sifflements auxquels on a droit en ces gîtes, s'ajoutait la toux pénible dont un homme était affligé. A peine m'étais-je endormi, sembla-t-il, qu'il se remit à tousser violemment, avec une persistance qui réveilla le reste des dormeurs et précipita dans un état de fureur noire deux pauvres bougres insomniaques. La nuit précédente, c'était grâce à mon intervention que le malheureux avait échappé à une raclée. Bref, pour cette raison ou pour une autre, j'étais fatigué et, avant même de savoir ce qui m'arrivait, je sommeillai...

Réveillé par une main posée sur mon épaule, je tressaillis, bondis et me sentis très bête. Et plus bête encore quand je reconnus devant moi la jeune fille rencontrée à la cathédrale. La veille, je l'avais trouvée jolie mais, cet après-midi, ayant troqué ses vêtements de deuil pour une robe de couleur, elle était ravissante. Le bleu de sa robe, teinte à la maison, rivalisait avec celui de ses yeux, et elle s'était débarrassée de son capuchon, révélant une chevelure luxuriante, plus sombre et plus bouclée que je n'avais imaginé.

Le capuchon était dans son panier parmi les fleurs qu'elle avait cueillies : des herbes aux puces, légères, à l'épi un peu aplati, et quantité de fleurs connues, tels les caille-lait, dont les têtes jaunes inclinées s'accrochaient étroitement aux longues tiges pâles. Je me souvins que ma mère ramassait les mêmes plantes ; les premières, qu'elle faisait brûler, dégageaient une fumée âcre qui tuait les mouches ; les secondes, elle les faisait bouillir, utilisant les fleurs pour concocter une teinture et extrayant des tiges et des feuilles une substance qu'elle employait pour remplacer la présure.

La jeune fille s'assit près de moi et retira ses chaussures et ses bas pour plonger ses pieds dans l'eau.

– C'est délicieux, murmura-t-elle au bout d'un moment en se tournant vers moi pour m'adresser un sourire provocant. Mes pieds étaient si chauds ! Si las !

– Il fait très chaud, murmurai-je plus bas encore, ne sachant quelle autre réponse convenait.

Je n'étais pas habitué à ce que des filles se déshabillent devant moi et, dans mon désarroi, je rougis.

Elle le vit, bien sûr, et gazouilla de plaisir.

– J'ai l'impression que vous êtes gêné. Un beau grand garçon comme ça ! N'avez-vous jamais eu de tendre amie ?

Elle pencha la tête de côté pour m'observer.

– Non, je ne crois pas, conclut-elle avec une franchise qui me coupa le souffle. Aimeriez-vous les garçons, par hasard ? Je veux dire au lieu des filles.

– Non ! Non ! Bien sûr que non ! balbutiai-je avec véhémence.

Je savais que de telles mœurs existaient ; elles avaient eu cours à Glastonbury chez les moines, bien qu'elles méritassent l'anathème dans l'Église et que la sodomie fût punie de mort. (Les supérieurs des ordres cloîtrés fermaient souvent les yeux sur de telles infractions ; étaient-ils sages ou non, qui peut le dire ? Je ne suis certainement pas habilité à porter un jugement.) Non, ce n'était pas la chose en soi qui me choquait mais la découverte qu'une femme, une si jeune femme, connût ces pratiques et fût, de surcroît, disposée à en parler ouvertement.

– Alors, tout va bien, décida-t-elle, en reculant sur son

postérieur pour se retrouver tout près de moi, ses petits pieds couverts d'une myriade de gouttelettes étincelantes.

– Embrasse-moi, ordonna-t-elle en riant gaiement de mon expression horrifiée. Allons ! Je t'en défie !

Comment aurais-je pu résister à une telle invitation ? Je penchai la tête vers la sienne et fis selon ses instructions. Ses lèvres étaient douces et complaisantes ; je leur trouvai un goût de sel. Aussitôt, elle joignit ses bras autour de mon cou et me rendit mon baiser avec passion. De pure surprise, je tombai à la renverse sur l'herbe et son corps mince et agile se pressa ardemment contre le mien ; quelque temps plus tard, je me rassis, hors d'haleine et pantelant.

Ce fut ainsi que je perdis mon pucelage à l'âge avancé de dix-neuf ans, alors que beaucoup de mes contemporains pouvaient se targuer d'avoir déjà procréé un, si ce n'est deux bâtards. Quant à ma partenaire – mais je ne m'en rendis pas compte sur-le-champ –, elle n'avait rien à perdre.

Tout en remettant de l'ordre dans mes vêtements, je lui dis, consterné :

– Je ne connais même pas ton nom.

– Je m'appelle Élisabeth, dit-elle en pouffant, mais la plupart des gens disent Bess.

Pour la seconde fois de la journée, je pensai aux Weaver. La jument de Clement Weaver s'appelait Bess, celle qui avait perdu un fer à Paddington. Ma conscience, de nouveau, me tourmentait.

– Quel est le tien ? demanda la jeune fille.

Puis, voyant mon regard vide, elle répéta impatiemment :

– Je te demande comment tu t'appelles, grand nigaud !

– Ah ! Oui... Roger.

– Roger le colporteur, c'est ça ?

Elle s'étendit sur le dos, appuyée sur ses coudes, parfaitement détendue, comme si ce qui venait de se passer était pour elle chose quotidienne. Je pense que c'était le cas. Non, pas tous les jours, bien sûr ; c'était peut-être un peu exagéré. Mais, depuis, j'ai rencontré à de nombreuses reprises des femmes comme elle, dont les yeux avaient la même expression avide et langoureuse à la fois, insatisfaite et toujours en quête de satisfaction. Certaines d'entre elles étaient de tristes créatures, mais pas Bess : elle débordait de vitalité, d'ardeur et, surtout, de curiosité.

Elle commença par m'assaillir de questions sur mon âge, ma famille, le comté dont je venais. Avant même de m'en rendre compte, je racontai la courte histoire de mon existence. Quand j'eus terminé, je déclarai :

– A toi de raconter ta vie. A moins que tu ne sois une femme mystérieuse.

L'air chagrin, elle secoua la tête, faisant danser ses boucles noires.

– Non, mais j'aimerais tellement ça ! Je voudrais être très belle, très riche et vivre à Londres. Le roi me remarquerait et ferait de moi sa maîtresse.

Si ce qu'on dit est vrai, tu aurais beaucoup de rivales, ironisai-je, tandis que le souvenir me ramenait dans la cuisine des Weaver où Marjorie se pâmait : *« Les femmes en étaient folles. Je crois savoir que quelques maris furent cocufiés au cours de sa visite. »*

Bess rejeta la tête en arrière :

– Une nuit avec moi et il oublierait les autres, déclara-t-elle avec l'arrogance de la jeunesse. De toute façon, poursuivit-elle en haussant les épaules et pointant le menton en avant, ça ne risque pas d'arriver. Du moins, pas avant longtemps. Pour le moment, je dois m'arranger des gars d'ici et des beaux et bizarres individus de passage.

Avec ces derniers mots, elle me dédia, sous ses cils abaissés, un regard en coulisse. Puis soupira :

– Non, pour le moment je ne peux que servir milady et feindre d'être toute dévouée à ses intérêts.

– Qui est cette milady ? demandai-je. Pourquoi est-elle en deuil ?

Bess répondit d'abord à la seconde question.

– Elle porte le deuil de son père qui est mort le mois dernier. Son père était Sir Gregory Bullivant, un parent lointain de l'archevêque Bourchier. C'est pourquoi la famille occupe un rang si élevé dans la société à Cantorbéry. J'ai eu de la chance d'obtenir une place chez milady ; c'est du moins ce que ma mère me dit.

– Et son mari ? Mais peut-être n'est-elle pas mariée.

Pour la première fois bien sûr, nous nous connaissions depuis peu –, Bess hésita et parcourut des yeux les rives en pente, les arbres nimbés de la brume dorée de l'automne et les premiers chatoiements rouges et bronze épars sur la verdure de l'été. Après un moment de silence, son regard revint vers moi.

– Oh, elle est mariée. Du moins...

Elle hésita de nouveau avant de poursuivre :

– L'époux de milady est Sir Richard Mallory, un chevalier du comté. Ils se sont mariés il y aura quatre ans à Noël ; pour autant qu'on puisse le savoir, ils étaient très heureux. Ce qui a rendu la chose d'autant plus surprenante, je pense.

– Quelle chose est d'autant plus surprenante ? demandai-je vivement car j'avais surpris sur son visage les signes annonciateurs de la rêverie.

– Quoi ? Oh...

Bess se pencha tout à coup en avant, étreignant ses genoux :

– Sa disparition a été d'autant plus surprenante.

7

Le silence était si profond qu'une poule d'eau estima pouvoir quitter son nid, en contrebas de la rive, et prendre le large. Elle était tellement près que je distinguais le lustre bleu-vert de son poitrail et les mouvements saccadés de sa tête tandis qu'elle s'éloignait paisiblement.

– Que veux-tu dire ? demandai-je enfin à Bess. Le mari de ta maîtresse l'a-t-il quittée ?

Bess, qui avait fermé les yeux pour les protéger du soleil, releva ses lourdes paupières en amande pour me regarder.

– D'une certaine façon, oui, dit-elle. Il est parti pour Londres il y a deux mois et n'est jamais revenu. Milady et le père de milady – Sir Gregory était encore de ce monde – ont envoyé des hommes pour s'enquérir de lui mais ils n'ont pas trouvé trace de Sir Richard. Il a quitté l'auberge *La Confiance*, où il logeait, pour rentrer chez lui et personne ne l'a revu.

Elle pencha la tête de côté, d'un air inquisiteur :

– Eh ! Qu'est-ce qui t'arrive ? On dirait que tu viens de croiser un fantôme.

D'une certaine manière, elle n'avait pas tort c'était le fantôme de Clement Weaver.

Parmi toutes les filles dont j'aurais pu faire la connaissance à Cantorbéry, j'étais tombé sur Bess. Les uns parleront de coïncidence, d'autres de la Divine Providence. Les souvenirs qui, la veille déjà, m'étaient revenus à la mémoire et cette rencontre m'inclinaient à opter pour le second point de vue, bien que j'éprouvasse une forte répugnance à l'admettre et malgré la violence avec laquelle j'avais combattu cette notion. Bess m'avait été envoyée dans un dessein autre que celui de faire la preuve de ma virilité.

Si j'avais suivi ma propre inclination, je ne l'aurais pas questionnée davantage, je lui aurais fait de nouveau l'amour avant de poursuivre mon chemin. Mais, étendu là sur l'herbe odorante, je sentis que Dieu attendait de moi quelque chose en retour du pardon qu'Il m'offrait de mon abandon de la vie religieuse. Je devais canaliser ma curiosité naturelle dans le but de combattre le mal. Il n'y avait pas d'échappatoire.

– Pourquoi Sir Richard est-il allé à Londres ? demandai-je.

Bess s'avança vers la rive et plongea ses pieds nus dans la rivière. Ses boucles bondissantes cascadaient sur son dos et ses épaules.

– Pour présenter ses hommages au roi Édouard et le féliciter de la victoire de Tewkesbury. Il était pris de fièvre quand le roi et ses frères sont venus cet été.

– Ton maître était partisan des York ?

– Bien entendu. Je te l'ai dit : la famille de milady est lointainement apparentée au cardinal Bourchier. Et comme l'archevêque est lui-même un fidèle de la mère du roi Édouard, la duchesse d'York, il n'y a jamais eu de conflits de loyauté dans notre maison. Milady n'aurait jamais épousé un partisan des Lancastre.

– Qui est allé à Londres avec Sir Richard ?

Bess tourna promptement la tête pour me dévisager par-dessus son épaule.

– Tu es bien curieux.

– Tu as éveillé mon intérêt. Un homme heureux en ménage ne quitte pas subitement sa femme. Qui est parti avec lui ? répétai-je.

– Juste son domestique, Jacob Pender. Il a disparu avec son maître.

– Ce Jacob Pender était-il marié, lui aussi ? fis-je en fronçant les sourcils.

Elle eut son petit rire semblable à un gazouillis.

– Non. Il avait juré de ne jamais se marier. C'était un bon amant. Autrement plus expérimenté que toi ! dit-elle, les yeux scintillants.

De nouveau, je me sentais rougir. Elle était vraiment incorrigible. Si elle n'y prenait garde, elle pourrait avoir des ennuis un de ces jours et se faire jeter dehors. Mais avec elle, les remontrances seraient vaines. Elle ne m'aurait pas écouté. Pourquoi l'aurait-elle fait, d'ailleurs ?

– Tu dis qu'ils logeaient à l'auberge *La Confiance*.

– C'est ce que milady m'a dit. Le propriétaire est cousin d'un protégé du duc de Clarence, et compte tenu des alliances royales des Bullivant...

Elle s'interrompit, ses yeux plissés m'encourageant à rire avec elle des prétentions et de la vanité des grands.

Mais j'étais trop préoccupé par mes pensées.

– Sais-tu si cette auberge se trouve dans un lieu appelé Crooked Lane, près de Thames Street ?

Bess pivota pour me regarder en face, repliant ses pieds sous sa jupe, sans souci des taches qu'y feraient l'herbe et la boue.

– C'est exact. J'ai entendu milady le répéter maintes fois depuis la disparition de son mari. Finalement, Sir Gregory est parti lui-même à la poursuite de son gendre – on dit que ce voyage a hâté sa fin – et ils en avaient discuté la nuit qui précéda son départ. Je me rappelle vaguement milady qui disait : « Crooked Lane, près de Thames Street. » Mais toi, comment le sais-tu ?

– J'en ai entendu parler, répondis-je lentement. Et aussi de l'auberge *La Confiance*. Ainsi, Sir Gregory a échoué.

Ce n'était pas une question, puisqu'elle m'avait déjà donné la réponse, et je repris :

– Crois-tu que tu pourrais convaincre ta maîtresse de me recevoir ?

– Te recevoir ? Mais qu'as-tu à voir là-dedans ?

– Il se peut que j'aie quelques informations susceptibles de l'intéresser. Oh, non ! je ne sais pas plus que vous ce qui est arrivé à Sir Richard mais j'aimerais entendre le récit de sa propre bouche...

– Tu aimerais entendre...

Bess ébauchait un sourire incrédule, mais quelque chose sur mon visage dut lui donner à réfléchir, car le sourire disparut et elle me considéra pensivement pendant un moment.

– Je pourrais être en mesure de la convaincre, m'accorda-t-elle, à condition bien sûr que je sache toute l'histoire et ce que tu as à lui dire.

J'hésitai mais peu de temps. Il n'y avait aucune raison qu'elle ne le sût pas et, de toute façon, il était manifeste que satisfaire sa curiosité était le prix de sa coopération. Et je lui devais quelque chose. Je tapotai le petit creux herbu où elle était assise auprès de moi avant de se rapprocher de l'eau.

– Viens là, dis-je. Je vais tout te raconter.

Le manoir, qui avait été la demeure de Sir Richard Mallory et que sa femme habitait toujours, était à faible distance des murs de la ville, au sud, sur la route de Douvres. J'y arrivai le lendemain en fin de journée.

Un message m'était parvenu tôt le matin à l'hôpital d'Eastbridge, porté par un domestique de Lady Mallory, circonstance qui avait profondément impressionné mes compagnons de la nuit.

– Milady dit que vous devez venir ce soir, après le souper.

L'homme m'avait ensuite expliqué comment m'y rendre, encore que n'importe qui eût pu m'indiquer la route, avait-il ajouté. Tous les citadins connaissaient le manoir de Tuffnel.

Ç'avait été de nouveau un jour splendide, vraiment chaud pour la mi-septembre. Seules les feuilles jaunissantes et l'air soudain piquant de la nuit et du matin annonçaient que l'hiver nous arriverait bientôt. Le soleil qui brillait encore haut dans le ciel avait un bon bout de chemin à faire avant d'atteindre l'horizon. Ce jour encore, j'avais bien travaillé au marché et il me faudrait bientôt réassortir ma marchandise. J'avais de l'argent en poche, l'estomac plein et me sentais satisfait de moi ; si satisfait et content que je me demandai en chemin pourquoi je me laissais embarquer une fois de plus dans cette affaire de l'auberge *La Confiance*. Mais je connaissais la réponse à cette question. Dieu avait parlé.

Ce savoir ne m'empêchait pas, bien sûr, de douter parfois des intentions de Dieu, voire même de Sa sagesse ; autre raison pour laquelle j'avais senti la nécessité de quitter Glastonbury et pour laquelle aussi l'abbé Selwood n'avait pas cherché à m'en décourager.

– La foi doit être absolue, m'avait-il dit avec sévérité.

Pour moi, elle ne l'avait jamais été. J'avais toujours trouvé indispensable de discuter avec Dieu de temps à autre, même si, pour finir, Il avait toujours le dernier mot.

Le manoir de Tuffnel s'élevait au centre de trois grands champs, divisés en bandes par des billons de mottes de gazon et labourés par les serfs et les paysans qui travaillaient le domaine. Alors que je passais devant leurs masures, deux hommes rentraient chez eux, ramenant des bois un porc efflanqué qui avait fougé tout le jour au milieu des glands et des faînes. Le manoir de deux étages était ceinturé d'une douve que je franchis par un pont-levis. Ses murs n'étaient pas entièrement crénelés mais présentaient des meurtrières étroites qui dominaient l'eau. Ils entouraient une cour intérieure où Bess guettait avec impatience mon arrivée.

– Tu es en retard, dit-elle. J'avais peur que tu ne viennes pas et, après tout le mal que je me suis donné pour convaincre milady de te recevoir, j'aurais passé pour une imbécile si tu n'étais pas arrivé.

Son attention se déplaça sur le régisseur qui, sorti d'une porte éclairée à l'autre bout de la cour, fondait sur nous, très agité.

– Tout va bien, Robert. Milady attend le colporteur.

L'homme renifla et me toisa de la tête aux pieds avant de me dévisager avec suspicion.

– On ne m'a pas averti, protesta-t-il.

– Milady ne vous dit pas tout, répondit Bess effrontément.

Elle lui décocha un sourire enjôleur mais ses ruses n'avaient pas prise sur le régisseur.

– Si tu en es sûre, suivez-moi. Milady est dans son solar[1].

– Je sais. Elle y est depuis l'heure du souper. Et il est inutile que vous nous accompagniez. J'ai ordre de lui amener moi-même le colporteur.

Robert parut vexé, mais je dois dire à son crédit qu'il ne

1. Dans les anciens manoirs anglais, pièce privée où les propriétaires pouvaient se retirer, loin de la bruyante salle commune. *(N.d.T.)*

discuta pas ; haussant les épaules, il s'écarta pour nous laisser passer.

Bess me saisit la main en pouffant de rire.

– Il se prend pour Dieu sait quoi. Et il est entiché de milady ; depuis la disparition de Sir Richard, ses espoirs sont à la hausse.

Elle me fit entrer dans le grand hall puis monter un étroit escalier en colimaçon jusqu'au solar de Lady Mallory à l'étage supérieur. En dépit de la lumière du couchant et de la chaleur du jour qui n'était pas encore tombée, un feu brûlait dans la cheminée, et le parfum des fleurs mêlées aux joncs qui parsemaient le sol était presque suffocant. Couché près de la fenêtre, un vieux chien-loup leva la tête quand j'entrai et flaira l'air, plein d'espoir ; puis, s'étant rendu compte que je n'étais pas son maître, il se recoucha, tristement résigné.

Lady Mallory aussi leva la tête pour me regarder, mais avec une hostilité nettement supérieure à celle du chien. De toute évidence, bien qu'elle eût accepté de me voir, elle était contrariée d'être redevable envers un individu aussi bas placé qu'un colporteur. Au-dessus de la robe noire, sa pâleur était frappante ; mais je soupçonnai que le chagrin causé par la mort de son père n'était pas seul responsable de ce teint livide. Elle était par nature une créature au sang froid et, de surcroît, elle blanchissait sa peau avec des onguents. Ses sourcils épilés se réduisaient à un trait filiforme et sa chevelure était rasée bien au-delà de son front afin que pas une mèche ne s'échappât de la prison de gaze empesée sous la coiffe de brocart. Ces artifices donnaient à son visage l'apparence d'un masque mais telle était alors la mode parmi les grandes dames ; elle les distinguait de leurs inférieures. C'était aussi l'effet poursuivi et manqué de peu par Alison Weaver.

Pendant les longs moments où je fus contraint de piétiner les jonchées, je notai aussi que la robe de Lady Mallory était en soie et que les extrémités de sa ceinture étaient de rubis et de saphirs sertis d'or. Ses autres bijoux – broche, bagues, bracelet et rosaire – étaient tous en jais, comme il convenait à son état de veuve, mais elle n'avait pu résister à la tentation d'orner sa personne de quelques pierres précieuses. Je vis en elle une femme hautaine, orgueilleuse et opiniâtre qui faisait grand cas – plus qu'ils ne le méritaient, sans doute – de ses liens ténus avec la famille royale ; en conséquence, elle étalait avec ostentation sa fortune et son rang. Son mari sans nul doute avait cédé aux mêmes penchants : il s'était précipité à Londres pour présenter ses félicitations à un roi qui, très probablement, ignorait son existence. Sir Richard avait peut-être voyagé avec un seul domestique pour aller plus vite et plus commodément, mais en s'arrangeant pour faire sentir à chacun qu'il était un homme fortuné. Et, à ses yeux, du moins, un homme important.

Ma pensée revint à Clement Weaver, moins élevé dans l'échelle sociale que Sir Richard Mallory, chevalier, mais dont le père était aussi riche, et qui portait sur lui une forte somme d'argent. Et ces deux hommes avaient disparu après avoir été en contact avec l'auberge *La Confiance* : Sir Richard y avait séjourné, selon Bess, et Clement était descendu de la voiture de son oncle devant l'auberge. Il ne s'agissait sûrement pas d'une simple coïncidence.

– Pour l'amour du ciel, assieds-toi ! m'intima la voix tranchante de Lady Mallory, rompant le fil de mes pensées. Tu me déranges à rester ainsi piqué devant moi. Combien mesures-tu ?

Puis sans attendre ma réponse, elle appela :

– Bess ! Apporte un tabouret pour ton ami.

Il y avait du mépris dans la façon dont elle prononça ce dernier mot et le sang me monta aux joues, mais je murmurai humblement un remerciement et repliai mon long corps pour le poser sur le tabouret tripode que Bess m'apportait.

– Il est on ne peut plus aimable de la part de Madame de me recevoir.

De tout ce que j'avais appris ces derniers mois, la leçon primordiale était ceci : s'il faut lécher les bottes de quelqu'un, il faut le faire bien. Les assoiffés de pouvoir et de flatterie ne se contentent pas de demi-mesures.

– J'apprécie infiniment votre complaisance.

Les manières glaciales de Lady Mallory commencèrent à se dégeler et, pour la première fois depuis mon entrée dans le solar, elle remarqua que j'étais propre et que j'étais plaisant. J'ignore quel était son âge ; elle n'était pas jeune – trente printemps, je dirais – mais pas assez vieille pour n'être déjà plus attirée par les hommes. Ses lèvres minces esquissèrent un sourire.

– Ma femme de chambre me dit que tu connais une autre personne qui a récemment disparu de l'auberge *La Confiance*, à Londres. Elle m'a donné sa version confuse de cet événement

– du coin de l'œil, je vis Bess faire la grimace –, mais je souhaiterais entendre l'histoire de ta bouche. Tu peux commencer.

Je lui révélai ce que je savais de Clement Weaver et expliquai comment j'avais pris connaissance de ces faits. Ce qui nécessita forcément que je relate une partie de mon histoire personnelle et, quand elle se rendit compte que je savais lire et écrire, ses manières s'adoucirent encore. Le fait que j'avais été tout près d'entrer dans les saints ordres la persuada de ma probité ; une déduction hasardeuse, peut-être, si l'on songe à certains prêtres et princes de l'Église que j'avais connus jusqu'alors, mais une erreur très répandue.

Quand j'eus fini de parler, elle demeura un bon moment sans répondre, les yeux rivés sur les flammes dont les reflets vacillants menaient sur les murs la danse hallucinante des ombres. Il commençait à faire noir et déjà, derrière les fenêtres, un poudroiement pâle d'étoiles luisait dans le ciel sombre. Deux jeunes domestiques entrèrent, suivis du régisseur nerveux ; ils portaient de grosses chandelles de cire qu'ils fichèrent dans les appliques fixées au mur et les allumèrent à la flamme du foyer. Puis, au commandement, ils fermèrent les volets sur la nuit envahissante, firent leur révérence à Lady Mallory et ressortirent, sous la garde de Robert qui, avant d'exécuter un salut déférent, leva des yeux attristés vers le plafond noirci par la fumée. Il s'estimait réellement indispensable à la bonne marche de la maisonnée.

Quand la porte fut close et que l'écho de leurs pas se fut éteint dans l'escalier, Lady Mallory mit fin à sa longue contemplation du foyer pour s'adresser enfin à moi.

– Ce que tu viens de déclarer est très troublant. Sir Richard a logé deux mois à l'auberge *La Confiance* quand il est allé à Londres, comme tu l'as sans doute déjà appris de Bess. Pourtant, il y était déjà descendu auparavant sans qu'il lui arrivât rien de fâcheux. Alors, pourquoi cette fois-ci ? D'après ton récit, aucun lien n'a été établi entre la disparition de ce... de...

– Clement Weaver, lui rappelai-je et elle inclina gracieusement la tête.

– Entre ce Clement Weaver et *La Confiance*. En effet, si je t'ai bien compris, le père et l'oncle de ce garçon ont soigneusement enquêté.

– Que Madame me pardonne mais, si l'on présume que le propriétaire avait quelque chose à cacher – ce qui semble une hypothèse correcte vu les circonstances –, on pouvait difficilement attendre de lui qu'il répondît honnêtement à leurs questions. Jusqu'à ce que Bess m'eût parlé de la disparition de votre mari, j'étais fortement porté à croire que Clement Weaver avait été attaqué par des bandits qui, après l'avoir détroussé, avaient fait disparaître son corps d'une manière ou d'une autre. Et pourtant... la raison pour laquelle des voleurs se seraient donné la peine de faire disparaître toute trace de leur victime n'était pas sans me troubler, je dois l'avouer... Puis-je vous demander ce qu'il est advenu des chevaux de Sir Richard et de son domestique ?

– Ils étaient toujours attachés dans la cour de *La Confiance*, les fontes chargées, prêts pour le départ. Sir Richard avait réglé sa note plus tôt dans la matinée, peu après son lever. Il disait vouloir se mettre en route dès que possible après le petit déjeuner.

– Et ce fut la dernière fois que quelqu'un le vit ? Ou dit l'avoir vu ?

– Oui, au petit déjeuner.

– Et Jacob Pender ?

– Il avait dormi à l'écurie et mangé à la cuisine avec les autres domestiques.

– Et le propriétaire... Connaissez-vous son nom ?

Lady Mallory secoua la tête et je continuai

– Le propriétaire a-t-il donné sa parole sur tous ces points ?

– Bien sûr.

– Par qui et dans quelles circonstances Sir Richard et Jacob Pender ont-ils été vus pour la dernière fois ?

Dans mon ardeur anxieuse de rassembler des faits, j'avais oublié, comme auparavant chez les Weaver, mon humble statut. Je reçus de plein fouet le regard foudroyant des yeux hautains et me mis aussitôt en devoir de reconquérir ma position.

– Si Madame est assez bonne pour me le dire.

– Une des filles de cuisine les a vus ensemble dans la cour par la fenêtre de la cuisine. Ils parlaient, debout près de leurs chevaux. Il lui a semblé qu'ils se disputaient mais elle n'en était pas certaine. A ce moment, la cuisinière l'a appelée pour l'envoyer puiser de l'eau et commencer à éplucher les légumes pour le dîner. Il s'est passé un certain temps avant que la gamine regarde dehors de nouveau et, à ce moment-là, Sir Richard et

Jacob Pender avaient disparu. Les chevaux, en revanche, y étaient toujours, sellés pour le voyage et attachés à la barre, près du montoir.

Lady Mallory prit une inspiration profonde et sa voix s'affermit :

– Tel est le témoignage de qui les a vus pour la dernière fois.

– A condition de croire ce qu'a dit cette fille, fis-je observer tranquillement. Je suppose que c'est à votre père ou à l'un de vos hommes que ces propos ont été transmis.

– Oui. Sir Richard n'étant pas revenu à la maison à la date fixée, j'ai commencé par envoyer quelques domestiques pour qu'ils s'enquièrent de lui tout le long de la route. Quand ils revinrent sans nouvelles, après être allés jusqu'à Londres et avoir entendu cette information de la domestique de *La Confiance*, mon père a insisté pour s'y rendre lui-même. Il était souffrant, mais je n'ai pas réussi à l'en dissuader. Lui non plus n'a pas trouvé trace de Sir Richard et de Jacob Pender et, quand il les a fait demander à l'auberge, la fille de cuisine a été convoquée pour réitérer son récit.

– Et il l'a crue ?

Cette fois, Lady Mallory ne parut pas avoir remarqué mon impertinence. Elle porta une main à son visage pour le protéger de l'ardeur du feu.

– Il n'avait aucune raison de ne pas la croire. Rien, absolument rien ne pouvait donner à penser que l'on avait nui à Sir Richard et à Jacob Pender. L'on n'avait pas découvert de corps.

Elle leva les yeux tout à coup et les plongea droit dans les miens :

– Ils avaient simplement disparu de la surface de la terre, comme votre Clement Weaver.

8

Dans le silence qui suivit la dernière remarque de Lady Mallory, Bess, mal à l'aise, s'agita sur son tabouret dans le coin où elle s'était retirée pour écouter. Comme si, pour la première fois, le sentiment du mal ou d'un désastre imminent avait atteint sa conscience. Je soupçonnais que, jusqu'alors, la disparition de Sir Richard lui était apparue un peu comme une plaisanterie, en raison de l'hypothèse lubrique d'amours faciles et clandestines qu'il aurait entretenues à Londres. Brusquement, la gravité de la situation, la possibilité très réelle que l'on ait nui à son maître venait de fondre sur Bess et elle était effrayée.

Il sembla que sa peur se transmît à Lady Mallory dont les doigts serraient et desserraient convulsivement les bras de son fauteuil. L'épouse avait peut-être, elle aussi, envisagé l'idée que son mari l'avait quittée pour une autre femme, et n'était pas entièrement convaincue qu'un vrai malheur lui fût advenu. Bess m'avait assuré que Sir Richard et sa femme étaient heureux ensemble mais qui sait ce qu'est la vérité profonde d'un couple derrière les apparences ? Ce que chaque partenaire éprouve réellement pour l'autre ? Lady Mallory pouvait avoir de bonnes raisons de penser qu'elle était abandonnée. Elle avait à coup sûr cessé les recherches avec une rapidité surprenante mais, soyons juste, la mort de son père avait dû occuper une part considérable de ses pensées et de son temps au cours des dernières semaines.

Le silence devenait pénible. Nerveusement, je m'éclaircis la gorge :

– Comme je l'ai dit à Votre Grâce, j'ai promis à l'échevin Weaver que, parvenu à Londres et dans la mesure de mes moyens, j'entreprendrais des recherches sur son fils, bien que, sur le moment, j'aie cru la chose illusoire. Maintenant, cependant, j'ai le sentiment qu'il existe un lien entre la disparition de son fils, celle de Sir Richard et l'auberge *La Confiance* ; lien assez probable, en tout cas, pour justifier que je m'intéresse à cet endroit. Si je découvre quoi que ce soit, je vous en informerai.

Avec un effort, Lady cessa d'agiter les mains qu'elle croisa sur ses genoux. La lueur du feu, qui jouait sur sa robe noire, y allumait des reflets tantôt ambrés, tantôt lie-de-vin.

– Je recevrai avec reconnaissance toute nouvelle de Sir Richard.

Elle s'exprimait avec raideur et je sentais combien l'idée d'être redevable envers un vulgaire colporteur lui déplaisait. Mais, comme l'échevin Weaver, elle se rendait compte que je disposais d'atouts dont ne bénéficiaient ni ses domestiques ni même le sergent du guet. Personne ne me soupçonnerait d'un excès de sagacité ou d'un intérêt particulier pour la disparition de son mari. J'étais en position de mener des recherches sans en donner l'impression et pourrais aussi collecter de menus renseignements susceptibles de me fournir quelque indice quant à son sort.

Je me levai de mon tabouret et m'inclinai.

– Alors, c'est entendu. A présent, je dois me retirer. Il fait noir et j'ai encore une longue route pour revenir à Cantorbéry.

Elle intervint du bout des lèvres :

– Vous devez manger et boire quelque chose avant de partir. Bess ! Conduis ton ami chez Robert et dis à celui-ci qu'il a ordre de le faire souper. Puis reviens immédiatement. J'ai besoin que tu me brosses les cheveux avant que je me couche. Trouve-moi aussi Matthew. Je veux qu'il chante pour moi avant que je m'endorme.

Lady Mallory frissonna soudain, comme si quelqu'un avait marché sur sa tombe.

– Sans cela, je chevaucherai la jument de la nuit[1].

Bess s'avança et fit modestement sa révérence mais son expression disait assez que l'ordre de revenir sur-le-champ était pour elle une déception. Elle espérait, la charmante, tout comme moi, des adieux longs et tendres. Mais il n'en serait pas ainsi. Avec une moue résignée, elle tourna la tête dans ma direction et dit :

– Suivez-moi.

Proche de l'office, au fond de la maison, la pièce du régisseur était meublée comme il convenait à sa position élevée parmi les domestiques du manoir. Sous le manteau de pierre taillée de la cheminée, peinte de bleu et de rouge, un feu flambait dans le foyer. Les joncs qui couvraient le sol étaient frais du matin ; il n'en montait pas l'odeur de moisi qui s'en serait dégagée au bout d'un ou deux jours. Une longue table occupait le centre de la pièce et, en plus de deux bancs, il y avait un unique fauteuil, vieux et noirci, c'est vrai, mais taillé dans du bon chêne massif. Des chandelles brûlaient dans les appliques du mur et projetaient des ombres sur les murs peints de blanc et d'écarlate. Une pièce confortable pour un régisseur, un peu trop confortable, peut-être. Je me rappelai les confidences de Bess à propos des aspirations

1. En anglais moderne : je ferai des cauchemars. L'anglais *nightmare* (cauchemar) est composé de *night* : nuit et *mare* jument. *(N.d.T.)*

de Robert. Peut-être étaient-elles fondées sur un terrain plus solide qu'elle ne pensait. Peut-être Lady Mallory lui avait-elle fourni des raisons.

Robert n'était guère content d'avoir été décrété personnellement responsable de mon bien-être. Lorsque Bess lui eut remis ma personne et les instructions de sa maîtresse, il parut contrarié et me dédia un regard hautain, copie parfaite de celui de sa maîtresse.

– On peut certainement s'occuper de ce... de cette personne à la cuisine, protesta-t-il.

Bess pivota sur ses talons avec un déhanchement provocant.

– Ce sont les instructions que j'ai reçues. Je n'en suis que la messagère. Mais vous seriez mal avisé de ne pas en tenir compte.

Elle m'adressa un regard d'adieu par-dessus son épaule, battit de ses longs cils noirs et repartit. Robert et moi étions seuls.

– Tu ferais mieux de t'asseoir, dit-il enfin, en désignant un banc près de la table.

Il alla vers la porte qui ouvrait sur un corridor prodigue de courants d'air et cria un nom. Au bout d'un moment, un jeune garçon ensommeillé apparut qui se frottait les yeux. Le régisseur le gifla.

– Tu dormais encore devant le fourneau ? Dis au cuisinier de préparer de quoi manger et de la bière pour ce colporteur. Ordre de milady. Apporte le repas ici quand il sera prêt. Et maintenant, fiche le camp et n'y passe pas la nuit !

Trop heureux de s'échapper, le gamin disparut promptement. Robert s'assit dans le fauteuil et s'efforça d'ignorer ma présence indésirable. Lui aussi, me semblait-il, devait avoir quelque trente ou trente-cinq printemps ; un peu plus vieux, peut-être, que sa maîtresse. Il avait des cheveux blond roux et n'était pas mal de sa personne, malgré une calvitie naissante. Son nez busqué était le trait le plus puissant d'un visage étroit, presque cadavérique, auquel il conférait une force de caractère illusoire. Mais la vanité qu'affichaient ses yeux bleu pâle révélait le trait dominant du personnage.

Le silence dura jusqu'au retour du jeune garçon qui portait un mazer de bière d'une main et de l'autre un plateau ; il les posa devant moi sur la table. Puis s'éclipsa en toute hâte pour ne pas s'exposer une nouvelle fois à l'irascibilité du régisseur. J'examinai avec entrain la nourriture. Je n'avais pas mangé depuis des heures et ne m'étais pas rendu compte à quel point j'étais affamé.

Il y avait plusieurs tranches de gros pain noir, du fromage et du beurre enveloppés dans des feuilles de patience. Une petite jatte contenant des mûres sucrées au miel et une tranche de tarte au lait caillé, parfumée au gingembre et au safran, complétaient le repas que je mâchai avec délectation. Le cuisinier m'avait traité comme un roi, si l'on considère mon humble condition de colporteur. Pendant tout le temps que je mangeai, Robert fixa obstinément le feu mais, comme je levai le mazer de bière à mes lèvres, il condescendit finalement à me parler.

– De quoi vous êtes-vous entretenus, milady et toi ?

Je caressai un instant l'idée de le berner et de prétendre que Lady Mallory avait souhaité acheter certains de mes articles. Mais je me souvins à temps que je n'avais pas apporté ma balle, confiée aux mains que j'estimais sûres du gardien de l'hôpital. Après une courte délibération, je décidai de dire à Robert la vérité, qu'il apprendrait probablement de Bess, ou même de Lady Mallory en personne.

Je répétai donc une fois encore mon récit, depuis ma rencontre avec Marjorie Dyer à Bristol jusqu'à la soirée de ce jour et mon entretien avec sa maîtresse. J'avais parfois l'impression que j'aurais pu en raconter des chapitres dans mon sommeil.

Quand j'eus fini, Robert pinça les lèvres et fronça les sourcils.

– Milady souhaite le retrouver, n'est-ce pas ? demanda-t-il, parlant de Sir Richard.

– Cela vous surprend ?

Il haussa les épaules, ayant compris soit qu'il en avait trop dit, soit qu'il avait fait mauvaise impression, et se hâta de redresser le tir.

– Après tant de semaines, il me paraît évident que Sir Richard est mort. Je suis seulement surpris que milady ait consenti à ce que tu perdes ton temps.

Je lui jetai un coup d'œil et vis que ses paroles exprimaient un espoir plus qu'une conviction profonde. Néanmoins, la conjecture que son maître était mort relevait du bon sens, à moins qu'il ne fût au courant de circonstances qui la rendaient improbable. Je tâtai délicatement le terrain.

– Serait-il imaginable que Sir Richard ait eu à Londres une amante et qu'il ait voulu s'enfuir avec elle et l'épouser ?

Non sans raison, le régisseur envoya promener cette idée.

– En laissant derrière lui tout ce à quoi il tient ? Sa demeure, ses vêtements, tous ses biens en ce monde ? Tu rêves ! Quelle amante vaudra jamais pareil sacrifice ? Mon maître aurait pu s'absenter de chez lui aussi longtemps qu'il le souhaitait, pourvu que milady connût ses intentions. Non, non ! Un malheur lui est arrivé pendant son voyage de retour. Il n'y a pas d'autre explication.

Je secouai la tête et vidai le fond de mon gobelet.

– Vous oubliez une chose : les chevaux étaient restés à l'auberge *La Confiance*. Quelle que soit sa nature, l'événement ou le malheur advenu à Sir Richard et à son domestique s'est passé à Londres. De même pour Clement Weaver.

Le sort de Clement Weaver n'intéressait pas le régisseur qui poursuivait sa propre pensée et déclara :

– De plus, Sir Richard n'était pas homme à courir les femmes Je doute qu'il ait été infidèle à milady.

... et qu'il lui ait été d'une grande utilité, semblait sous-entendre son ton, mais je ne fis pas de commentaire, et Robert continua :

– Le vin était sa passion. Il aurait parcouru bien des kilomètres et bravé tous les dangers pour goûter un cru réputé. Depuis deux générations, ses ancêtres sont négociants en vins ; ils ont fait fortune et se sont mariés dans la noblesse. Il y avait d'ailleurs des précédents dans leur lignée. Le père de Geoffrey Chaucer était négociant en vins et la petite-fille de Chaucer a épousé le duc de Suffolk. Et le duc qui porte aujourd'hui le titre, le petit-fils de Chaucer, a épousé une dame qui n'est rien de moins que la sœur de notre roi.

Un regard de rapace brilla dans ses prunelles pâles. Si les choses pouvaient tourner ainsi dans une famille, pourquoi pas dans une autre ? Si sa maîtresse était réellement veuve, il pourrait y avoir pour lui quelque espoir.

Je me levai à regret. J'appréciais la chaleur du feu, il m'en coûtait de la quitter mais j'avais du chemin à faire. Tiré de la contemplation d'un brillant avenir, le régisseur tourna la tête et reprit conscience de mon existence.

– Tu pars ? Tu vas devoir dormir dans un fossé, ajouta-t-il, non sans un certain contentement. Le couvre-feu est passé. Les portes de la ville seront fermées.

Je souris malicieusement.

– Oh ! Il y a cent moyens d'entrer dans une ville à la nuit tombée, dis-je avec un clin d'œil de conspirateur. Il suffit de les connaître. Il suffit d'éviter le guet...

Une expression compassée figea son visage maigre. Il estimait manifestement qu'un individu qui avait été si près d'embrasser la vie religieuse n'aurait pas dû se permettre de violer la loi.

– Qu'as-tu décidé avec milady ? demanda-t-il.

– Je lui ai promis que j'essaierais de découvrir ce qui est arrivé à son mari et de l'en avertir si j'y parvenais.

– Quelles sont tes chances, à ton avis ?

– De découvrir la vérité ?

Je réfléchis à la question.

– Plus grandes, peut-être, que je ne pensais lorsque j'ai promis à l'échevin Weaver de tout tenter pour savoir ce qui était arrivé à son fils. Maintenant, je sens au moins que l'auberge *La Confiance* pourrait être au cœur du mystère. C'est là, en tout cas, que je commencerai mes recherches.

Le régisseur opina de la tête.

– Et quelles sont, à ton avis, les chances que Sir Richard puisse être encore vivant ?

L'odeur âcre d'une chandelle qui vacilla puis mourut se répandit. Les volets étaient encore ouverts sur la nuit chaude et je voyais un croissant de lune, mince et brouillé, suspendu au loin au-dessus d'une crête boisée.

– Si vous voulez vraiment mon opinion, aucune, répondis-je, essayant d'ignorer le soulagement qui fit papilloter les yeux bleu pâle. Je pense que lui, Jacob Pender et Clement Weaver sont morts tous les trois. Comment et de quelle main, je n'en ai encore aucune idée.

– Et le mobile ? questionna Robert. Qu'en penses-tu ?

J'hésitai, guère désireux de prendre parti, mais j'en doutais si peu moi-même que je fus forcé de l'admettre :

– Le vol. Sir Richard était un homme riche et Clement Weaver portait sur lui une grosse somme.

– Mais tu m'as dit que personne n'était au courant de ce fait, excepté son père. Pas même sa sœur, objecta Robert, le sourcil froncé.

Soudain, j'étais très las, je me sentais l'esprit ralenti et stupide. J'avais besoin d'oublier ce problème un moment et de dormir.

De toute façon, je ne pouvais rien entreprendre avant d'être arrivé à Londres. Je décidai de me mettre en route dès que possible le lendemain matin mais, avant cela, je voulais mon lit et le délassement spirituel de la solitude. Je ramassai mon solide gourdin de frêne que j'avais posé par terre.

– Il faut vraiment que je parte, dis-je. Je ne connais pas la réponse à cette énigme et peut-être ne la connaîtrai-je jamais. Votre maîtresse aurait sans doute avantage à faire confiance aux officiers du roi ; l'échevin Weaver également. Néanmoins, je ferai ce que je peux et peut-être Dieu couronnera-t-il de succès mes efforts.

Je tendis la main pour lui dire adieu mais vis immédiatement que j'avais attenté à la dignité de Robert. Il était régisseur et n'avait pas à serrer la main d'un humble colporteur. Il lui apparaissait aussi que, pendant cette dernière demi-heure, il m'avait parlé comme à un égal, et il se renversa dans son fauteuil comme s'il avait été contaminé ; je laissai mon bras retomber lentement le long de mon corps, sans prendre la peine de dissimuler mon mépris. Il se leva, malgré tout, et ordonna au jeune garçon de me reconduire, mais c'était pour s'assurer que la demeure serait bien fermée et barricadée après mon départ.

Je repris le chemin, à peine discernable dans l'obscurité, en balançant avec vigueur mon gourdin pour décourager les attaques des voleurs embusqués et autres rôdeurs. J'étais heureux de secouer de mes chausses la poussière du manoir de Tuffnel. Mis à part Bess, je ne m'étais pas forgé une opinion favorable de ses occupants et je pensais que cette maisonnée n'était pas heureuse. Ce qui ne signifiait pas, cependant, que je ne ferais pas de mon mieux pour découvrir ce qui était advenu à Sir Richard et à Jacob Pender.

J'appris beaucoup plus tard que, si j'avais passé vingt-quatre heures de plus à Cantorbéry, j'aurais vu le roi Édouard et la reine Élisabeth entourés de nombreux courtisans, lors d'une autre visite qu'ils firent au sanctuaire de saint Thomas. (Après coup, je suis tenté de penser que la conscience du roi le tourmentait à propos de la nécessité de faire mourir son cousin et ennemi, feu le roi Henri.) Pourtant, l'on parlait beaucoup de la famille royale dans un groupe de pèlerins qui revenaient à Londres, avec lesquels je couvris la dernière étape de la route.

Et de nouveau, j'entendis mentionner le nom de Lady Anne Neville.

Ces pèlerins qui étaient pauvres se déplaçaient à pied, comme moi, et j'étais tombé sur eux quelque six ou sept miles avant la capitale. J'avais passé une matinée agréable à discuter avec un prêtre de Southwark de la théorie de Guillaume d'Occam[1] selon qui la foi et la logique étaient à jamais inconciliables et, de ce fait, l'autorité ecclésiastique était la seule base de la croyance religieuse.

– Si la foi et la raison n'ont rien en commun, objectai-je, Dieu peut, au sens propre, déplacer les montagnes. La raison me dit que cela ne peut être, mais Guillaume d'Occam insiste sur le fait que la croyance n'est pas rationnelle. Donc, cela signifie que la religion est au-delà de la logique et qu'elle n'est pas sujette aux lois qui gouvernent la nature. Je trouve que ceci est difficile à accepter.

– Mais, mon fils, vous devez croire aux miracles du Christ, protesta mon interlocuteur choqué. Et à l'autorité absolue de notre mère l'Église.

Je souris.

– On me l'a souvent dit, père, mais, pour une raison ou pour une autre, il y a toujours trop de questions auxquelles je ne peux trouver de réponses satisfaisantes.

Un silence suivit ma réplique, pendant lequel le prêtre mobilisa ses forces pour traiter avec ce Thomas l'incrédule. Et dans ce silence, je surpris des bribes de la conversation qui se déroulait derrière moi entre deux femmes dont je m'étais mis en tête qu'elles étaient mère et fille. Leur ressemblance était assez forte pour accréditer cette théorie.

– ... Lady Anne Neville... avait prononcé la jeune femme.

Ce nom avait aussitôt capté mon attention. J'étais de nouveau à Bristol et je voyais cette malheureuse enfant chevaucher dans Corn Street.

– On dit de tout côté que le duc de Clarence ne veut pas que son frère l'épouse car cela entraînerait le partage des biens du défunt comte. En tant que mari de la fille aînée, il espère les

1. Philosophe, théologien et franciscain (vers 1295-vers 1349), Guillaume d'Occam enseigna une philosophie nominaliste qui séparait radicalement l'ordre de la raison et l'ordre de la foi. *(N.d.T.)*

obtenir tous. Ou du moins le maximum de ceux qu'il peut légalement obtenir.

– Une honte flagrante et scandaleuse, répondit la mère avec ardeur. Ce n'est pas milord de Gloucester qui a abandonné le roi Édouard à l'heure où celui-ci avait besoin de lui.

– Oh ! Le roi est décidé à ce que le duc Richard épouse Lady Anne, soyez-en sûr. Mais, à l'amiable, si possible, avec le plein consentement de milord de Clarence et de la duchesse Isabelle.

La fille parlait avec l'assurance que j'ai souvent observée chez les très pauvres gens quand ils parlent des affaires de leur roi. En fait, le temps et les événements leur donnent souvent raison. J'y ai réfléchi et suis parvenu à cette conclusion : leur propre existence est si morne et manque tellement d'intérêt qu'ils vivent par procuration d'autres vies plus prestigieuses que la leur. Ils voient, ils observent, ils écoutent ; pendant que certains des leurs thésaurisent l'argent, ils grappillent des lambeaux d'informations qu'ils évaluent, interprètent et à partir desquels ils portent des jugements bien fondés.

– Cela ferait un beau couple, reconnut la femme plus âgée, et le peuple serait content. Eux aussi seraient heureux, je n'en doute pas, car ils sont amis depuis l'enfance, tout le monde le sait. Ils furent élevés ensemble, dans le nord, et le père d'Anne les destinait depuis toujours l'un à l'autre.

Je ne pus en entendre davantage. Le prêtre parlait à nouveau ; invoquant à la rescousse l'enseignement de saint Augustin, il essayait désespérément de me convaincre que l'obéissance était tout. Je répondis au hasard et le laissai croire qu'il avait gagné notre bataille de mots, trop excité maintenant pour me soustraire à l'idée que j'étais à moins d'un mile de Londres, la ville dont les rues étaient pavées d'or, disait-on, et qui avait vu l'ascension et la chute de tant d'hommes meilleurs que moi. D'après mes informateurs qui la connaissaient, Londres était tellement plus grande, plus sale, plus bruyante, plus cruelle, plus belle, plus excitante et plus intéressante qu'aucune autre ville en Angleterre – certains disaient même en Europe – que, d'avance, mon cœur battait à m'en faire mourir. Vers le soir, sous le ciel où traînaient de grands lambeaux de bannières rouge sang, rouge feu et améthyste, quand les arbres au loin captèrent les derniers rayons du soleil et semblèrent prendre feu de l'intérieur, je vis Londres pour la première fois, étendue comme l'empreinte d'un pouce sur l'horizon. Elle recelait quelque part entre ses murs la solution du mystère de la disparition de Clement Weaver et de celle de Sir Richard Mallory. Il dépendait de moi qu'elle surgît ou qu'elle disparût à jamais.

Troisième partie

OCTOBRE 1471
LONDRES

9

Le grand âge n'est pas simple affaire de rhumatismes, de vue défaillante et d'ouïe affaiblie ; c'est se réveiller un matin et se rendre compte qu'il n'y a désormais plus d'avenir. Cette leçon, que j'ai apprise ces dernières années, est bien difficile à concevoir pour les jeunes gens. La vie, l'amour et l'aventure s'étendent devant eux et rien ne leur signifie qu'ils sont mortels.

Moi-même, j'étais exactement ainsi en ce jour de début octobre de l'an de grâce 1471 où je franchis le pont de Londres et entrai dans la City pour la première fois. Il gelait, je m'en souviens. Sous les feux aigus d'un soleil blanc et or, tout n'était qu'éclat et lumière : scintillement des branches et des toits couverts de givre, miroitement de la rue défoncée et paillettes ensoleillées sur les harnais des chevaux. J'étais jeune, fort, prêt à défier le monde. L'idée que je pourrais courir un danger personnel lors des recherches qui m'attendaient ne m'effleurait pas l'esprit. J'avais passé la nuit à Southwark, chez un de mes nouveaux camarades. Et je tiens de lui mes premières connaissances sur la capitale. Étendu à ses côtés sur le sol de la boulangerie de son maître, préservé du froid de la nuit par la chaleur des fours, j'avais eu néanmoins du mal à m'endormir à cause du bruit qui provenait de la maison voisine. Dans la froidure des premières heures, quand mon ami se leva afin de raviver les feux pour la première fournée, il me trouva tout éveillé. Je lui expliquai mon problème et il s'esclaffa.

– J'aurais dû te prévenir, dit-il, que la maison voisine est un bordel. Il y en a des douzaines dans Southwark, qui tous appartiennent à l'évêque de Winchester, si bien que les prostituées du quartier sont dénommées les poules de Winchester.

Il m'apprit aussi que je reconnaîtrais les prostituées au capuchon rayé qu'elles portaient.

J'étais encore assez naïf à l'époque pour que cette information me choquât. L'innocent que j'étais avait cru jusqu'alors que les hommes d'Église, tout faillibles qu'ils étaient, respectaient au moins la règle de chasteté et aidaient les laïcs dans cette voie, même s'ils parvenaient rarement à leurs fins. Découvrir que le siège épiscopal de Winchester était propriétaire de maisons mal famées me donna un coup dont j'eus du mal à me remettre.

Mais à présent que j'approchais du pont-levis déjà baissé, l'estomac lesté de porridge et de petite bière, ma balle confortablement arrimée contre mon dos, mon bâton agile à la main, je n'avais de pensée que pour ma première vision de Londres. A l'extrémité méridionale du pont s'élevaient trois tours de pierre dotées de herses, dont les deux premières étaient surmontées d'une rangée de têtes de traîtres, fichées sur des piques, autant de masques aveugles et grimaçants à différents stades de décomposition.

Je passai sans difficulté la porte, mais le garde à qui je demandai ma route avait peu de temps à m'accorder.

Traverse le pont et redemande, grommela-t-il.

Je pus constater de mes yeux combien il était occupé. Je n'avais jamais vu une circulation comparable à celle de Londres, ni autant de gens. Un des pèlerins m'avait dit que la ville abritait de quarante à cinquante mille habitants, mais mon esprit se refusait à contenir un chiffre pareil. A présent, heurté de tous côtés par des chars, des chariots et des piétons comme moi, j'étais submergé par le bruit et par la confusion générale. Entre les deux rangées de boutiques et de maisons suspendues, le sol était creusé de méchants trous. A trois reprises, je trébuchai et me tordis la cheville mais, chaque fois, une main proche me saisit par le coude pour prévenir une chute. J'en conclus que Londres pouvait être surpeuplée et tapageuse mais que sa population était amicale. Bien avant d'avoir atteint la travée de la dix-neuvième arche, je me sentais plus détendu et moins intimidé.

Mon hôte de la nuit m'avait conseillé de commencer ma tournée à l'est du pont de Londres où les bateaux qui remontaient le courant depuis l'embouchure de la Tamise mettaient à quai et vendaient directement leurs marchandises aux clients sur le rivage. Après mes succès à Cantorbéry, ma balle avait besoin d'être regarnie. Une fois le pont quitté, j'avais une meilleure vue sur la rivière qui, à cette heure très matinale, grouillait déjà de navires et de chalands de toutes formes et de toutes tailles. Malgré le commerce fluvial, des cygnes glissaient gracieusement, nullement troublés par la circulation. Autour des piles du pont, des groupes d'hommes pêchaient l'éperlan, le saumon, le brochet, la tanche et le barbeau dont la rivière abondait. (J'appris plus tard qu'on les appelait *Petermen*, car, comme saint Pierre, ils utilisaient des filets.)

Un chaland plein d'anguilles venait d'amarrer au Marlowe's Quay où les ménagères attendaient déjà, munies d'argent et de paniers. Un grand type au nez cassé, serré dans un manteau de bonne laine qui le protégeait de la rigueur du froid, venait de monter à bord tandis que les femmes battaient la semelle et soufflaient sur leurs doigts bleuis.

– Qui est-ce ? demandai-je à ma voisine.

Elle eut pour moi un regard de pitié tant il crevait les yeux que je n'étais pas londonien.

– C'est le garde-pêche, bien sûr. Il examine les prises et rejette par-dessus bord les anguilles trop petites ou les anguilles rouges qu'il découvre. Ensuite, c'est son travail de surveiller les hommes qui pèsent pour s'assurer que nous recevons bonne mesure. Vous voulez acheter ? demanda-t-elle en m'examinant d'un œil curieux.

– Je suis colporteur, fis-je en secouant la tête. J'ai besoin de soie, de fil et de rubans pour que vous, les femmes, puissiez gaspiller votre argent.

– Y a pas de danger ! ronchonna mon interlocutrice. Avec tous les prix qui grimpent. Notez bien, les choses vont aller mieux maintenant qu'Édouard est de nouveau sur le trône. Dieu le bénisse !

Je découvrais que les Londoniens considéraient Édouard de Rouen comme leur propriété personnelle. Grand, fort et beau, il circulait librement parmi eux, faisant marcher le commerce et croître la prospérité de la ville. Au printemps précédent, il avait réussi une gageure : parti du Nord, il avait atteint sa capitale sans perdre un seul homme.

Je poursuivis mon chemin, me faufilant de ruelles riveraines en étroites allées dont les noms m'étaient inconnus. La femme m'avait dit que je devais aller au Galley Quay, le plus proche de la Tour et, de fait, quand je finis par y arriver, j'y trouvai une galère vénitienne qui déchargeait des balles de soie et de velours, des barils d'épices et de confiseries, des coffres cerclés de fer emplis de broches et de bracelets. La majorité de ces marchandises étaient trop coûteuses pour être vendues à la criée mais j'achetai un coupon de damas, suffisant pour faire une robe, et quelques bijoux parmi les moins chers. Il y avait aussi des fioles de parfum et d'huiles parfumées et j'en ajoutai aux autres articles de ma balle. Alors que je payais mes achats, je perçus l'âcre odeur de la chair pourrie ; elle venait d'amont, d'au-delà des murs, et j'appris qu'elle montait des corps en décomposition de pirates exécutés, dont les dépouilles étaient abandonnées entre Wapping et St Katherine's Wharf jusqu'à ce que trois marées les eussent submergées.

Je rebroussai chemin, en flânant cette fois, émerveillé de tout ce que je voyais : les grandes grues le long des quais qui débarquaient des épices et des oranges venues de Gênes, ou des cargaisons de pommes et de belle pierre de Caen originaires de Normandie. Dans les rues embouteillées, chars, haquets et chariots se frayaient un passage aux dépens des piétons qui, comme moi, vagabondaient : colporteurs, frères itinérants, marchands de petits pâtés, marins, coursiers. Le bruit était assourdissant. Les gens juraient et glapissaient. D'autres hurlaient à tue-tête : « Côtes de bœuf ! Chaud la vapeur ! », « Frais les joncs frais ! » « Mangez mes cervelles d'agneau ! », « Des pommes et des poires ! Toutes à point. » Des agitateurs haranguaient la foule ; des bateliers, les plus brutaux et les plus coriaces de tous les Londoniens, s'estourbissaient mutuellement devant leurs éventuels clients et les cloches carillonnaient sans discontinuer.

La matinée n'était pas écoulée et j'avais mal à la tête et l'impression de cracher mes yeux. La gelée blanche avait fondu, laissant la chaussée humide et glissante sous les avant-toits. Ma balle pesait lourdement sur mon dos et je louvoyais sans cesse pour éviter les ordures et les charognes des rues. Mon excitation première commençait à se tasser et, me souvenant tout à coup que nous étions le jour de la Sainte Foi, je décidai d'aller à la messe. J'étais déjà passé devant tant d'églises qu'en choisir une n'était pas un problème mais je voulais voir Saint-Paul. Même les péquenots de mon espèce la connaissent de nom et de réputation. Un boutiquier amical m'indiqua la direction de la Lud Gate et, au sommet de la colline, je découvris Saint-Paul dont l'immense clocher couronné d'une girouette dorée s'élançait vers le ciel.

Je ne sais ce que j'avais imaginé. Une sainte sérénité, peut-être, la paix céleste. A coup sûr, je n'étais pas préparé à ce que je découvris. Près de la grande croix, dans l'angle nord-est de l'enclos, au lieu du prêtre prodigue en exhortations divines que j'attendais, un homme mal nippé d'une tunique de cuir souillée et de chaussures de feutre râpées pérorait à perdre haleine sur quelque marotte politique de son invention. Les cloîtres regorgeaient de gens qui allaient et venaient et dont j'eus tôt fait de comprendre que la plupart étaient des hommes de loi qui pêchaient le client ou discutaient d'affaires en cours. Dans la nef elle-même, ils étaient plus nombreux encore, tassés entre les éventaires de victuailles et de boissons destinées aux pèlerins qui, comme moi, étaient venus à Saint-Paul pour voir ses nombreuses reliques : un bras de saint Mellitus, une fiole en cristal contenant du lait de la Vierge, une mèche de la chevelure de sainte Marie-Madeleine et le couteau que Jésus utilisa dans sa jeunesse pour tailler le bois. Il y en avait d'autres mais je n'attendis pas le temps qu'il fallait pour les voir. Le tintamarre et le désordre étaient aussi éprouvants que dans les rues et je quittai l'église au plus vite.

Quand je sortis de l'enclos, je vis un héraut d'armes monté, très occupé à repousser les gens afin de dégager la voie pour une procession de cavaliers qui entraient par la Lud Gate. Le héraut en armes portait l'emblème du sanglier blanc et je réalisai que le jeune homme qui venait en tête du groupe de cavaliers devait être Richard, duc de Gloucester, le frère cadet du roi.

Lorsque j'étais enfant, ma mère avait coutume de me dire : « Toi et lord Richard êtes nés le même jour », bien qu'elle n'eût jamais révélé d'où elle tenait une information si précise. Je voulais bien admettre que nous étions à peu près du même âge, mais c'était bien la seule chose que nous eussions en commun. Pour le reste, nos existences avaient différé du tout au tout. Richard de Gloucester avait été amiral d'Angleterre, d'Irlande et d'Aquitaine, il avait levé et commandé des troupes pour son frère dans tout le Sud-Ouest, et il avait été lieutenant général du royaume, tout ceci avant l'âge de onze ans. Au cours des huit années qui suivirent, sa stature intellectuelle et politique s'était étoffée et, contrairement à George de Clarence, il était demeuré d'une loyauté sans faille envers son frère aîné lors des nombreuses vicissitudes du règne troublé d'Édouard. A présent, il était non seulement amiral mais aussi connétable d'Angleterre, gouverneur des Marches de l'Ouest face l'Écosse, administrateur du duché de Lancastre au-delà de la Trent et grand chambellan du royaume. Il était revenu depuis peu du Nord où il avait apaisé les derniers sursauts de la rébellion suscitée par la reconquête de la couronne par Édouard. J'étais un moine raté et un humble colporteur. Pouvait-on concevoir plus grand contraste ?

Grâce à ma taille, je voyais parfaitement la petite procession par-dessus la tête des autres curieux. Le duc n'était pas du tout tel que je l'avais imaginé : un homme grand et blond, peut-être, comme ses frères que l'on m'avait ainsi décrits, mais sûrement pas cette silhouette menue, presque puérile, et ce visage sérieux, partiellement dissimulé par un rideau mouvant de cheveux noirs. L'adulation hystérique des Londoniens qui l'acclamaient follement et jetaient en l'air leur couvre-chef graisseux aurait pu tourner la tête à un adulte, mais ce mince jeune homme de dix-neuf ans ne montrait aucun signe d'infatuation. Il avait l'air plutôt mal à l'aise et gêné, désireux de se soustraire à ces clameurs ; maussade, me dis-je, avant d'être immédiatement forcé de réviser mon jugement, car le visage saturnien s'éclaira d'un sourire à l'adresse d'une personne reconnue dans la foule. On eût dit le soleil surgissant de derrière un nuage ; la beauté de cette expression fugace avait révélé un homme différent. Alors que la cavalcade s'éloignait et que la foule se dispersait, l'idée me vint que le duc de Gloucester n'était pas heureux à Londres.

Je me rendis compte que ma fatigue s'était encore accrue. Non seulement j'avais faim mais je me sentais sale et j'avais besoin de me laver. Je me renseignai près d'un garçon de course, tout resplendissant dans la livrée vert et or de son maître, qui m'indiqua le chemin d'une des maisons de bains publiques de la City où, pour une pièce de quatre pence, je pourrais me plonger dans un tub d'eau brûlante. Parvenu à destination, j'appris avec satisfaction que cette heure était réservée aux hommes. Les bains mixtes n'étaient naturellement pas autorisés mais, comme j'en fus bientôt informé, ce n'était pas le cas dans toute l'Europe. Dans le tub proche du mien, un petit homme vilainement tavelé, qui se récurait énergiquement le dos à l'aide d'une brosse à long manche, me demanda dans un murmure rauque :

– Es-tu d'jà allé à Bruges ?

Tout en essayant de tirer de la mousse d'un grossier savon gris, je secouai la tête :

– Je n'ai jamais mis les pieds hors de ce pays.

– Moi si, m'informa l'homme de la même voix tranquille et gutturale. J'étais soldat et j'le suis resté jusqu'à c'que j'sois blessé dans un combat d'rue. A l'estomac, c'était. Après, j'étais plus bon à rien. Mais avant ça, j'avais passé un moment aux Pays-Bas.

Le souvenir faisait scintiller ses yeux tombants.

– Si jamais tu vas à Bruges, fiston, faut qu't'ailles à la Waterhalle. L'fin du fin, quoi ! Là, les hommes et les femmes y peuvent s'baigner ensemble. Nus comme le jour où y sont nés ! Simplement qu'la femme porte un masque et t'dit pas son nom. Tout ça avec la bénédiction du duc d'Bourgogne en personne. Que Dieu l'ait en son cœur ! J'te l'dis moi que dans not'pays, on sait pas bien vivre.

Je riais mais ne trouvai rien à répondre. Londres était déjà plus que je n'en pouvais absorber pour le moment et les histoires de pays étrangers de l'autre côté de la Manche m'auraient embrouillé davantage. Quand nous fûmes secs et de nouveau vêtus, j'invitai mon nouvel ami à dîner avec moi ; à en juger par ses vêtements, encore plus élimés que les miens, un repas gratuit ne serait pas malvenu. Il accepta avec entrain et me guida vers Fish Street qui, partie du pont de Londres, filait vers le nord et où se trouvaient deux bonnes auberges, *Le Taureau* et *La Tête du Roi*. Mon compagnon, dont j'avais appris qu'il s'appelait Philip Lamprey[1] – un surnom dû à son goût prononcé pour ce poisson –, choisit la première.

– Y a moins de nobliaux ici qu'à *La Tête du Roi*. J'suis mal à l'aise avec les nobles, expliqua-t-il d'un ton lugubre. On peut pas faire confiance aux salauds.

Il y avait néanmoins au *Taureau* pas mal de gens dont la mise et les riches vêtements, proclamaient leur qualité de négociants ou de bourgeois à tout le moins prospères. Les individus de basse naissance comme nous étaient dirigés vers une petite salle où,

1. Lamprey : lamproie. *(N.d.T.)*

sur le sol, de la paille pas trop propre tenait lieu de jonchée, et où la soupe était servie dans des bols de bois, et non de fer ou d'étain. Quant au garçon qui nous apporta bière et nourriture, il nous traitait avec un mépris mal dissimulé. Ses manières brusques disaient clairement qu'il aurait préféré servir les nobliaux.

Tout en mangeant, j'en appris davantage sur le passé de Philip Lamprey. Sa femme s'était envolée en compagnie d'un boucher et avait gagné le Nord pendant qu'il ferraillait à l'étranger ; elle avait emmené ses deux fils. Le reste de la famille, père, mère et quatre sœurs étaient tous morts, et le seul parent qui lui restait, un cousin, avait disparu à son tour, victime de la récente épidémie de peste[1]. Philip Lamprey gagnait sa vie de son mieux, en mendiant, un emploi qui lui profitait certains jours mais le laissait parfois sans ressources. Il venait de traverser une sale passe, me confia-t-il : les gens se faisaient moins charitables qu'ils n'étaient, peut-être parce que les prix avaient grimpé en flèche au cours de ces temps troublés. Mais à présent que le roi Henri et son fils étaient morts, Marguerite d'Anjou en prison et le bon roi Édouard, l'ami des Londoniens, de nouveau d'aplomb sur son trône, les choses avaient tendance à s'améliorer.

– Dès qu'ça va mieux, dit-il, en essuyant sur sa manche la soupe qui coulait de sa bouche, j'te paierai à dîner. Combien d'temps qu'tu vas rester à Londres ? Et où c'est que t'habites ?

– J'espère trouver l'hospitalité à *La Tête du Baptiste*, dans Crooked Lane, répondis-je. Un homme que j'ai rencontré à Bristol et qui est l'ami du patron m'a dit d'aller là.

– Oh, j'connais très bieng, dit Philip Lamprey, en vidant son gobelet. Près de Thames Street. Crooked Lane, c'est ça. *La Tête du Baptiste*... Laiss'-moi réfléchir...

Il fixait d'un air songeur les profondeurs de son gobelet vide. Je saisis l'allusion et criai au garçon de nous servir de bière tous les deux.

– C'est l'auberge à ta gauche quand tu vas vers le fleuve. Tout près d'l'eau qu'elle s'trouve. Si j'me rappelle bien, une partie des fenêtres donnent sur la Tamise.

Il se gratta les cheveux qu'il avait gris et clairsemés. Des

1. Il s'agit de la peste de 1466, amenée de Grèce et de Turquie par les navires de commerce vénitiens. *(N.d.T.)*

pellicules en tombèrent et se déposèrent sur les épaules de sa veste râpée. Puis il se mit en devoir d'extraire des fragments de viande restés entre ses chicots.

– C'est pas une grand' auberge. Pas si grand' que Faut' plus haut dans la rue, au coin, mais elle s'fait un nom en vendant des bons vins. Pas pour les miséreux comme toi et moi, tu penses bieng. Seulement pour ceux qui peuv' se les offrir.

Le garçon reparut, portant sa cruche de grès, et remplit à contrecœur nos gobelets de bois.

– L'autre auberge dont tu as parlé, dis-je, après avoir avalé plusieurs gorgées de bière, est-ce celle qui s'appelle *La Confiance ?*

Le souffle court, car il avait bu trop vite, mon compagnon fit signe que oui.

– Tout just', dit-il en se frottant les yeux de ses poings et se mouchant dans ses doigts. Une auberge bieng plus grand' que Faut'. J'te conseillerai pas d'y d'mander un logement.

– Je n'en ai pas l'intention, dis-je sèchement, mais mon triste sourire échappa bien sûr à Philip.

– Alors, tout va bieng. Y t'chasseraient tout bonnement si t'essayais. A c'que j'sais, l'patron aime pas les gens d'notre espèce.

– Qu'as-tu encore entendu dire ? demandai-je ; puis, voyant son air ahuri, j'ajoutai impatiemment : A propos de *La Confiance*.

Philip Lamprey haussa les épaules.

– Pas grand-chose. Rieng de mauvais, en tout cas. L'patron s'appelle Martin Trollope mais j'sais rieng à son détriment. A dire vrai, fit-il en hésitant, un'fois, j'ai entendu quelqu'un dire qu'c'était un bâtard aux dents long'. Qu'y ferait n'import'quoi pour d'l'argent. Ben quoi ! Qui le ferait pas ?

Mon cœur battait très vite. Ce n'était pas une preuve mais ces propos renforçaient mon idée quant à ce lieu suspect. Je demandai :

– Est-ce que Crooked Lane est loin d'ici ?

Philip Lamprey émit un gloussement guttural :

– Bon Dieu non ! J't'y conduis si tu veux quand on aura fini d'boir'.

J'acceptai son offre avec gratitude mais quand, finalement, nous arrivâmes à Thames Street, je la reconnus car c'était une des rues que j'avais parcourues le matin. Elle courait de la Tour jusqu'au pont, traversant les marchés au poisson de Billingsgate ; c'était une des artères les plus animées de Londres et, de ce fait, embouteillées toute la journée par les voitures et les baquets. Au point que même les nobles et leur suite, lorsqu'ils quittaient les appartements royaux de la Tour blanche, étaient contraints d'attendre, enrageant et tempêtant, jusqu'à ce que la rue se dégageât. A entendre les imprécations grossières et les jurons qui fusaient en tous sens, on doutait de ses propres oreilles !

Crooked Lane était proche de la partie de Thames Street connue sous le nom de Petty Wales, me dit Philip ; une ruelle étroite où la lumière pénétrait à peine à cause des étages en encorbellement des maisons qui la bordaient des deux côtés. Et là, formant le coin à main droite, se dressait l'auberge *La Confiance*, avec son enseigne aux mains gantelées qui grinçait légèrement dans la brise – et non, j'étais soulagé de le noter, comme je l'avais imaginé dans mon rêve.

10

Près de l'enseigne grinçant comme si ses charnières étaient rouillées, je remarquai une console en fer ; on y plaçait la nuit la torche qui éclairait le nom de l'auberge, une torche semblable à celle qui avait éclairé le visage de Clement Weaver la dernière fois que sa sœur le vit.

La moitié inférieure de la construction était de pierre, la partie supérieure avait une charpente de bois et des murs à croisillons de bois et de torchis. Des volets à l'ancienne encadraient les fenêtres du rez-de-chaussée qui donnaient sur Thames Street mais, à l'étage, certaines ouvertures étaient en come ou fermées par des feuilles de parchemin huilé. De Crooked Lane, on pénétrait par un porche dans l'auberge bâtie autour d'une cour centrale. De la rue, je voyais le tohu-bohu causé par les arrivées et les départs et l'incessant va-et-vient des garçons et des servantes qui sortaient des cuisines ou y revenaient, chargés de plats ou de la vaisselle sale du dîner. Attaché à la barre près du montoir, un grand hongre gris, dont le propriétaire se faisait attendre, rongeait impatiemment son frein.

– T'comptes quand mêm' pas entrer là'dang ? me souffla Philip Lamprey à l'oreille.

Je sursautai. J'étais si captivé par l'auberge que j'avais oublié mon compagnon qui ne m'avait pas lâché d'une semelle et inspectait les lieux par-dessus mon épaule.

Je cherchai comment me débarrasser de lui. Je me sentais bien ingrat de vouloir le lâcher ainsi, mais j'apaisai ma conscience en songeant que je lui avais payé un repas en échange des renseignements qu'il m'avait donnés. Et, à présent, un étranger dans mon sillage serait une gêne ; j'avais besoin d'être seul. Toutefois, il pouvait encore me rendre un service.

– Connais-tu de vue ce Martin Trollope ? demandai-je.

– Neing, fit-il en secouant la tête. Entendu parler d'lui seulement, et d'réputation.

Je lui tendis la main en guise d'adieu avec trop de détermination pour qu'il pût s'y méprendre.

– J'ai affaire à présent. Dieu soit avec toi.

Il prit son congé avec bonne humeur, serrant ma main tendue avec une telle vigueur que l'empreinte de ses doigts rêches et petits s'imprima dans ma peau.

– Dieu soit avec toi, l'ami, fit-il de sa voix enrouée. Si tu rest' un moment à Londres, on pourra s'revoir quèqfois. Si jamais tu veux m'trouver, j'couche l'plus souvent dans l'enclos de SaintPaul. Sauf si pleut comm' vach qui piss', j'veux dire. Si j'ai fait bonne recet', y s'pourrait qu'tu m'trouves dans un bordel de Southwark.

Il me fit un clin d'œil et commenta :

– Bonn chass' assurée ! Tant qu'on n'y prend pas la chaude-pisse...

Il me vint à l'esprit que ce devait être la raison pour laquelle il dépensait une partie de son maigre revenu à se baigner. Les lupanars de Southwark n'étaient sans doute pas des lieux très salubres et il craignait d'être contaminé. Non que la majorité des gens considérassent que se laver fût un remède ; en fait, la plupart étaient convaincus que plonger leur corps nu dans l'eau était positivement dangereux. Ma mère, elle, n'avait jamais été de cet avis ; dès mon plus jeune âge, elle insistait pour que je me baigne, ne fût-ce que dans les ruisseaux du voisinage ; ou alors, debout et tremblant de froid dans la cour le matin, et elle déversait sur moi un baquet d'eau glaciale.

– Je m'en souviendrai, assurai-je. Où est ton emplacement pour mendier ?

Il haussa les épaules :

– J'en ai poing. J'demand là où j'suis et quand j'peux. Mais Londres est pas si grand. Tu pourras m'trouver dans l'coin.

– Elle est assez grande pour moi, répondis-je avec émotion, et il sourit.

Puis, pivotant avec élégance sur ses talons – la vieille discipline militaire marquait encore son allure –, il s'engagea dans Thames Street où il disparut rapidement dans la foule. J'étais toujours piqué devant l'entrée de *La Confiance*, n'ayant pas encore décidé ce que serait ma prochaine démarche ni par quel bout j'allais entamer les recherches auxquelles je m'étais si imprudemment engagé. Et puis, ne l'oublions pas, je devais gagner ma vie.

Le soleil était encore haut par-dessus ma tête, mais le froid pinçait déjà et je me rappelai la gelée blanche de ce matin. Il était plus raisonnable de m'assurer un logement pour la nuit, près d'un bon feu, que de me lancer séance tenante dans les investigations. D'autant que je n'avais pas encore réfléchi à la forme qu'elles prendraient et à la façon dont j'aborderais le sujet. Un colporteur pouvait difficilement entrer dans une auberge et commencer à poser des questions sur Sir Richard Malory et sur le fils de l'échevin Weaver sans éveiller la suspicion. Or je devais éviter à tout prix d'éveiller les soupçons si je voulais préserver mes chances d'éclaircir ce mystère. Mieux valait me rendre d'abord à *La Tête du Baptiste* et me présenter à Thomas Prynne comme une relation de Marjorie Dyer ; puis m'en remettre à son hospitalité pour avoir un coin où dormir, là où je ne serais pas dans les jambes de ses clients.

Je remontai ma balle entre mes épaules, saisis résolument mon gourdin et fis demi-tour pour descendre la rue. Ce faisant, mon regard se fixa par hasard sur une fenêtre située à droite du porche et qui donnait sur Crooked Lane. Elle était entrebâillée et je me rendis compte soudain qu'un individu – homme ou femme, je n'aurais su le dire – se tenait debout dans le couloir, un peu en retrait de l'ouverture. Sous mes yeux, la silhouette recula, comme pour ouvrir plus grand la croisée mais, au même instant, une voix cria : « Rentrez ! » Presque aussitôt, la fenêtre se referma.

Alison Weaver et Philip Lamprey m'avaient fourni des renseignements exacts : de l'angle de Thames Street et de Crooked Lane, on voyait parfaitement bien l'enseigne de *La Tête du Baptiste* et l'une des façades de l'auberge donnait sur la rivière. Crooked Lane était une petite rue ; les maisons qui la bordaient, en plus des deux hôtelleries, étaient étroitement serrées et leurs étages supérieurs se touchaient presque. Ce jour-là, la lumière du soleil y filtrait par le mince écart qui séparait les avant-toits mais, quand le temps était maussade, me dis-je avec un frisson, l'obscurité devait y régner. Curieusement, cette rue ne présentait ni coude ni tournant et je me demandai comment elle avait acquis son nom[1]. Les amas habituels de détritus s'empilaient devant les portes, l'eau de pluie et des aliments pourrissants engorgeaient le canal étroit, ménagé entre les pavés. La dépouille d'un chien gisait sur le seuil d'une demeure. A Londres, sans doute, comme dans les autres villes et cités, ceci devait constituer un délit grave et le propriétaire de l'animal pouvait être lourdement pénalisé.

On entrait directement de la rue dans l'auberge qui, contrairement à sa rivale, n'était pas bâtie autour d'une cour. Beaucoup plus petite que *La Confiance*, du fait de sa situation, elle était aussi moins susceptible de bénéficier de la circulation. Les gens qui y séjournaient devaient la connaître de réputation, grâce au bouche à oreille de voyageurs satisfaits. Sa façade à colombages était nette et bien peinte et de délicieux effluves de cuisine s'échappaient de la porte d'entrée largement ouverte. Bœuf et boulettes de viande, me dis-je, l'appétit aiguisé. Les heureux clients qui dîneraient ici ce soir ne s'endormiraient pas sur leur faim. J'entrai.

J'étais dans un corridor dallé, terminé à l'autre extrémité par une porte qui, elle aussi, laissait affluer l'air et la lumière. Des deux côtés s'alignaient d'autres portes et un étroit escalier en colimaçon conduisait à l'étage supérieur. Alors que je me demandais où se trouvaient les écuries, un hennissement sonore et le piétinement de sabots venus du fond de l'auberge

1. *Crooked* : tortueuse. *(N.d.T.)*

répondirent à ma question. Je parcourus tout le corridor : de l'autre côté d'une cour pavée, je repérai trois stalles sous un appentis, ainsi que des tas de foin et de fourrage. Une exploration plus poussée m'apprit que, de Crooked Lane, l'on pouvait accéder à la cour par une ruelle qui longeait *La Tête du Baptiste* du côté le plus éloigné du fleuve. Un grand rouan occupait une des stalles ; les autres étaient vides. Les affaires n'allaient pas fort, semblait-il, du moins pour le moment.

Je retournai à l'intérieur où il n'y avait toujours pas signe de vie. La taverne était déserte mais on y avait récemment servi le dîner. Des assiettes et des mazers sales, épars sur les tables, en témoignaient, et l'absence de déchets dans les assiettes confirmait mon impression première sur la qualité de la nourriture. J'avais dîné peu avant ; néanmoins l'odeur de ragoût me faisait saliver. Je revins dans le couloir et claironnai :

– Il n'y a personne ? Thomas Prynne ! Êtes-vous là ?

Une réponse assourdie monta de dessous mes pieds. Puis, dans un grand claquement de bois heurtant la pierre, une trappe se souleva et s'abattit sur le plancher de la taverne et un homme apparut qui remontait de la cave.

– Mes excuses, monsieur, commença-t-il.

Sitôt qu'il m'eut vu, il changea de ton :

– Qui êtes-vous ? se reprit-il, car il venait de voir ma balle et agitait à présent une main péremptoire. Je regrette mais, pour le moment, il n'y a pas ici de femmes qui pourraient avoir besoin de vos colifichets.

L'homme était court et bâti en force ; il avait le torse bombé, les bras et les cuisses musclés, une crinière grise et la peau tannée, sillonnée d'un réseau de ridules. Ses yeux, de la couleur éclatante du bleuet, pétillaient, et toute sa personne dégageait la joie de vivre et l'impression d'être bien dans sa peau, ce qui était rassurant. Voici, me dis-je, un homme heureux.

– Thomas Prynne ? m'enquis-je, bien que je fusse certain de la réponse.

– Oui. Mais je vous ai déjà dit...

– Je ne suis pas ici pour vous vendre quoi que ce soit, coupai-je vivement. Une de vos amies, Marjorie Dyer, m'a suggéré de passer vous voir si jamais je venais à Londres.

– Marjorie Dyer ? De Bristol ?

– Elle-même. L'échevin Weaver m'a dit aussi que vous

pourriez vous laisser convaincre de m'accorder un coin pour dormir pendant le temps que je passerai ici.

– Alfred Weaver ? répéta-t-il, incrédule, les yeux scintillant de plus belle. Il a dit ça ? Au nom du ciel, qu'est-ce qu'un de nos réputés échevins de Bristol peut bien avoir affaire avec un colporteur ?

Il avait gardé un fort accent de l'Ouest.

Je souris. Il était clair que Thomas Prynne avait une juste idée du statut de son vieil ami d'enfance.

– C'est une longue histoire, répondis-je, que je ne peux vous dire en quelques mots. Plus tard, peut-être, lorsque vous aurez du temps devant vous. A présent, je vais au Cheap pour vendre ma marchandise, si la chance me sourit. Mais je voudrais auparavant m'assurer un abri pour cette nuit. Je peux payer ma note si le logement n'est pas trop exorbitant.

Thomas Prynne haussa les épaules.

– Tout ami de Marjorie peut avoir un lit chez moi pour rien, et il est le bienvenu. Nous n'avons qu'un client pour le moment. Nous en attendons un autre tard dans la soirée, mais cela laisse une chambre libre. Elle est à vous jusqu'à ce que nous en ayons besoin. Ensuite, si vous êtes encore là, vous pourrez dormir à la cuisine aussi longtemps qu'il vous conviendra.

Il sourit et les rides s'accentuèrent aux coins de ses yeux.

– Mais je compte que vous prendrez ici vos repas et votre bière.

– A en juger par les odeurs qui viennent de votre cuisine, l'épreuve sera très supportable, répondis-je avec un sourire joyeux. Mais la rencontre entre Marjorie et moi a été très brève. Je ne voudrais pas tirer avantage de votre générosité sans que ceci soit bien clair.

– Voyez-vous, dit-il en me regardant fixement, vous avez éveillé mon intérêt. Pourquoi une si brève rencontre l'a-t-elle néanmoins incitée à mentionner mon nom ? J'ai là de l'excellente bière que je ne sers pas à tout un chacun, fit-il en désignant les barriques disposées contre les murs. Vous pouvez sûrement retarder votre tournée dans le Cheap le temps de la goûter avec moi et de satisfaire en même temps ma curiosité. Vous aurez encore bien assez d'heures de lumière pour écouler au moins une partie de vos articles.

J'hésitai, car il me semblait avoir gaspillé déjà beaucoup des précieuses heures du jour mais, étant donné son offre si aimable de me loger gratuitement, je n'avais d'autre choix que de m'exécuter.

Je me dirigeai vers une des longues tables de bois, près du foyer à l'ancienne mode, construit en pierre et sis au centre de la pièce, et je m'assis. Je remarquai la propreté méticuleuse des plateaux de table astiqués, la sciure de bois et les joncs frais dont on venait de recouvrir le sol.

– Je répondrai à toutes les questions que vous souhaitez me poser, dis-je.

Quand j'étais enfant, les nuits d'hiver, une fois la porte de notre chaumière refermée sur l'obscurité du dehors, alors qu'il y avait bien peu à faire si ce n'était dormir, ma mère chantait pour moi. L'une des chansons que je me rappelle le mieux était de l'espèce dont on répète les mots que l'on vient de chanter, mais en y ajoutant chaque fois une bribe de phrase supplémentaire. Il m'apparaissait que mon histoire se développait de cette même façon, gagnant en longueur lors de chaque récitation, au point qu'il me fallait à présent près d'une demi-heure avant de parvenir à mon arrivée à Londres. Heureusement, Thomas Prynne écoutait à la perfection : il m'accorda toute son attention et ne m'interrompit jamais par des questions superflues ni des exclamations admiratives ou étonnées. Quand j'eus fini, cependant, il s'autorisa un sifflement doux et prolongé.

– Quelle étrange histoire ! Avez-vous l'intention de remplir la promesse que vous avez faite à Alfred Weaver ?

Je fis tourner entre mes doigts mon gobelet de bière.

– Je dois avouer que je l'avais pratiquement oubliée lorsque je suis arrivé à Cantorbéry. Pour être tout à fait honnête, je jugeais proprement extravagante l'idée de l'échevin selon qui je pourrais lui être d'une aide quelconque. Je pensais alors – et continue de croire très probable – que Clement Weaver avait été la proie de bandits.

Thomas Prynne hocha vigoureusement la tête et je sus que telle était aussi son opinion.

– Mais ce qui s'est passé à Cantorbéry a ébranlé ma certitude, repris-je. Il m'a semblé que Dieu me signifiait que je devais intervenir.

Mon interlocuteur parut dubitatif.

– Il existe aussi ce que l'on appelle des coïncidences, dit-il, qui se produisent plus souvent qu'on ne l'imagine de prime abord. La disparition du jeune Clement est un fait terrible mais le vol et le meurtre sont choses courantes à Londres.

En le regardant verser de la bière dans mon gobelet vide, je fronçai les sourcils.

– La vraie difficulté est que nous ne sommes pas sûrs que Clement soit mort. Et c'est cela qui me tracasse. Pourquoi des voleurs auraient-ils pris le temps et la peine de faire disparaître le corps ?

– A première vue, c'est un problème, je vous l'accorde, répondit Thomas Prynne avec une grimace. Mais il doit y avoir une raison. L'hiver commençait : peut-être les voleurs avaient-ils désespérément besoin de vêtements. A moins qu'ils n'aient été dérangés ; ou qu'ils n'aient pensé qu'ils pourraient l'être avant d'avoir dépouillé le corps, ce pour quoi ils l'ont emporté. Une complication, certes, mais pas tellement grave s'ils étaient plusieurs. Et ces chenapans travaillent souvent en gangs.

Je n'avais pas pensé jusqu'alors au besoin de vêtements. Mais, même si tel avait été le cas, les voleurs ayant de l'argent auraient pu s'en acheter. Et il fallait toujours prendre en considération la disparition de Sir Richard Mallory. Je secouai la tête.

– Je suis convaincu, répliquai-je, que l'auberge *La Confiance* recèle un mystère. Savez-vous quelque chose sur Martin Trollope ?

– Je le connais de vue, naturellement, et nous parlons parfois de la pluie et du beau temps. Cela mis à part, nous avons peu de contacts. Après tout, nous sommes concurrents, et dans la même rue, fit-il avec un sourire morose. Et tous les avantages sont de son côté : la situation, les dimensions de l'établissement, la protection de la famille royale et les relations avec elle...

– Elles sont ténues, si mes renseignements sont exacts.

Qu'avait donc dit Bess ?

– Trollope n'est jamais que le cousin d'un protégé du duc de Clarence, assurai-je.

Cette fois, Thomas rit franchement :

– On ne voit que trop bien, Roger Chapman [1], que vous n'êtes pas à Londres depuis bien longtemps. N'allez pas faire la fine

1. *Chapman* : colporteur. *(N.d.T.)*

bouche si l'on vous reparle de ce genre de relations. *La Confiance* doit une bonne partie de sa clientèle à la recommandation du duc lui-même. J'aimerais pouvoir me flatter de cet appui royal.

Il avala sa bière en me regardant pensivement par-dessus son gobelet.

– Et maintenant, qu'avez-vous l'intention de faire pour remplir votre promesse à Alfred Weaver ?

– Je ne sais pas encore, avouai-je. Je n'ai pas encore mis sur pied mon plan d'action. Mais une idée va bien m'arriver.

– J'en suis sûr, repartit Thomas d'un ton ironique. Vous semblez être un jeune homme de ressources et très capable. Un colporteur qui sait lire et écrire ! Oh ! merveille ! Moi-même je lis un peu mais je n'ai jamais maîtrisé l'art de concilier la plume et le papier. Pour cela, je dois faire confiance à mon associé, Abel Sampson.

Je devais avoir l'air très surpris car il se mit à rire.

– Vous vous imaginiez que je fais marcher la maison à moi seul ?

– Non, non, bien sûr que non. Je n'y avais pas songé, tout simplement. Comme je vous l'ai déjà dit, Marjorie Dyer et moi nous connaissons bien peu. Vous n'êtes pas marié ?

Thomas secoua la tête.

– Je n'en ai jamais éprouvé le besoin. Selon mon expérience, les femmes sont généralement une entrave. On trouve quantité de femmes pour le plaisir dans toutes les villes, en particulier à Londres. J'ai appris à cuisiner quand j'étais patron de *L'Homme qui court*, et avec trois chambres seulement, qui ne sont jamais toutes occupées en même temps, je n'ai pas trop d'obligations. Abel et moi sommes nos propres cavistes, serveurs et caméristes. De cette façon, sans gage à payer et sans personne à charge, nous arrivons à gagner notre vie. Ce n'est pas facile mais, du moins, l'établissement nous appartient, alors qu'à Bristol, *L'Homme qui court* était la propriété de l'abbaye de Saint-Augustin, et tout le mal que je me donnais servait à enrichir l'Église, sans profit pour moi.

– Vous méritez de réussir, dis-je et j'ajoutai avec ferveur : Cette bière est la meilleure que j'aie jamais goûtée et, comme je l'ai déjà remarqué, la cuisine sent délicieusement bon.

– Vous y goûterez ce soir quand vous reviendrez du Cheap.

Il se leva et ramassa nos gobelets vides.

– Quant à nos bières et surtout à nos vins, enchaîna-t-il, Abel et moi les achetons nous-mêmes. Les navires en provenance de Bordeaux s'arriment à l'ouest du Steelyard, au Three Cranes Wharf. Autrement dit, il faut se lever matin pour devancer les négociants en vins, mais nous ne rechignons pas devant cet effort supplémentaire. Nous espérons avoir un jour la réputation de débiter les meilleurs vins de toutes les auberges de Londres.

Mon admiration pour cet homme ne cessait de croître. Il était déterminé à réussir, envers et contre tout, et les habitants de Bristol peu regardants sur la dépense lui fourniraient les moyens d'accéder au succès. Il avait de l'humour et il était humain. Bref, je le trouvai séduisant et je souhaitais que tout lui réussît.

– Ce soir, quand je reviendrai, j'aimerais vous parler de la nuit où Clement Weaver disparut. Si vous pouvez m'accorder un moment, bien sûr.

Il me sourit avec un soupçon de condescendance.

– Comme je vous l'ai dit, nous attendons un autre client mais il chevauche sur la route de Northampton depuis quatre jours et, d'après le roulier qui nous a porté son message, il prévoit une arrivée très tardive. Alors, si l'occasion se présente...

Il mit fin à l'entretien avec un haussement d'épaules :

– A propos, vous rencontrerez au souper notre autre client. Un gentleman dans la dèche qui s'appauvrit de plus en plus par suite des procédures qu'il a engagées. Il est à Londres pour la deuxième fois cette année, dans le but d'adresser une pétition au roi. Des histoires de propriété terrienne et de testament contesté.

Il soupira comme s'il déplorait la folie de l'humanité tout entière et conclut :

– Londres est pleine de gens comme lui, qui déversent leur argent dans la poche des hommes de loi.

J'opinai du chef. Je les avais vus de mes yeux ce matin même dans les cloîtres de Saint-Paul.

Un pas résonna dans le corridor, et un homme grand et svelte apparut dans l'embrasure de la porte de la taverne. Thomas Prynne le salua d'un signe de tête.

– Voici mon associé, Abel Sampson.

11

Un second coup d'œil m'apprit qu'Abel Sampson, bien qu'il fût grand, ne l'était pas autant que moi. (J'utilise ici le passé car, fatalement, l'arthritisme a réclamé ses droits sur mes membres ; au fil du temps, je me suis un peu voûté.) D'une belle taille, cependant, plus de cinq pieds et demi ; le sommet de sa tête arrivait à la hauteur de mes sourcils. C'était sa charpente étroite qui le faisait paraître plus grand qu'il n'était réellement. Je ne dirais pas qu'il était décharné, mais si mince que le contraste entre Thomas Prynne et lui était presque ridicule. Je dus contrôler sévèrement mes traits pour ne pas éclater de rire.

Abel Sampson était aussi beaucoup plus jeune que je m'y attendais ; pas plus de vingt-quatre ou vingt-cinq printemps. Ses cheveux et ses sourcils étaient blond roux, ses yeux d'un bleu très pâle et l'on aurait dit de ses lèvres pratiquement invisibles qu'elles ignoraient comment sourire. Dénué d'humour, décidai-je. Mais, là encore, mes premières impressions étaient fausses. A l'époque – je l'ai déjà signalé dans ce récit –, j'étais mauvais juge en matière de caractère. Je sautais trop vite et trop hardiment à des conclusions erronées. Subitement, Abel Sampson sourit et, comme Richard de Gloucester que j'avais vu plus tôt dans la journée, son visage parut s'illuminer de l'intérieur, faisant de lui une autre personne.

– Est-ce l'homme que nous attendions ? demanda-t-il à son associé.

Thomas secoua la tête

– Non, non ! Je suis sûr de t'avoir précisé que maître Farmer arriverait tard dans la soirée, dit-il d'un ton sévère.

Il était clair que l'oubli de son associé le contrariait.

– C'est vrai, tu me l'avais dit, reconnut Abel, l'air penaud, avant d'ajouter à mon adresse : J'ai une mémoire exécrable.

Je ris, me levai et ramassai mon balluchon.

– Alors, je suis en bonne compagnie, répondis-je, car c'est aussi mon cas.

Je me tournai vers Thomas Prynne.

– A présent, je pars. Je ne peux laisser s'écouler sans travailler les heures du jour. Mais je serai de retour pour le souper.

J'espère avoir à ce moment quelque argent. Alors, prévoyez-le abondant.

– Vous aurez autant de ragoût que vous pourrez en manger, promit-il. A la cuisine avec nous ou ici avec notre client, maître Parsons.

Sans me laisser le temps d'ouvrir la bouche, Abel trancha pour moi :

– Soupez avec nous, conseilla-t-il en souriant. Après une nouvelle journée passée dans les tribunaux, le lugubre Gilbert fera un triste compagnon.

Je hissai ma balle sur mes épaules.

– C'est précisément ce que j'avais l'intention de suggérer, dis-je en me dirigeant vers la porte de la taverne. De plus, je souhaite discuter avec maître Prynne d'un sujet précis.

– Appelez-nous Thomas et Abel, me gourmanda cet excellent homme. Nous appelons par leur prénom tous les amis de Marjorie.

Abel Sampson approuva de bon cœur :

– Et nous vous appellerons Roger... Bonne chance avec la clientèle, Roger ! ajouta-t-il en désignant ma balle.

Je le remerciai et lui demandai comment me rendre au Cheap. Quelques instants plus tard, je remontai de nouveau Crooked Lane en direction de Thames Street. Pour la deuxième fois de la journée, je m'arrêtai devant l'auberge *La Confiance* et regardai songeur la fenêtre si brutalement refermée ce matin. J'avais aperçu une vague silhouette, j'en étais sûr. Il fallait bien que quelqu'un se fût trouvé là pour provoquer la réaction furieuse de la seconde personne, celle qui avait claqué la croisée. J'essayai de me rappeler la voix que j'avais entendue crier « Rentrez », et plus j'y pensais, plus j'étais certain que c'était une voix d'homme.

J'ai dû rester planté là plus longtemps que je ne m'en rendis compte car, tout à coup, une voix coléreuse me cria dans l'oreille :

– Passe ton chemin, colporteur ! J'interdis aux gens de ton espèce de rôder par ici.

Je pivotai et me trouvai face à un homme pratiquement de ma taille mais beaucoup plus large. En fait, il était d'une corpulence considérable. Une barbe touffue et broussailleuse dissimulait la majeure partie de son visage ; elle était brun foncé, comme ses cheveux bouclés. Ses yeux aussi étaient bruns et le peu que l'on voyait de sa peau tannée avait la teinte des noix. Baraqué, c'est le mot qui me vint à l'esprit. N'eût-il été si bien vêtu d'une fine chemise de lin sous une tunique de laine moelleuse, si bien botté de cuir souple, j'aurais parié qu'il avait été soldat, un soldat très grossier. Il y avait quelque chose de militaire dans son attitude et dans sa façon d'aboyer ses ordres. Mais le fait qu'il s'exprimait à la première personne et son ton autoritaire assirent ma conviction : j'étais devant Martin Trollope.

– Je suis désolé, dis-je, ravalant ma rage et du ton le plus humble que je pus trouver. Mais c'est mon premier séjour à Londres et je trouve tout fascinant. J'admirais vos fenêtres.

– Pourquoi ? jeta-t-il d'un ton brusque. Tu as déjà vu des fenêtres, non ? Et maintenant, fiche le camp d'ici ! Je te l'ai dit. Je ne veux pas de rôdeurs par ici.

L'homme était sur les nerfs et je sentis le moment venu de les lui mettre en pelote.

– Êtes-vous Martin Trollope, le propriétaire ? demandai-je.

Son regard flamboya, mais je remarquai que sa main droite jouait nerveusement avec la boucle de sa ceinture de cuir rouge.

– Et le serais-je ? En quoi ça te regarde ?

– En rien du tout, répondis-je d'un ton lénifiant. C'est seulement que j'ai entendu parler de vous. J'étais à Cantorbéry le mois dernier et j'ai eu l'honneur de vendre quelques articles à Lady Mallory, dans son manoir de Tuffnel – c'était un mensonge mais il était véniel. Puis sa femme de chambre m'a parlé de Sir Richard, celui qui a disparu de cette auberge. Et de son domestique, Jacob Pender, porté disparu, lui aussi.

La réaction de Martin ne fut pas du tout ce que j'avais espéré.

– Oh ! lui ! maugréa-t-il aigrement, il est parti en laissant des dettes. Il n'avait pas réglé son logement, ni celui de son domestique.

Je m'abstins de dire que telle n'était pas la version de Lady Mallory et il poursuivit :

– Et le beau-père, Sir Gregory Bullivant, a refusé de régler la note. Qu'il crève ! Il dit que je n'ai pas de preuve que Sir Richard ait levé le pied sans payer.

– Mais Sir Richard avait sûrement l'intention de revenir, objectai-je. Il avait laissé les chevaux.

– Que Sir Gregory a emmenés, répliqua-t-il avec malveillance. Qu'il aille au diable !

– Il est mort, dis-je sèchement.

Martin Trollope me regarda de plus près.

– Dis donc, tu as l'air d'être bien au courant.

– La femme de chambre de Lady Mallory était très volubile.

– Volubile ? ricana-t-il. Un bien grand mot pour un vulgaire colporteur.

J'estimai le temps venu de prendre congé. Je ne voulais pas éveiller ses soupçons avant d'avoir recueilli beaucoup plus de renseignements que je n'en avais pour l'instant. Et je ne pouvais me cacher le fait que son attitude m'avait déçu. Il n'avait manifesté aucun signe de culpabilité en m'entendant prononcer le nom de Sir Richard Mallory ; par ailleurs, il ne me faisait pas l'effet d'un homme qui dissimule. Mis à part l'agitation qui semblait être chez lui un état permanent et son aversion pour les étrangers qui traînaient autour de son auberge, je ne saurais dire exactement d'où je tirais cette impression. Un colporteur ne pouvait être pour lui chose inhabituelle et ce n'était pas ma condition qui avait attiré son attention. Non, j'en étais persuadé. Mais j'avais contemplé cette fenêtre avec attention. Voilà ce qui avait provoqué chez Martin Trollope le besoin frénétique de me faire déguerpir.

– Alors, je m'en vais, dis-je.

Je fis quelques pas vers l'angle de la rue avant de lever les yeux une fois encore vers la croisée au-dessus de nos têtes.

Cette fois, sa réaction fut beaucoup plus encourageante.

– Fous le camp ! ordonna-t-il, furieux.

Et je sus alors que c'était la voix de Martin Trollope qui avait crié ce matin « Rentrez ! ».

– Dieu soit avec vous, répondis-je magnanime et, tout content, je tournai dans Thames Street.

Toutefois, alors que je me frayais un chemin dans cette rue encombrée, j'étais conscient d'une agitation irritante à la limite de ma pensée ; d'un petit fait insaisissable qui me mettait mal à l'aise. Plus j'essayais de mettre le doigt dessus, plus il fuyait, trouvant l'esquive en pénétrant d'autres pensées qui l'obscurcissaient. Après que trois passants m'eurent injurié parce que je ne regardais pas devant moi, je compris qu'il me fallait abandonner mes recherches, pour le moment du moins, et rester confiant :

l'énigme se résoudrait bientôt d'elle-même. A présent, je devais faire mon travail. Je me mis résolument en route pour le Cheap.

West Cheap, ou Cheapside, est aussi simplement appelé The Street, tant il est célèbre. Je doute qu'il y ait âme qui vive dans toute l'Angleterre qui n'en ait entendu parler. Il n'est plus ce qu'il était dans mon jeune temps mais, comme je l'ai déjà fait remarquer, cela va sans dire. Mes enfants et mes petits-enfants ressentiront la même impression lorsqu'ils auront mon âge. Mais, quand j'y allai pour la première fois, en octobre 1471, Cheap m'apparut receler toute la magie de ce vaste monde.

Cheap, bien entendu, vient du vieux mot saxon *chipping* qui signifie « marché » : rien n'était bon marché au sens courant du terme dans The Street. Les magasins regorgeaient de soieries et de tapis, de tapisseries venues d'Arras, d'assiettes et de gobelets d'or et d'argent, de bijoux proprement magnifiques. Ébloui, j'étais comme un enfant au royaume des fées, bien qu'il fût hérétique de croire aux lutins. (Mais moi qui crois toujours à demi à l'existence de Robin Goodfellow, de Hodekin et du Terrible Homme vert, comment puis-je ne pas croire au monde des fées ?) Une canalisation, qu'on appelait le grand conduit, ai-je appris, apportait de l'eau de source tout le long du parcours depuis Paddington, une eau qui véhiculait encore l'odeur d'herbe des prairies campagnardes. On y trouvait des épices et des apothicaires ; et je vis que le savon gris de Bristol se vendait un penny la livre, moins de la moitié du prix du savon blanc et dur de Castille. Le savon ordinaire, noir et liquide, valait seulement un demi-penny.

Il y avait le Standard, construit en bois à l'origine, et nouvellement rebâti en pierre où, vingt et un ans plus tôt, les partisans de Jack Cade[1] avaient assassiné Lord Say[2] ; l'église St Mary-le-Bow, ainsi appelée parce qu'elle est édifiée sur des arcs et dont la cloche est célèbre ; la grande croix érigée par le roi Édouard Ier, en cours de reconstruction grâce à la générosité des citoyens de la capitale, pour un coût bien supérieur à mille livres.

1. Révolutionnaire anglais. S'étant fait passer pour un parent de la famille royale, il souleva le Kent contre Henri VI, s'empara de Londres en 1450 mais fut vaincu neuf jours plus tard et tué. *(N.d.T.)*
2. Un des deux magistrats exécutés par Jack Cade en 1450. *(N.d.T.)*

Et puis il y avait Mercers'Hall, situé le long de la rive nord, et les demeures admirablement peintes et ornementées des négociants. Il y avait... Mais je finirais par vous faire bâiller d'ennui si je continuais d'énumérer les merveilles de ce quartier de Londres. Tout ce que je peux dire est que j'ai rencontré depuis beaucoup de gens, y compris des étrangers, qui parlent avec une admiration empreinte de respect des marchandises et des trésors de Cheapside.

Je pensais que je serais dans l'impossibilité de rien vendre ici et m'apprêtais à changer de lieu quand un premier client vint à moi. Ensuite, ce fut facile. Jamais je n'avais vendu autant en deux heures. Je réalisai au bout d'un moment que les gens qui venaient au Cheap pour acheter étaient de ce fait d'humeur dépensière. Ils se souciaient peu du vendeur auquel ils s'adressaient pourvu qu'ils pussent s'offrir ce qui était à vendre. Et mes articles étaient indéniablement meilleur marché que ceux exposés dans les boutiques. J'attirais par douzaines les plus pauvres citadins.

Je ne dis pas, notez bien, que mon apparence n'y était pas pour quelque chose. La plupart de mes clients étaient des femmes et, quitte à passer pour un vantard, avec mes excuses, mais c'était la vérité. J'ai toujours estimé que nous devons utiliser les dons que Dieu nous fit ; exploiter ma bonne mine pour en tirer avantage sur mes concurrents ne m'a jamais tourmenté et je n'en ai jamais eu honte. Je contais fleurette aux femmes jeunes et flattais les plus vieilles, nouvelle preuve, si vous en voulez plus, de mon inaptitude à une vie d'abnégation.

Quand les cloches de l'église sonnèrent les vêpres, je remballai ce qui restait sur mon étal de fortune et me préparai à repartir vers Crooked Lane, l'esprit tout occupé du dîner à venir. Le parfum du ragoût délicieux de Thomas Prynne s'attardait dans mes narines et me mettait d'avance l'eau à la bouche. Je me mis en route pour *La Tête du Baptiste*, le pas et le cœur légers, songeant aux bonnes affaires que j'avais faites cet après-midi. L'air était toujours piquant et les vestiges de la gelée du matin s'étalaient dans les rues comme des toiles d'araignée noirâtres. Mais des nuages menaçants s'accumulaient. Il ferait moins froid cette nuit, il se pourrait même qu'il plût.

Londres continuait de m'ébahir et, tout en sachant que j'allais dans la bonne direction, je réussis à me perdre. Je me trouvai tout à coup devant un formidable bâtiment de pierre que mon regard inexpérimenté prit pour une forteresse. Trois portes voûtées et massives dont deux étaient fermées donnaient sur la rue. Des chariots que l'on chargeait ou déchargeait se succédaient devant la troisième et je compris que ce devait être le Steelyard, le comptoir des marchands hanséatiques, descendants des commerçants allemands, établis par les rois saxons à Dowgate. Je les connaissais de réputation grâce à Marjorie Dyer qui m'avait tout dit sur eux pendant ma soirée à Bristol : que les *Easterlings* étaient tenus de rester célibataires et qu'aucune femme n'était autorisée à pénétrer dans les murs du Steelyard ; qu'ils avaient leurs propres échevins, au nombre de deux, qui les représentaient dans le gouvernement de la ville ; qu'ils se tenaient à distance des autres Londoniens et détenaient le monopole du commerce de la Baltique. En cas d'attaque de la capitale, ils étaient responsables de la défense de Bishopsgate et, d'après l'histoire, entretenaient en conséquence une armure complète dans chaque salle.

Pendant que je regardais bouche bée – sottement, aurait dit ma mère – cet édifice imposant, comme un vrai péquenot que la ville laisse pantois, mon regard s'arrêta sur un charretier qui, avec un aide, déchargeait de grosses balles de drap. Le visage de l'homme m'était connu, sinon familier, mais je ne retrouvai pas aussitôt où je l'avais déjà rencontré. Puis, comme s'il avait perçu mon examen attentif, il tourna la tête dans ma direction et je reconnus le charretier dont l'échevin Weaver utilisait les services pour le transport de son drap à Londres. Je m'avançai et attendis patiemment près du cheval qu'il fût libre de parler.

Cela prit un bout de temps car ils déchargèrent au moins une demi-douzaine de balles de drap écru ; et quand enfin cette tâche fut terminée, l'homme suivit les Allemands dans le Steelyard où il demeura un bon moment. Lorsqu'il en ressortit enfin, il était prêt à se faire plaindre par une âme compatissante.

– Chacune des foutues balles a été pesée et examinée, grommela-t-il. Les *Easterlings*, ils font confiance à personne.

– Mais ils paient bien, dis-je, me souvenant de ma conversation avec Marjorie Dyer sur le Marsh Street Quay.

Le charretier renifla.

– Pour moi, ça change rien, mon gars. J'en touche pas un

penny de plus. Ils paient mon employeur ou son régisseur quand ils montent à Londres. Et c'est moi le dernier payé de tous.

– Je suis sûr que l'échevin Weaver ne vous fait pas attendre longtemps ce qu'il vous doit.

L'homme me lança un regard aigu.

– Qu'est-ce que vous savez de l'échevin ? demanda-t-il, la tête penchée de côté et les yeux luisants de curiosité. Je vous ai déjà vu quelque part. Vous êtes de Bristol ?

– J'y ai séjourné, dis-je, mais je suis né à Wells.

Il hocha la tête comme pour signifier que mon accent me trahissait.

– Et vous avez raison, poursuivis-je, nous nous sommes déjà rencontrés, pas bien longtemps. Le printemps dernier, j'étais avec Marjorie Dyer un matin où elle est venue vous parler. Le quai se trouve à l'extrémité de Marsh Street.

– Ah oui ! dit-il, mais il était manifeste que, s'il se rappelait mon visage, il n'avait aucun souvenir des circonstances de notre rencontre.

– Elle vous a donné une lettre à porter à sa cousine, lui rappelai-je.

Mais le charretier haussa simplement les épaules et repartit :

– Elle m'en confie souvent. Et des tas d'autres gens aussi. Vous seriez étonné de tout ce qu'on me confie. Une chance pour eux que je sois honnête.

– Ça oui, dis-je. Je suppose que l'on n'a pas eu de nouvelles de Clement Weaver depuis.

Il me regarda comme si j'avais perdu la tête et calma son cheval qui piaffait.

– Non ! Et il n'y en aura jamais ! dit-il d'un ton méprisant. Il est mort et bien mort. Il n'y a que l'échevin, pauvre bougre, qui refuse de l'admettre.

Il me lança un coup d'œil perspicace.

– Tout ça, c'est Marjorie Dyer qui vous l'a raconté, pas vrai ?

Comme je ne répondais pas, il reprit :

– Elle aimerait bien que le problème soit résolu, si j'ose dire, rien que pour récupérer l'attention de l'échevin. Oh ! que oui !

Il me fit un clin d'œil appuyé.

– C'est qu'elle a des espérances de ce côté, la Marjorie. La seconde maîtresse Weaver, voilà ce qu'elle veut être. Elle a toujours été ambitieuse. Elle a jamais bien pris d'être la parente pauvre, ni d'être leur servante. Et maintenant que la fille est mariée et qu'elle est allée vivre chez Burnett, il se pourrait que Marjorie puisse amener l'échevin à s'exécuter, si seulement il était capable de penser à quelqu'un d'autre qu'à son précieux Clement.

Cette révélation ne m'étonna pas outre mesure. Elle confirmait ce que je savais déjà des relations entre l'échevin et sa gouvernante. Ainsi, Alison avait épousé ce petit fat de William Burnett et elle était partie vivre avec lui dans son village natal. Ce n'était pas non plus une surprise, encore que ce fût regrettable. Cette fille si ardente méritait mieux.

Le charretier monta sur le siège et rassembla les rênes. Il avait encore des livraisons à faire et souhaitait en finir avant la tombée de la nuit. Je m'écartai du cheval pour le laisser partir, mais l'homme hésitait.

– Où est-ce que vous logez dans la City ? me demanda-t-il.

– A l'auberge de *La Tête du Baptiste*, dans Crooked Lane.

Il prit un drôle d'air que j'interprétai comme de l'étonnement. Plutôt que dans une auberge, il s'attendait à ce que je séjourne dans une hôtellerie religieuse où le logement était gratuit et le régime composé d'eau, de pain noir et de bacon ou de poisson salé. Il avait aussi l'air envieux et je m'empressai de lui faire savoir que je n'étais pas plus riche que lui.

– Je pense avoir joué de mes brèves relations avec Marjorie Dyer et avec l'échevin. Maître Prynne a très aimablement accepté que je couche à la cuisine.

J'estimai prudent de ne pas faire allusion au lit qu'on m'avait offert.

Le charretier accepta mes explications avec un hochement de tête. En fait, il en semblait content. Il lâcha les rênes pour fouiller dans la sacoche de cuir attachée à sa ceinture.

– Je me souviens de Thomas Prynne, dit-il. Avant de venir à Londres pour y chercher fortune, il était propriétaire de *L'Homme qui court*, à Bristol. Si vous voulez mon avis, il tient à réussir aussi bien que son vieil ami, l'échevin Weaver. Je dirais qu'il y avait de la jalousie là-dessous, ce qui n'est pas un mal pour qui veut faire son chemin dans ce monde. Moi, je suis content comme je suis et satisfait de faire le métier que Dieu m'a donné. Ma femme, elle dit que c'est juste une excuse à ma paresse, mais j'ai appris à ignorer quand elle me houspille. Selon mon expérience, c'est la seule façon de tirer le meilleur parti des femmes : on a juste à faire comme si elles n'étaient pas là.

Je riais en me rappelant ma mère.

– Elles ne se laissent pas oublier. C'est ça, l'ennui.

Il avait enfin trouvé ce qu'il cherchait dans sa sacoche et produisit triomphalement un feuillet de papier plié.

– Tenez, dit-il en me le tendant. Un vrai coup de chance que vous alliez à Crooked Lane. Ça m'épargnera une trotte de plus. C'est une lettre de Marjorie Dyer pour sa cousine, Matilda Ford, qui est cuisinière à l'auberge *La Confiance*. Peut-être bien que vous serez assez aimable pour la lui remettre pour moi.

Quand j'eus pris la lettre, il rassembla de nouveau ses rênes et me remercia.

– Dieu soit avec vous, dit-il, en faisant démarrer son cheval.

Je le suivis stupidement du regard jusqu'à ce qu'il disparût à l'extrémité de la rue tandis que le lent martèlement des sabots de l'animal décroissait peu à peu.

12

La tête me tournait. Marjorie Dyer avait une cousine cuisinière à *La Confiance* ! Je restai planté comme une bûche au milieu de la chaussée, essayant de tirer les conséquences logiques de cette information.

Marjorie était aussi la parente éloignée de l'échevin Weaver, mais j'ignorais si c'était par sa mère ou par son père. Toutefois, de quelque côté que ce fût, cette Matilda Ford était une cousine de l'autre branche de sa famille ; une déduction assez évidente car l'échevin n'avait pas de relations avec l'auberge *La Confiance*. Sinon il les aurait exploitées au moment de la disparition de son fils. Et Marjorie ne lui en avait rien dit. Pourquoi ? On ne pouvait en tirer qu'une conclusion, bien qu'il me répugnât beaucoup de le faire. Marjorie Dyer était de mèche avec les voleurs.

Non ! Non ! Cette idée était grotesque ! Mais, au fond, pourquoi le serait-elle ? Après tout, que savais-je de Marjorie sinon ce qu'elle-même m'avait appris ? Et j'avais été témoin de la façon dont Alison la traitait, moitié en amie, moitié en servante, la meilleure façon d'entretenir la rancune de Marjorie. De plus, si Marjorie ambitionnait vraiment de devenir la seconde épouse de Weaver, l'enlèvement de Clement servirait ses intérêts. Lui disparu et Alison pourvue d'un époux fortuné, pourquoi l'échevin ne ferait-il pas un nouveau testament par lequel il laisserait tout à Marjorie ? Les choses commençaient à prendre tournure.

Vive comme l'éclair, une autre idée me frappa. J'avais constaté moi-même que Marjorie couchait dans le lit de l'échevin, alors quoi de plus vraisemblable qu'il lui eût fait de temps à autre des confidences sur l'oreiller ? Il lui avait probablement dit que Clement porterait sur lui une forte somme d'argent lors de ce séjour à Londres, si bien que Marjorie n'avait eu qu'à en avertir à l'avance sa cousine, en lui faisant parvenir une lettre par le roulier, puis à feindre d'ignorer le fait...

Et pourtant... Et pourtant... Certains morceaux du puzzle ne collaient pas. Marjorie ne pouvait matériellement pas prévoir les circonstances qui amèneraient Clement devant l'auberge *La Confiance*, seul, au crépuscule et sous des torrents d'eau. En principe, il devait se séparer de sa sœur au village de Paddington et poursuivre à cheval, avec Ned Stoner, jusqu'à *La Tête du Baptiste*. Dans mon cerveau en proie à la confusion, un fait ressortait avec clarté et je baissai les yeux sur la lettre que je tenais à la main : j'avais à présent une raison d'entrer à *La Confiance*, que Martin Trollope lui-même ne pourrait contester.

Une main se posa lourdement sur mon épaule et une voix gutturale gronda dans mon oreille.

– Z'allez pas vous tirer d'ici ? Z'empêchez d'passer les voitures de roulage.

Je me retournai et me trouvai nez à nez avec un *Easterling* menaçant et, derrière lui, des charretiers qui m'accablaient d'injures. Je bloquais la circulation. Murmurant précipitamment des excuses, je repartis vers Thames Street, bien décidé à ne plus me fier aux raccourcis. Je n'étais pas encore assez familiarisé avec les rues de Londres pour m'y risquer et poursuivis tout droit jusqu'à l'angle de Crooked Lane et de *La Confiance*. Instinctivement, je levai les yeux vers la fenêtre à droite de l'entrée de la cour, mais elle était bien fermée et je ne discernai aucun signe de vie de l'autre côté. Aucune ombre, si légère fût-elle, ne se profilait contre le parchemin huilé. Le silence régnait.

Ravalant ma déception, je rechargeai mon balluchon et tournai sous la voûte, serrant comme un talisman la lettre de Marjorie Dyer.

Je repérai sans peine les cuisines du côté nord de la cour ; de ses volets ouverts s'échappaient un grand fracas de pots et de poêles, et de forts effluves de cuisine ; ce n'était pas l'arôme unique et délicieux qui émanait de l'âtre de *La Tête du Baptiste*, mais un mélange d'odeurs : viande qui rôtit et pain qui lève, bouillon cuisant à petit feu, poisson sec et bouffées d'ail. L'ensemble, pourtant, ne m'ouvrait pas l'appétit et j'évoquai avec satisfaction le repas odorant qui m'attendait un peu plus bas dans la rue.

Il y avait beaucoup de monde dans la cour ; les uns rentraient les chevaux à l'écurie pour la nuit, d'autres tiraient de l'eau au puits ; une servante grimpait l'escalier extérieur pour porter le repas dans une des chambres à coucher. La chance me souriait : Martin Trollope était invisible. J'avançai jusqu'à la porte de la cuisine et entrai.

Pendant un moment, personne ne s'occupa de moi ; en fait, je crois que nul ne s'était aperçu de ma présence avant que le marmiton, un gamin pâle qui ne cessait de renifler, levât la tête du mortier où il pilait des pignons de pin et me demandât d'un ton plaintif et nasillard :

– Quoiq' vous faites là ? Quoiq' vous voulez ? L'patron permet pas les porte-balle.

Ses propos attirèrent l'attention des autres et une grosse femme, enfarinée jusqu'aux coudes, cria :

– Allez-vous-en ! Allez ! Filez ! Le gamin a raison. Maître Trollope autorise pas l'colportage. Ici, c'est une auberge honorable.

– Je ne vends pas, répondis-je dignement, de l'air de la vertu offensée et, agitant la lettre, j'ajoutai : Ceci est pour la cuisinière, Matilda Ford, de la part de sa cousine de Bristol.

Le silence se fit, et toutes les têtes se tournèrent vers une table, à l'autre extrémité de la cuisine, où une femme et deux filles épluchaient des légumes et dépiautaient des lapins. La femme me lança un regard soupçonneux puis, s'essuyant les mains sur son tablier, avança lentement vers moi.

– Qui êtes-vous ? demanda-t-elle. Et pourquoi est-ce vous qui m'apportez ma lettre ? D'habitude, Marjorie les envoie par le roulier.

Elle était grande pour une femme, mais frêle ; les cheveux qui dépassaient de sa coiffe étaient roux. Elle ne correspondait pas du tout à l'idée que je m'étais faite d'une parente de Marjorie. Et pourtant, elle me rappelait quelqu'un. Était-ce Alison Weaver, devenue Lady Burnett ? Peut-être m'étais-je trompé en postulant que Matilda Ford n'était pas apparentée aux Weaver mais à l'autre ascendance de la famille de Marjorie.

J'expliquai aussi brièvement que possible pourquoi j'apportais la lettre, mais ne récoltai qu'une moue renfrognée tandis qu'une main gracile m'arrachait pratiquement le papier des mains.

– Cet imbécile de roulier n'a pas à confier ma lettre à un étranger, aboya-t-elle. Allez ! Vous me l'avez remise. Maintenant, occupez-vous de vos affaires.

Avant que j'aie eu le temps de m'insurger contre ces manières grossières, elle avait tourné la tête et houspillait les deux filles :

– Et vous, grandes abruties d'empotées, qu'est-ce que vous avez à ricaner comme ça en dessous ? Au travail et en vitesse ! Vous savez qu'on est à court de bras depuis que Nell a été renvoyée. Alors, vous m'entendez ou quoi ?

Les deux filles avaient l'air maussade. L'une d'elles, manifestement plus courageuse que l'autre, demanda d'un ton agressif :

– Ben alors, si qu'on est à court, pourquoi qu'la nouvelle fille descend pas pour y fair' son boulot ? Sous prétexte qu'elle est malad', elle roupille là-haut ! Pas plus malad' que j'le suis, moi ! Et l'maîtr', y laiss' fair'. C'est pas juste !

– Mêle-toi de tes oignons, ma petite, répliqua Matilda Ford d'un ton acerbe, sinon tu vas te retrouver sur le pavé. Si maître Trollope dit qu'il faut la laisser tranquille jusqu'à ce qu'elle aille mieux, c'est sûrement pas tes affaires.

Elle ne put cependant s'empêcher d'ajouter entre ses dents :

– Bien que la raison pour laquelle il accepte d'héberger un pareil bagage...

Se rappelant ma présence, elle s'interrompit brusquement :

– Vous êtes encore là, vous ? Qu'est-ce que vous attendez ? Vous m'avez donné la lettre. Alors maintenant, filez d'ici et occupez-vous de vos affaires.

Elle retourna vers la table, saisit d'une main un couteau très dissuasif et de l'autre un lapin. Les deux gamines, encore plus renfrognées, continuaient de couper les légumes.

Les autres m'ignoraient et je n'avais aucun prétexte pour m'attarder dans la cuisine. Mais j'étais très intrigué par cette fille de cuisine dispensée de travailler, alors même que la main-d'œuvre manquait autour des marmites. Tant de sollicitude à l'égard d'une petite servante correspondait mal au tempérament du Martin Trollope que j'avais rencontré ce matin. Je flairai quelque chose de plus subtil que l'odeur du poisson que le marmiton était en train de vider. Je me dirigeai pensivement vers la cour, où l'air était plus frais, et examinai les alentours. Un gros tas de bûches était empilé contre un mur devant la porte de la cuisine ; desserrant les courroies de ma balle, je la fis glisser de mes épaules. L'ombre des bûches la dissimulait aux yeux les plus observateurs. Puis, après avoir flâné un moment dans la cour où je passais inaperçu grâce à l'affairement provoqué par l'arrivée d'un client, je montai l'escalier extérieur qui menait au balcon. Trois portes ouvraient sur ce balcon, certainement celles des plus belles chambres à coucher ; mais, devant moi et tout au bout, une quatrième porte conduisait, du moins je l'espérais, aux parties privées de l'auberge. Un regard furtif jeté sur la cour m'apprit que personne ne m'observait ; en quelques pas rapides, je fus devant la porte dont je soulevai le loquet et aboutis dans un corridor étroit qui prolongeait le balcon. A ma gauche se trouvait une porte, à ma droite une fenêtre recouverte d'un épais parchemin huilé. J'ouvris furtivement la croisée et risquai un coup d'œil. J'avais vue sur Crooked Lane, là où elle rejoint Thames Street, et je voyais à droite l'entrée de la cour. Il n'y avait pas de doute possible : c'était la fenêtre qui avait attiré mon attention tôt ce matin, et je me livrai à des hypothèses quant à l'identité de la personne qui s'était trouvée là. D'après mon intuition – dont j'étais quasiment certain qu'elle était juste –, c'était l'aide-cuisinière soupçonnée de se faire porter malade.

Les filles de cuisine n'étaient jamais autorisées à monter aux étages et elles dormaient dans leur lieu de travail. Il était donc étrange que l'une d'elles eût pu se faire porter malade et, en admettant même que sa maladie fût réelle, qu'on prît la peine de l'isoler et de la dorloter jusqu'à ce qu'elle se portât mieux. Surtout quand le patron était Martin Trollope. Et si la fille était sa maîtresse, ce qui était hautement improbable, pourquoi voudrait-il la cacher ? Tout se passait comme si la présence de cette jeune femme à l'auberge était un secret. Enfin, pas tout à fait : Matilda Ford et ses deux aides, au moins, connaissaient son existence. Croyant qu'elle était entrée à *La Confiance* pour y travailler et persuadées qu'elle tirait au flanc, Matilda Ford et ses deux aides ne décoléraient pas. Mais comment trouver le joint entre cette jeune femme et les disparitions de Clement Weaver et de Sir Richard Mallory ? Il y avait là un nouveau mystère à sonder.

J'ouvris la porte de gauche du corridor et tendis le cou ; la pièce était vide et j'en fus très désappointé. La chambre était étroite et chichement meublée : un lit à roulettes, garni de linge frais qui sentait la lavande, un tabouret assorti devant l'âtre éteint et un coffre, qui contenait probablement des vêtements, composaient tout le mobilier. Un objet, cependant, attira immédiatement mon attention : un ouvrage de broderie jeté sur le lit, comme s'il venait d'être abandonné. Je le pris avec soin et l'examinai, émerveillé par la délicatesse du motif, par les tons raffinés et doux, et par les dégradés grâce auxquels ils passaient de l'or au vert le plus pâle et du bleu coquille-d'œuf au blanc. C'était un échantillon du célèbre *Opus Anglicanum* que toutes les femmes de haute naissance apprenaient et que l'on recherchait avec passion dans le reste de l'Europe. Ces motifs ravissants et ces couleurs exquises avaient mérité de figurer dans les trésors de la cour du pape. Bien entendu, j'écris ces lignes à partir de connaissances acquises beaucoup plus tard dans ma vie : à l'époque, je savais seulement que c'était forcément l'ouvrage d'une noble dame. Les doigts rugueux et crevassés d'une paysanne comme ma mère n'auraient jamais pu tirer ces points fragiles et minuscules.

J'admirais toujours ma découverte quand je pris conscience d'un branle-bas subit à la périphérie de mon champ de vision. Une seconde encore et une main m'empoignait l'épaule.

– Encore toi ! rugit Martin Trollope, le visage blanc de rage. Par Satan ! Veux-tu m'expliquer pourquoi tu es en train de fureter dans mon auberge et de fouiller dans des affaires qui ne te regardent pas ! J'ai bien envie d'appeler le guet.

Il me gratifia d'une gifle colossale et, tout grand que j'étais, je faillis bien rouler par terre.

Je ne sais pas pourquoi j'ai pris ce risque. Le soufflet m'avait troublé l'esprit et mes oreilles tintaient comme si une volière entière s'ébattait dans mon crâne. Mais je réussis à garder mon calme ; avec toute la dignité que je pus rassembler, je dis :

– Eh bien, allez-y. Appelez-le.

Les yeux de Martin Trollope s'étrécirent, et il semblait bien près de me frapper une seconde fois. Mais tout ce qu'il dit, entre ses lèvres durcies par la colère, fut :

– Sors d'ici ! Immédiatement, avant que je change d'idée. Et considère-toi comme un foutu veinard !

– Ainsi, vous n'allez pas appeler le guet ? demandai-je avec une insolence calculée.

– Dehors !

Il parlait toujours les dents serrées ; ses poings énormes l'étaient aussi.

Je ne suis pas un lâche ; étant donné ma taille, je n'ai jamais eu besoin de l'être. Mais Martin Trollope était très corpulent et je n'avais rien à gagner à provoquer une bagarre sur son propre territoire. Il lui suffisait d'appeler à la rescousse pour qu'une demi-douzaine des domestiques de l'auberge se précipitent à son aide et me jettent ignominieusement à la rue, orné probablement d'un œil au beurre noir ou d'une lèvre fendue. Il était préférable de m'en aller tranquillement tant que je le pouvais. Néanmoins, j'avais constaté avec intérêt son peu d'empressement à faire appel au guet.

Je remis la broderie sur le lit et c'est alors seulement que Martin Trollope la vit. Ses yeux s'exorbitèrent et son visage, du moins le peu qu'on en voyait au-dessus de la barbe, prit une teinte rouge sombre qui acheva de le trahir. Ce n'était pas l'ouvrage d'une cliente quelconque qui séjournait à l'auberge ; dans ce cas, il lui aurait été indifférent que je l'eusse découvert. C'était l'œuvre de la mystérieuse fille de cuisine qui, manifestement, n'en était pas une.

Je levai les yeux et souris pour lui faire savoir que j'étais conscient de ce fait et me rendais compte des implications. Il poussa un grognement de rage contenue et projeta violemment vers moi son cou de taureau et son visage : nos deux nez se touchaient presque.

– Si tu souffles un seul mot de mes affaires hors d'ici, tu regretteras le jour où ta mère t'a donné naissance ! C'est une promesse ! Ne va pas imaginer que je ne peux la tenir.

Je n'étais pas si bête. J'étais convaincu qu'un personnage tel que Martin Trollope bénéficiait dans la noblesse et dans la confrérie des criminels d'appuis assez puissants pour pouvoir m'éliminer. Il me faudrait peut-être braver ce risque dans l'avenir mais pas en ce moment. Très soulagé à l'idée de pouvoir remettre à plus tard ce jour fatal, je me faufilai devant lui pour gagner la porte. Deux minutes plus tard, j'étais de nouveau dans la cour et hissai mon fardeau sur mon dos sous l'œil torve de Martin Trollope qui me surveillait du balcon. Impossible décidément de retourner à la cuisine pour dire un mot de plus à Matilda Ford. Je dus me contenter d'adresser au propriétaire un salut provocant avant de passer sous la voûte et de ressortir dans Crooked Lane où je pris la direction de *La Tête du Baptiste.*

L'heure des vêpres était passée depuis un bon moment. L'éclat du matin et le givre scintillant s'étaient dissous en grisaille avec le déclin du jour. Une mince couche nuageuse voilait le soleil, étirée comme de la mousseline ; les maisons, plates et uniformes sur le ciel assombri, semblaient découpées dans du papier et le vacarme de Thames Street, atténué par les maisons à encorbellement, n'était plus que le grondement d'un océan lointain sur un rivage étranger.

En parcourant la courte distance qui séparait *La Confiance* de *La Tête du Baptiste*, je me demandais si j'allais révéler à Thomas Prynne ce que j'avais appris sur Marjorie Dyer ; ou le garder pour moi. Après tout, de quoi étais-je vraiment sûr ? De rien qui me permît de porter des accusations. Et cependant, j'aurais été heureux d'avoir son opinion sur ce qui me semblait chez elle une conduite très suspecte. Mais alors, ce serait lui qui risquait d'être incapable de porter un jugement sur une amie ; ou d'éprouver certaine réticence à le faire. Je n'avais pas résolu ce dilemme quand j'arrivai à l'auberge. Je décidai d'attendre et de voir venir ; de voir comment il réagirait si j'insinuai seulement que, peut-être, Marjorie pourrait ne pas être aussi innocente qu'elle le semblait.

L'odeur du ragoût était encore plus délicieuse, à croire qu'une herbe ou une épice délicate y avait été ajoutée depuis mon départ. Je la flairai d'un air joyeux lorsque, passé le seuil, je croisai Thomas.

– Oseille, me dit-il en riant. J'en ajoute toujours un peu à mes soupes et mes ragoûts. Comment s'est passée votre journée ? Vous avez fait des affaires ?

Je souris et fis sonner les pièces dans ma poche.

– Assez pour me payer le meilleur souper que vous ayez, le petit déjeuner de demain et mon logement pour la nuit. J'espère faire encore mieux demain.

Il leva la main en signe de protestation.

– Je vous ai dit que les amis de Marjorie dorment ici gratuitement.

Puis, allongeant le cou vers la porte qui fermait le corridor, il m'informa :

– Le puits est dans la cour, près de l'écurie.

Je le remerciai, quittai ma balle et mon bâton dans la taverne et sortis. Je tirai un seau d'eau glaciale, y plongeai mon visage et mes mains, m'ébrouai pour chasser le surplus de gouttes et laissai ma peau sécher dans l'air froid du soir. Le rouan ne cessait de remuer dans sa stalle et bottait dans la porte rudimentaire. A mon avis, il devait appartenir à Gilbert Parsons, le plaideur malchanceux dont Thomas et Abel m'avaient parlé.

Quand je rentrai, Gilbert était là, en chair et en os ; un homme affreusement maigre, affligé de l'expression mélancolique d'un limier. Attablé dans la taverne, il mangeait son souper qui, en plus du ragoût, comprenait du pain et du fromage, un plat de raiponce dont la racine bouillie s'accompagnait d'une sauce blanche épaisse, un plat d'orache, également bouillie et, pour terminer, un sabayon décoré de dragées. La vue et le parfum de tous ces mets me fit saliver et j'émis un vœu fervent : que nous mangions aussi bien à la cuisine.

Nous mangeâmes admirablement et arrosâmes tous les plats d'un excellent vin de Bordeaux, tel que je n'en avais jamais goûté encore et que j'en ai rarement savouré depuis. Thomas Prynne n'avait pas exagéré quand il disait que lui et son associé n'achetaient que le meilleur pour garnir leur cave. Mon palais, dont l'expérience se limitait au gros vin rouge que l'on distribuait parfois aux novices à l'abbaye, était capable d'apprécier son bouquet et sa texture veloutée. Je crains de m'être comporté comme un porc pendant ce repas et de m'être bâfré jusqu'à n'être plus capable d'avaler une gorgée ou une bouchée de plus.

– Je me réjouis qu'il soit en mesure de payer ses repas, fit remarquer Abel à Thomas. Sinon, nous y serions drôlement de notre poche !

Thomas fit un signe d'assentiment.

– Vous avez un bon coup de fourchette, me dit-il. Je reconnais que vous avez aussi une grande carcasse à entretenir. Il est naturel que vous soyez un gros mangeur.

Je lui souris. Ou plutôt j'essayai de lui sourire car mes lèvres refusaient de m'obéir. La chaleur de la cuisine, l'énorme repas et surtout le vin, dont je n'avais pas l'habitude, s'étaient combinés pour m'abrutir et m'endormir. Je poussai un bâillement prodigieux et m'étirai à m'en faire craquer les articulations. J'aurais aimé me mettre au lit mais il ne faisait pas encore nuit et le couvre-feu n'avait pas sonné.

– Venez vous asseoir près du feu, suggéra Thomas Prynne en désignant un siège qui devait être le sien, car il avait des accoudoirs. Et remettez-vous des effets de votre souper pendant que nous préparons celui de maître Farmer de Northampton. Il faut qu'il arrive bientôt s'il veut éviter de passer la nuit à la belle étoile hors les murs de la ville. D'ici une heure, les portes fermeront. Abel, sois gentil, va voir dehors s'il arrive.

Avachi dans le fauteuil et mes jambes allongées devant moi, c'est dans une demi-torpeur que je vis Abel quitter la cuisine. Mes paupières se fermaient quand je me promis : dans une demi-heure, je me lève et je vais prendre l'air dans la cour. Mais j'étais repu et content de laisser la nourriture, le vin et la chaleur du feu faire leur travail. Et je franchis la frontière du sommeil.

13

Soudain, je m'éveillai, brutalement ramené à la conscience par le bruit de mes ronflements. Pendant quelques minutes, je me sentis perdu, incapable de réaliser où j'étais et de me rappeler les derniers événements de la soirée. Puis les souvenirs affluèrent et je me rendis compte que je n'étais plus dans le fauteuil près du feu de la cuisine, mais étendu de tout mon long sur un lit où, selon toute vraisemblance, Thomas et Abel m'avaient transporté. J'avais dû dormir profondément pendant plusieurs heures et, faute de parvenir à me réveiller quand il fut temps pour eux de se retirer pour la nuit, le patron et son associé avaient été contraints de me hisser à l'étage. Je m'assis prudemment et regardai autour de moi, mes yeux s'habituant lentement à l'obscurité.

Ma tête cognait, bourdonnait, à croire que mon cerveau s'efforçait de s'évader de mon crâne. J'avais la gueule de bois, un goût ignoble dans la gorge, des membres flasques et inutiles comme ceux d'une poupée bourrée de sciure de bois et ma tête chavirait dès que j'essayais de fixer quelque chose. Je refermai les yeux et retombai au fond du lit.

Ravalant la bile qui me montait à la gorge, j'attendis patiemment que la nausée prît fin. J'avais en tout cas appris une leçon utile : je ne tenais pas le vin. Après ce qui me parut être une heure mais dura sans doute quelques minutes, je commençai à me sentir un peu mieux ; suffisamment pour m'asseoir de nouveau et poser les pieds sur le plancher. Le clair de lune soulignait le pourtour des volets, auxquels il prêtait un doux éclat nacré ; m'obligeant à me lever, je titubai jusqu'à la fenêtre pour aller les ouvrir. Les nuages tourmentés de la soirée s'étaient disloqués, déchirés par le vent qui s'était levé. Ils couraient, découvrant les étoiles et quelque part, à portée de main, la brise s'empara d'un volet mal fixé qu'elle fit cliqueter sur ses gonds. Je scrutai l'obscurité mais ne vis rien. Sous mes yeux s'étendait la cour située derrière l'auberge où tout était calme et silence. Même le cheval de Gilbert Parsons dormait.

Je fermai les volets et mes yeux maintenant habitués à l'obscurité entreprirent l'inventaire de la chambre. En plus du lit étroit sur lequel j'avais dormi, il n'y avait qu'un coffre de chêne où étaient posés une chandelle de suif dans son bougeoir et un briquet à amadou. Cette chambre était manifestement destinée aux étrangers de passage, quand les deux autres étaient occupées, ou aux gens sans argent qui, comme moi, étaient heureux d'avoir un lit pour la nuit et n'étaient pas exigeants. Les jonchées sur le plancher sentaient le moisi et n'avaient pas dû être renouvelées depuis deux jours.

Je pris soudain conscience que ma vessie était archipleine, ce qu'expliquait sans peine la quantité de vin que j'avais bu au souper. Aujourd'hui comme alors, beaucoup de gens n'auraient pas hésité à uriner dans un coin mais j'avais toujours été soigneux, une prédisposition héritée de ma mère et que mes contemporains raillaient volontiers. Ainsi, les novices à Glastonbury trouvaient hilarant que je m'obstine à sortir pour aller pisser dehors, même au plus froid de l'hiver. Ils débitaient d'ailleurs à ces occasions quantité de plaisanteries obscènes mais je n'y prêtais guère attention ; j'étais assez costaud pour prendre avec bonne humeur ce genre de moquerie. Je crois qu'une belle stature et une solide carrure incitent l'individu à la placidité.

Je battis le briquet contre le silex et allumai la chandelle avec la mèche enflammée. Puis je refermai la boîte et la reposai sur le coffre. J'ouvris doucement la porte de ma chambre et m'engageai dans le corridor obscur. A pas feutrés, pour ne pas déranger les autres clients, je descendis l'escalier et enfilai le corridor qui menait à la porte arrière de l'auberge. Quand je voulus ouvrir le grand verrou de fer placé en haut, je m'aperçus qu'il était déjà sorti de sa cavité. Je m'accroupis et constatai que celui du bas n'avait pas été tiré non plus. Et quand j'essayai la clé, je découvris qu'elle n'avait pas été tournée à double tour. Thomas Prynne et Abel Sampson n'étaient sûrement pas hommes à se rendre coupables d'une telle négligence. Subitement, un frisson d'angoisse me parcourut, comme si quelque mal sinistre, tapi de l'autre côté de la porte, s'apprêtait à fondre sur moi.

Mes mains tremblaient et la flamme capricieuse de la bougie projetait sur les murs des ombres hallucinantes. Je me repris. Nul n'est à l'abri d'un moment d'oubli, me dis-je sévèrement ; les meilleurs d'entre nous sont sujets à la négligence et commettent des sottises. Je soulevai résolument le loquet et m'avançai dans la cour baignée par le clair de lune. J'entendis au loin une cloche sonner et compris aussitôt ce qui m'avait tiré de mon abrutissement d'ivrogne. Mes ronflements n'y étaient pour rien. Mais la vieille habitude de m'éveiller à deux heures du matin pour les offices de matines et de laudes avait exercé son pouvoir, supérieur à la puissance de l'excellent vin de Thomas Prynne.

Le vent ayant immédiatement soufflé ma chandelle, je posai le bougeoir sur le plancher, devant la porte, puis, sur la pointe des pieds, je traversai la cour jusqu'aux lieux d'aisances qui plaquaient dans le clair de lune un cube d'ombre épaisse et noire. Pendant que je me soulageais, j'entendis un cheval s'ébrouer et souffler doucement par ses naseaux. Venu de la stalle au fond de l'écurie, un hennissement lui répondit. Deux chevaux ? Bien sûr ! Pendant que j'étais mort à ce monde, maître Farmer, l'autre client, était arrivé. Je me souris tristement à moi-même. Que devaient penser mes hôtes d'un jeune homme si naïf et si incapable de retenir sa liqueur ?

L'air glacé de la nuit avait merveilleusement éclairci ma tête et mes membres avaient cessé de trembler. Après deux accès de rébellion, mon estomac avait résolu lui aussi de bien se comporter. Je rentrai dans l'auberge en prenant soin de fermer et verrouiller la porte du fond. En traversant la taverne, je repérai les dernières braises qui rougeoyaient encore dans les cendres de l'âtre. Je montai jusqu'au palier où mes oreilles furent aussitôt assaillies par les ronflements véhéments d'un autre client qui, lui aussi, avait trop bu. C'était réconfortant de savoir que je n'étais pas le seul ivrogne. En revanche, aucun son ne provenait de la troisième chambre à coucher, la plus éloignée de la mienne ; elle était silencieuse comme la tombe.

Une vague nauséeuse inattendue me souleva l'estomac et j'éprouvai le besoin impérieux de respirer de l'air frais. Je me précipitai vers une fenêtre à l'extrémité du palier, l'ouvris et inspirai l'odeur de la Tamise toute proche. La fenêtre donnait sur la façade de l'auberge ; en tournant la tête à gauche, je voyais au bout de la rue et au-delà du quai couler le fleuve que la lune moirait tour à tour d'or et d'argent. Mon malaise se dissipait lentement et je commençais à me sentir mieux. Je regardai à droite, vers l'auberge *La Confiance*, m'attendant à ce que Crooked Lane fût déserte à cette heure. A première vue, c'était le cas. Mais, soudain, j'aperçus une silhouette encapuchonnée dans un épais manteau qui remontait la rue d'un pas rapide et silencieux, dans l'ombre des maisons d'en face. Était-ce un homme ou une femme ? Difficile à dire à cette distance, car le manteau battait les chevilles du noctambule et le capuchon enserrait étroitement sa tête. Je regardais toujours, le corps figé par l'attente et les doigts raidis sur l'appui de la fenêtre, quand la silhouette, parvenue à la hauteur de *La Confiance*, disparut sous la voûte. Au même moment, pratiquement, la voix de Thomas Prynne s'éleva derrière moi :

– Pour l'amour du ciel, Roger Chapman, vous m'avez fait une sacrée peur ! Qu'est-ce que vous faites debout à cette heure de la nuit ?

Il portait une ample chemise de nuit blanche qui lui donnait l'air d'un fantôme familier, un bonnet de nuit enfoncé jusqu'aux oreilles, et tenait une chandelle allumée.

– Je suis... je suis navré, bredouillai-je. J'espérais ne réveiller personne.

Il me considérait des pieds à la tête avec un sourire narquois.

– C'est déjà beau, à mon avis, que vous teniez sur vos deux jambes. Dans l'état où vous étiez, je ne pensais pas vous revoir avant midi. Vous avez une capacité de récupération peu ordinaire.

– Je n'ai pas l'habitude du vin, m'excusai-je. J'ignorais que cela pourrait avoir des effets si déplaisants... Et nous n'avons pas pu parler de Clement Weaver, ajoutai-je sous le coup d'un souvenir inopiné.

– Ah ! ça !

Il haussa les épaules et frissonna car le vent s'engouffrait par la croisée ouverte.

– Ce serait du temps perdu, si vous voulez mon opinion. Soyez gentil, voulez-vous, fermez cette fenêtre. Pourquoi est-elle ouverte ? ajouta-t-il en fronçant les sourcils.

– J'avais besoin d'air, répondis-je. Je ne me sentais pas vraiment bien.

La compréhension adoucit son regard et suscita un petit rire apaisant.

– Je ne peux vous dire que j'en sois très surpris. Et maintenant, je vous conseille de retourner au lit.

Il allait s'éloigner mais je le retins :

– J'ai dû descendre dans la cour. La porte du fond... vous ne l'aviez ni fermée ni verrouillée.

– Absurde ! dit-il en secouant la tête. Vous avez dû vous tromper. Je l'ai fermée et verrouillée moi-même. Je le fais chaque soir avant de monter. Avec tous les coquins qui rôdent par ici, il n'y a pas de danger que je confie ce soin à Abel. Les jeunes gens sont souvent négligents.

– La porte était ouverte, insistai-je. Je suis allé dans la cour pour me soulager : elle n'était pas verrouillée.

Les sourcils de Thomas se rapprochèrent :

– En êtes-vous absolument certain ? N'auriez-vous pas imaginé la chose ? Les vapeurs du vin sont puissantes et vous embrouillent parfois les idées.

– Non, j'en suis sûr, répondis-je. J'étais réveillé depuis un moment et parfaitement lucide. Et à l'instant, par cette fenêtre, je viens de voir passer quelqu'un qui a suivi la rue jusqu'à l'auberge *La Confiance*.

– A cette heure ?

Le ton était incrédule. Il me poussa et ouvrit tout grand la croisée.

– Qui que ce soit, il n'y est plus, dis-je. Il ou elle est entré dans l'auberge.

Thomas rentra la tête et ferma la fenêtre.

– Pourquoi dites-vous « elle » ? Vous pensez que ce pourrait être une femme ?

– Impossible de le savoir. L'individu portait un manteau long à capuchon.

– Un fêtard, sans doute, suggéra-t-il d'un ton méprisant. Bon nombre de respectables citoyens violent le couvre-feu et s'arrangent pour éviter le guet. Ce n'est pas difficile. Moi-même je l'ai fait.

– Je suis sûr que ce n'était pas un noceur. Cette auberge a quelque chose de suspect.

Thomas sourit avec indulgence.

– Vous me l'avez déjà dit, sans parvenir vraiment à me convaincre, dit-il en frissonnant de nouveau. Nous en reparlerons demain matin, si vous voulez bien. Et maintenant, retournons au lit. Je dois me lever avant l'aube et j'ai besoin de mon sommeil.

– Je suis navré, dis-je de nouveau. Pardonnez-moi, je n'aurais pas dû vous retenir.

– Êtes-vous tout à fait bien à présent ?

Je lui répondis d'un signe de tête.

– Je présume que maître Farmer est bien arrivé. J'ai entendu son cheval dans l'écurie quand j'étais dans la cour.

Thomas prit une profonde inspiration ; il avait l'air perplexe.

– J'ignore ce qui a pu se passer ici cette nuit... ici ou dans votre tête. Mais une chose est sûre : il n'y a pas d'autre cheval que celui de maître Parsons à l'écurie. Maître Farmer n'est pas arrivé hier avant le couvre-feu. Il a dû s'arranger pour passer la nuit hors les murs de la ville. Nous ne le verrons pas avant demain.

Je retournai me coucher mais ne pus dormir et demeurai

étendu, les yeux écarquillés dans l'obscurité. Le vrombissement dans ma tête n'était plus qu'une douleur sourde et je ne me sentais plus malade. Mon estomac, en tout cas, semblait capable de s'acquitter de sa charge.

M'étais-je trompé en croyant avoir entendu un second cheval ? Sur le moment, j'étais certain qu'il y en avait deux à l'écurie, mais nul n'est à l'abri de l'erreur. J'étais enfermé dans les latrines et n'étais sûrement pas dans ma meilleure forme. Pourtant, j'aurais juré que l'un des hennissements était une réponse à l'autre. Je me levai, allai à la fenêtre et rouvris les volets...

– ... cheval. Il dit qu'il l'a entendu.

De la cour, la voix de Thomas Prynne s'élevait jusqu'à moi. Je distinguais tout juste le halo blafard de sa chandelle.

– Je pensais qu'il resterait dans les vapeurs jusqu'au matin. Nous ferions mieux de passer l'inspection et de nous assurer que tout est en ordre.

Cette fois, c'était Abel Sampson qui avait parlé.

Manifestement, mes propos avaient inquiété Thomas plus qu'il ne l'avait laissé voir et il avait réveillé son associé pour qu'il fasse avec lui le tour de l'auberge et de ses dépendances. Je fermai doucement les volets et me recouchai, après avoir ôté mes chaussures et ma tunique. Donc, la porte du fond était bien restée ouverte, je n'avais pas rêvé. Si Thomas avait raison quand il disait l'avoir verrouillée, qui avait pu la déverrouiller ? Et pourquoi ? Et qui était l'individu que j'avais vu de la fenêtre du palier remonter précipitamment la rue et entrer à *La Confiance ?* Martin Trollope ? La mystérieuse fille de cuisine ? Matilda Ford ? Et, quel que fût son sexe, qu'était venue faire cette personne à *La Tête du Baptiste ?* Et puis aussi, que savais-je, après tout, de Gilbert Parsons ?

La tête me tournait, mais cette fois de plaisir. J'étais sur les bords de la Stour, en train de faire l'amour à Bess. Quand je levai les yeux, Alison Weaver et William Burnett, debout un peu plus loin sur la rive, nous regardaient. Alison disait : « Laissez Marjorie Dyer tranquille » et je vis que Bess était devenue la gouvernante. Alison souriait au jeune homme debout à son côté et qui n'était plus son mari. Elle lui enlaça le cou. « Voici mon frère, Clement... »

Je m'éveillai. Les volets de ma chambre étaient à présent

bordés d'une lumière terne et délavée et, quand je les ouvris, je reçus en plein visage le vent glacial qui parcourait le ciel, dispersant les nuages selon des perspectives changeantes. Une lumière trouble et malsaine filtrait entre les toits voisins et une giclée de pluie m'atteignit au visage. Le temps avait empiré au cours de la nuit. Je me secouai, me libérai des derniers lambeaux de sommeil et de l'écho affaibli de mon rêve, j'enfilai mes chaussures et ma tunique et descendis. L'odeur de bacon frit m'accueillit à la cuisine ; l'eau me monta à la bouche et mon estomac gargouilla, preuves que j'étais tout à fait remis. L'indisposition de la nuit n'était plus.

En entrant dans la cuisine, je vis Thomas Prynne qui tenait au-dessus du feu la poêle où il faisait rissoler des tranches épaisses de bacon salé. Sur la table étaient disposées des jattes de bois emplies de bouillie d'avoine, généreusement parsemée de safran, deux grandes cruches de bière et une miche de pain dont la moitié était coupée en tranches. Au bruit de mes pas, Thomas tourna la tête et sourit.

– Vous sentez-vous mieux ce matin ?

– Assez bien pour faire honneur à votre petit déjeuner, répondis-je. Je vais d'abord me laver dans la cour. A propos, est-ce que vous et Abel avez découvert quelque chose après que je fus retourné au lit ?

En réponse à son regard interrogateur, je poursuivis :

– Je vous ai entendus parler sous ma fenêtre. Je n'ai pas saisi ce que vous disiez, juste quelques mots, mais j'ai bien compris que vous inspectiez les lieux.

Du bout de son couteau Thomas piqua une tranche de bacon qu'il retourna adroitement.

– Non, rien, dit-il, mais je peux vous expliquer pourquoi la porte n'était pas verrouillée. Notre autre client, maître Parsons, avait satisfait avant vous aux mêmes exigences de la nature et il a négligé de refermer à clé derrière lui. Il me l'a avoué lorsque je lui ai porté son mazer de bière aux premières lueurs de l'aube.

– Et l'autre cheval ? insistai-je, car je commençais à me sentir remarquablement stupide.

– Un produit de votre imagination, j'en ai peur. Il n'y avait dans l'écurie que le Jessamy de maître Parsons, affirma Thomas dont le sourire s'accentua : Je vous l'avais bien dit, les vapeurs du vin nous jouent de drôles de tours.

Abel Sampson entra dans la cuisine en bâillant et en étirant ses bras par-dessus sa tête.

– Par la barbe du Seigneur, je suis rompu de fatigue. C'est toujours le cas quand mon repos est troublé.

Je me sentis coupable et filai vers la porte.

– Je reviens dans quelques minutes, après m'être lavé, dis-je.

Mis à part les bourrasques passagères et le crépitement continu de la pluie sur les pavés, la cour était tranquille. Enfant, j'aimais déjà le petit matin, le sentiment de calme avant que les heures se rejoignent à la hâte dans l'urgence de midi, qu'elles glissent ensuite vers l'ennui de la fin d'après-midi avant de s'engouffrer, rajeunies, dans la frénésie du soir. C'est un temps voué à la sérénité et à la réflexion, ouvert sur le jour nouveau qui s'étire devant moi, un territoire inexploré, une promesse qui doit s'accomplir. Je tirai du puits un seau d'eau glaciale et me lavai le visage et les mains. Nul doute que maître Parsons se prélassait dans un tub d'eau chaude devant le feu de sa chambre à coucher. Et alors ? Il payait sa chambre, lui. Je revins à la cuisine et à mon petit déjeuner.

Tout en avalant ma bouillie d'avoine et mon bacon, je discutai avec Thomas et Abel des événements de la nuit ; des non-événements, devrais-je plutôt dire.

– Je suis désolé de vous avoir dérangés pour rien, leur déclarai-je.

– Il n'y a pas de mal, répondit Thomas d'une voix pâteuse, car il avait la bouche pleine de pain et de miel. Et si la porte de la cour était restée ouverte toute la nuit, nous aurions pu être dévalisés. Un bon voleur n'aurait pas mis longtemps à découvrir la trappe et l'escalier de la cave.

Il avala sa bouchée et demanda :

– Quels sont vos projets ? Avez-vous l'intention de revenir ici ce soir ?

Je hochai la tête :

– Je suis à Londres pour un bout de temps. Je veux aller jusqu'au fond de l'affaire de Clement Weaver et n'ai pas encore commencé.

Je vis les deux hommes échanger un coup d'œil avant qu'Abel me dise :

– Il n'y a là aucun mystère, vous savez. Mis à part celui qui hante l'imagination de l'échevin.

J'acceptai une autre tranche de bacon que j'attaquai avec ardeur.

– Et qu'en est-il de Sir Richard Mallory ? demandai-je.

Abel haussa les épaules.

– Cette ville sécrète le mal. Tous les jours, nous entendons parler de vols et de meurtres. Tous les jours. Thomas vous le dira comme moi.

Le patron haussa les sourcils pour signifier qu'il était bien d'accord.

– Et par ces temps incertains, les choses ont naturellement empiré. D'après moi, aussi bien Clement que ce Sir Richard ont été attaqués et tués, puis on a jeté leurs dépouilles dans le fleuve. Je suis désolé de parler si brutalement, car Alfred Weaver est un de mes amis et j'ai connu ses enfants dès leur âge le plus tendre. Je suis comme tout le monde : la disparition de Clement et la détresse de sa famille m'ont bouleversé. Mais je ne permets pas que mes sentiments obscurcissent mon bon sens. Contrairement à son père, je ne crois pas que Clement puisse être encore vivant ou, comme vous, semble-t-il, que sa mort ait quelque chose à voir avec Martin Trollope et l'auberge *La Confiance*. Il faisait noir et la tempête faisait rage la nuit où nous l'attendions, et où il n'est pas arrivé. Une nuit de rêve pour les criminels de la ville impatients de perpétrer leurs forfaits. Je ne me suis pas inquiété de ne pas voir venir Clement. J'ai pensé qu'il avait changé d'avis et qu'il s'était rendu chez son oncle avec la jeune Alison. C'est seulement lorsque Ned Stoner est arrivé à cheval peu après le couvre-feu que j'ai senti que quelque chose n'allait pas.

– Qu'avez-vous fait ? lui demandai-je.

Thomas haussa les épaules d'un air las et regarda Abel qui prit obligeamment le relais.

– Nous sommes tous les trois partis à sa recherche, bien sûr. Mais on ne pouvait pas faire grand-chose cette nuit-là. Il faisait trop noir, il pleuvait trop, comme Tom l'a déjà dit. Dès l'aube, nous avons repris les recherches et alerté le guet. Ned Stoner est reparti à cheval au poste de Farringdon pour voir si, par chance, maître Weaver y était, mais aucun de nous n'avait le moindre espoir quant au résultat. A ce moment-là, surtout depuis que nous avions appris quelle somme d'argent il avait sur lui, ni Tom ni moi n'avions le moindre doute le garçon était mort.

– C'était beaucoup plus tard, bien entendu, précisa Thomas qui commençait à rassembler les jattes sales. Après l'arrivée de l'échevin. Et maintenant, nous avons tous à faire. Alors, au travail.

Il s'arrêta près de mon tabouret et posa doucement la main sur mon épaule.

– Oubliez tout ça, mon garçon, c'est le conseil que je vous donne. Ne perdez pas votre temps à traîner dans Londres. Le monde est là qui n'attend que l'occasion d'acheter la marchandise de Roger Chapman. Si dur que cela vous paraisse, Clement Weaver et Richard Mallory sont morts. Oubliez-les.

14

Mais je n'avais pas l'intention d'oublier Clement Weaver ni Sir Richard Mallory. Toutefois, je ne le dis pas à Thomas Prynne. Quelque chose dans son attitude et dans celle de son associé m'indiquait sans ambiguïté qu'ils ne souhaitaient pas que je les ennuie avec ce sujet. Pour quelle raison, d'ailleurs, l'auraient-ils souhaité ? me demandai-je. Je quittai la cuisine pour aller chercher ma balle et mon gourdin dans la taverne. Ils étaient persuadés, comme je l'avais été, que les deux hommes avaient été assaillis par des bandits, détroussés, assassinés et jetés dans la Tamise. Thomas et Abel avaient beaucoup à faire et pas de temps à perdre à des hypothèses peu crédibles. De plus, je ne leur avais pas parlé de la duplicité de Marjorie Dyer. Et, là encore, était-ce vraiment duplicité ? Après tout, ce n'était pas un crime d'avoir une cousine qui travaillait à *La Confiance*. Restait le simple fait que, selon les apparences, Marjorie n'avait jamais parlé à l'échevin de cette parente...

Gilbert Parsons prenait son petit déjeuner à la taverne, son visage long et maigre figé dans une expression distraite. Il tourna vers moi ses yeux bleus émouvants et me dit d'une voix caverneuse :

– Les testaments nuncupatifs sont l'œuvre du Démon et les hommes de loi ses instruments. Ne leur faites jamais confiance et n'accordez jamais foi aux procès.

– Je n'en ai pas l'intention, répondis-je avec entrain.

Puis, le front soucieux, je lui demandai :

– N'auriez-vous pas vu ma balle et mon bâton par ici ?

Thomas entrait pour s'assurer que son client avait son content de bière. Ce fut lui qui me répondit :

– Ils sont dans votre chambre. Ils encombraient le passage, alors nous les avons montés cette nuit dans votre chambre après vous avoir mis au lit.

Un gloussement malicieux s'éleva du fond de sa gorge.

– Vous ne les avez pas vus ? Les vapeurs du vin vous encrassent encore la cervelle, mon garçon !

Je baissai les yeux pour me donner l'air penaud, le remerciai et montai l'escalier. Grandes ouvertes, les portes des trois chambres révélaient leur intérieur. Ma curiosité naturelle immédiatement en éveil, j'examinai les deux premières où je notai une différence sensible dans la qualité du mobilier. La plus grande, celle qu'aurait dû occuper maître Farmer de Northampton, contenait un immense lit à baldaquin, pourvu d'un ciel et de rideaux de velours rouge, fanés mais élégants. A côté, sur un petit buffet de chêne, étaient posées une cruche de bière et une miche de pain, l'en-cas nocturne placé là le soir précédent pour le client qui n'était pas arrivé. A côté se trouvaient une chandelle de cire dans un bougeoir d'étain et un briquet. Les battants du beau coffre de chêne placé contre le mur étaient grands ouverts, prêts à recevoir les vêtements du voyageur ; le coffre embaumait les épices et la lavande. Un miroir de métal poli pendait au-dessus et, dans l'angle le plus éloigné du lit, se trouvait une chaise percée. Des senteurs de fleurs séchées montaient des joncs qui couvraient le plancher. Dans le foyer les bûches étaient prêtes pour une flambée. L'hôte de marque serait accueilli selon son rang.

La chambre suivante, celle de maître Parsons, était meublée d'un lit plus petit, garni d'un ciel et de rideaux de toile écrue, qui n'avait pas encore été fait ; les draps froissés traînaient jusqu'au sol et un trou profond creusait le centre du matelas de plumes d'oie. La chandelle près du lit était en suif, le coffre à vêtements et la chaise percée en bois d'orme. D'après leur parfum éventé, les joncs du plancher devaient bien être là depuis deux ou trois jours. Je revins vers ma propre chambre, son lit à roulettes et son coffre délabré, dont une paumelle était tordue, l'autre absente. Avec un sourire mélancolique, je cherchai ma balle et mon bâton.

On les avait posés dans le coin de la pièce qui restait toujours dans l'ombre, ce qui expliquait pourquoi je ne les avais pas repérés plus tôt. J'étais soulagé de savoir que je ne souffrais plus des effets du vin avalé la veille au soir. Je hissai ma balle sur mon dos, empoignai mon bâton et fus inopinément envahi par le désir que le solide outil de frêne fût un flexible rameau de saule, cette baguette magique qui protège les voyageurs de tout mal. Je secouai la tête avec énergie pour la délivrer de ces idées absurdes. Quels dangers pouvaient bien me menacer ?

En bas, Gilbert Parsons se préparait à partir vers les tribunaux tandis qu'Abel débarrassait la table. Thomas n'était pas en vue mais la trappe de la cave rabattue contre le sol révélait une volée de marches usées. Je fis signe à Abel et lui remis l'argent du dîner de la veille.

– Je reviendrai ce soir, dis-je.

– Si nous pouvons louer la chambre, il vous faudra dormir dans la cuisine, bougonna-t-il.

La générosité de Thomas lui restait en travers de la gorge, c'était clair.

– Cela va de soi ! répondis-je avec une amabilité désarmante. Maître Prynne avait clairement mis les choses au point.

Je fis demi-tour en sifflotant et sortis.

En haut de la rue, je m'arrêtai pour inspecter la cour de *La Confiance*. Je me demandai si je pouvais tenter ma chance de m'y introduire sans rencontrer Martin Trollope. A cet instant précis, il apparut au balcon d'où il interpella un des valets qui sortait un cheval de l'écurie. Je mourais d'envie de m'entretenir de nouveau avec Matilda Ford, mais le moment n'était pas propice.

Pendant le petit déjeuner, j'avais décidé que j'irais ce matin exercer mon commerce au quartier de Farringdon où je ferais du porte-à-porte. J'espérais repérer ainsi la maison de John Weaver, le frère de l'échevin, et apprendre quelque chose de lui. Je suivis d'abord Cheapside, puis traversai la New Gate jusqu'au marché aux bestiaux de Smithfield, bruyant et puant, où tournois et joutes se déroulaient lors des grandes occasions. Au-delà s'étendaient le prieuré de St Bartholomew, célèbre pour sa foire annuelle, les nombreuses Écoles de droit de la Chancellerie et la longue kyrielle de boutiques et de maisons qui se déroulaient le long de la Fleet.

La matinée s'était à moitié écoulée lorsque, tout à fait par hasard, je frappai à la porte de John Weaver. Alors que je posais la question, déjà réitérée devant tant de seuils : « Pouvez-vous m'indiquer où habite John Weaver de Bristol ? », la fille au teint cireux qui était apparue à la porte me répondit effrontément :

– En quoi cela vous concerne-t-il ?

– J'ai un message pour lui, dis-je, de son frère l'échevin.

Elle hésitait encore et j'ajoutai :

– De Broad Street, à Bristol.

– Attendez ici, jappa-t-elle. Je vais chercher Dame Alice.

Dame Alice était une solide personne au visage avenant qui respirait bruyamment lorsqu'elle était nerveuse, comme à ce moment semblait-il. Ses yeux d'un bleu fané étaient sans méfiance et, au bas de sa coiffe de lin blanc, quelques mèches pendaient.

– Est-ce vous le colporteur ? demanda-t-elle sans la moindre utilité en regardant ma balle. Ma belle-fille me dit que vous avez un message pour mon mari.

– Est-il chez lui ? demandai-je poliment.

Elle secoua la tête.

– Il est parti pour Portsoken, avec George et Edmund.

Il s'agissait sans doute des deux fils dont Alison m'avait parlé.

– Il faut constamment surveiller les tisserands, vous savez. Il est hors de question de les laisser se débrouiller seuls. C'est une engeance de fainéants, de négligents et de bons à rien.

Elle parlait sans la moindre acrimonie, faisant tout simplement sienne la conviction de ses hommes, comme il est bienséant de la part d'une femme.

– Il sera de retour à la maison juste avant le couvre-feu mais vous pouvez aller le trouver là-bas, si vous voulez.

Je n'avais aucune envie d'abandonner le marché lucratif de Farringdon avant d'avoir cogné au plus grand nombre possible de portes. Ma balle avait déjà beaucoup diminué et il me faudrait retourner dès demain matin au Galley Wharf.

– Peut-être pourrais-je vous laisser le message ? hasardai-je. C'est à propos de la disparition de votre neveu.

– Clement ! Oh ! Mon Dieu ! Mon Dieu ! Le pauvre garçon... Peut-être serait-il préférable que vous entriez.

Elle me conduisit jusqu'au jardin qui s'étendait à l'arrière de la maison jusqu'à la Fleet. La pluie avait cessé et le soleil reparaissait à travers la brume au-dessus de la cime des arbres, dans un ciel laiteux, fileté de rubans d'or pâle. Lorsque j'avais frappé, maîtresse Weaver et sa belle-fille, qu'elle appelait Bridget, faisaient leur cueillette dans le petit jardin aux herbes, situé à l'ombre d'un mur. Cumin, fenouil et autres plantes étaient alignés dans un panier profond, prêts à être séchés et mis en réserve pour l'hiver.

Maîtresse Weaver croisa nerveusement les mains sur son tablier.

– Que voulait nous dire mon beau-frère à propos du pauvre Clement ?

Je lui relatai aussi brièvement que possible ma rencontre avec Marjorie Dyer et mon entretien avec l'échevin ; je tus les péripéties ultérieures. Quand j'eus terminé, ce fut Bridget Weaver qui parla la première et ses manières avaient perdu leur hostilité initiale.

– Pauvre oncle Alfred, dit-elle calmement. Il ne peut accepter ce qui est arrivé. Mais il n'est rien que nous puissions ajouter à ce que vous semblez déjà savoir. Alison, sa domestique et les quatre hommes – les deux nôtres plus Rob Short et Ned Stoner – sont arrivés ici en fin d'après-midi, peu de temps avant le couvre-feu. Mais, aussitôt que Ned a vu Alison en sécurité chez nous, il s'est rendu à cheval à *La Tête du Baptiste*. Il y était juste à temps avant que les portes ne ferment pour la nuit. C'est seulement le lendemain matin que nous avons appris que Clement n'y était pas.

Sa belle-mère approuva de la tête et poursuivit :

– Mon mari et mes fils ont aussitôt sillonné la City et passé plusieurs jours à fouiller les lieux où ils pensaient que Clement aurait pu se rendre de sa propre initiative. Encore qu'ils n'eussent pas grand espoir de le trouver ; l'espoir nous avait abandonnés. Nous avons envoyé en toute hâte un de nos hommes à Bristol ; une semaine plus tard, l'échevin était ici mais nous savions déjà que le pire était arrivé.

Maîtresse Weaver soupira.

– Je me rends bien compte qu'il est difficile pour Alfred

d'accepter la vérité, surtout en l'absence d'un corps qui le convaincrait. Mais, croyez-moi, il vous fait perdre votre temps tout en entretenant ses faux espoirs. S'ils étaient là, mon mari et mes fils vous diraient exactement la même chose.

Leur récit était celui que j'avais déjà entendu et la conclusion toujours la même. Plus personne n'entretenait le moindre doute : Clement Weaver avait été assassiné par des voleurs. Plus personne... Excepté moi-même, en fait. Je continuai de sentir qu'il y avait là un mystère à débrouiller. Mais, comme il semblait que je n'apprendrais rien de plus de maîtresse Weaver et de sa belle-fille, je leur dis qu'il me fallait repartir.

– Avant cela, vous devez vous rafraîchir, dit Dame Alice qui me précéda dans la cuisine. Bridget, ma chère, apporte de la bière au colporteur.

Mais la bière qu'elle me servit était de la *sallop*, la « bière du pauvre », faite avec de l'arum sauvage. Bridget Weaver n'était pas assez sotte pour gaspiller de la bière au bénéfice d'un colporteur. Les deux femmes burent une infusion de calament, que ma mère aimait beaucoup ; elle ne jurait que par le calament pour soigner la toux et la fièvre. Elles s'assirent toutes les deux à la table de la cuisine, mais ne m'offrirent pas de prendre un siège et je les dominais de toute ma taille. Elles n'offrirent pas non plus de m'acheter quelque chose.

Je buvais toujours ma *sallop* quand un jeune homme trapu au teint bistre entra dans la cuisine. Il ressemblait tellement à l'échevin Weaver qu'il allait de soi que c'était un de ses neveux. Et lorsqu'il se pencha pour déposer un baiser sonore sur la joue de Bridget, je sus que c'était son mari. Ma présence, bien entendu, appelait des explications dont Dame Alice se chargea, à mon grand soulagement. Je sentais que si je devais une fois encore répéter mon histoire, j'allais devenir fou.

Quand elle eut terminé, le jeune homme, dont j'avais appris qu'il se prénommait George, poussa un grognement et les commissures de ses lèvres s'abaissèrent.

– Mon oncle Alfred est fou, dit-il sans mâcher ses mots. Clement est mort. S'il ne l'était pas, nous aurions entendu parler de lui.

Il se tourna vers sa mère.

– Père et Edmund m'ont envoyé vous dire qu'ils ne rentreront pas pour le dîner. Il y a des problèmes avec les tisserands à

Portsoken. Ils veulent plus d'argent. Ils disent que le coût du pain monte. Ils parlent d'envoyer une députation au roi pour lui rappeler qu'il avait promis de contrôler le prix des aliments cet hiver.

Je me souvins de ce que le chanoine de Bridlington avait écrit au siècle dernier à ce propos, car c'était une des citations favorites du maître des novices à Glastonbury : « *Toute tentative de contrôler les prix est contraire à la raison. La fécondité et la terre sont au pouvoir de Dieu seul, et il s'ensuit que la fertilité du sol, et non les décrets des hommes, déterminera le coût de nos denrées.* » J'avais toujours trouvé qu'il était injuste de rendre Dieu responsable de nos problèmes.

– Ils provoquent sans cesse des ennuis, commenta Bridget. Ils méritent une bonne correction. Y a-t-il des nouvelles de la City ?

George haussa ses lourdes épaules.

– Rien que les rumeurs qui courent déjà depuis quelques semaines. Le duc de Gloucester veut épouser Anne Neville, le duc de Clarence dit qu'il ne l'épousera pas, et le roi s'efforce de maintenir la paix entre eux.

– Dieu seul sait pourquoi ! s'écria maîtresse Weaver en levant les bras au ciel Il ne doit rien au duc de Clarence.

C'était à peu près les mêmes sentiments que j'avais entendu exprimer par mes amis pèlerins deux jours plus tôt. L'intérêt pour le roi et sa famille semblait être un passe-temps populaire à Londres.

Je posai mon mazer vide sur la table et dis tranquillement :

– Merci. A présent, je dois partir.

Maîtresse Weaver et les deux autres se rappelèrent soudain ma présence qu'ils avaient oubliée.

– Je suis désolée que nous ne puissions vous aider en rien, dit Bridget.

Je souris d'un air de regret mais, en fait, je ne m'attendais pas à trouver auprès d'eux le moindre renseignement supplémentaire. La vérité sur cette affaire résidait à l'auberge *La Confiance*, là où tout avait commencé. J'étais pour ma part toujours convaincu que je découvrirais chez maître Trollope la vérité sur la mort de Clement Weaver. Et sur celle de Sir Richard Mallory et de son domestique, Jacob Pender.

A l'heure du dîner, ma balle était presque vide et je rebroussai chemin vers la cité et vers East Cheap où les bouchers et les rôtisseurs exerçaient leur profession. Il s'y trouvait aussi des poissonniers qui vendaient morues, maquereaux, saumons et truites, cuits ou frais, et je déambulais avec bonheur parmi cette abondance de biens, me demandant ce que j'achèterais en premier. Aux aguets sur le seuil de leur échoppe, certains boutiquiers se jetaient sur les passants et les attrapaient par la manche pour les obliger à goûter un morceau de leurs victuailles. A un moment donné, je vis un petit homme soulevé du sol à bras-le-corps et transporté de force devant un éventaire de pâtés. Dans leurs chausses mi-parties et leurs longues bottes de cuir, ses petites jambes se démenaient en vain contre son ravisseur.

Je m'avançai vers eux et tapai légèrement l'épaule du marchand de petits pâtés.

– Lâchez-le, dis-je tranquillement, le poing serré.

Tout en m'examinant de haut en bas, le marchand de petits pâtés hésitait. Ma taille, manifestement, le décida. A contrecœur et en marmonnant un juron, il remit le petit homme sur ses pieds ; puis s'écarta, cherchant déjà du regard sa prochaine victime.

Le petit homme lissait sa tunique et s'efforçait de recouvrer sa dignité mais il avait surtout l'air d'être extrêmement chiffonné.

– Merci, mon brave homme, dit-il, je vous suis très obligé.

– C'était un plaisir pour moi, répondis-je.

C'est alors que je remarquai, brodés sur sa tunique, l'emblème du sanglier blanc et la devise « *Loyauté me lie*[1] ». Ma mémoire réagit aussitôt : il s'agissait sûrement des armoiries et de la devise du duc de Gloucester.

– Puis-je vous offrir un gobelet de bière au *Lévrier ?* proposa-t-il en désignant une des nombreuses hôtelleries d'East Cheap.

– Si vous m'autorisez à acheter quelques pâtés pour l'accompagner.

Mon estomac gargouillait si fort que j'étais sûr qu'il devait l'entendre.

Il n'en montra rien, en tout cas, et, inclinant simplement la tête d'un geste royal, il attendit patiemment que j'eusse fait mon

1. En français dans le texte. *(N.d.T.)*

achat. Bien des fois, j'avais entendu dire que les domestiques des nobles étaient souvent plus suffisants que leurs maîtres, ce qui expliquait pourquoi beaucoup d'entre eux étaient surnommés « Leroi », « Leprince » ou « Lévêque ». Je le suivis dans la taverne du *Lévrier* et notai non sans amusement qu'après avoir commandé la bière il m'entraînait dans un coin où l'on ne nous remarquerait pas. Il n'avait pas envie que ses vieux compagnons et ses congénères le voient en compagnie d'un colporteur. Seule la gratitude avait inspiré son geste.

Nullement troublé par son embarras évident, je mangeai mes pâtés ; il avait décliné mon offre avec une politesse tatillonne. La conversation démarra difficilement mais, au bout d'un moment, la bière lui délia la langue. Après que nous en eûmes bu deux chacun, il était devenu non pas prolixe mais très porté sur la confidence. Quand nous en fûmes à la troisième, il me raconta des choses dont j'étais certain qu'il n'aurait pas dû les révéler.

– Un branle-bas incroyable ce matin, dit-il, en se frottant l'aile du nez d'un index délicat. Milord – c'est-à-dire le duc de Gloucester, précisa-t-il au cas où j'aurais ignoré la signification de l'emblème que portait sa tunique – arrive dans la demeure de son frère, le duc de Clarence, et demande à voir Lady Anne. Lady Anne Neville, la fille de feu le comte de Warwick.

– Je sais, dis-je, incapable de résister à l'envie d'étaler mes connaissances. Je l'ai vue le printemps dernier à Bristol, qui descendait Corn Street avec la reine Marguerite.

Mon compagnon parut scandalisé.

– Milady Marguerite d'Anjou, corrigea-t-il sur le ton de la remontrance. Vous ne devez plus la désigner désormais sous le titre de reine. Ce devait être avant la bataille de Tewkesbury, ajouta-t-il en penchant la tête de côté.

– En effet, quelques jours avant.

– Eh bien, reprit-il, en baissant encore de plusieurs tons son murmure, elle séjourne depuis chez milord de Clarence et sa femme. La duchesse Isabelle est sa sœur.

J'approuvai de la tête et il parut de nouveau un peu déconfit devant l'étendue du savoir de ce rustre.

– Milord de Gloucester veut l'épouser. Naturellement. Ils étaient amoureux l'un de l'autre quand ils étaient enfants, il y a des années de cela, lorsque milord était écuyer dans la maison de Warwick à Middleham. Mais le duc de Clarence, qui a hérité tous les domaines de feu son beau-père, du fait des droits de sa femme, ne supporte pas l'idée de se séparer de la moitié d'entre eux.

– Cela se comprend, l'interrompis-je.

Le petit homme grogna de façon désobligeante.

– Si vous voulez mon opinion, après avoir trahi ses frères comme il l'a fait et soutenu le roi Henri, il aurait dû ne rien avoir du tout.

Sans pour autant perdre mon calme, je me demandai distraitement pourquoi il était juste de parler du « roi Henri » et mal de dire la « reine Marguerite ». La politique à ce moment était chose extrêmement compliquée. Le petit homme, d'ailleurs, poursuivait :

– Quoi qu'il en soit, milord a fait appel au roi et le roi a dit à son frère George qu'il n'avait pas l'intention de se mêler des amours de son frère Richard, d'autant que Lady Anne elle-même attendait impatiemment ce mariage. Ainsi...

Le petit homme se pencha vers moi en travers de la table, ses yeux pâles brillants d'excitation contenue, son haleine, qui empestait la bière, effleurant ma joue :

– Ce matin, comme d'habitude, nous sommes partis à cheval pour rendre visite à Lady Anne. Mais, lorsque nous sommes arrivés à la demeure de milord de Clarence... Que s'est-il passé, à votre avis ?

– Je n'en ai aucune idée, répondis-je en secouant la tête.

– Elle n'était pas là ! Et le duc nie absolument savoir où elle se trouve. Il dit qu'elle a simplement disparu.

15

Disparu ! Depuis des mois, de jour comme de nuit, ce mot me hantait. D'abord Clement Weaver, puis Sir Richard Mallory et son domestique, Jacob Pender. A présent, c'était une grande dame du royaume qui était portée disparue. Dans ce dernier cas, je ne pouvais évidemment rien faire, mais la coïncidence n'en était pas moins étrange. Je bus un peu de bière et jetai un coup d'œil oblique vers le petit homme.

– Qu'a dit milord de Gloucester à ce propos ?

– Il a répondu calmement qu'il retrouverait Lady Anne quel que soit le temps qu'il y faudrait, puis il est parti. Il n'est pas du genre à tempêter lorsqu'il est en colère. Chez lui, la rage couve mais n'éclate pas. Sur ce point, milord n'est pas un vrai Plantagenêt.

Une note de tendresse nuançait la voix de mon compagnon lorsqu'il parlait de son maître. Il était évident qu'il était dévoué au plus jeune frère du roi, comme l'étaient d'ailleurs tous les serviteurs du duc. J'en avais eu l'intuition en observant ce même regard d'affection respectueuse chez les gens de son entourage qui l'avaient protégé des bousculades, hier matin. Le peuple aussi l'aimait.

– Pensez-vous que milord de Clarence sache où Lady Anne est cachée ?

Cette question me valut un regard méprisant.

– Bien entendu, il le sait ! Vous n'imaginez quand même pas qu'elle a choisi délibérément de disparaître ! Elle est détenue quelque part sur ordre de Clarence. Et ne me demandez pas comment il a persuadé la duchesse Isabelle qu'il agit ainsi pour le bien de sa sœur. George Plantagenêt a toujours été un enjôleur et un vaurien.

Le petit homme cracha par terre et une tache humide s'inscrivit dans la sciure.

– Mais, quoi qu'il fasse, ses frères continuent de l'affectionner, surtout mon maître. Dieu seul sait pourquoi. Clarence est un bâtard et un traître.

Je notai la progression rapide entre « enjôleur et vaurien » et « bâtard et traître » que je mis sur le compte d'une consommation accrue de bière. L'état d'ivresse de mon petit homme menaçait notre sécurité, la sienne et la mienne. Il pouvait se trouver des domestiques de Clarence dans cette taverne et plus précisément dans cette pièce ! Je préférais ne pas être surpris en train de critiquer le duc, fût-ce par personne interposée.

– Je dois partir, dis-je en me levant et saisissant ma balle. Merci de votre hospitalité.

– Merci de m'avoir sauvé de cette brute de marchand de pâtés.

Il se leva, lui aussi, et salua cérémonieusement, bien qu'il tanguât un peu. Sa diction était claire et bien articulée mais je sentais tout de même qu'il était temps de partir. Je lui rendis son salut et retrouvai East Cheap.

Au milieu de l'après-midi, j'avais vendu tout le contenu de mon balluchon et me demandai si j'allais retourner tout de suite sur le Galley Quay ou si j'attendrais le lendemain matin. De nouveaux navires accosteraient demain et peut-être pourrais-je trouver entre-temps des commerçants désireux de me vendre des articles tels qu'aiguilles, fils, rubans et lacets, en grande quantité et, de ce fait, à prix réduit. Une troisième possibilité s'offrait : décréter que j'étais en congé pour la fin de la journée. J'avais travaillé dur et bien depuis la pointe du jour et gagné plus qu'il ne fallait pour séjourner deux ou trois jours encore à *La Tête du Baptiste* ; assez, en fait, pour y payer ma chambre et ne pas abuser davantage de la générosité de Thomas Prynne.

Inutile de dire que la troisième proposition m'attirait plus que les autres. J'avais besoin de clarifier mes idées et de mettre un peu d'ordre dans les impressions confuses de ce jour et de la veille. Pour soulager ma conscience qui n'était pas très à l'aise, je décidai de suivre les quais au fil de la Tamise en direction du Galley Quay. S'il y avait encore à vendre des marchandises dont j'avais besoin lorsque j'y arriverais, j'en achèterais. Sinon, je retournerais à Cheapside plus tard dans la journée, juste avant que les boutiquiers retirent leurs marchandises pour la nuit et les entreposent à double verrou dans les pièces d'habitation. D'après mon expérience, les commerçants étaient plus enclins à conclure un marché quand ils étaient fatigués et qu'il leur tardait de s'asseoir à table. J'avais le sentiment d'être devenu plus astucieux depuis que j'avais atteint l'âge de dix-neuf ans. (Mon anniversaire avait sonné quatre jours plus tôt, lorsque j'étais encore sur la route qui vient de Cantorbéry, mais je ne l'avais dit à personne.) Au cours des derniers mois, depuis que j'avais quitté l'abbaye et que j'étais sur la route, j'étais vraiment devenu un homme.

Je me dirigeai vers la rivière où les barques dorées des nobles filaient rapidement comme de grands cygnes irrités, mettant en péril les embarcations moins rapides dans leur course impétueuse. Les bateliers les accablaient d'injures, les grutiers cessaient de décharger les navires amarrés aux quais et le bon peuple sur la berge contemplait d'un air morose mais sans rancune les symboles d'un pouvoir auquel jamais il n'accéderait. A ce propos, je crois que nous, Anglais, n'avons jamais réellement envié nos nobles, dans la mesure où nous avons toujours cru à la maxime de Justinien – ce qui pèse sur le peuple devrait être approuvé par le peuple – et où, tout au long de notre histoire, par courtes étapes lentement parcourues, nous avons fait en sorte qu'il en soit ainsi.

Sur le quai voisin du pont de Londres, je m'arrêtai près d'un escalier qui descendait vers l'eau où une flottille de petites embarcations – les unes bâchées (deux pennies), les autres découvertes (un penny) – étaient amarrées, dans l'attente de passagers qu'elles transportaient en amont et en aval de la rivière. Un groupe de jeunes gens en tunique de satin et de velours, chaussés de poulaines si démesurées qu'ils les attachaient par une chaînette autour de leurs genoux, rivalisaient avec deux citoyens plus sobrement vêtus pour attirer l'attention des bateliers.

– Manants ! Manants ! Emmenez-nous ! criaient les jeunes gens ; et les bateliers, calculant justement qu'ils obtiendraient davantage de leurs pourboires que des deux autres clients potentiels, grimpèrent lestement l'escalier pour offrir leurs services.

Je flânai au hasard sur la berge, entre les grues et les cabanes des ouvriers, laissant délibérément mon esprit vide de toute pensée relative à Clement Weaver, Sir Richard Mallory et... Lady Anne Neville. Je pouvais me permettre, au moins pour un moment, de ne penser qu'au bel après-midi d'octobre et au souper délicieux que Thomas Prynne était sans doute en train de préparer.

Une main agrippa ma manche et une voix rauque dit :

– J'pensais bieng que c'était toi, Roger Chapman.

J'étais accoutumé désormais à m'entendre appeler ainsi, encore que dans ma jeunesse, je fusse connu sous le nom de Roger Carverson [1], ou Carver tout court, en raison du métier de mon père. Avant même de tourner la tête, j'avais reconnu Philip Lamprey à sa voix.

– Comme on se rencontre ! dis-je.

Il accueillit ce truisme avec un sourire amical.

1. *Carver* : tailleur de pierre ; *son* : fils. *(N.d.T.)*

– J' t'avais bieng dit. Londres est pas si grand'.

Je le regardai et observai qu'il était un peu plus élégant que lors de notre première rencontre : une tunique en camelot avait remplacé sa vieille défroque de laine, délavée et rapiécée. La nouvelle tunique était également délavée et la fourrure d'écureuil gris qui la bordait râpée par endroits jusqu'à la peau. Il en émanait une odeur très spéciale, comme si elle avait séjourné à proximité d'un tas de poisson pourri. De plus, elle donnait l'impression d'avoir été immergée dans l'eau pendant un certain temps, puis séchée à la diable. Néanmoins, c'était une tunique de bonne qualité et le camelot, mélange de laine et de poil de chameau venu d'Orient, avait résisté aux traitements qu'on lui avait infligés.

Philip vit que je le regardai et sourit.

– Plus chaud'que la vieille, dit-il. Elle pue bieng un peu, mais qu'est-ce tu veux ? Deux ou trois semaines dans la Tamise, d'après les calculs d'la vieille Bertha, avant qu'elle la pêche avec son propriétaire. Et elle est restée suspendue près d'un ang, là où qu'elle log'près d'la rivière, au-delà de Southwark. Elle en d'mandait trop. « Appartenait à un gentleman », elle disait : « J'vais pas la laisser partir pour rieng. » Mais c'qu'elle appelait rieng... Ici, y a pas d'moyen facile pour gagner sa vie. La pêch'o'mort, ça rapport'mieux qu'la mendicité mais, tu vois, j'aurais pas choisi ça, même si j'ai vu mon compte d'cadavres quand j'étais soldat.

Je n'avais jamais entendu parler de « pêch' o'mort » mais je commençais à me faire une idée.

– Tu veux dire que cette femme, cette Bertha, pêche les cadavres dans la Tamise et qu'elle vend leurs vêtements ?

– Just', confirma Philip Lamprey. Elle fait pas ça seule, heing. L'mari et l'fils font la pêche. Elle a juste à déshabiller les cadavres et elle sèch'les vêtements avant d'les vendre.

– Et qu'arrive-t-il aux infortunés auxquels appartenaient les vêtements ? Je ne pense pas, fis-je d'un ton dur, qu'on leur donne une sépulture ecclésiastique.

Mon ami gloussa :

– Dieu te bénisse, nong ! On les rejette dans l'fleuv', d'où ils étaient venus.

Je m'attendais à cette réponse. Je soupçonnais que le commerce auquel se livraient Bertha et sa famille était illicite et Bertha pouvait difficilement attirer l'attention sur leurs activités en sollicitant l'assistance d'un prêtre.

– Et comment as-tu pu t'offrir ce coûteux vêtement ? demandai-je ironique. Es-tu subitement devenu un homme riche ?

Une ironie qui échappa totalement à Philip.

– J'avais l'œil d'ssus depuis un bong moment, me confia-t-il. Et hier, j'ai eu un bong jour. Un ami à moi m'a dit qu'l'archevêque d'York était à Londres c'te semaine, pour voir le roi, ou le Conseil, ou aut'chose. Je m'suis trouvé une bonne place d'vant la maisong d'l'archevêque, près de la Charing Cross. Contrair'à c'que t'as pu entendre dir'de lui, Georg'Nevill'est généreux.

Le nom de Neville me fit dresser l'oreille : l'archevêque savait-il que sa nièce s'était absentée ? Était-il seulement au courant de sa disparition ?

George Neville et George de Clarence s'étaient toujours entendus comme larrons en foire. Telle était du moins la rumeur qui avait filtré jusqu'à nos murs monastiques.

Je me rendis compte que Philip Lamprey parlait toujours.

– ... comm'ça, j'ai marchandé serré et maintenang, elle est à moi. J'crois qu'en fait, Bertha était contente d's'en débarrasser. Elle attendait d'puis trop longteng. D'habitud'elle écoule plus vit'son buting. Regard'dong, ajouta-t-il en poussant dans mes côtes son coude pointu, près du col, y'a des initiales brodées en vrai fil d'or. Tu vois ?

Il passa la main dans l'encolure de la tunique pour faire saillir le tissu sous la bordure de fourrure grise.

En regardant de tout près, je distinguai deux lettres, ou plutôt ce qui en restait, brodées en fil d'or terni : CW. Mon cœur se mit à cogner contre mes côtes. CW. Cette tunique aurait-elle pu appartenir à Clement Weaver ?

Ne sois pas stupide ! me dis-je. Quantité de noms commencent par ces lettres. Néanmoins, j'examinai de nouveau avec soin la malodorante tunique de camelot. Le C et le W étaient entrelacés et agrémentés d'enjolivures. Le fil avait en grande partie disparu mais les trous d'aiguille permettaient de reconstituer le motif originel. Un travail fait avec amour. Qui était la brodeuse : une mère ? une sœur ? Alison Weaver ?

– Il se peut que je connaisse le propriétaire de cette tunique, dis-je à Philip Lamprey. Veux-tu me conduire voir cette Bertha ?

Il avait l'air dubitatif.

– Tu n'vas pas faire tout'un'histoir'à s'propos, heing ? T'as pas dans l'idée d'invoquer la loi ? Bertha, c'est mon amie. J'veux pas lui causer des ennuis.

– J'ai simplement besoin de savoir exactement où elle a trouvé le corps.

Il se mordillait la lèvre et n'arrivait pas à se faire une idée de mes intentions.

– Y'a longtemg d'ça. Elle s'rappelle sans dout'plus, plaida-t-il.

– C'est possible mais je souhaite quand même le lui demander. Si tu ne me conduis pas, je la trouverai tout seul. Je suis sûr qu'on la connaît bien sur la rive de Southwark.

Avec un soupir, Philip capitula.

– Vieng, dit-il. Mais c'est toi qui paieras l'bac.

Je ne demandai que cela ! Nous nous dirigeâmes vers l'escalier de quai le plus proche où attendait l'inévitable flottille de barques. Comme il faisait beau, nous en choisîmes une découverte et, le visage caressé par une brise légère, nous fîmes la traversée jusqu'à la rive opposée. Les eaux de la Tamise étaient un peu agitées mais le soleil dorait la crête des vaguelettes et les lointains chatoyants annonçaient un autre beau jour pour le lendemain.

Deux jours plus tôt, lorsque j'y étais arrivé avec mes amis de Cantorbéry, j'avais eu de Southwark un aperçu très fugace. Et le lendemain matin, tôt éveillé et tôt parti, j'étais allé tout droit par le pont vers la City. Mais l'on m'avait prévenu et je savais le quartier réputé pour ses combats d'ours dans des fosses, ses combats de coqs dans des enclos, ses bordels et ses putains. Le quartier se targuait aussi de posséder plusieurs églises, dont St Mary Overy était la plus vaste, et quelques beaux manoirs à sa périphérie. Je me souvins que l'un des pèlerins m'avait indiqué une maison qui, disait-il, avait appartenu autrefois à John Fastolfe[1]. Il avait aussi attiré mon attention sur l'auberge Tabard que Maître Chaucer avait célébrée dans ses contes et légendes.

Nous mîmes pied à terre devant une petite foule de prostituées,

1. Capitaine anglais (v. 1378-1459) qui a servi de modèle au Falstaff de Shakespeare. *(N.d.T.)*

reconnaissables à leur capuchon rayé, emblème de la profession ; elles attendaient une barque qui les mènerait à la City.

– On dit qu'l'archevêque d'York est en ville, dit l'une d'elles au batelier avec un ricanement lubrique.

Une fois encore, je fus douloureusement atteint ; j'étais scandalisé que les hommes d'Église se commettent avec des prostituées, ce qui me fit prendre conscience – ce n'était pas la première fois – que mon expérience du monde et mon dégoût du monde n'étaient pas encore à la hauteur de mes aspirations dans ce domaine.

Je suivis Philip Lamprey dans un dédale de rues étroites et répugnantes qui bordaient la Tamise, avant de déboucher, un peu en amont, sur un quai abandonné, appelé le quai de l'Ange, m'informa Philip. Devant nous s'entassait un agglomérat de cabanes et de taudis délabrés, occupés par ce que je crus d'abord être une tribu de mendiants. Un examen plus attentif m'apprit cependant qu'il s'agissait d'une communauté organisée, dont les embarcations étaient amarrées le long du mur près de quelques marches érodées qui descendaient jusqu'à l'eau peu distante. Comme Philip et moi approchions de l'entrée du quai, un galopin assis par terre, qui jouait aux cinq cailloux, nous gratifia d'un coup d'œil perçant puis, apparemment indifférent, baissa la tête et reprit son jeu. Quelques secondes après, un sifflement strident fusa derrière nous : le galopin prévenait que nous approchions. Et quand au sortir de la ruelle sombre et puante, nous débouchâmes dans la lumière, l'endroit était désert.

Si je m'étais rendu seul au quai de l'Ange, je n'aurais rien pu faire. Il y avait même fort à parier que je n'en serais jamais revenu. C'était en fait un repaire de brigands où chacun exerçait son gagne-pain du mauvais côté de la loi ; de ce fait, les étrangers y éveillaient la plus vive suspicion. Et ceux qui, comme moi, venaient pour poser des questions, étaient les plus suspects et malvenus de tous.

Philip Lamprey semblait pourtant tout à fait à son aise et cria :

– Bertha ! Bertha Mendip ! C'est moi ! Philip Lamprey !

Comme par magie, les portes des taudis s'ouvrirent et le quai grouilla bientôt de personnages dont les visages curieux nous dévisageaient. D'abord, personne ne s'approcha ; on nous laissa debout, au milieu d'un cercle vide, comme si nous étions des lépreux. Enfin, ce qui ressemblait à un paquet de haillons malodorants se détacha de la masse des curieux, avança de quelques pas et se révéla être une femme minuscule, si maigre qu'elle en paraissait émaciée, aux traits flétris et à la peau parcheminée. Je fus stupéfait de constater que la masse de cheveux sales et en bataille qui lui arrivaient aux épaules étaient encore châtain foncé. Elle devait avoir un peu moins de trente-cinq ans et paraissait le double de cet âge. Mais je vis ses yeux, ce qui changea tout. Bleus et brillants, ils pétillaient d'ardeur et de vitalité.

– Quiq'c'est ? demanda-t-elle à Philip Lamprey.

– Un ami à moi, fut la présentation concise de Philip qui, apparemment, l'estimait suffisante. Il veut t'poser des questiong sur cet'tunique, ajouta-t-il en désignant son vêtement.

– Ah voui ? fit Bertha sur un ton qui exprimait à la fois qu'elle n'était pas impressionnée et, tout aussi clairement, que mon amitié avec Philip ne lui inspirait pas confiance. Quiq'c'est' ? répéta-t-elle.

– J'te l'ai dit, dit Philip avec impatience. Un ami. Tu peux lui faire confiance.

Un murmure menaçant monta du cercle des badauds et mes cheveux se hérissèrent sur ma nuque. Je n'avais qu'une idée : tourner les talons et m'enfuir. Puis j'eus une soudaine inspiration. Philip avait appelé son amie Bertha Mendip[1].

– Je suis colporteur, dis-je. J'étais novice à l'abbaye de Glastonbury jusqu'à ce que je découvre que la vie monastique ne me convenait pas. Ma maison se trouve à Wells. Mon père était tailleur de pierre pour la cathédrale.

De nos jours, en ce siècle éclairé, l'instinct tribal est fort en Angleterre. Mais il y a cinquante ans et plus lointainement encore, il l'était bien davantage. Le fait que j'étais né et que j'avais été élevé dans le Somerset ne prouvait nullement que j'étais digne de confiance, et pourtant, Bertha Mendip m'accorda immédiatement la sienne. Abandonnant son attitude agressive, elle désigna d'un mouvement de la tête une des cabanes.

– Feriez mieux d'entrer.

L'intérieur de la cabane était imprégné de l'odeur des vêtements qui séchaient, après avoir trop longtemps séjourné dans

1. Du nom d'une chaîne de collines, les « Mendip Hills » dans le Somersetshire. *(N.d.T.)*

l'eau, au contact de la chair en putréfaction. Ils pendaient sur des bâtons au fond de la pièce, dans la fumée d'un feu asthmatique qui montait en spirale jusqu'à un trou pratiqué dans le plafond. Un jeune garçon, le fils de Bertha sans doute, aussi petit et fripé qu'elle, jetait du bois humide dans le feu. Il n'y avait pas trace du mari dont Philip avait parlé.

– Eh bien ? demanda brutalement Bertha, comme si elle était furieuse contre elle-même de m'avoir si facilement accepté. Queq' voulez-vous savoir ?

– A quel endroit dans la Tamise vous avez trouvé le cadavre qui portait cette tunique, répondis-je, en désignant Philip Lamprey.

– Y a longtemps de ça. Plus d'un an. J'sais pas pourquoi, personne voulait l'acheter...

Philip, pas plus que moi, n'était dupe de ces faux-fuyants. Il l'interrompit.

– T'en d'mandais trop cher, v'là la raison. Mais tout va bieng. Tu peux lui faire confiance. Il essaie simplement d' trouver un ami qu'a disparu l'hiver dernier devang l'auberge *La Confiance*. Person' sait si l'jeune homme est vivant ou mort et c'est dur pour sa famille.

En chemin, j'avais été forcé de satisfaire la curiosité avide de Philip à propos de mon intérêt pour sa tunique de camelot. J'avais donc dû lui dire mon histoire, du moins les épisodes en rapport avec notre démarche. Je priai du fond de l'âme de n'être pas obligé de la répéter une fois de plus pour Bertha Mendip. Heureusement, les explications de Philippe la satisfirent. Elle réfléchit profondément pendant un moment, puis se décida.

– Dans ce cas, dit-elle enfin, peut-être ben que j'vais me souvenir. Venez avec moi, vous aut', et j'vais vous indiquer l'endroit. Et toi, Matt ! T'entretiens le feu ! dit-elle à son fils d'un ton grondeur. T'entends ?

Le gamin acquiesça d'un air maussade et j'observai que, malgré sa maigreur, il était robuste et élancé : ce que j'avais pris pour des rameaux tant il les maniait aisément, étaient en réalité des grosses branches. Je lui souris sans rien tirer de lui qu'un regard renfrogné. Il était manifestement très méfiant à l'égard des étrangers, y compris ceux que sa mère avait admis. Renonçant à ma tentative amicale, je sortis de la cabane et rejoignis Bertha et Philip, debout au bord de l'eau.

16

Un peu en amont de la rivière, de l'autre côté de l'étendue luisante de l'eau, je distinguai la silhouette de la Tour et, au-delà, difficilement perceptibles de si loin, les quais et les ruelles aux alentours de Thames Street. Bertha tendit un index sale et raide dans leur direction.

– C'tait là-bas. Près de la berge. Le cadav' d'un jeune homme qu'a été pris dans les filets d'un pêcheur. Ça arrive queq'fois. L'troisième que zai attrapé près d'là.

J'enregistrai le renseignement.

– Étaient-ils tous entièrement vêtus ?

– Pas d'ornement sur eux, queq' vous croyez ? On s'attend pas à ça, pas vrai ? Pas si y zont été volés et presque tous y zont été volés. Queq'fois, bien sûr, vous trouvez des cadavres qui zont toujours leurs bagues et leur chaîne d'or autour du cou et vous rendez grâce à Dieu. Des zivrognes tombés à l'eau la nuit ou des gens passés par-d'ssus bord de leur barque, surtout après qu'un fou a essayé d'passer trop vite les arches.

Je supposai qu'elle parlait ici des arches du pont de Londres entre lesquelles le courant tourbillonne dangereusement quand la marée descend. Bertha poursuivait :

– Mais la plupart, comme zai dit, c'est des pauvres bougres qu'ont été zattaqués et tués pour les malheureuses pièces qui zavaient dans leurs bourses.

Je trouvais plutôt macabre la sympathie de Bertha pour les victimes qu'elle dépouillait de leurs vêtements avant de les rejeter dans la rivière, mais je me gardai de montrer ma répulsion.

– Ce jeune homme qui portait la tunique de camelot, quel âge lui donnez-vous ? demandai-je.

– Vous zai dit que c'était un jeune homme, répondit Bertha agacée. Peut-être bien de votre âge, ajouta-t-elle en m'examinant de pied en cap. Il zétait pas resté longtemps dans l'eau quand je l'ai trouvé. Les poissons zavaient pas commencé à le grignoter.

Mon estomac se souleva et j'ai bien cru que j'allais vomir. Mais je réussis à contrôler ma nausée et fus bientôt en état de lui demander d'une voix calme :

– L'auriez-vous repêché autour de la marée de la Toussaint ?

Bertha réfléchit en rongeant un ongle noir entre ses dents cassées.

– Ça s'pourrait, admit-elle lentement. Oui, ça s'pourrait bien. Les nuits raccourcissaient, je me souviens. Faisait noir de bonne heure.

Elle réfléchit encore un instant.

– Faisait mauvais temps. Zavait plu pendant plusieurs jours avant. Foutue nuit noire et il pleuvait toujours quand j'l'ai trouvé.

– Était-ce quelque part près de l'entrée de Crooked Lane ? repris-je vivement quand elle se tut.

– Un peu en zaval, mais pas loin. Le courant zavait aucune chance de l'emporter loin, à cause du filet de pêche, comme vous zai dit.

– Les deux autres cadavres que vous avez trouvés près de là, était-ce avant ou après celui dont nous parlons ?

Bertha cessa de se rogner les ongles pour mordiller sa lèvre.

– Le premier, y a longtemps, répondit-elle. L'autre, je me rappelle pas bien. Après qui za passé un moment dans l'fleuve, un cadavre y est tout pareil à un aut'. Dans mon esprit, j'me les zembrouille.

Je la remerciai avec courtoisie de son aide et fis signe à Philip Lamprey qu'il était temps de nous en aller. J'aurais quitté sans regret le quai de l'Ange qui me donnait la chair de poule.

– Vous zy croyez que c'est vot' jeune homme ? Çui qu'vous cherchez ? me demanda Bertha.

– Oui, j'en suis presque certain. Lorsque je reverrai sa famille, je leur dirai d'abandonner tout espoir.

J'étais près de partir quand une idée surgit dans mon esprit.

– Vous connaissez bien Londres, n'est-ce pas ? Pourquoi cette ruelle est-elle appelée Crooked Lane ? Alors qu'elle est toute droite...

Bertha de nouveau se mordait la lèvre, une habitude qui semblait associée chez elle à la réflexion.

– S'est pas toujours zappelée comme ça, dit-elle au bout d'un moment. Quand j'étais môme, elle zappelait autrement, j'crois bien... Doll ! hurla-t-elle.

Une autre femme, plus âgée qu'elle, apparut sur le seuil d'un taudis voisin.

– Crooked Lane, dans Thames Street, zappelait pas autrement aut'fois ?

– Conduit Lane, répondit d'un ton bref la vieille femme avant de disparaître.

– Tout juste, confirma Bertha, l'air sagace. Me demandez pas pourquoi qu'elle a changé d'nom parce que j'sais pas, ça c'est sûr.

Je pouvais concevoir qu'une mauvaise prononciation qui avait perduré des dizaines d'années avait pu opérer la transformation, jusqu'à ce que l'usage courant fît de « Conduit » « Crooked », mais il n'y avait pas de conduit non plus dans cette rue. Je le fis remarquer et Doll fut de nouveau sommée de sortir.

– Pourquoi qu'on l'a zappelée Conduit Lane ? demanda Bertha.

Il sembla d'abord que Doll ne pouvait s'en souvenir ou que, peut-être, elle n'avait jamais su pourquoi. Mais après que nous l'eûmes étourdie de questions – Bertha, Philip Lamprey, moi, plus quelques occupants du quai de l'Ange qui commençaient à s'intéresser au débat –, Doll dit qu'elle pensait qu'il y avait un égout souterrain qui partait des caves de l'une des auberges et se jetait dans la rivière. Il était utilisé, mais Doll ne savait pas très bien comment, pour introduire en contrebande des fûts de vin dans les immeubles.

C'était là, je le voyais bien, le maximum de ce que Doll pouvait nous dire, ce qui n'empêchait pas que mon cœur bondissait d'excitation. Si l'égout souterrain existait toujours entre la rivière et l'auberge *La Confiance*, ce qui était probable, même s'il n'était plus utilisé selon sa destination première, il demeurait un moyen simple de faire disparaître des cadavres.

Mais, d'abord, pourquoi y avait-il des cadavres ?

Pourquoi Clement Weaver avait-il été assassiné, comme j'en étais sûr à présent ? Pourquoi le même sort s'était-il abattu sur Sir Richard Mallory et Jacob Pender ? Et quel était le rapport – si rapport il y avait – entre tous ces morts et la mystérieuse jeune femme qui semblait être pratiquement la prisonnière de Martin Trollope ? Je n'avais pas de réponse satisfaisante à toutes ces questions.

Je remerciai de nouveau Bertha et suivis Philip Lamprey jusqu'à l'escalier du quai proche du pont de Londres où nous prîmes une barque pour revenir dans la City. L'après-midi était très avancé, ce serait bientôt l'heure du souper et j'avais faim. Il me fallait de la nourriture et du temps pour ordonner mes idées. Tant d'événements s'étaient succédé pendant ces deux derniers jours que je risquais de m'embrouiller au point de n'être plus capable de rien. J'étais sûr maintenant, comme je ne pourrais jamais l'être, de la mort de Clement Weaver. Alors pourquoi m'entêter ? Après avoir fait mes adieux à Philip Lamprey, qui était impatient de retourner à ses affaires personnelles, je me posais à moi-même la question, tandis que je marchais du pont de Londres jusqu'à Thames Street. Mais je connaissais déjà la réponse. Dieu m'avait déjà donné maintes preuves que telle était Sa volonté : je devais élucider ce mystère. Malgré mes efforts, je n'arrivais pas à me convaincre que l'achat de la tunique en camelot, effectué par Philip Lamprey après des mois de tergiversations, et notre rencontre quelques heures plus tard fussent simples coïncidences. La Main de Dieu était là et je ne pouvais l'ignorer. De plus, un sixième sens me disait que tous les morceaux nécessaires à la solution de l'énigme s'étalaient devant mes yeux, à condition que j'eusse des yeux pour voir. Je n'avais pas oublié l'impression obsédante d'avoir manqué un indice essentiel, le sentiment de mon impuissance à capter le sens d'un mot ou d'un geste prononcé ou accompli devant moi.

Je n'avais d'autre choix que de poursuivre mon enquête. Peut-être l'inspiration me viendrait-elle quand mon estomac serait mieux lesté.

Alors que je prenais l'angle de Crooked Lane, près de *La Confiance*, je fus témoin d'un remue-ménage étonnant dans la cour. Drapée dans un manteau bordé de fourrure, une dame descendait d'un char de voyage tandis qu'un gentleman, aussi richement vêtu et probablement son mari, donnait aux garçons d'écurie des ordres pour le logement de ses chevaux. Martin Trollope en personne se démenait pour accueillir ces clients distingués et bon nombre des domestiques de l'auberge paradaient pour faire bonne impression. En fait, l'attention générale était si concentrée sur les nouveaux venus qu'il me vint à l'esprit que je pourrais entrer dans l'auberge sans que personne s'en aperçût. Mettant ma théorie à l'épreuve de la réalité, je fis glisser ma balle de mon dos, la déposai sous le porche et m'avançai tranquillement vers Martin Trollope, si près que j'aurais pu le toucher. Puis je montai l'escalier du balcon et m'avançai jusqu'à la porte du fond.

Ici, tout était aussi tranquille que lors de ma visite précédente ; pas trace de servante vaquant à ses travaux mais un silence qui, pour mon imagination débridée, semblait terriblement menaçant. J'essayai furtivement le loquet de la porte à ma gauche mais cette fois elle ne s'ouvrit pas. Je poussai de nouveau, doucement, mais il était mis de l'intérieur.

J'allai à la fenêtre de l'autre côté, l'ouvris, me penchai et me tordis le cou jusqu'à ce que je visse la cour. Là, rien n'avait changé ; attentif, Martin Trollope prêtait l'oreille aux ordres et aux souhaits des nouveaux venus, tout en surveillant deux domestiques qui déchargeaient un grand coffre de voyage à l'arrière du char. Je rentrai la tête et fermai doucement la croisée. A en juger par les éclats de voix rageurs du gentleman et les gémissements plus doux mais lancinants de sa femme, ils continueraient de retenir l'attention pendant quelque temps encore. Je revins à la porte et essayai de nouveau le loquet qui demeura inébranlable.

Je posai mes lèvres sur la fente entre la porte et son montant et soufflai aussi fort que je l'osai :

– Il y a quelqu'un ici ?

Après un long silence, j'entendis un très faible son, comme le bruissement d'une jupe de femme lorsqu'elle frôle les joncs sur le plancher. Je murmurai de nouveau, un peu plus fort cette fois :

– Il y a quelqu'un ici ?

Une toux légère récompensa ma persévérance mais le silence retomba sur ce signe de vie. Je secouai prudemment le loquet puis décidai de passer à une autre tactique.

– N'ayez pas peur, dis-je, je ne suis pas un domestique de l'auberge. Je suis un ami. Je désire vous aider.

J'entendis de nouveau le froissement de jupe puis un souffle à peine audible de l'autre côté de la porte.

– Qui êtes-vous ? demanda une voix de femme, rapide et basse, comme si elle craignait que nous puissions être découverts d'un moment à l'autre. Comment vous appelez-vous ?

– Je m'appelle Roger. Je suis colporteur. Je pense vous avoir vue à la fenêtre hier matin. Je pense... Je ne sais pourquoi, mais j'ai eu l'impression que vous aviez peut-être des ennuis. Que vous étiez retenue contre votre gré... Si je suis complètement ridicule, dites-le.

Une autre longue pause suivit, puis la voix murmura :

– Puis-je vraiment vous faire confiance ?

Je n'eus que le temps de murmurer en retour « Absolument » car un bruit de pas montait du petit escalier en colimaçon au bout du corridor et une femme de chambre de l'auberge apparut, portant une pile de linge propre, manifestement destiné à la chambre où ma prisonnière était enfermée.

– Que voulez-vous ? demanda-t-elle. Le maître sait-il que vous êtes ici ?

Je réfléchis rapidement.

– Je suis à la recherche d'un de vos clients, dis-je. Maître Gilbert Parsons. Je suis bien à l'hôtellerie de *La Tête du Baptiste*, n'est-ce pas ?

– Non, c'est plus bas dans la rue, à quelques pas. Ici, c'est l'hôtellerie *La Confiance*.

La fille pouffa de rire et commenta d'un ton moqueur :

– Maître Trollope vous regarderait de travers s'il savait que vous confondez cette auberge minable et la sienne. Et maintenant, filez d'ici ! Avant que je prenne la peine de chercher si vous mentez ou non, ajouta-t-elle finement.

Il ne me restait qu'à partir, maudissant ma malchance. J'avais le sentiment que, même si je rôdais autour de l'auberge et attendais que la voie fût de nouveau libre, je n'obtiendrais rien de plus de ma captive. Déjà nerveuse avant l'irruption de la servante, elle le serait désormais doublement. Je remerciai la femme de chambre avec un sourire conquérant et repartis par la porte du balcon. Dans la cour, le spectacle était inchangé. La voix forte du gentleman et les plaintes de sa femme continuaient de capter l'attention de Martin Trollope. M'étant arrêté pour reprendre mon souffle avant de m'échapper, j'entendis la femme dire :

– Milord de Clarence lui-même nous a recommandé cette auberge la dernière fois que nous l'avons reçu chez nous dans le Devonshire. Il serait contrarié d'apprendre que l'on nous a offert une chambre de second choix au fond de la maison.

– Parfaitement, mon cher, parfaitement !

Assenant une énorme tape sur l'épaule de Maître Trollope, son époux renchérit :

– Au besoin, patron, mettez un autre client dehors. Il nous déplairait d'avoir à nous plaindre à Sa Grâce, mais, si cela est nécessaire...

Je n'entendis pas la fin de la phrase : la lumière m'aveuglait. Saint Paul sur le chemin de Damas n'avait reçu plus grande révélation que celle qui vint à moi sur le balcon de *La Confiance*. Sans même avoir vu son visage, je savais quelle dame était séquestrée dans cette chambre. Mais ce visage, je l'avais déjà vu, de cela, j'étais certain : dans Corn Street, à Bristol, il y avait cinq mois. Je me rappelais ce que Bess Woodward m'avait dit : Martin Trollope était le cousin d'un protégé du duc de Clarence. Avec ce souvenir me revinrent certaines paroles prononcées par Philip Lamprey : « Une fois, j'ai entendu dire que c'était un bâtard aux dents longues qui ferait n'importe quoi pour de l'argent. » Et les propos de Thomas Prynne : « L'auberge *La Confiance* doit une bonne partie de sa clientèle à la recommandation du duc lui-même. J'aimerais pouvoir me flatter de cet appui royal. »

Ainsi, Martin Trollope était redevable envers milord de Clarence de nombreuses faveurs. *La Confiance* serait donc l'endroit que celui-ci choisirait tout naturellement s'il voulait soustraire sa belle-sœur au regard de son frère. Qui aurait l'idée d'aller chercher une dame de si haute naissance dans une vulgaire auberge, et déguisée en fille de cuisine ? Je ne pensais pas, bien sûr, que Lady Anne fût autorisée à s'approcher des cuisines, mais il aurait été impossible de garder le secret de sa présence aux autres servantes. D'où l'invention de la nouvelle servante malade, tenue de garder la chambre. Il était difficile de prévoir combien de temps ce subterfuge pourrait être perpétué, mais le duc de Clarence avait sûrement prévu d'autres arrangements pour cacher Lady Anne, au cas où un membre du personnel de *La Confiance* deviendrait soupçonneux. Toutefois, Clarence avait compté sans moi, l'étranger.

Je descendis tranquillement l'escalier, passai de nouveau à moins d'un pouce du dos de Martin Trollope et sortis de l'auberge sans m'accorder le temps de penser au danger. Puis, le cœur battant contre mes côtes, je revins avec gratitude en lieu sûr, à *La Tête du Baptiste*, pour prendre conseil de Thomas Prynne.

– Êtes-vous sûr de ce que vous avancez, mon garçon ? Absolument certain ?

Impossible pour moi d'en vouloir à Thomas Prynne ou à son associé s'ils ne pouvaient me croire sur parole. Je trouvai moi-même la situation difficilement imaginable, aussi avais-je ménagé leur crédulité en leur taisant mes autres soupçons concernant Martin Trollope et *La Confiance*. Je savais à présent ce que j'allais faire à ce propos, mais il fallait d'abord procéder à la délivrance de Lady Anne.

Quelques heures nous séparaient encore du couvre-feu. La fin de ce jour d'octobre avait été belle et pas un nuage n'ajoutait son ombre à celle du crépuscule. J'avais soupé hâtivement à la table de la cuisine, tout en racontant mon histoire à mes deux hôtes et regrettant que mon esprit, si préoccupé d'autres choses, m'empêchât de rendre pleinement justice à la cuisine de Thomas. Sous leur réticence initiale devant mon récit, je sentais chez eux de l'intérêt pour les événements excitants qui se déroulaient dans leur voisinage. L'ambiance était tendue dans la cuisine.

– Où trouverai-je le duc de Gloucester ? leur demandai-je.

Abel regarda Thomas et haussa les sourcils.

– Je crois que lorsqu'il est à Londres, il réside au château de Baynard, chez sa mère, la duchesse d'York.

Thomas acquiesça d'un mouvement de tête.

– Où est-ce ? lui demandai-je.

– Pas très loin du Steelyard, au bord de la rivière. Le terrain appartenait autrefois aux frères noirs[1] et cette partie de la cité porte toujours leur nom.

– Je crois l'avoir vu, dis-je. Une grande bâtisse avec des créneaux et des tours.

De nouveau, Thomas hocha la tête, mais il commençait à paraître inquiet.

– Êtes-vous bien sûr de savoir ce que vous faites, mon garçon ? Le duc ne vous fera pas de cadeau si vous l'embarquez dans une chasse à l'oie sauvage. Êtes-vous sûr que Lady Anne est portée disparue ?

– Je tiens la nouvelle d'un des serviteurs du duc. Je vous l'ai déjà expliqué.

1. Les dominicains, dits Blackfriars en raison de la couleur de leur bure, s'y étaient installés en 1276. *(N.d.T.)*

J'avais dû laisser transparaître une impatience réelle car Abel repartit sèchement :

– Inutile de vous mettre en colère. Thomas essaie seulement de vous empêcher de vous ridiculiser. D'après vos dires, vous n'avez pas réellement vu cette femme dont vous supposez qu'elle est cachée à *La Confiance*.

Je ravalai mon irritation car je me rendais compte que lui et son associé ne faisaient que me prêcher la prudence pour mon propre bien.

– Je regrette, dis-je contrit, mais je suis aussi certain qu'on peut l'être que c'est Lady Anne et, si je ne vais pas trouver milord de Gloucester avec mes renseignements, tels qu'ils sont, je considérerais que je manque à mon devoir.

Pourquoi devais-je éprouver un sentiment de devoir plus impérieux envers un des frères du roi qu'envers l'autre ? Je ne pouvais me l'expliquer. Peut-être était-ce lié au fait que j'étais né le même jour que lui ; ou à l'affection spontanée que le jeune duc m'avait inspirée la veille quand je l'avais vu chevaucher devant Saint-Paul. Et puis, tout le monde parlait en termes bienveillants du plus jeune frère du roi tandis qu'on entendait rarement faire l'éloge de milord de Clarence. Mais quelles qu'en fussent les raisons, ma loyauté envers Richard de Gloucester et les affinités que je ressentais pour lui étaient nées à ce moment et ne se sont jamais érodées depuis. (Il me semble avoir déjà exprimé des sentiments similaires dans ce récit. Si c'est le cas, pardonnez-moi ; cet homme a été l'étoile qui guida ma vie.)

– Eh bien, si vous devez y aller, vous le devez, conclut Thomas qui se leva et sortit de la cuisine.

Quand il revint quelques minutes plus tard, il portait un mazer de liquide pétillant, coiffé de mousse.

– Notre meilleure bière, me dit-il en posant le mazer sur la table. La soirée sera glaciale. Vous aurez besoin de vous défendre contre le froid.

– Et pour vous donner du courage, ajouta Abel Sampson d'un ton rude.

Je tendis avidement la main vers le mazer, puis la retirai brusquement. Je me rappelai la nuit dernière et les méfaits que j'avais été incapable de contrôler. Pas question de me présenter ivre, si peu que ce soit, au château de Baynard ; même si la bière était moins puissante que le bordeaux de l'auberge, je refusais de prendre ce risque.

– Qu'est-ce qui ne va pas ? demanda Thomas, offensé. Je vous ai dit que c'est là notre meilleure bière.

– Je n'en doute pas un instant, répondis-je d'un ton conciliant. C'est simplement que je tiens à garder la tête froide.

– Ah ! s'exclama Thomas, souriant d'un air compréhensif. Bien sûr ! Dans ce cas, nous vous excusons, n'est-ce pas, Abel ?

Son associé eut un sourire railleur. Je me sentais mal à l'aise. Contrairement à Thomas, Abel ne m'avait jamais vraiment adopté. Pourquoi d'ailleurs l'aurait-il fait ? Marjorie Dyer n'était pas son amie. J'évitai cependant que mes pensées s'arrêtassent sur ce nom. Quand éclaterait au grand jour la vérité sur l'auberge *La Confiance*, Thomas Prynne pourrait recevoir un choc déplaisant.

Je me levai de table, enfilai le manteau de ratine bourrue que j'avais sorti de ma balle avant le souper et pris mon bâton.

– Souhaitez-moi bonne chance, dis-je en souriant.

– De tout cœur, dit Thomas, la main tendue. Abel et moi allons attendre votre retour en retenant notre souffle.

17

Je ne sais exactement à quel moment je me suis rendu compte que j'étais suivi. Je marchais d'un pas allongé, mais sans me presser, car je n'avais pas envie d'arriver au château de Baynard agité et hors d'haleine. Il me faudrait disposer de mes esprits, être calme et faire preuve d'autorité si je voulais m'assurer une chance de voir le duc. Tout en parcourant Thames Street, très animée encore à cette heure, je priais le ciel qu'il soit chez lui.

A proximité du pont, là où débute Fish Street qui part vers le nord en direction d'East Cheap et de Bishop's Gate, je me retournai pour regarder derrière moi. Je le fis par hasard : un cri ou un bruit quelconque avait attiré mon attention mais, avant d'avoir pu repérer sa source et satisfaire ma curiosité, mon regard s'était arrêté sur une silhouette encapuchonnée qui, à travers la foule, se faufilait rapidement dans mon sillage. Même alors, je n'aurais rien remarqué n'était le fait que, sitôt que j'eus tourné la tête, la silhouette en manteau s'esquiva prestement entre deux éventaires et s'évanouit.

La disparition soudaine de ce personnage, que je venais de voir moitié courant moitié marchant avec détermination, m'intrigua. De plus, il me semblait que cette silhouette m'était connue : l'allure, le grand manteau fluide, le capuchon tiré vers l'avant qui dissimulait le visage. Le souvenir me revint : c'était l'homme, ou la femme, que j'avais vu aux premières heures du matin remonter rapidement Crooked Lane et entrer dans l'auberge *La Confiance.*

Je repris ma route du même pas mesuré pendant quelques minutes avant de tourner de nouveau la tête. La silhouette au long manteau était toujours là et m'avait un peu rattrapé, si bien que je vis des jupons sous l'ourlet de son manteau. Une femme, donc ! Mais qui ? La réponse jaillit presque instantanément. Matilda Ford, la cousine de Marjorie Dyer. Ainsi, l'on avait dû remarquer ma présence à *La Confiance.* Soit Matilda, soit la femme de chambre avait signalé notre rencontre à Martin Trollope. Soupçonneux, il avait dépêché Matilda pour qu'elle s'informe à *La Tête du Baptiste* et quand on lui avait dit que j'étais ressorti, il lui avait ordonné de me suivre. J'avais alors de l'avance et elle avait été obligée de forcer l'allure pour me rattraper.

Quand je la regardai de nouveau, elle ralentit instantanément et s'arrêta pour examiner les morceaux de viande exposés sur l'étal d'un boucher. Je vis l'homme lui parler mais elle fit « non » de la tête et reprit lentement sa marche. Je l'imitai mais, au bout de quelques pas, je jetai un coup d'œil par-dessus mon épaule et vis qu'elle était presque à ma hauteur. Nous avions dépassé l'entrée du pont de Londres et la circulation était moins dense ; les gens avaient terminé leurs achats pour aujourd'hui et ils repartaient chez eux. Quelques boutiquiers commençaient à rentrer leurs marchandises dans leurs magasins, d'autres continuaient de bonimenter à tue-tête dans l'espoir d'attirer le client de la dernière minute.

Tout en poursuivant mon chemin, je réfléchissais à la meilleure façon de me tirer de cette situation. Fallait-il continuer tranquillement comme si j'ignorais sa présence ? Ou faire brusquement demi-tour et l'affronter ? Mais comment réagirait-elle à ce défi ? Et qu'espérait Martin Trollope en me faisant suivre par une femme ? Elle ne pouvait me faire grand mal... Quel imbécile j'étais ! Quel balourd ! Matilda Ford n'avait pas besoin de m'attaquer. Dès qu'elle aurait vu où j'allais, elle retournerait comme une flèche à *La Confiance* dont Lady Anne disparaîtrait par enchantement. La seule chose que je pouvais faire était de semer Matilda.

Mais comment ? Les tours du château de Baynard se dressaient déjà devant moi. Si je n'agissais pas rapidement, Matilda devinerait quelle était ma destination et ferait demi-tour pour en informer Martin Trollope... Une femme en capuchon rayé surgit de l'ombre et une main caressa mon épaule.

– Tu cherches quelqu'un, joli petit canard ?

J'ai reçu beaucoup de noms et surnoms au cours de mon existence, dont certains, très spirituels, étaient aussi très mérités ; d'autres l'étaient moins. Mais « joli petit canard » fut peut-être celui qui convenait le moins au jeune colosse que j'étais. Néanmoins, cette femme était une messagère divine. (Après tout, si Dieu S'est servi de Marie-Madeleine pour servir Ses desseins, pourquoi pas d'autres prostituées ? me demandai-je.) Je glissai mon bras autour de sa taille et fus heureusement surpris de constater qu'elle sentait le propre.

– Où... Où travaillez-vous ?

Ma question la fit rire et elle tendit le cou en direction d'une ruelle étroite.

– Chez la vieille Mère Bindloss, dans Pudding Street. Viens, c'est à deux pas.

Résistant à la tentation de voir si Matilda Ford attendait, je me laissai entraîner dans la ruelle. Une odeur de putréfaction assaillit mes narines et je vis que des cadavres de rats et celui d'un chat, des aliments pourris et des excréments humains bouchaient le caniveau qui courait au milieu de la rue. Dans l'ensemble, les rues de Londres ne sont pas propres ; celle-ci était particulièrement repoussante. Ma compagne s'arrêta à mi-chemin de la ruelle et frappa à la porte d'une maison.

Une grille s'ouvrit en haut de la porte, et une voix s'enquit :

– Qui est là ?

– Susan, répondit la fille d'une voix basse et sifflante. J'amène un client.

Incapable de résister davantage au besoin de surveiller mes

arrières, j'eus tout juste le temps de voir Matilda Ford disparaître au coin de la rue. Elle avait manifestement attendu pour voir où j'allais. La voilà satisfaite, me dis-je ; elle n'a rien deviné de mes intentions réelles.

La porte s'ouvrit et j'entrai, vivement incité par la poussée persuasive qu'exerça Susan. Une chandelle tremblante éclairait un corridor étroit et un escalier où des filles étaient assises, plus ou moins dévêtues.

– Par tous les diables ! s'écria l'une d'elles, le cou tendu par-dessus les têtes des autres. Où l'as-tu dégoté ? Dis donc, p'tit cœur, quand t'en auras fini avec Susan, j'suis partante. J'parie qu'un grand gars comme toi peut en baiser plusieurs d'affilée.

Les autres femmes s'esclaffèrent grossièrement. Horreur ! Je me sentis rougir. Heureusement, il faisait très sombre, elles ne pouvaient s'en apercevoir. Je me tournai vers Susan.

– Je suis désolé, dis-je, en cherchant dans la sacoche de ma ceinture dont je sortis un penny d'argent, mais je ne désire pas vos... vos services.

Susan me regardait sans comprendre.

– Écoutez, repris-je vivement, en pressant la pièce contre sa paume, je souhaite payer le temps et la peine que vous avez pris. Mais la vérité est que je suis venu seulement pour me débarrasser de la femme qui me poursuit, ajoutai-je maladroitement. Je crains de ne pas pouvoir vous en dire plus.

– C'est ta femme ? m'interpella la fille qui avait parlé la première. Et tu as filé pour aller en voir une autre ?

Un murmure de sympathie s'éleva de l'escalier. Même Susan qui avait paru profondément offensée sourit et me tapota l'épaule.

– Tiens, mon joli, garde ton argent. Et si ta bien-aimée ne veut décidément pas de toi, reviens nous voir et on te consolera.

De nouveau l'escalier retentit de cris d'approbation ; j'ouvris la porte et me glissai dans la rue. Après avoir remercié d'un baiser sur la joue celle qui m'avait sauvé à son insu, je rebroussai chemin vers la rivière. Je n'entendis pas la porte se refermer derrière moi et soupçonnai que Susan me suivait des yeux, regrettant de m'avoir laissé filer si facilement. Un coup d'œil par-dessus mon épaule m'apprit que j'avais raison. Susan était toujours debout dans l'embrasure de la porte...

A cet instant, alors que j'étais distrait, je sentis un grand souffle d'air tournoyer devant moi. Je tournai brusquement la tête, juste à temps pour éviter le coup. Surgie d'une porte où elle s'était dissimulée, Matilda Ford brandissait un couteau.

Instinctivement, j'empoignai à deux mains mon gourdin et réussis, mais de justesse, à parer le coup. Un instant en déséquilibre, elle retrouva vite son aplomb et revint vers moi, agile comme un chat. La longue lame du couteau affûté, que je l'avais vue utiliser pour dépiauter les lapins dans la cuisine de *La Confiance*, brilla d'un éclat maléfique dans l'obscurité de la ruelle. De nouveau je parai le coup assené d'en haut mais, en essayant d'esquiver l'assaut suivant, je glissai sur une ordure et m'étalai sur le sol. Je tentai désespérément de me relever mais elle était trop rapide pour moi et, du coin de l'œil, je la vis se précipiter pour m'assassiner. Le capuchon était tombé sur ses épaules et je distinguais parfaitement son visage : l'éclat sinistre des yeux, les narines dilatées qui déjà flairaient le sang. De ma vie je n'avais croisé femme si diabolique. Et il semblait bien que ce serait ma première et dernière rencontre. Avec un hurlement d'horreur, je roulai sur le côté pour essayer d'échapper au couteau.

Je n'avais plus d'espoir en faisant cela. Comme dans un rêve, je regardai l'éclat du métal entamer sa trajectoire vers le bas... Rien ne se passa. Après ce qui me parut être une éternité mais ne dura en fait que quelques secondes, j'ouvris les yeux ; des yeux qu'à l'instar de la plupart des gens, j'avais fermés face à une mort certaine. Je pris soudain conscience d'un brouhaha de voix féminines, de jurons et d'imprécations, d'insultes et de grossièretés qui surpassaient de loin ceux que j'avais entendus jusqu'alors. Je me relevai précipitamment. Matilda Ford se débattait pour échapper aux griffes d'un groupe de prostituées menées par Susan qui, en lui mordant le poignet, força la criminelle à lâcher son couteau. Je me penchai pour le récupérer quand un bruit d'étoffe qui se déchire, suivi d'un galop effréné m'apprirent que ma meurtrière en puissance s'était échappée, laissant derrière elle un manteau en lambeaux.

– Laissez-la fuir ! dis-je vivement. Et merci à vous toutes de m'avoir sauvé la vie.

– Ça alors ! s'exclama une des filles dont l'ardeur combative soulevait les seins nus. En v'là une virago ! Dis voir pourquoi tu l'as épousée ?

Je ne me souvenais déjà plus avoir prétendu que j'étais poursuivi par ma femme mais je me raccrochai avec gratitude à cette explication. Je devais maintenant arriver au château de Baynard aussi vite que possible. Je n'avais aucune envie de faire devant ce public le procès de ma soi-disant épouse.

– Oh, vous savez comment les choses se passent, fis-je en haussant les épaules. Tout le monde change. Et, pour ne rien vous cacher, je lui ai donné des raisons d'être amère. Il faut que je parte à présent. Ma... ma maîtresse va se demander ce qui m'est arrivé. Encore merci à vous toutes.

Je repris ma route, accompagné de leurs vœux et d'une pétarade de grivoiseries dont je ne livrerai que la plus innocente : « Trousse-la de ma part ! » Au sortir de la ruelle, je m'arrêtai et regardai attentivement à droite et à gauche pour m'assurer que Matilda n'était pas dans les parages. Je me retournai pour adresser un geste d'adieu à mes bienfaitrices puis, un peu secoué mais toujours déterminé, je pris d'un pas rapide la direction du château de Baynard.

Les sentinelles en faction près de la grille refusèrent de me laisser passer. Elles reconnurent que milord de Gloucester et la duchesse Cécile étaient au château, mais autoriser un étranger à entrer alors que le couvre-feu était si proche dépassait leurs attributions. C'était l'heure où le duc se reposait et s'occupait de ses hôtes. C'était aussi, lorsqu'il séjournait chez sa mère, l'heure qu'il consacrait à ses enfants, Lady Katherine et le petit Lord John.

– Si vous avez une requête à présenter, me dit rudement une des sentinelles, revenez demain. Milord tient dans la matinée une audience de requêtes.

– Il ne s'agit pas d'une requête, répondis-je impatiemment. Allez au moins dire au duc que je suis là. C'est urgent.

Les deux hommes éclatèrent de rire.

– Pour qui vous prenez-vous, jeune prétentieux ? demanda le plus grand.

Le plus petit renchérit :

– Nous ne laissons jamais entrer les bâtards de la rue qui s'abusent au point de croire qu'ils ont quelque chose d'important à dire à Sa Grâce. De plus, nous savons d'expérience que vous pourriez bien avoir un poignard dissimulé sous ce manteau.

Pour qu'ils pussent vérifier que je ne portais pas d'armes, j'ouvris mon manteau et me rappelai – hélas trop tard – qu'après avoir ramassé le couteau de Matilda Ford, je l'avais passé dans ma ceinture par mesure de sécurité. A la vue de l'arme dégainée, les deux sentinelles me saisirent et me traînèrent à l'intérieur.

Eh bien, me voici au moins dans la place, me dis-je. Bien entendu, ce n'était pas de la façon que j'avais prévue. Je protestai de mes bonnes intentions, essayant de couvrir de mes vociférations les appels à l'aide de mes ravisseurs. Comment allais-je parvenir à les convaincre que je n'étais pas un assassin en puissance ? Moi aussi, j'envoyai un appel au secours désespéré. Dieu ne pouvait sûrement pas m'abandonner en un tel moment.

Il ne m'abandonna pas. Le premier individu qui arriva sur les lieux en réponse aux cris des sentinelles était l'homme que j'avais sauvé du zèle excessif du marchand de petits pâtés.

– Que se passe-t-il ? s'exclama-t-il avec indignation. Ce tapage arrive jusque dans les appartements privés de Sa Grâce. J'espère que vous pourrez me donner une explication...

Il s'arrêta net en me reconnaissant :

– Que faites-vous ici ?

Une des sentinelles, qui s'apprêtait à me désigner comme suspect d'intentions criminelles, hésita :

– Vous le connaissez ? demanda-t-il au petit homme.

– Nous nous sommes rencontrés, commença mon ami que j'interrompis impétueusement :

– Je dois voir le duc. Immédiatement. Je crois que j'ai trouvé Lady Anne Neville.

Dire qu'il resta bouche bée serait en deçà de la vérité. Sa mâchoire inférieure rejoignait presque son collet.

– En êtes-vous sûr ? s'écria-t-il abruptement.

C'était mon tour d'hésiter. Si je disais la vérité et admettais que je n'avais pas vu la dame en face, je pourrais être à nouveau soupçonné d'intentions mauvaises. De plus, dans mon esprit, j'étais absolument certain de ma découverte. Je pris une profonde inspiration et dis :

– Oui. Je sais où Lady Anne est cachée.

Le petit homme se tourna vers les sentinelles ·

– Laissez-le passer, ordonna-t-il. Je réponds de lui. Par ici ! ajouta-t-il à mon adresse.

Nullement convaincues, les sentinelles s'écartèrent de mauvaise grâce après m'avoir délesté de mon bâton et du couteau. Je leur adressai ce que j'espérais être un sourire rassurant et suivis mon guide qui me fit traverser la cour d'honneur, puis une cour intérieure où se trouvaient la boulangerie, la buanderie et les cuisines. Les torches sur les murs, haut placées dans leurs appliques de fer, flamboyaient déjà contre les vieilles pierres avec un bruit semblable à du parchemin qu'on déchire. Dans cette seconde cour, beaucoup plus bruyante et agitée, se déployaient le tourbillon d'activités et le jacassement incessant sans lesquels les grands et les puissants semblent incapables de vivre. Des hommes et des garçons portant la livrée du duc de Gloucester s'affairaient fébrilement, imbus de leur importance, sans jamais accomplir rien de concret ; c'est ainsi, du moins, qu'en jugea mon regard réprobateur.

Par un étroit escalier de pierre, je fus conduit le long d'un corridor guère plus spacieux vers un autre escalier en colimaçon, devant à tout moment m'aplatir contre le mur car des gens passaient de force devant moi. Impatienté par ce retard, mon ami finit par crier :

– Holà ! Holà ! Place ! Place ! Nous portons une affaire à Lord Richard.

Je n'ose dire que l'effet fut instantané mais nous progressâmes quand même un peu plus vite. Finalement, nous arrivâmes devant une arcade voilée par un rideau de cuir qui, une fois repoussé, découvrit une antichambre. J'y fus cérémonieusement introduit. J'avais le sentiment que le petit homme jouissait de ce moment de gloire.

Derrière une table, un jeune homme penché sur des documents qui me parurent importants leva la tête d'un air interrogateur quand nous entrâmes.

– John Kendal, le secrétaire de Sa Grâce, me souffla mon ami à l'oreille.

– Que puis-je pour vous, Timothy Plummer ? demanda John Kendal. Et qui est cet homme qui vous accompagne ?

– Il s'appelle Roger Chapman et il a des nouvelles très importantes pour le duc.

Les sourcils haussés du secrétaire exprimèrent son incrédulité patiente et il me regarda de bas en haut. Soumis à cet examen déplaisant, je lui retournai son regard aussi fermement que je le pus. Manifestement, il apprécia ce qu'il vit car il sourit soudain et hocha la tête.

– Quelles peuvent être ces nouvelles, Roger Chapman ? Je vous préviens, il faut qu'elles soient réellement très importantes pour que Sa Grâce vous reçoive à cette heure. C'est le seul moment de la journée qu'elle passe avec sa mère et ses enfants.

– Sa Grâce me recevra très bien, assurai-je avec vigueur. Je pense savoir où se trouve Lady Anne Neville.

La pièce où je fus introduit n'était pas très grande mais elle était luxueuse. Un feu odorant de bûches de pin brûlait dans la cheminée et, sur le plancher, une abondance de fleurs séchées parsemaient les jonchées. Il y avait au moins trois fauteuils dont les dossiers étaient sculptés de délicats motifs d'oiseaux et de feuilles intercalés, plus quatre ou cinq tabourets assortis. Une table basse placée contre un mur portait une aiguière d'argent et des verres à pied de Venise que la lueur du feu faisait miroiter et scintiller. Les tapisseries qui ornaient les murs représentaient la lutte d'Héraclès et de Nérée, tour à tour métamorphosé en cerf, oiseau, chien, serpent et finalement en homme. Des myriades de chandelles de cire – c'est du moins ce qui parut à mes yeux éblouis – brûlaient sur un lustre de cuivre pendu au plafond.

Deux enfants, une fille et un garçon un peu plus jeune, jouaient devant le feu sur un tapis, chose que je n'avais encore jamais vue. Ce devait être les deux bâtards du duc. Près de la cheminée, une femme aux traits fortement accentués et d'aspect redoutable était assise dans un fauteuil. Il s'agissait bien sûr de la duchesse d'York, mère du roi, du duc de Gloucester et du duc de Clarence, sœur du défunt comte de Warwick et belle-mère du duc de Bourgogne. A en croire les bruits qui couraient, une redoutable maîtresse femme.

Le duc Richard était debout quand j'entrai. Il portait une longue robe flottante de velours rouge sombre, doublée de zibeline, et des pantoufles de satin noir richement brodées de fil d'or. Manifestement, il se détendait après les tâches du jour et, n'était l'importance de la raison qui m'amenait, je me serais senti coupable de le déranger. Son visage maigre était jaunâtre à la lumière clignotante des chandelles et des cernes sombres soulignaient ses yeux, comme s'il avait mal dormi. J'appris plus tard que la comtesse de Desmond l'avait une fois désigné comme le plus bel homme de Londres après son frère Édouard. Ce n'était sûrement pas l'impression qu'il donnait ce soir-là, mais c'était un homme dont l'apparence physique dépendait beaucoup de son état de santé et des diverses fluctuations de son état d'esprit.

John Kendal l'avait informé de la raison de ma venue et, alors que je m'approchais et lui faisais ma révérence, je sentis une grande tension dans son corps svelte. Il me tendit, pour que je la baise, une main à laquelle l'abondance des bagues donnait une forme prismatique.

– J'ai cru comprendre, dit-il d'une voix un peu haletante, que tu as quelque idée de l'endroit où se trouve ma cousine, Lady Anne Neville. S'il en est ainsi, dis-le-moi tout de suite. Si l'on peut démontrer que tu es dans l'erreur, il ne te sera fait aucun mal. Mais apprends-moi d'abord comment tu sais qu'elle avait disparu.

J'étais debout, écrasant de ma hauteur sa frêle et sombre silhouette, mais il en avait l'habitude, les deux frères qui lui restaient étant tous deux grands et blonds.

– Votre Grâce, dis-je, cela fait partie d'une histoire qu'avec votre permission je vous dirai aussi rapidement que possible car, une fois que vous aurez délivré Lady Anne, j'aurai besoin de votre aide dans un dessein qui m'est propre. Si vous voulez être assez bon pour m'écouter.

Il hésita, visiblement impatient d'entendre la seule chose qui lui importait, mais sa courtoisie naturelle eut raison de son impatience. Il s'assit dans un fauteuil et me fit signe de commencer.

18

– Asseyez-vous, mon garçon, et buvez un peu de vin. Vous avez l'air épuisé.

Thomas me pressait de me mettre à l'aise dans la taverne où maître Parsons, ses ennuis judiciaires temporairement oubliés, me regardait fixement, les yeux exorbités.

– Je suppose que vous n'êtes pas étranger à tout ce tintamarre à l'auberge *La Confiance ?* Sa Grâce de Gloucester s'est montrée très amicale avant que vous vous sépariez.

Le regard de maître Parsons était maintenant un mélange de curiosité et de respectueuse admiration. J'avais subitement cessé d'être un vulgaire colporteur pour devenir une personne en termes amicaux avec un duc de la famille royale.

Abel Sampson, qui nous avait suivis dans la taverne, me manifestait lui aussi une nouvelle considération et Thomas, tenant parole, m'apporta un gobelet de son meilleur vin de Bordeaux, qu'il avait tiré d'un tonneau à la cave. Après avoir mis une bûche dans le feu, Abel alla prendre un tabouret pour se joindre à nous autour de la table et me demanda d'un ton impérieux :

– Racontez-nous toute l'histoire.

– On dirait bien que vous aviez raison à propos de *La Confiance*, commenta Thomas.

Je bus quelques gorgées.

– En partie, dis-je, en partie seulement. Il apparaît que rien ne relie Martin Trollope ou son auberge à la disparition de Clement Weaver. Ni, en fait, à celle de Sir Richard Mallory, si ce n'est que lui et son domestique, Jacob Pender, y séjournaient. Les hommes du duc ont fouillé l'auberge de haut en bas et n'ont rien trouvé.

– Vous ne vous attendiez sûrement pas à ce qu'ils trouvent quoi que ce soit, je pense, fit Abel Sampson en haussant les épaules. Tous les indices suspects auront été effacés.

Il avait raison, bien sûr ; mais, dans les protestations d'innocence de Martin Trollope, en dépit de mon peu d'inclination à le croire, quelque chose m'avait néanmoins convaincu. Et l'on n'avait pas non plus trouvé trace de conduit qui aurait relié les caves à la rivière. Les hommes du duc avaient tout fouillé sans ménager leur peine ; ils avaient même demandé qu'on leur apportât des pioches pour attaquer les murs, mais sans résultat. Pourquoi ce fait me semblait-il si important ? Je ne sais vraiment pas : après tout, il y a d'autres moyens de faire disparaître des cadavres. C'était une réaction instinctive ; une intuition qui ne m'avait pas lâché depuis que Doll, l'amie de Bertha, avait parlé de l'existence d'un conduit.

Thomas Prynne remplit mon verre, qui était à moitié vide, et insista de nouveau pour que je raconte mon histoire. Surmontant ma déception et l'impression de ne disposer que d'une demi-histoire, je m'exécutai ; partant de ce que les deux associés savaient déjà, je conclus mon récit sur la découverte de Lady Anne Neville dans l'auberge *La Confiance*.

– Elle y était retenue contre sa volonté ? demanda Abel Sampson incrédule.

Je savourais mon vin avec attention, bien décidée à ne pas trop boire, mais tout aussi soucieux de ne pas offenser mes hôtes en donnant l'impression de boire trop peu. Je fis signe que oui.

– Encore que ce soit peut-être une façon exagérée de présenter la chose, ajoutai-je, impartial, après y avoir réfléchi un instant. Elle n'était ni enfermée ni attachée. Le duc de Clarence l'avait placée là – elle était censée être une nouvelle fille de cuisine – pour l'éloigner du duc Richard qui veut l'épouser. Aurait-elle été d'une autre trempe, elle aurait sans doute pu quitter librement l'auberge, à tout moment. Je doute fort que Martin Trollope aurait eu recours à la force pour la retenir.

– Alors, au nom du ciel, pourquoi n'est-elle pas partie ? demanda maître Parsons.

– Pour bien des raisons, j'imagine, dis-je en levant les épaules. Elle est jeune et le duc de Clarence est son tuteur. Elle doit penser qu'il est naturel de lui obéir, même si elle n'est pas d'accord avec ses ordres. Et puis, la duchesse de Clarence est sa sœur aimée et elles ont toujours été très proches ; c'est du moins ce que j'ai retenu, du discours de ceux qui savent. Enfin, tout naturellement, la duchesse prête son appui à son mari. Quels que soient ses inclinations ou ses désirs personnels, Lady Anne pouvait être effrayée à l'idée de passer outre les désirs de ces deux personnes si proches, d'autant que son père fut un rebelle frappé de mort civile.

Soucieux de faire connaître son savoir, maître Parsons approuva mes propos avec sagacité :

– Et elle a traversé beaucoup d'épreuves depuis un an, la pauvre enfant. La défection soudaine du comte à l'égard de la reine Marguerite et de sa cause, après une si longue loyauté au roi Édouard ; son mariage forcé avec ce jeune tyran fanfaron d'Édouard de Lancastre ; la mort de ce mari pendant la bataille de Tewkesbury ; puis le fait qu'elle-même a été placée, peut-être contre sa volonté, sous la garde de sa sœur et de son beau-frère. Toutes ces choses ont dû contribuer à l'effrayer.

Abel Simpson jeta un coup d'œil sur mon gobelet et vit que le niveau du vin atteignait presque le sommet. Il me frappa l'épaule.

– Bois, mon garçon ! Bois ! Cette nuit entre toutes, tu mérites le plaisir de t'enivrer.

Son associé fronça les sourcils :

– Laisse le garçon faire à son goût, Abel ! Et ensuite ? Qu'est-ce que milord de Gloucester a fait de la dame à présent qu'il l'a retrouvée ?

– Il l'a escortée jusqu'au sanctuaire de St Martin-le-Grand. Il m'a dit qu'elle y séjournera à l'abri jusqu'à ce qu'il obtienne le consentement de ses frères à leur mariage.

Abel fit une grimace à Thomas et le ton moqueur dont il avait usé envers moi précédemment s'insinua de nouveau dans sa voix.

– « Il m'a dit que », répéta-t-il en me singeant.

Puis, poussant un soupir à décorner les bœufs, il me demanda :

– Quelle impression cela fait-il d'être le confident des rois ?

Je sentis mes joues s'empourprer. Thomas le remarqua, lui aussi, et me serra le bras.

– Ne faites pas attention à lui, mon garçon ! La jalousie a toujours été le pire défaut d'Abel. Vous avez bien agi et vous méritez les remerciements du duc Richard. Vous a-t-il offert une récompense ?

Je secouai la tête.

– J'ai fait mon devoir, rien de plus.

Même si je n'en disais rien, je n'oublierais jamais la chaleur avec laquelle le duc avait serré ma main avant de partir, lorsqu'il s'apprêtait à quitter l'auberge *La Confiance* pour escorter sa cousine jusqu'au sanctuaire, ni les mots qui avaient accompagné le geste.

– Je me souviendrai du service que tu m'as rendu, Roger Chapman. S'il est quelque chose que je puisse faire pour toi, une aide que je puisse t'offrir, quel que soit le moment, il te suffit de m'adresser un mot.

Enveloppée dans son manteau doublé de fourrure et montée devant lui sur le garrot du grand cheval blanc, Lady Anne avait aussi exprimé dans un murmure timide sa gratitude et m'avait tendu une main que j'avais baisée.

Je l'avais saluée aussi galamment que j'en étais capable.

– Votre Grâce a déjà payé sa dette en ordonnant à ses hommes de fouiller la maison, avais-je dit. Les coins de la bouche longue et mince du duc s'étaient étirés.

– Sans grands résultats, je le crains. Mais je vais faire surveiller maître Trollope désormais, et si je trouve une preuve d'activités criminelles, j'ordonnerai les mesures nécessaires, tu as ma parole. Je m'intéresserai personnellement à cette affaire. Ce coquin est capable de tout.

La voix de Thomas Prynne trancha le fil de ces pensées.

– Vous ne nous avez pas dit ce qu'est devenue Matilda Ford après qu'elle vous a attaqué. Est-elle retournée chez Martin Trollope pour le prévenir qu'elle avait manqué son coup ?

Je bus de nouveau, modérément, et sentis la chaleur s'épandre dans mes veines ; le feu liquide détend le corps.

– Il ne semble pas, dis-je, en réponse à la question de Thomas. Nous ne l'avons pas vue à *La Confiance* quand nous y sommes arrivés. Elle avait disparu. Elle se terre, peut-être... au cas où je l'accuserais de tentative de meurtre, une tentative pour laquelle j'ai des témoins.

– En effet ! s'esclaffa Thomas. Des témoins qui ne figurent pas au rang des citoyens les plus respectables.

Il emplit le gobelet de maître Parsons avant de se retourner vers moi :

– Alors, mon garçon, qu'allez-vous faire à présent ? Allez-vous reprendre la route dans la matinée ou comptez-vous rester encore et poursuivre votre enquête sur le sort de Clement Weaver ?

Le regard perdu dans les braises du feu, j'hésitais. Pour la première fois depuis mon arrivée à Londres, je n'étais pas sûr de mon objectif. L'aventure de ce soir m'apparaissait comme l'apogée de ma première visite à Londres ; tout le reste semblait de peu d'importance. Je revins mentalement sur les événements de ces dernières heures.

Aussitôt après avoir entendu la fin de mon histoire, le duc s'était levé d'un bond, criant à un écuyer de venir l'habiller. On avait appelé la nurse des enfants afin qu'elle les couche, et un page s'était précipité dans l'antichambre pour donner l'ordre de rassembler un groupe d'hommes de Sa Grâce qui l'accompagneraient à Crooked Lane.

Impassible au milieu de ce tourbillon, la duchesse d'York avait fini par se lever et avait posé les mains sur les épaules de son plus jeune fils.

– Richard, avait-elle dit d'un ton grave, si cette affaire s'avère exacte, promettez-moi de ne pas entamer d'action contre ce Martin Trollope. Si vous le faites, il est sûr que George sera impliqué. A présent que je vous ai tous rassemblés de nouveau, je ne veux pas le moindre incident entre Edouard et lui. La famille de la reine hait George et ne reculera devant rien pour lui nuire. Je vous le demande, ne leur donnez pas plus de raisons qu'ils n'en ont déjà.

Le duc avait gardé le silence, les yeux rivés sur ceux de sa mère ; puis, avec un soupir, il s'était penché et avait embrassé sa mère sur le front.

– Très bien. Si je retrouve Anne saine et sauve, je n'inculperai personne. Moi aussi, j'aime ce salaud de George ! avait-il ajouté avec un sourire désabusé.

Quand nous arrivâmes enfin à l'auberge *La Confiance*, après une chevauchée que je fis en croupe derrière mon petit homme rescapé de la poigne du marchand de pâtés, il n'y eut ni arrestation, ni violence, seulement la requête polie, émise sur un ton tranquille et glacial, d'être conduit auprès de Lady Anne Neville. Je m'étais attendu à un refus rageur de la part de Martin Trollope, mais il avait dû voir dans les yeux du duc que le jeu était terminé et milord fut immédiatement conduit à l'étage. Nul ne fut témoin de ses retrouvailles avec sa cousine ; nul n'entendit ce qu'ils se dirent mais, lorsque le duc la fit descendre dans la cour, les yeux de Lady Anne brillaient comme des étoiles. Je ne crois pas avoir vu, ni avant ni après, deux jeunes gens plus amoureux que Richard de Gloucester et Lady Anne Neville.

Après quelques mots cinglants à l'adresse de Martin Trollope et, à mon endroit, ceux que j'ai déjà cités, le duc et sa dame étaient partis pour St Martin-le-Grand, laissant derrière eux quelques hommes de Sa Grâce. C'était la condition que j'avais osé émettre avant de dire mon histoire au duc : les locaux de l'auberge seraient fouillés à fond, en particulier les caves. J'avais espéré que l'on y découvrirait des preuves de meurtres et de vols, et je pense que le duc l'espérait aussi car, alors, il aurait pu faire inculper Martin Trollope sur des chefs d'accusation qui n'impliquaient pas son frère. Mais l'on n'avait trouvé aucune preuve, et mon accusation avait suscité les protestations vigoureuses du patron. Il nia avec la même force avoir envoyé Matilda Ford pour me tuer ce soir-là et assura qu'il ne s'était rendu compte ni de mes soupçons, ni de mes intentions. Et, comme je l'ai dit, je le crus.

Alors, après tout ceci, où en était mon enquête sur la mort mystérieuse de Clement Weaver ? Nul doute que Dieu voulait toujours que je la poursuive mais, tout à coup, j'étais trop fatigué pour m'en soucier. A mon sens, j'en avais assez fait ; et, après tout, peut-être qu'en retrouvant Lady Anne et la rendant à l'homme qu'elle aimait, j'avais accompli le dessein de Dieu. Clement Weaver et Sir Richard Mallory avaient peut-être simplement été les moyens qui mènent à une fin et je m'étais trompé sur la véritable intention de Dieu. Oui, c'était ça. J'avais terminé la mission pour laquelle j'avais été envoyé à Londres ; à présent, je pouvais reprendre la route.

La nostalgie, soudain, m'avait envahi. Désir ardent de revoir la campagne, ses forêts et ses landes, ses villages et ses hameaux épars et, posés sur des océans de verdure, les îlots fortifiés des villes. Je voulais entendre le clapotis des ruisseaux sur les cailloux, humer l'odeur âcre et lointaine des feux de plein air, voir s'élever en tourbillons la brume du matin. Londres m'avait enchanté mais j'en avais assez d'elle. J'étais prêt au départ.

– Je partirai dans la matinée, dis-je, me détournant de la contemplation des flammes pour sourire à Thomas Prynne. Merci de votre hospitalité mais, une fois cette nuit passée, je ne vous encombrerai plus.

– Vous ne nous avez pas encombrés, bien au contraire ! s'écria-t-il, un brin plus chaleureux qu'il n'était utile.

Je me rendis compte qu'il était probablement soulagé. Lui et Abel faisaient trop peu d'affaires à *La Tête du Baptiste* pour pouvoir se permettre d'offrir gratuitement une chambre pendant longtemps. Seule la recommandation de Marjorie Dyer l'avait en quelque sorte contraint à m'héberger... Le nom de Marjorie Dyer arrêta court le fil de mes pensées en me rappelant ses rapports avec Matilda Ford et l'auberge *La Confiance*. Je fus repris de malaise, comme si Dieu me rappelait que je n'avais pas entièrement accompli ma mission. Cette auberge, j'en étais sûr, recelait un mystère que je n'avais pas encore élucidé.

– Quelque chose qui ne va pas, mon garçon ? s'enquit Thomas Prynne qui avait lu sur mon visage un changement d'expression.

– Non ! Non ! mentis-je vivement, rien du tout. Et maintenant, si vous voulez bien m'excuser, je vais au lit. Je dormirai comme une souche cette nuit. Je n'ai pas souvenir d'avoir jamais été si fatigué.

Thomas approuva. Il se leva pour allumer ma chandelle.

– Nous nous reverrons demain matin, au petit déjeuner, pour les adieux...

– Oui, oui, dis-je. Bonsoir, maître Parsons.

– Dans ce cas, nous ne nous reverrons pas, dit maître Parsons qui se leva et me tendit la main.

– Non... Je pense que non.

Je surpris un échange de regards entre Thomas et Abel et compris que mes hésitations avaient révélé mon irrésolution. Ils avaient espéré être débarrassés de moi et me sentaient à présent sur le point de revenir sur ma décision. Thomas tenta de m'aider à en changer de nouveau.

Il me frappa l'épaule.

– Comme c'est votre dernière nuit chez nous, vous aurez la meilleure chambre. La fin qui convient à un mémorable séjour à Londres. Qu'en dis-tu, Abel ? Comme maître Farmer n'est toujours pas arrivé, notre ami colporteur profitera de son lit.

– Absolument ! s'écria Abel en m'adressant un sourire amical. Un homme qui a rendu service au duc de Gloucester mérite ce que notre auberge peut offrir de plus beau. Qui mieux est, Roger sera traité comme un hôte d'honneur. Une demi-miche de pain blanc et un pichet de notre meilleur vin pour la nuit.

– Bien sûr ! fit Thomas radieux. Comment n'y ai-je pas pensé plus tôt ? Et l'un de nous vous prêtera une chemise de nuit. A moins que votre balle n'en contienne ?

– Certes non ! dis-je un peu tristement. Quand donc la mettrais-je ?

– Évidemment ! dit Abel en riant. Prenez votre chandelle, je vais vous conduire à votre lit. Pour une fois, au moins, vous dormirez comme un prince. Le matelas est le meilleur de Londres.

Je ne pris pas au pied de la lettre toutes ces belles paroles – on ne l'attendait d'ailleurs pas de moi – et suivis Abel jusqu'à la chambre que j'avais examinée ce matin. Abel posa la chandelle sur le buffet de chêne, près de celle qui s'y trouvait déjà dans son chandelier d'étain. Le halo de lumière éclaira l'immense lit à baldaquin, son ciel, ses rideaux de velours rouge, et se refléta dans le miroir de métal poli. Le coffre à vêtements était fermé et je vis que son couvercle massif était sculpté d'après un motif de roses entrelacées. Toutefois, l'odeur de lavande et d'épices imprégnait toujours la pièce.

Alors que je déposai ma balle et mon bâton, Thomas entra ; il apportait sur un plateau l'en-cas promis et, dépliée sur son bras, la chemise de nuit.

– Et voilà, mon garçon, dit-il en posant le premier sur le buffet et lançant la seconde sur le lit. Dormez bien. A demain matin.

Je les remerciai l'un et l'autre, tout en me demandant comment je m'y prendrais demain pour leur annoncer que j'avais changé d'idée et comptais m'attarder un peu plus longtemps à Londres. Peut-être trouverais-je un autre logement, mais cette perspective me décourageait. De plus, j'avais besoin de rester à proximité de *La Confiance*. Je commençai à dénouer les lacets de ma tunique, en me demandant ce qu'était devenue Matilda Ford, mais j'étais vraiment trop fatigué pour m'en soucier. Je payais le prix de l'excitation des heures précédentes et les efforts de la journée. Tout mon corps était douloureux et mon esprit encombré de rêves. Je n'avais qu'une envie ; me déshabiller, me libérer des vêtements que je portais depuis tant de jours, me glisser dans la chemise de nuit blanche et douce et m'écrouler dans le lit ; savourer tranquillement mon en-cas et, finalement, fermer les yeux.

Les choses ne se passèrent pas ainsi. Ma tunique à demi délacée, je m'abandonnai un instant contre les oreillers de plumes d'oie et je dus m'endormir instantanément. Presque aussitôt, je fus le jouet d'un rêve étrange et barbare. J'étais dans Pudding Street, devant la maison close. La silhouette encapuchonnée s'avançait vers moi, le couteau brandi, mais je ne pouvais ni bouger ni parler. Susan et les prostituées étaient là, derrière moi, mais elles ricanaient, elles se moquaient de moi, sans rien faire pour m'aider. J'entendis l'une d'elles s'esclaffer :

« L'homme est un crétin, un vulgaire colporteur ! » et une autre répondre : « Qu'espérais-tu donc ? » Mon agresseur était à présent tout près de moi ; son capuchon tomba, révélant un visage livide : des cheveux roux, des yeux bleu pâle, ceux de Matilda Ford. Alors que je la regardais, pétrifié, elle parut grandir et ses traits devinrent ceux d'Abel Sampson. « Nous vous attendions ! Vous attendions ! », murmura-t-il d'une voix qui s'éteignit progressivement...

Tout à coup, la scène changea, comme il arrive dans les rêves. Je n'étais plus devant la maison de la Mère Bindloss, mais assis avec Robert, l'intendant de Lady Mallory, dans sa chambre près de l'office, au manoir de Tuffnel. « Le vin était sa passion », disait Robert, phrase qu'il répétait inlassablement : « Le vin était sa passion. » Je savais qu'il parlait de Sir Richard Mallory. Une fois encore, la scène s'évanouit et j'étais allongé près de Bess sur la berge de la Stour. Je voulais lui faire l'amour mais elle s'y refusait et répétait, inlassablement elle aussi : « Où est-il ? »... « Où est maître Farmer ? »

Soudain, je m'éveillai dans les ténèbres ; je transpirais abondamment. Pendant un moment, ma pensée fut confusion totale et j'eus grand-peine à retrouver le souvenir précis de l'endroit où j'étais. Puis je repris conscience et tout revint aisément et simplement en place...

Quel imbécile j'avais été ! Quel âne bâté, aveugle, buté, incapable de voir ce qui, de bout en bout, s'était étalé sous ses naseaux. Les disparitions de Clement Weaver, de Sir Richard Mallory et de son domestique, et probablement d'une douzaine d'autres personnes n'avaient rien à voir avec l'auberge *La Confiance* ni avec Martin Trollope. C'était ici, à *La Tête du Baptiste*, qu'ils avaient été dépouillés et assassinés.

Je m'assis dans le lit et m'adossai aux oreillers. Je tremblais de peur et d'excitation et, par-dessus tout, du choc de la découverte. Je tendis le bras vers le pain blanc et en détachai un morceau que je me fourrai dans la bouche. Dans les moments de tension, je suis toujours affamé. Je regardai autour de moi. La chandelle s'était éteinte et tous les meubles de la pièce arboraient leurs gigantesques proportions nocturnes. Il était tard, tout était tranquille. Une chouette hulula dont le cri désolé résonna bizarrement sur les toits. Quelque part au loin, un cheval s'ébroua et piaffa, un homme en appela un autre et un chien aboya. Puis le silence retomba, plus profond qu'avant. Des rubans de fumée de la chandelle demeuraient en suspens dans la chambre, comme des esprits inquiets en quête d'une demeure.

Je frissonnai violemment. J'avais la bouche sèche et j'eus du mal à avaler le pain. Ma main se tendit vers le pichet de vin et le gobelet, mais se figea dans cette position, planant au-dessus du plateau. Je me souvins du sommeil profond où j'étais tombé la veille : et si je n'avais pas été ivre ? Si j'avais été drogué ? me demandai-je pour la première fois. Je me rappelai aussi combien Thomas Prynne avait été déconcerté de me trouver debout et si bien éveillé au milieu de la nuit. Il avait compté sans la robustesse de ma constitution.

Je ramenai ma main et me redressai dans le lit pour essayer de mettre de l'ordre dans mes idées.

19

D'abord et avant tout, il y avait eu la déclaration de Thomas Prynne : Clement Weaver n'était jamais arrivé à *La Tête du Baptiste*. Et, Clement ayant été vu pour la dernière fois devant l'auberge *La Confiance*, tout le monde, moi compris, en avait conclu que sa disparition pourrait avoir quelque rapport avec cette auberge. En réalité, il avait descendu la rue jusqu'à *La Tête du Baptiste* où les deux meurtriers l'avaient accueilli avec affection. Il avait confiance en eux. Thomas était l'ami de son père ; l'ami d'enfance qui, avec l'âge, était devenu de plus en plus profondément jaloux du succès de l'autre. Si jaloux qu'il avait quitté Bristol pour Londres, dans l'espoir d'y faire fortune.

Thomas avait acheté *La Tête du Baptiste* mais, vu la situation de l'auberge et l'ombre que lui portait l'auberge rivale, située plus haut dans la rue, il en tirait un profit très mince au prix d'un travail très dur. Je n'avais pas les moyens de savoir quand et comment Thomas avait rencontré Abel Sampson mais l'association s'était faite en vertu du proverbe « Qui se ressemble s'assemble », pensai-je. Tous deux étaient ambitieux, avides et sans scrupules. Ils avaient élaboré de concert le plan qui leur permettrait d'assassiner et de dévaliser leurs plus riches clients.

Pas tous, bien entendu, ç'aurait été impossible ; uniquement ceux qui voyageaient seuls ou accompagnés d'un unique domestique. Peut-être avaient-ils des rabatteurs aux quatre coins du pays, comme Marjorie Dyer à Bristol, dont le travail consistait à recommander à ce type de voyageurs *La Tête du Baptiste*. Dans ce cas précis, Marjorie avait dû prévenir Thomas que Clement Weaver porterait une somme d'argent peu ordinaire.

Mais Marjorie adressait ses lettres à Matilda Ford, à *La Confiance*. Une mesure de précaution, bien sûr, au cas où quelqu'un aurait eu des soupçons. Matilda Ford travaillait à l'auberge rivale mais, quand je l'avais vue pour la première fois, elle m'avait rappelé quelqu'un. Ce quelqu'un était Abel Sampson. Comment avais-je pu être assez aveugle pour ne pas faire le rapprochement ? Je m'étais dit pourtant que Matilda n'avait rien de commun avec Marjorie Dyer. Et je venais à peine de quitter Abel à *La Tête du Baptiste*. J'avais bien noté leurs traits communs si caractéristiques : cheveux blond roux, haute taille et minceur, mais sans en tirer de conclusion. Je n'avais toujours aucun moyen de savoir quelle était la nature de ce lien mais, pour moi, ils étaient sans doute frère et sœur. Peut-être Abel avait-il travaillé autrefois à *La Confiance* et c'était ainsi que Thomas avait fait sa connaissance.

Je repassai une fois de plus dans mon esprit les circonstances de la disparition de Clement Weaver. Il était arrivé seul et à pied : un don du ciel pour Thomas et Abel qui n'avaient à se débarrasser que de lui. Faire disparaître les chevaux de leurs victimes avait toujours dû présenter un sérieux problème, mais les maquignons louches ne manquaient sûrement pas à Londres, et la vente des chevaux ajoutait de l'argent dans leurs coffres.

Dans le cas de Sir Richard Mallory et de son domestique, Jacob Pender, les chevaux étaient restés à *La Confiance* et Sir Gregory Bullivant, venu les réclamer, les avait emmenés. Sans disposer de preuve certaine, je ne doutais plus à présent que Sir Richard avait été attiré à *La Tête du Baptiste* après avoir rencontré « par hasard » Thomas ou Abel qui lui avait promis de lui faire goûter le meilleur vin qu'il eût jamais bu. Matilda avait informé les deux hommes de la présence de Sir Richard, gros pigeon digne d'être plumé et qui, selon l'expression de l'intendant Robert, « aurait franchi des miles et bravé tous les dangers pour goûter un cru réputé ». La servante de *La Confiance* avait déclaré à Sir Gregory Bullivant qu'elle avait vu Sir Richard et son domestique dans la cour de l'auberge, en train de se disputer, semblait-il. A ce moment, leurs fontes étaient en place et ils étaient prêts à partir ; il est donc probable que Jacob Pender s'était irrité ou inquiété de ce délai, mais son maître avait balayé ses objections. Ils avaient couvert à pied la courte distance jusqu'à *La Tête du Baptiste* où la mort les attendait...

Tout d'un coup, l'obscurité me devint intolérable et je me penchai pour chercher à tâtons le briquet sur la table près de moi. J'avais les paumes si humides de transpiration que j'eus beaucoup de mal à faire jaillir une étincelle, mais je finis quand même par allumer une des chandelles. La lumière tremblante jetait des ombres déformées, créant sur les murs et le plafond des motifs bondissants. Mon imagination y voyait les deux hommes qui, sans se douter de rien, se laissaient guider de l'escalier de la taverne jusqu'à la cave.

Je retombai, tremblant, sur les oreillers. Je me souvins qu'en voyant Abel Sampson pour la première fois hier matin, j'avais pensé qu'il était comme Richard de Gloucester quand il souriait. Quitte à me répéter, je dois préciser de nouveau que j'étais alors mauvais juge en matière de caractère. Je me rappelai aussi la première phrase qu'il avait prononcée en me voyant : « Est-ce l'homme que nous attendions ? » et la réponse de Thomas : « Non, non ! Je suis sûr de t'avoir dit que maître Farmer arriverait tard dans la soirée. » Je me rappelai encore qu'il avait insisté sur le nom, et je saisis pourquoi. Des mois plus tôt, Marjorie Dyer avait dû les prévenir de ma compassion pour les tourments d'Alfred Weaver et leur recommander d'être sur leurs gardes quand se présenterait un colporteur qui pourrait leur poser des questions embarrassantes. En fait, j'étais bien l'homme qu'Abel attendait, encore que, depuis le temps, Thomas et lui eussent dû se dire que j'avais changé d'idée ou que j'avais oublié ma mission et ne viendrais pas.

Un autre souvenir surgit ; ce n'était qu'un détail mais il m'avait troublé sur le moment ; néanmoins, je l'avais engrangé au fond de ma mémoire, sans prendre le temps d'en chercher le sens : d'emblée, Abel m'avait appelé « Roger ». J'avais dit mon nom à Thomas, en lui racontant mon histoire, mais son associé ne pouvait pas le connaître, à moins que Marjorie Dyer ne le lui eût appris. Mais qu'en était-il de l'attaque de Matilda contre moi cet après-midi ? Si ce n'était pas Martin Trollope qui l'avait envoyée, alors qui ? Maintenant que je savais, la réponse était évidente : dès mon départ pour le château de Baynard, Abel ou Thomas avait dû se précipiter à l'auberge *La Confiance*, dénicher Matilda dans sa cuisine et lui dire de me suivre et de les débarrasser de moi si elle le pouvait. Pourquoi ? Réponse : parce que, sans éprouver l'envie particulière de protéger Martin Trollope, ils voulaient empêcher que l'attention de Richard de Gloucester fût attirée sur Crooked Lane et que la rumeur de disparitions mystérieuses atteignît son oreille. Et où était donc Matilda Ford en ce moment ? Craignant que j'aie porté une accusation contre elle et n'osant revenir à *La Confiance*, elle était venue se tapir ici même, à *La Tête du Baptiste*.

A cette idée, mon sang se figea. Pétrifié comme un animal qui sent le danger et que la terreur paralyse, je la voyais se glisser dans l'escalier, munie d'un ignoble couteau de cuisine de Thomas, prête à... Quel fieffé imbécile j'avais été ! Si je n'avais pas laissé voir si clairement à Thomas et Abel que je n'étais plus résolu à partir demain matin, j'aurais pu très probablement m'échapper sans dommage.

Comment me retrouvai-je debout, finissant de lacer ma tunique de mes doigts incertains ? Je n'en ai pas souvenir. Je devais partir immédiatement tant que maître Parsons – dont les poches donnaient à penser qu'il ne valait pas la peine d'être tué – était toujours debout. Je devais filer sans donner d'explication. Peut-être que si j'allais à Saint-Paul, j'y trouverais Philip Lamprey et un lit de fortune dans le cloître. J'avais mon manteau sur le dos, ma balle et mon gourdin d'une main, l'autre main sur le loquet de la porte quand je compris avec une certitude fulgurante que je ne pouvais agir ainsi. Je ne pouvais laisser Thomas Prynne et Abel Sampson à leurs desseins meurtriers ; je ne pouvais laisser d'autres innocents s'empêtrer sans rien soupçonner dans leur réseau maléfique. Je devais trouver une preuve de ce dont ces aubergistes étaient capables. Et quelle meilleure occasion que cette nuit-ci ? N'avaient-ils pas dit que maître Farmer, attendu dans la soirée, n'était pas arrivé ?

Je sus alors avec pleine et entière certitude que, oui, bien sûr, maître Farmer était arrivé, pendant que maître Parsons et moi-même dormions à l'étage d'un sommeil de drogué. Il avait été tué et l'on s'était débarrassé de son cadavre au petit jour, avant matines et laudes, à l'heure où la force de l'habitude m'avait réveillé. Mais les drôles ne pouvaient sûrement pas avoir terminé si vite leur travail. Des traces du malheureux devaient rester quelque part. Mais où ? Là encore, je n'avais pas à chercher bien loin la réponse. La cave était le seul lieu sûr pour tuer ; c'était sûrement là que devait se trouver l'ouverture du conduit dont avait parlé Doll, la chiffonnière. C'était beaucoup plus logique que de le chercher à *La Confiance : La Tête du Baptiste* était tellement plus près du quai et de la rivière.

Une autre question se posait d'elle-même. Si mon hypothèse était juste et que maître Farmer était arrivé, qu'était devenu son cheval ? Puis je me souvins. J'étais sûr d'avoir entendu deux chevaux quand j'étais dans les lieux d'aisances la nuit dernière. Plus tard, Thomas m'avait convaincu que je n'en avais entendu qu'un et, à ce moment-là, je n'avais aucune raison de ne pas le croire. Ceci expliquait également pourquoi la porte du fond de l'auberge n'était pas verrouillée. Matilda Ford s'était introduite par là et la porte était restée déverrouillée jusqu'après son départ. Abel, lui aussi, était peut-être sorti ; dans ce cas, je l'avais bel et bien coincé au-dehors ! L'idée me pénétra d'une sombre satisfaction.

Cette courte euphorie fut aussitôt suivie d'un sentiment accablant qui m'atteignit au creux de l'estomac. Que faisais-je là en train de réfléchir, de m'attarder à *La Tête du Baptiste ?* Je me mettais moi-même, délibérément, dans un danger indicible. Car j'étais bien certain que le vin était drogué et que Thomas et Abel avaient l'intention de me faire disparaître pendant mon sommeil. J'étais devenu une menace, fatale au repos de leur esprit. Seul un départ immédiat pourrait me sauver.

De plus, mettre mon existence en péril n'avait jamais figuré dans les clauses de mon marché avec Dieu, ce que je Lui dis sans ambages. Malheureusement, Il ne semblait pas écouter.

– Je ne le ferai pas, murmurai-je farouchement. Vous n'avez pas le droit de me demander ça. Vous êtes tout-puissant. C'est à vous de trouver un moyen de régler Vos affaires avec Thomas et Abel.

Dieu demeura silencieux, mais j'aurais juré qu'Il n'était pas content. Les mots « lâche » et « froussard » flottaient sans entrave dans mon esprit. Je pensai à Alfred Weaver et à Lady Mallory auxquels j'avais promis de découvrir la vérité.

D'accord, je l'avais trouvée, cette vérité, mais, à moins d'agir sur elle, je ne pourrais jamais la leur révéler. Mes genoux s'entrechoquaient, j'avais la bouche sèche et je m'agrippai plus fermement à ma balle et à mon bâton. Ma main se serra sur le loquet... Mais je ne pus le soulever. Amèrement je reconnus le fait que, comme toujours, Dieu n'en ferait qu'à Son idée.

Je reposais la balle et le bâton sur le plancher, enlevai mon manteau et forçai mon corps rétif à s'allonger sur le lit. Il se passerait encore une ou deux heures avant que tout le monde se mît au lit et que l'auberge fût tranquille. Jusque-là, je ne pouvais mettre en œuvre mon projet. J'éteignis la chandelle et demeurai étendu dans le noir, me demandant comment j'allais passer le temps. Je pouvais toujours prier...

Contre toute attente, je dormis.

Je m'éveillai d'un sommeil lourd et sans rêve, couvert de transpiration. Comment avais-je pu m'assoupir alors que je savais ma vie en danger ? J'avais entendu raconter que des condamnés dormaient profondément la nuit qui précédait leur exécution mais je n'y avais jamais cru. Maintenant je savais que l'épuisement du corps triomphe parfois de la peur.

Je me rassis, l'oreille tendue. Je n'avais aucune idée de la durée de mon somme mais l'auberge était très tranquille. Je descendis du lit, allai jusqu'à la porte et l'entrouvris. Tout était silencieux, mis à part le bruit d'un ronflement rythmique et catarrheux. Il devait provenir de la chambre de maître Parsons, et je sus avec une certitude subite et horrible que le vin de son souper avait été drogué. Rien ne pourrait l'éveiller pour venir à mon secours. De plus, il pensait que je partirais dans la matinée. Abel et Thomas n'auraient qu'à lui raconter que j'étais parti plus tôt que prévu.

Je fermai doucement la porte et m'appuyai contre le mur en essayant d'empêcher mes dents de claquer. En termes concis, je rappelai à Dieu que c'était Lui qui m'avait mis dans ce pétrin et que c'était à Lui de m'en tirer. Il me rappela qu'Il m'avait donné la force, la santé et une tête pensante, et que c'était à moi de faire usage de ces précieux atouts. J'abandonnai la discussion. Pourquoi n'avais-je jamais appris qu'il était vain d'essayer de charger Dieu de ce dont j'étais responsable ?

Au bout d'un moment, quand j'eus un peu repris le contrôle

de mon corps, je m'avançai de nouveau vers la porte. Je devais quitter la pièce avant qu'Abel, Thomas ou Matilda Ford vinssent accomplir leur œuvre. Ils ne se presseraient pas, me disais-je. Ils me croyaient drogué et attendraient jusqu'à ce qu'ils fussent certains que maître Parsons dormait profondément. Je disposais d'un avantage : Thomas et Abel ignoraient que je savais la vérité. Ils pensaient toujours que mes soupçons étaient centrés sur *La Confiance*. Je me penchai pour ramasser le gourdin épais et robuste qui avait été mon soutien sur tant de miles parcourus. J'avais à présent besoin de lui pour un tout autre usage. Avec mille précautions, je soulevai de nouveau le loquet.

Sur le palier plongé dans l'obscurité, un peu de lumière filtrait à travers les volets de la fenêtre. Je traversai, les entrouvris et regardai dans la rue. Cette nuit, il n'y avait pas signe de vie, pas de silhouette encapuchonnée se hâtant le long de Crooked Lane. Je fermai les volets et me postai en haut de l'escalier, à l'écoute de voix qui seraient montées d'en bas. Je n'entendis rien et descendis sur la pointe des pieds – je n'avais pas mis mes chaussures –, prudemment pour éviter les craquements révélateurs. Je m'attendais à tout moment à être interpellé par l'un ou l'autre de ce trio de gredins.

Au bas de l'escalier, je fis une pause, le dos appuyé contre le mur, l'oreille tendue à l'écoute du moindre son, ma main droite solidement refermée sur mon bâton, prêt à l'action immédiate. Mais ce n'était toujours que silence et ténèbres. Thomas et Abel étaient-ils déjà montés se coucher ? Veillaient-ils dans leurs chambres respectives, attendant l'heure où le vin drogué aurait certainement produit son effet ? Ou étaient-ils toujours au rez-de-chaussée, prêts à m'assaillir dans l'obscurité ? Mon cœur tapait si vite que je me sentis sur le point d'étouffer. J'inspirai profondément dans l'espoir de mettre fin à ces battements éperdus.

« Mets-toi à leur place », dit une voix venue de ma tête, et j'obéis. Pourquoi m'attendraient-ils au rez-de-chaussée alors qu'ils ne savent pas que je vais probablement sortir de ma chambre ? Alors qu'ils me croient abruti par le vin drogué, endormi sans défense sous le ciel protecteur du baldaquin ? Je dus me forcer pour me souvenir qu'ils n'avaient aucune raison de savoir que j'avais démonté leur petit manège meurtrier. S'ils étaient toujours debout, ils devaient s'activer à la cuisine, et préparer le pain pour la première fournée de demain matin. Mais ni bruit ni lumière ne provenaient de ce côté.

Je me demandai quelle heure il pouvait être et me maudis d'avoir dormi. S'ils étaient venus me chercher pendant ce temps... Mon sang se glaça à cette idée. Mais ils avaient dû attendre que maître Parsons se retirât, qu'il bût son vin drogué et que le vin produisît son effet. Ce qui, à présent, était chose faite. Ils pouvaient l'entendre aussi bien que moi. Ils ne tarderaient pas à entrer dans ma chambre et découvriraient que je n'y étais pas. Si je voulais fouiller la cave, je devais agir vite. Je gaspillais de précieuses minutes à piétiner en supputant que Thomas et Abel préparaient une embuscade. Je m'étais prouvé à moi-même qu'ils n'avaient aucune raison de le faire. Je me faufilai furtivement dans la taverne.

Tout y était aussi tranquille. Mes yeux étaient à présent parfaitement accoutumés à l'obscurité et je me déplaçai avec aisance entre les tables et les bancs. Au fond de la pièce, près du mur, je m'agenouillai sur le plancher et cherchai à tâtons dans le sable et la sciure le lourd anneau de métal qui permettait d'ouvrir la trappe de la cave. L'ayant trouvé, je posai mon bâton, me relevai ; puis je me penchai, saisis l'anneau à deux mains et commençai à tirer. Mais j'avais les mains humides de transpiration et glissantes, je n'avais pas prise sur l'anneau. Jurant en silence, j'essuyai mes paumes poisseuses contre ma tunique et j'essayai de nouveau. Cette fois, la dalle de pierre se souleva presque trop vite et je dus lâcher l'anneau pour la maintenir contre mon corps afin d'empêcher qu'elle tombât bruyamment sur le sol. Après l'avoir abaissée doucement jusqu'au plancher, j'examinai l'escalier qui menait à la cave.

Je réalisai aussitôt que j'aurais besoin d'une lumière et me qualifiai de tous les noms d'oiseau à ma disposition pour ne pas avoir prévu cette contingence. J'aurais dû apporter avec moi une des chandelles de la chambre. Maintenant, il me fallait aller à la cuisine pour en trouver une. Plus je perdais de temps, plus les deux chenapans avaient de chance de découvrir ma disparition. Mais je n'y pouvais rien. Je ne trouverais jamais rien dans les ténèbres de la cave.

Je revins jusqu'au corridor, dressant l'oreille à tous les sons qui trahiraient un mouvement à l'étage ; mais je n'entendais que les ronflements de maître Parsons. Il était probablement moins tard que je pensais et mon somme avait dû être de courte durée. Le petit matin, le temps mort de la nuit, se prêtait mieux à l'accomplissement d'un crime... Frissonnant, partagé entre l'horreur et un ardent désir, je contemplai la porte d'entrée de l'auberge qui se dessinait au bout du couloir. J'aurais pu partir maintenant ; m'échapper tant que j'en avais l'occasion. Je fis un pas vers cette porte avant que ma conscience me clouât sur place. Si je filais, je ne pourrais rien prouver. Seuls mes soupçons pourraient être opposés aux démentis de Thomas et d'Abel ; et, dans l'heure qui suivrait la découverte de mon départ, un vaste coup de balai nettoierait l'auberge de tout vestige compromettant. Et même si mes allégations amenaient les autorités à surveiller *La Tête du Baptiste* pendant un certain temps, si rien ne s'y passait, elles se lasseraient. Et Thomas et Abel s'abstiendraient aussi longtemps que nécessaire.

A contrecœur, je fis demi-tour et me dirigeai vers la cuisine dont je crus d'abord qu'elle était dans l'obscurité. Mais en approchant de la porte ouverte, je perçus une faible lueur. Osant à peine respirer, je m'aplatis contre le mur ; sans que j'en eusse conscience, ma main se crispa sur mon bâton. Au bout d'un instant, je saisis de légers mouvements. Prudemment, je risquai un coup d'œil au-delà du battant de la porte. La source de lumière était une chandelle à mèche de jonc, d'où son halo terne et imprécis mais suffisant pour que je distingue une femme assise devant la table et qui mangeait.

Je me collai contre le mur dans l'espoir d'apaiser mon cœur affolé. Cette femme ne pouvait être que Matilda Ford. Ma crainte qu'elle ait cherché refuge dans l'auberge n'était que trop bien fondée.

Elle devait être aux alentours quand je descendais l'escalier mais, heureusement, elle ne m'avait pas vu. Si elle avait senti ma présence, elle ne se serait sûrement pas attablée à la cuisine, se restaurant en vue du travail qui l'attendait cette nuit... Je me surpris à trembler de tous mes membres.

Je n'avais désormais aucune chance de m'emparer d'une chandelle à la cuisine. Et il était vain d'affronter la cave dans l'obscurité totale. J'y vis le signe incontestable que je devais partir. Dieu avait changé d'avis et ne me demandait plus de risquer ma peau. J'étais libéré de ma promesse à l'échevin Weaver. Sur la pointe des pieds, j'enfilai le corridor vers la porte d'entrée. J'y étais presque. Encore quelques pas et je pourrais tirer les verrous, bondir dans Crooked Lane et vers la liberté.

Une main pesante s'abattit sur mon épaule ; je me retournai et reçus en plein dans les yeux la lumière d'une chandelle.

– Tu nous quittes, Roger Chapman ? demanda la voix de Thomas dont j'avais peine à distinguer le visage, derrière le halo de la chandelle.

Abel était derrière lui, au milieu de l'escalier, et Matilda Ford apparut dans l'embrasure de la porte de la cuisine, une tranche de pain à la main.

Je les regardais stupidement, obnubilé par une pensée : j'avais été fort présomptueux de penser que Dieu me laisserait revenir sur ma promesse.

20

La flamme de la chandelle s'enflait en cercles pâles et tremblants à la frange iridescente ; sa fumée me faisait pleurer. Je restais planté là, stupide et muet, tel un grand bœuf abruti... En vérité, qu'aurais-je pu dire ? Que l'envie m'avait pris subitement d'une promenade au clair de lune ?

Avec un petit sourire, Thomas rompit le silence :

– Je me demandais si la vérité finirait par t'apparaître, tout en espérant pour ton salut qu'il n'en serait rien. J'espérais que tu boirais le vin, que tu t'endormirais et qu'ainsi tu ne saurais jamais ce qui t'était arrivé.

Il ajouta sur le ton du regret :

– Nous nous connaissons depuis peu de temps, Roger, mais je me suis pris d'amitié pour toi.

Abel murmura quelques mots que je ne pus saisir mais que Thomas entendit, et son sourire s'accentua. Il ne commit pourtant pas l'erreur de tourner la tête.

– Oh, je sais que tu n'aimes pas notre jeune client, Abel, mais quand tu auras mon âge, tu commenceras à apprécier la loyauté. Il a donné sa parole à ce pauvre vieil Alfred Weaver et rien n'aurait pu le faire changer d'avis. J'admire cela.

Je retrouvai ma langue :

– Espèce d'hypocrite ! Menteur ! Voleur ! Assassin ! hurlai-je en brandissant mon gourdin et jetant bas la chandelle.

Thomas poussa un juron quand la flamme lui brûla la jambe dans sa chute, avant de s'éteindre sur les dalles. Tous trois se jetèrent sur moi pour me plaquer au sol et m'y maintenir. A trois contre un, ils y parvinrent, mais pas avant que je les eusse passablement endommagés avec mon bâton. Quand ils m'eurent traîné de force dans la taverne, Thomas sortit de sa poche un briquet et ralluma la chandelle : Abel avait un œil tuméfié et saignait abondamment du nez ; une entaille fort laide zébrait la joue de Matilda ; Thomas boitait bas. Tous trois me regardaient avec une haine venimeuse.

– Sais-tu, grogna Abel d'une voix doucereuse, en essuyant le sang de son visage avec le dos de sa main, je vais littéralement me faire un plaisir de la tâche qui nous attend cette nuit.

Matilda avait tiré de je ne sais où un rouleau de corde de chanvre grossière et ils se mirent à me ligoter bras et jambes. Je me savais vaincu d'avance, ce qui ne m'empêcha pas de me débattre sauvagement. Puis Thomas me saisit par la tête, Abel par les pieds, et telle une volaille troussée, prête à embrocher, ils me transportèrent vers l'escalier de la cave. Matilda allait en tête, portant la bougie. Le silence était retombé. Même Gilbert Parsons avait cessé de ronfler. J'ouvris la bouche et criai à tue-tête.

Thomas émit un rire sinistre :

– Gueule tant que tu voudras, dit-il avec un ricanement sinistre, personne ne t'entendra. Maître Parsons est mort à ce monde. Et fort peu de gens empruntent la ruelle après le couvre-feu.

Il disait vrai, hélas ! Et si d'aventure quelque passant entendait mes appels au secours, il était peu probable qu'il se hasarderait dans l'auberge pour venir à mon secours. Après le crépuscule, les Londoniens s'occupaient de leurs seules affaires ; c'était un choix judicieux.

Pendant qu'ils me trimballaient dans l'escalier, ma tête heurta le mur. Je restai assommé un moment. Quand je repris totalement conscience, ils m'avaient laissé choir sur le sol et Thomas allumait une seconde chandelle. Plus vaste que je ne l'avais imaginée, la cave s'étendait selon mon estimation sous toute la maison et au-delà, jusqu'au bord du quai qui la contournait d'un côté. Une grande quantité de bouteilles s'alignaient dans des casiers qui couvraient les murs et le sol de pierre était parsemé de paille. J'entendais des galopades étouffées qui m'apprirent la présence de rats et un clapotis discret qui confirma mon intuition : nous étions très près de la Tamise.

Je tournai la tête pour observer mes ravisseurs. Abel s'était emparé d'un levier épais. Mon sang se glaça. Je vis alors que Thomas était muni d'un instrument semblable et mon cœur parut s'arrêter. Ils allaient me matraquer à mort ! Mais ils se dirigèrent vers le mur de la cave qui me semblait le plus proche de la rivière. Ayant inséré les leviers de chaque côté d'une des dalles de pierre massive dont les murs étaient bâtis, ils commencèrent de l'extraire de sa position. Puis, quand ils la jugèrent suffisamment en saillie, ils posèrent les leviers et, suant et soufflant, la dégagèrent et la posèrent sur le sol. Un trou béant s'ouvrait dans le mur, bien assez grand pour y enfourner un corps d'homme.

C'était donc par là qu'ils éliminaient leurs infortunées victimes. Il devait exister un déversoir souterrain qui menait directement dans l'eau, la canalisation ou le conduit qui avait donné à Crooked Lane son nom d'origine.

En dépit de mes liens, je parvins en me tortillant à m'asseoir, mais Matilda Ford fondit sur moi et ses fortes mains me ramenèrent à la position allongée.

– Laisse-le, Matty ! dit Thomas Prynne qui s'était retourné pour voir ce qui se passait. Il n'y a plus de raison pour qu'il ne voie pas. Il n'est plus en état de parler à qui que ce soit. Pas vrai, fiston ?

Il riait. Baissant les yeux, il les braqua sur mon visage.

– Tu ferais bien de commencer tes prières.

– Attendez ! dis-je, pour essayer de gagner du temps.

Dieu seul sait ce que j'en espérais, mais la volonté de survivre est l'instinct le plus puissant de l'homme et je ne faisais pas exception. J'étais déterminé à reculer aussi longtemps qu'il était en mon pouvoir l'instant de ma mort inévitable. En réponse au regard inquisiteur de Thomas, je poursuivis :

– Si vous comptez me tuer, au moins satisfaites auparavant ma curiosité. Cela ne peut plus vous nuire à présent de me dire la vérité.

Matilda n'avait pas proféré un mot depuis son entrée en scène dans le corridor du rez-de-chaussée. Elle protesta d'une voix tranchante :

– Ne l'écoute pas ! Qu'on s'en débarrasse au plus vite.
– Matty a raison, approuva Abel dont les yeux pâles luisaient. Finissons-en.

Mais Thomas était d'humeur à contenter ma curiosité. C'était un vaniteux – je le compris soudain – qui, en temps ordinaire, était contraint de réprimer l'envie de parler de lui et de ses prouesses meurtrières.

– Je ne vois aucune raison de ne pas satisfaire sa curiosité s'il le désire. De toute façon, cela ne prendra pas longtemps. Je pense qu'il sait déjà l'essentiel de ce que nous pouvons lui dire. Tu es un brillant jeune homme, Roger, ajouta-t-il en s'adressant directement à moi : Quand et comment as-tu finalement découvert la vérité ?

– Ce soir, quand je suis monté au lit. Quant au comment, disons simplement qu'Abel a commis une ou deux étourderies qui, si je n'avais eu l'esprit si lent, auraient dû me mettre beaucoup plus tôt sur la piste. Et maîtresse Ford ici présente m'a rappelé quelqu'un la première fois que je l'ai vue. Mais, je le répète, c'est cette nuit seulement que j'ai réalisé qu'elle ressemble à Abel.

Thomas sourit.

– Rien ne t'échappe ! Ils sont frère et sœur. Mais je vois à ton expression que tu avais déjà compris. Auparavant, Abel était valet d'écurie à l'auberge *La Confiance*. C'est ainsi que nous nous sommes connus, quand je suis venu pour acheter cette maison. J'ai soulevé Abel à Martin Trollope pour qu'il vienne travailler avec moi ; il a prouvé depuis qu'il vaut son pesant d'or. Il connaissait les bruits qui courent sur le conduit souterrain des contrebandiers de jadis qui débouche sous le bord du quai ; après beaucoup de recherches, nous l'avons trouvé. Au début, nous avons envisagé de l'utiliser selon sa destination première, mais la contrebande vous met à la merci de trop de gens. Nous lui avons imaginé meilleur usage. Je ne sais plus très bien aujourd'hui de qui vint l'idée. Je dirais de Matilda peut-être...

Il hésita, peu disposé à se frustrer de ce mérite.

– Non, à y bien réfléchir, cette idée me revient. Nous allions exploiter l'auberge au mieux de nos talents et fonder notre réputation sur la qualité des vins et de la nourriture. Ainsi, tôt ou tard, nous serions bien placés pour attirer dans l'auberge de riches clients.

– Que vous assassineriez de sang-froid.

– Pas tous ! protesta Thomas, l'air peiné. Fais-nous crédit d'un peu de bon sens, fiston ! Les conditions devaient être très précises : un voyageur solitaire, ou suivi d'un seul domestique, et, bien entendu, porteur d'une forte somme d'argent ou de bijoux. C'est pourquoi il s'agit d'un jeu de patience, lent, qui nécessite de la persévérance. Et c'est pourquoi nous ne pouvons prendre le risque d'être découverts. Il faudra encore des années avant que nous soyons tous les trois assez riches pour nous retirer.

– En attendant, vous jouissez tous de votre travail ! lui lançai-je.

Thomas réfléchit ; un sourire flottait sur ses lèvres.

– Je pense que tu as raison, admit-il comme dans un rêve.

J'avais la chair de poule. Je sentais aussi l'impatience des deux autres. Avec l'audace du désespoir, je le relançai :

– Et maîtresse Ford vous signalait tous les pigeons valant la peine d'être plumés qui séjournaient à *La Confiance*.

– De temps en temps. Tu penses à Sir Richard Mallory. Ce fut très facile. Il aimait les bons vins. Matty lui a dit que nous étions dans ce domaine les meilleurs à Londres et l'a convaincu sans mal de descendre la rue pour venir goûter les contenus de notre cave. Bien entendu, il fallait nous assurer qu'il amènerait son valet avec lui.

– Bien sûr ! Vous ne pouviez prendre le risque de laisser Jacob Pender survivre pour qu'il aille raconter chez qui son maître s'était rendu... Attendre jusqu'au dernier matin du séjour de Sir Richard, après qu'il eut payé son compte et que ses fontes étaient fixées, était un trait de génie.

Thomas eut un sourire affable :

– Naturellement. Chaque opération est soigneusement organisée.

– Et Marjorie Dyer ? Comment l'avez-vous convaincue de se joindre à vous ?

– Rien de plus simple, fit Thomas en haussant les épaules. Marjorie a toujours été ambitieuse. L'espoir lui est venu à un moment donné d'épouser Alfred Weaver. Il se peut même qu'elle ait aidé maîtresse Weaver à mourir, bien que je n'en aie aucune preuve, comme tu l'imagines. C'est d'ailleurs sans importance, car tu ne pourras faire part à personne de mes soupçons. Mais Alfred s'est stupidement abstenu de faire d'elle sa femme, bien qu'il continuât à profiter de ses... de ses services. L'année dernière, lors d'un voyage à Bristol, je me suis confié à elle et l'ai trouvée désireuse de jouer mon jeu. A condition que j'y mette le prix, inutile de le dire. Depuis, elle a dirigé dans nos filets deux oiseaux au beau plumage, sans compter Clement Weaver. Crois-moi si tu veux, ajouta-t-il sur le ton du regret, j'étais navré de devoir tuer Clement. Vois-tu, je l'ai connu tout enfant.

– Pour l'amour de Dieu, finissons-en ! répéta Abel, nerveux. Tu n'as quand même pas l'intention de passer toute la nuit à bavarder dans cette cave !

– Du calme ! Du calme ! protesta Thomas. Tu perds ton sang-froid et ça ne sert à rien. Néanmoins, tu as peut-être bien raison.

Il me regarda.

– Allons, Roger Chapman, dis tes prières. Tu nous as valu beaucoup de désagréments : Matilda a perdu sa place à *La Confiance* et tu as fait d'elle une criminelle pourchassée. Nous ne voulions vraiment pas que tu te précipites ainsi chez le duc de Gloucester et espérions t'en empêcher. Malgré tout, nous t'aurions laissé partir demain matin si tu n'avais pas si manifestement changé d'avis au milieu du souper. Dommage, mais nous ne pouvions pas te laisser semer la pagaille plus longtemps. J'estimais que tu ne tarderais plus guère à découvrir la vérité. Alors...

De nouveau, il haussa les épaules et conclut :

– Il n'y a rien d'autre à faire, je le crains, que de t'expédier par le conduit rejoindre nos autres clients dans leur tombe aquatique. Ne te tracasse pas. Tu n'en sauras rien, je te le promets.

– Et pourquoi pas ? demanda Matilda venimeuse. Pourquoi le frapper à la tête ? Laissez-lui savoir ce qui lui arrive.

– Parce que nous ne voulons pas que son corps soit ligoté, répondit sèchement son frère. Au cas où l'on retrouverait son cadavre, il doit donner l'impression que l'homme est simplement tombé dans le fleuve.

Matilda maugréa quelques mots incompréhensibles puis dit à voix haute :

– Alors, laisse-moi faire ! Je lui dois une raclée.

– Avec plaisir, dit Thomas en lui tendant mon bâton qu'ils avaient descendu avec moi dans la cave. Sers-toi de ça.

Attention, hein ! Pas trop fort. Nous voulons seulement qu'il soit inconscient.

– Non ! hurlai-je.

Je crois, du moins, que c'est ce que j'ai hurlé. Aujourd'hui encore, je ne peux me rappeler exactement ce que j'ai dit. Mon cerveau avait cessé de fonctionner et tout ce dont je me souviens, c'est d'une rage brûlante contre Dieu qui, je le sentais, était responsable de ma situation. Je me mis à gesticuler violemment sur le sol, si bien que le premier coup de Matilda, armée de mon bâton, me manqua de quelques pouces.

– Fais-le tenir tranquille ! ordonna Thomas à Abel. Assieds-toi sur ses jambes.

Abel tomba à genoux, agrippa mes deux pieds et les immobilisa sur le sol. Je me débattis de toutes mes forces et lui fis perdre prise mais ce n'était que partie remise. Il était de nouveau sur moi ; cette fois il empoigna mes jambes et Thomas vint lui prêter main-forte. J'étais prisonnier de leurs poids.

– A toi, Matty ! cria son frère.

Elle était derrière moi et il m'était impossible de tordre le cou suffisamment pour la voir. Je ne voulais pas être abattu par-derrière comme un animal mais affronter la mort en face. Je sentis l'air se déplacer quand elle leva le bras et, une fois encore, je les défiai en essayant de balancer la partie supérieure de mon corps hors de la trajectoire. Thomas cria quelque chose à son associé et tous deux resserrèrent leur étreinte. Je savais qu'il n'y avait pas d'espoir. Je fermai les yeux et attendis le coup...

Rien n'arriva. L'attente se prolongeait indéfiniment... Après ce qui me parut être une éternité d'angoisse, j'ouvris prudemment les yeux : frappés d'horreur, hagards, la bouche ouverte, mes ravisseurs fixaient l'escalier de la cave. Je me rendis compte que les deux hommes n'étaient plus assis sur mes jambes, que j'étais libre de bouger. Je pivotai sur moi-même du mieux que je pus jusqu'à voir, moi aussi, la volée de marches de pierre qui menait à la taverne. Des hommes étaient là, immobiles ; ils étaient plusieurs et leur chef tenait une lanterne.

Une voix s'éleva :

– Au nom du roi Édouard, je vous arrête, vous Thomas Prynne, vous Abel Sampson et vous Matilda Ford. Vous êtes inculpés de meurtre.

L'homme qui parlait se tourna vers sa suite.

– Emmenez-les.

Puis il sauta de côté les dernières marches de l'escalier et s'avança vers moi, soulevant sa lanterne pour éclairer mon visage.

– Eh bien, maître Chapman, dit-il en souriant, nous l'avons échappé belle. J'ai eu peur d'arriver trop tard.

J'avais reconnu la voix dès les premiers mots, mais je n'arrivais pas à en croire mes oreilles. Le ton doux qui semblait toujours s'excuser n'était plus. Maître Parsons parlait à présent avec l'autorité de qui a derrière lui le pouvoir et la force de la loi.

– Je suis huissier, m'informa-t-il un moment plus tard quand nous fûmes assis dans la salle de l'auberge, une des meilleures bouteilles de Thomas Prynne entre nous.

Le calme s'était rétabli, après les événements de l'heure précédente. Thomas et ses deux complices avaient été attachés et conduits en prison ; pour moi, j'étais toujours très ébranlé. Maître Parsons nous resservit de vin et poursuivit :

– Cela faisait un certain temps que cette auberge nous paraissait suspecte. Nous avions entendu parler de gens qui s'y étaient logés et avaient disparu. Mais rien que nous puissions prouver, rien qui pût seulement nous convaincre. Si bien qu'il fut finalement décidé que j'y séjournerais à titre de client dans l'espoir de découvrir quelque chose.

– Et ce fut le cas ? demandai-je.

Il secoua la tête :

– Pas avant que vous n'arriviez et ne fourriez votre nez partout.

– Que s'est-il passé la nuit dernière avec maître Farmer ?

– Il n'est réellement pas arrivé, répondit Gilbert Parsons en haussant les épaules. Thomas, Abel et Matilda Ford l'attendaient comme de noirs corbeaux pour se livrer à leur commerce démoniaque mais, cette fois, ils ont été frustrés de leur proie.

Je protestai :

– J'ai entendu un second cheval dans l'écurie quand je suis allé aux latrines.

– Un tour de votre imagination, je le crains !

Les bras tendus par-dessus sa tête, maître Parsons s'étira à s'en faire craquer les articulations.

– Jésus ! Je suis heureux de quitter cette auberge et de rentrer chez moi dormir quelques nuits. J'ai manqué de sommeil toute cette semaine.

C'est à peine si je l'entendais tant j'étais occupé à lutter contre mon indignation. Si je n'avais pas été persuadé que je trouverais quelque trace de maître Farmer, jamais je n'aurais pris le risque d'aller enquêter dans la cave de Thomas. Dieu m'avait de nouveau berné. Tout de même, je n'allais pas me plaindre. Il avait veillé sur moi et Il avait vu que j'étais à la pire extrémité. Il m'avait utilisé comme Son instrument et j'espérais à présent m'être acquitté de ma dette envers Lui pour avoir quitté l'abbaye.

Je souris à mon compagnon.

– Pour un homme qui, selon ses dires, n'a pas dormi depuis des nuits, vous ronflez très bruyamment.

– Un truc que j'ai appris quand j'étais enfant pour tromper ma mère, répondit Gilbert en riant. Mes frères et moi nous relayions pour produire les ronflements pendant que les autres jouaient aux cinq cailloux ou aux jonchets sous leurs draps.

Il vida son gobelet de vin et, de nouveau, s'étira.

– Il fait presque jour. Vous sentez-vous de taille à venir avec moi faire votre déposition devant un magistrat ?

Pénétré du désir de me rouler en boule dans un coin et de sombrer dans le sommeil, je terminai, moi aussi, mon vin et répondis :

– Je pense que oui.

Dussé-je vivre cent ans, jamais je n'oublierai mes deux premiers jours à Londres. A ce moment, j'étais heureux à l'idée de laisser la ville derrière moi pour reprendre la route, mais je savais déjà qu'un jour j'y reviendrais. Et je devais aussi retourner à Cantorbéry et surtout à Bristol.

Quel plaisir ce serait de m'assurer que chacun connaissait là-bas le rôle infâme joué par Marjorie Dyer. Je jetai un coup d'œil vers l'escalier de la cave dont la trappe, toujours ouverte, révélait le trou caverneux dans le sol.

– Comment avez-vous su ce qui se passait ? demandai-je.

– Je vous ai entendu appeler, dit Gilbert Parsons en souriant. Quand vous avez fait savoir si clairement que vous aviez changé d'avis et ne partiriez pas ce matin, j'ai compris qu'ils pourraient essayer de vous réduire au silence, mais pas que vous commettriez l'extravagante folie d'aller de vous-même fouiller leur cave. Je me suis faufilé au rez-de-chaussée, juste à temps pour les voir vous porter à la cave, troussé comme un poulet, et suis aussitôt parti chercher des renforts. J'avoue que j'ai désespéré un moment d'arriver à temps pour vous tirer de là.

– Eh bien, lui dis-je avec émotion, je vous suis reconnaissant de l'avoir fait.

Je ramassai ma balle et mon gourdin que j'avais descendus de ma chambre et posés près de mon siège.

– Si vous êtes prêt à partir, je vous suis. Je souhaite ne jamais revoir de ma vie ce lieu maudit.

Gilbert fit un signe d'assentiment et nous remontâmes ensemble Crooked Lane. Dans l'air glacé du matin, une mouette criait aigrement, en quête de nourriture. *La Tête du Baptiste* était derrière nous, silencieuse et close. En haut de la rue, *La Confiance* prospérait. Lady Anne Neville attendait, à l'abri dans un sanctuaire. Protégé par le duc de Clarence, Martin Trollope était libre. Thomas Prynne, Abel Sampson et Matilda Ford, à présent sous les verrous, paieraient leurs crimes de leur vie. Mais Clement Weaver, Sir Richard Mallory, d'autres encore jamais ne reviendraient et je ressentais une tristesse indicible.

Et voici, mes enfants – si vous avez pris la peine de me lire jusqu'au bout –, comment s'est révélé le talent que je découvris en moi de résoudre les énigmes et d'élucider les mystères, talent que j'ai affiné au long des années. Bien sûr, cette première affaire fut pleine d'imperfections, d'erreurs et de grossières maladresses parce que j'étais naïf et inexpérimenté. Je ne savais pas vraiment ce que je faisais ni à quoi je m'engageais. C'était dû en partie à ma curiosité naturelle et en partie à ce trait obstiné de ma nature qui n'aime pas laisser aller les choses sans les avoir percées à jour.

Oh ! oui ! Bien sûr, Dieu a quelque chose à voir là-dedans. C'est ainsi. Il est aussi obstiné, aussi tenace que je le suis lorsqu'il s'agit pour Lui de parvenir à Ses fins. J'ai essayé mainte et mainte fois de me libérer de Lui mais ne l'ai jamais pu. A présent que je suis un vieil homme qui vit de ses souvenirs, je crois que je suis heureux de n'y avoir pas réussi.

La Cape de Plymouth

Prologue

Une partie de mon esprit savait que je dormais encore. Je sentais durement les aspérités du pavement sur lequel j'étais étendu ; le foin qui me tenait lieu d'oreiller me chatouillait une joue et la couverture, grise et rugueuse, fournie par les hospitaliers de St Cross, me grattait l'autre. Simultanément, mon rêve était très réel ; si réel que je percevais sur mon visage le vent qui murmurait dans les branches entrelacées au-dessus de moi ; je sentais les inégalités du sentier sous mes pieds et je tendais l'oreille aux pas furtifs d'un animal nocturne, apeuré, qui se coulait dans le fouillis protecteur des ronces et des buissons.

Et j'avais peur, sans savoir encore pourquoi. Au fur et à mesure que je progressais, l'appréhension devenait frayeur et mes bottes se posaient prudemment sur la terre meuble et humide, sans bruit, sauf quand une petite branche se brisait. En levant les yeux, j'apercevais de temps à autre le croissant de lune qui, très haut, indifférent, chevauchait les nuages. A mes pieds, chaque fois que la rive tombait à pic et que les fourrés s'éclaircissaient, je voyais luire la rivière. Par deux fois j'hésitai et regardai derrière moi, comme si j'écoutais quelque chose ou quelqu'un ; à ces moments, j'étais coupé de mon corps, guetteur sous l'abri des arbres. Mais presque aussitôt je redevenais moi-même ; je voyais de mes propres yeux, mes oreilles étaient à l'affût du moindre son et j'étais conscient de la transpiration qui coulait entre mes omoplates.

Je descendais lentement, m'arrêtant à chaque tournant, chaque détour du sentier, scrutant l'obscurité devant moi, cherchant anxieusement quelque chose et terrifié à l'idée de la trouver. Une chouette quitta les cimes et glissa silencieusement d'un perchoir à l'autre, traversant mon champ de vision. Son mouvement soudain me fit sursauter et je m'immobilisai, le souffle court et rapide, le cœur affolé dans ma poitrine. Puis je me remis en marche avec précaution, conscient que j'avais presque achevé ma descente et que je me trouvais au niveau de la rivière. Car, tandis que le sentier s'aplanissait et que les arbres reculaient, je distinguais jusqu'à son autre rive la vaste étendue d'eau qu'argentait la lune fugitive.

Rôdeur méfiant, j'avançais parmi les hautes herbes qui, de ce côté, bordaient la rivière et me frôlaient jusqu'à mi-jambes. Derrière moi, dans les arbres, la chouette hulula. Soudain l'extrémité de ma botte gauche buta contre un obstacle ; une grande forme gisait, à demi cachée par la végétation. Mes cheveux se hérissèrent sur ma nuque et je sus que j'avais trébuché sur cela même que j'étais si terrifié de découvrir. Je baissai les yeux à l'instant où la lune émergea des nuages et je distinguai la forme d'un corps. Homme ou femme ? Jeune garçon ou vieillard ? J'ignorais à qui appartenait ce corps tout en sachant pourtant, à travers les brumes tenaces de mon rêve, que, d'une certaine manière, je le savais déjà. Je m'arrêtai et, surmontant ma répugnance, regardai de plus près.

L'individu gisait face contre terre. J'avançai la main pour toucher son occiput et la retirai instinctivement. La substance qui poissait mes doigts ne pouvait être que du sang. Le crâne avait été défoncé ; quelle que fût son identité, l'individu était mort...

La scène s'évanouit autour de moi. J'étais étendu, couvert de sueur et terrifié, sur le sol de l'hospice de St Cross de Winchester où l'on m'avait donné asile pour la nuit.

1

C'était un beau matin d'automne, chaud et ensoleillé, telle une coupe de cristal débordante ; le Graal déversait sa lumière et ses couleurs avec une profusion splendide. Les gens étaient sortis de chez eux de bon matin pour vaquer à leurs occupations et profiter au mieux de ce qui pourrait bien être la fin de la belle saison. J'arrivais en vue de la ville d'Exeter et nous étions déjà au dernier jour de septembre de l'an de grâce 1473.

Une année difficile... Tandis que je trimballais ma balle de colporteur et exerçais mon commerce le long de la côte sud de l'Angleterre, jusqu'à Londres dont j'étais ensuite reparti, les villes et les villages que j'avais traversés vibraient de la rumeur d'une invasion imminente. Il semblait que, reprenant courage une fois encore après leur défaite à Tewkesbury deux ans plus tôt, les partisans exilés des Lancastre s'agitaient. Le roi Henri et son fils étant tous deux morts, on aurait pu penser que les objets essentiels de leur mécontentement avaient disparu ; mais ils avaient transféré leur allégeance sur le jeune Henri Tudor, qui vivait alors à la cour de Bretagne avec son oncle Jasper, en qualité d'hôte du duc François. Pour la plupart des gens, Henri n'était qu'un pantin et l'on ne pouvait prendre au sérieux ses prétentions au trône d'Angleterre car il descendait de la branche bâtarde de Jean de Gand. Rien n'aurait pu exprimer plus clairement le besoin désespéré qu'éprouvaient les derniers partisans de la maison de Lancastre de se trouver un nouveau chef. Néanmoins, beaucoup d'opposants au roi Édouard – ses ennemis de toujours et ceux de fraîche date – s'étaient rassemblés de l'autre côté de la Manche, déterminés à provoquer des troubles.

Le premier d'entre eux était Jean de Vere, comte d'Oxford ; entièrement dévoué à la cause des Lancastre, cet homme avait résisté à toutes les flatteries, aux beaux discours et aux pots-de-vin dispensés par Édouard pour lui faire tourner casaque au profit de la maison d'York ; il préférait l'exil et les épreuves à la vie facile et n'avait cure d'une place à la cour qu'il aurait dû payer d'une trahison. Sa loyauté envers les Lancastre n'avait jamais vacillé et, sur ce point, je ne pouvais que l'admirer. En revanche, le bruit courait que d'autres, qui devaient beaucoup au roi Édouard, vivaient à présent de sa munificence et jouissaient de sa faveur et de son estime, n'étaient pas étrangers aux troubles actuels.

A la fin de l'hiver et au début du printemps, un des noms le plus souvent murmurés dans les cabarets et tavernes le long de la côte sud était celui de George Neville, archevêque d'York, dont le frère aîné, le puissant comte de Warwick, était mort deux ans plus tôt en combattant Édouard, à la bataille de Barnet Field. La preuve de sa complicité dans tous les complots qui se tramaient avait dû convaincre le roi et, en avril, il fut arrêté et emprisonné dans la forteresse de Hammes, devant Calais. Deux semaines plus tard, le comte d'Oxford avait pris la tête d'une invasion sur la côte de l'Essex qui avait été sévèrement repoussée.

Un autre nom fréquemment mentionné et souvent associé aux mots « trahison » et « traîtrise » était celui d'un des frères du roi : George, duc de Clarence.

Par ce beau matin, j'entrai dans Exeter par la porte de l'Ouest, mon périple m'ayant conduit à travers la campagne de Honiton à Crediton avant que je prenne la direction du sud-est pour tenter ma chance dans cette ville. Les recettes avaient été maigres ces dernières semaines car les bruits d'invasion perturbaient la population, surtout les femmes. Je l'ai remarqué bien des fois dans ma vie : quand les gens se sentent mal à l'aise ou inquiets, ils thésaurisent plus qu'ils ne dépensent, comme si le contact des pièces dans leurs mains ou l'idée qu'elles s'entassent dans un pot ou dans une cachette les réconfortaient ; tel un rempart ou un talisman contre le malheur. Les populations rurales présentent à coup sûr cette disposition, mais les gens des villes sont moins prudents. Aussi, tout en traversant l'Exe, dont les eaux scintillaient sous l'éclat du soleil, j'espérais que le cours de mes affaires allait s'inverser.

Mon moral remontait tout doucement à la vue des rues animées et de cette foule qui s'affairait, comme si l'invasion n'avait jamais menacé, comme si le comte d'Oxford et sa flotte qui patrouillaient alors dans la Manche n'existaient pas. Étant déjà venu à Exeter, je savais que la cathédrale St Peter représentait le cœur de la ville. Je suivis donc la vieille route romaine, aujourd'hui rue principale de la cité, et tournai dans une allée près de l'église St Martin, située dans un angle de l'enclos. Je cherchais un lieu propice pour déballer mes marchandises quand j'entendis chanter dans la cathédrale le troisième office du jour ; comme toujours, le souvenir vivace de l'époque où, moi aussi, je participais à ce service me revint. Mais, avant de prononcer les vœux définitifs qui eussent fait de moi un membre de l'ordre des bénédictins, j'avais choisi de revenir dans le siècle. Quelques années s'étaient écoulées depuis ; néanmoins, je ressentais toujours comme une faute le fait d'avoir agi contre le désir de ma mère défunte. Je me réconfortais en me disant que, si je ne l'avais fait, on aurait pu ne jamais découvrir et traîner en justice deux meurtriers avérés. Je sentais que, par cet acte accompli au péril de ma sécurité personnelle, j'avais fait ma paix avec Dieu et payé ma dette envers Lui. Pourtant, de temps à autre, j'éprouvais le sentiment importun que Dieu avait peut-être des idées différentes, qu'Il n'en avait pas encore terminé avec moi.

Cette intuition était particulièrement vive ce matin quand je m'arrêtai devant la maison Annivellars et observai les alentours. Ce faisant, je pris conscience que certains passants manifestaient une effervescence, une suffisance conquérante que même la qualité de citoyen d'une ville aussi florissante et industrieuse qu'Exeter ne peut justifier. Puis je notai la présence de livrées bleu et pourpre que portent les serviteurs du roi Édouard et de son plus jeune frère, le duc de Gloucester. En l'absence de déploiement ostensible de pompe et d'apparat, il était peu probable que le roi fût dans la ville et j'en conclus à la présence de milord de Gloucester ; aux dernières nouvelles que j'avais ouïes, il ordonnait ses contingents recrutés dans le Yorkshire avec l'intention de les mener au sud, afin de renforcer la défense contre l'invasion. Mais, me demandai-je, quelle pouvait être la raison de sa présence à Exeter par ce superbe matin de septembre ?

Ma curiosité allait être satisfaite d'une façon beaucoup plus dramatique que je ne pouvais l'imaginer. Parvenu à la conclusion que l'enclos de la cathédrale ne m'offrait aucun lieu favorable à l'étalage de ma marchandise, je décidai à contrecœur que je n'avais d'autre solution que de faire du porte-à-porte et de bonimenter. Je pouvais toujours espérer que, parmi les colifichets dénichés au cours de mes voyages précédents, certains fussent introuvables dans les boutiques et sur les éventaires des marchés d'Exeter. Mais d'abord, un mazer[1] de bière serait le bienvenu, qui me permettrait aussi de tendre l'oreille à ce qui se racontait dans la ville. Je me dirigeai donc vers la taverne *Bevys*, accolée à la maison Annivellars, en face de la cathédrale. J'étais à un jet de salive de la porte ouverte quand je sentis une main, franchement rude, me saisir le bras gauche tandis qu'une voix haletante soufflait dans mon oreille :

– Roger Chapman[2], vous devez venir avec moi. Maintenant. Voir le duc de Gloucester. Mon maître a impérieusement besoin d'un homme de confiance. C'est urgent.

Ceux d'entre vous qui ont pris jusqu'ici la peine de lire mes souvenirs savent qu'au cours de ma première aventure, à laquelle j'ai fait allusion, je réussis presque par hasard à rendre à Sa Grâce, le duc de Gloucester, un service très important, ce dont il résultait, selon toute apparence, que j'étais présentement enrôlé d'office pour lui en fournir un autre. Comme je n'avais aucun moyen de me soustraire à la requête, alors même qu'elle empiéterait sur le temps normalement consacré à gagner ma vie, je réfléchis un instant à l'embarras qu'il y a d'être mêlé aux histoires des grands de ce monde. Cependant, le mal était fait et je n'y pouvais plus rien.

J'avais aussitôt reconnu l'homme qui m'avait accosté : il s'appelait Timothy Plummer. Je l'avais un jour sauvé des avances importunes d'un marchand de petits pâtés, exagérément soucieux d'écouler sa marchandise. Cet incident, qui s'était passé dans le quartier londonien de Cheapside, avait été le prélude à ma rencontre avec son maître, le duc de Gloucester, et aux conséquences qu'elle impliqua. Pour l'heure, je regardai Timothy Plummer avec de grands yeux stupides, comme si je n'étais pas certain qu'il fût bien réel.

– Comment avez-vous su que j'étais à Exeter ? demandai-je. Je n'ai pas encore eu le temps de m'y retrouver.

1. Pot en bois d'érable, généralement sculpté. *(N.d.T.)*
2. En anglais, *chapman* signifie colporteur. *(N.d.T.)*

– Je vous ai vu traverser le pont de la porte de l'Ouest et suis allé aussitôt prévenir le duc. D'ailleurs, qu'est-ce que ça peut bien faire ? ajouta-t-il impatiemment. Le duc veut vous voir. Vous n'avez d'autre choix que de m'accompagner immédiatement.

– Je sais, je sais, répondis-je d'un ton amer. J'étais sur le point de m'offrir une bière à la taverne *Bevys*. J'imagine que Sa Grâce n'est pas disposée à attendre...

Timothy Plummer se redressa de toute sa taille, sans parvenir pour autant à la hauteur de mon épaule, ce qui le contrariait visiblement. Mais j'en avais l'habitude. Toute ma vie, ma taille et ma force ont été pour les autres une source d'irritation. (Aujourd'hui, cependant, je ne suis plus aussi grand que dans ma jeunesse. L'âge et la désagrégation des os m'ont ratatiné physiquement sinon, à en croire mes enfants, mentalement.)

– Je ne suis pas disposé à attendre, répliqua Timothy Plummer avec hauteur.

– C'est simplement que mon petit déjeuner est très loin, bougonnai-je. Deux malheureux petits pains d'orge au miel que la femme d'un fermier a eu la gentillesse de m'offrir.

Mon petit homme haussa les épaules.

– Je n'y peux rien, dit-il en rejetant la tête en arrière. Suivez-moi. Sa Grâce demeure au palais épiscopal. Mais elle doit quitter Exeter cet après-midi. Nous n'avons pas de temps à perdre, conclut-il, appariant hardiment son nom à celui du duc.

Résigné, je le suivis docilement. Il se pavanait dans sa livrée bleu et pourpre, ornée de l'emblème du sanglier blanc, qui nous ouvrait miraculeusement une voie au milieu des bousculades. Les gens se retournaient pour nous suivre des yeux et leurs regards s'arrêtaient sur moi : ils pensaient évidemment que j'étais coupable de quelque délit et que l'on me conduisait à un interrogatoire. Jointe à la soif et à la faim qui me tenaillaient, cette situation me mit d'humeur proprement détestable. Quand je fus introduit en présence du duc, j'eus du mal à lui parler courtoisement, voire à lui témoigner la déférence qui lui était due. Je ne voyais en lui qu'un homme de mon âge, près de vingt et un printemps, aussi jeune et aussi vulnérable que je me sentais.

Édifié à l'abri de la cathédrale et bâti de grès rouge, le palais épiscopal d'Exeter contraste étrangement avec la pâle pierre calcaire de Beer de l'église. Quand j'y pénétrai derrière Timothy Plummer, l'évêque John Bothe était invisible mais les lieux bourdonnaient de l'activité conjointe de ses fonctionnaires et de ceux du duc, dont le comportement général et l'expression dédaigneuse, surtout lorsqu'ils abaissaient leur regard sur moi, donnaient la mesure de leur fatuité. Une attitude en parfaite discordance avec les manières courtoises et aimables du duc, avec son sourire de bienvenue.

Quand j'étais entré, il avait quitté le fauteuil sculpté qu'il occupait auprès d'un feu maigre et fumeux pour venir au-devant de moi et me saluer. Il avait dû remarquer mon expression revêche car ses yeux brillèrent et il dit d'un ton attristé :

– Roger le Colporteur ! Quel plaisir de te revoir, bien que je craigne que tu ne puisses en éprouver autant. Je t'ai arraché à ton travail et tu maudis ma présomption.

– Non, Votre Altesse, pas du tout, balbutiai-je, déconcerté qu'il eût si bien lu dans mon esprit. C'est simplement que... que je n'ai rien mangé ni bu depuis très tôt ce matin et...

Ma voix s'éteignit quand je me rendis compte que j'en avais dit plus que je ne voulais.

Il sourit, de ce sourire qui illuminait son visage et en dissipait l'expression naturellement sombre.

– Et ton énorme carcasse a besoin d'être constamment alimentée, c'est bien ça ?

Il se tourna vers Timothy Plummer.

– Va chercher de quoi nourrir notre ami que voici. Tout ce qui est disponible dans les cuisines de Monseigneur.

Soudain, il éclata d'un rire juvénile.

– Et quand on sait à quel point nos évêques tiennent à leur confort, il y aura toutes sortes de bonnes choses !

Vexé d'avoir à remplir une mission subalterne, Timothy Plummer s'éclipsa ; le duc regagna son siège près du feu et me signifia d'un geste d'aller prendre près du mur un tabouret assorti et de m'asseoir en face de lui. Puis vint un silence pendant lequel nous nous observâmes.

J'avais oublié à quel point il était petit et d'apparence délicate. Le rideau sombre et mouvant de ses cheveux encadrait son visage et lui tombait aux épaules. Sa bouche était mince et mobile, et un pli profond courait entre sa lèvre supérieure et les larges narines du nez droit des Plantagenêts. Ses yeux étaient cernés d'ombre, comme s'il avait mal dormi, le menton juste un peu trop long et trop plein pour qu'il pût prétendre à la beauté véritable de ses frères aînés, tous deux grands et blonds. Pourtant, de son vivant, j'ai souvent entendu dire qu'il était le plus séduisant des trois et je sais que les femmes le trouvaient bel homme. (De nos jours, un tel propos est tenu pour trahison mais je dirai la vérité ; tant pis pour les conséquences.)

Sous cette frêle apparence, Richard de Gloucester avait une volonté de fer, ce qu'atteste sa loyauté inébranlable à l'égard de son frère, le roi Edouard, face à l'adversité et à la tentation. Contrairement à son autre frère, George de Clarence, il n'avait jamais failli à son allégeance, pas même lorsqu'elle avait exigé qu'il abandonne tout espoir d'épouser la femme qu'il aimait. Heureusement, ce sacrifice n'était plus à l'ordre du jour : le duc Richard et sa cousine, Lady Anne Neville, étaient mari et femme depuis dix-huit mois. Et, dans une petite mesure, j'avais collaboré à cette union.

La même pensée devait alors occuper son esprit car il sourit soudain, spontanément, se pencha en avant et posa ses coudes sur ses genoux. Pendant un bref instant, nous ne fûmes plus un duc de la maison royale et le plus humble des roturiers, mais deux amis ; deux jeunes hommes nés le même jour – c'est du moins ce que soutenait ma mère –, unis par les liens de la jeunesse et d'une aventure naguère partagée. A l'improviste, il tendit la main et saisit la mienne.

– Je te dois beaucoup, Roger Chapman, et, au lieu de te récompenser, je fais de nouveau appel à ton aide. Mais je promets que cette fois je ne te lâcherai pas les mains vides. Tu recevras plus que la contrepartie de ton manque à gagner pendant les quelques jours où tu iras à Plymouth et pour les jours, si nombreux soient-ils, qu'il te faudra pour en revenir.

Je restai bouche bée tant ma surprise était grande mais, juste à cet instant, un domestique entra avec un plateau et le plaça sur une table près de la fenêtre. Le duc se mit à rire.

– Mange d'abord ton repas. Ensuite je te dirai pour quelle raison j'ai besoin de toi.

Il fit signe au domestique de se retirer.

– Maintenant, avance ton tabouret et vas-y ! Mange ! Je suis sûr qu'un solide appétit comme le tien peut en venir à bout.

La vue de la nourriture évinça temporairement de mon esprit

toute autre considération. Ma faim dévorante oblitérait jusqu'à l'anxiété touchant le genre de mission qu'on allait me demander d'entreprendre. Pendant le quart d'heure qui suivit, je fis disparaître méthodiquement une assiette de bœuf et de mouton bouillis, un plat de harengs marinés, des gâteaux d'avoine et de bacon saupoudrés de safran, la moitié d'une miche de pain, le tout arrosé de trois ou quatre gobelets d'une bière excellente dont le domestique avait posé sur la table un gros pichet. Après avoir éliminé les ultimes fragments d'aliments pris entre mes dents et terminé la bière jusqu'à la dernière goutte, je levai les yeux vers le duc qui me contemplait avec un amusement non dissimulé. D'abord pétrifié d'embarras, je décidai que la franchise était ma meilleure arme.

– Je dois vous demander pardon, Votre Grâce, de ce que mes manières de table ne sont pas à la hauteur des vôtres, mais j'ai rarement eu l'occasion de goûter une nourriture aussi bonne et copieusement servie. Je crains de m'être laissé aller. Je vous assure que je ne mange pas toujours comme un porc lâché devant son auge...

Cette fois, il rit ouvertement.

– Pas du tout ! C'est un plaisir de voir quelqu'un jouir pareillement de son repas.

Son visage devint grave.

– Il est facile d'oublier que tous nos sujets n'ont pas assez de nourriture pour apaiser chaque jour leur faim. A présent, ramène ton tabouret par ici où nous pourrons parler.

Je m'exécutai et il reprit :

– Comment vont les choses pour toi ? Tu n'as pas décidé de changer de métier ?

Je secouai la tête.

– J'aime la route et le grand air. Je n'ai jamais été heureux quand j'étais enfermé entre quatre murs et c'est pourquoi j'ai quitté l'abbaye de Glastonbury. Votre Altesse, je ne vous ai jamais convenablement remercié de m'avoir offert voici deux ans de me prendre dans votre maison. J'ai tenté d'expliquer aussi bien que je le pouvais à votre messager les raisons de mon refus.

Le duc inclina la tête.

– Il m'a fidèlement rapporté le message. J'étais désolé mais j'ai compris.

Ses yeux erraient du côté de l'âtre où le feu n'était plus qu'une frange de cendre grise tremblante le long des bûches calcinées.

– Moi aussi, dit-il, je déteste l'impression d'être emprisonné. Je vais le moins possible à Westminster et, tout le temps que j'y suis, je rêve aux landes du Yorkshire.

Il se retourna pour m'adresser un sourire mélancolique.

– Toi et moi sommes de la même espèce, semble-t-il. Raison de plus pour te faire confiance. D'ailleurs, je l'ai compris dès l'instant où j'ai posé les yeux sur toi. Avec certaines personnes, je peux le dire d'instinct. Mais il en est d'autres que je ne comprendrai jamais.

Sa voix s'était chargée d'amertume ; je devinai qu'il parlait de son frère George mais n'en dis rien. Ce n'était pas à moi de le faire. Après une nouvelle pause, il reprit de sa voix habituelle :

– Bon ! Et maintenant, passons à nos affaires. Tu te demandes sûrement pourquoi je t'ai fait venir ici et, moi-même, je dois partir pour Nottingham dès que possible.

Il se tourna dans son fauteuil pour me voir bien en face et je lui accordai instantanément toute mon attention.

2

Il y eut un silence de dix secondes peut-être avant que le duc se remît à parler. Quand il le fit, sa voix était un peu plus sèche, un peu plus pressante.

– Comprends-moi bien : ce que je vais te dire est absolument secret et je te fais totalement confiance, dit-il avec un petit sourire glacé. Avant que Timothy Plummer ait informé mon secrétaire que tu étais à Exeter depuis ce matin, je ne savais plus que faire. Vers qui me tourner. De nos jours, il n'est pas facile de se fier à qui que ce soit, ajouta-t-il avec amertume en haussant les épaules.

Je savais que, de nouveau, il pensait à son frère George ; peut-être aussi à un autre George, son cousin l'archevêque d'York, à présent enfermé dans le château de Hammes.

– Votre Grâce, vous n'avez rien à craindre. Vous pouvez me faire toute confiance.

– Si je n'en étais pas convaincu, je ne serais pas en train de te parler. Ta présence ici est fortuite mais on dirait une réponse à une prière. Et qui sait ? Ce pourrait l'être.

Il avait sans doute raison. Dieu me rappelait la seconde partie de la dette que j'avais envers Lui pour avoir renoncé à l'occasion qui m'était offerte de devenir un de ses prêtres. Je résolus d'avoir une franche explication avec le Tout-Puissant, de Lui demander jusqu'à quand Il comptait faire durer cette affaire, mais ce n'était ni le lieu ni le moment. Alors, je souris, un sourire un peu pincé sans doute, et murmurai :

– Les voies du Seigneur sont impénétrables, Votre Altesse.

Le duc me jeta un coup d'œil qui me parut légèrement soupçonneux et poursuivit.

– Tu es certainement au courant des rumeurs qui infestent le pays depuis le printemps à propos d'une invasion ; du fait que le duc François est supposé soutenir les revendications d'Henri Tudor au trône d'Angleterre et tout près d'envoyer un contingent d'hommes et de vaisseaux bretons pour appuyer cette revendication. En ce moment même, le comte d'Oxford croise au large des côtes, dans la Manche, attendant l'occasion d'attaquer de nouveau quelque part le long de nos rivages.

Il baissa les yeux et commença de jouer avec ses bagues.

– Tu ne peux ignorer non plus le fait que... que certains personnages très proches du roi et de moi-même sont impliqués dans cette trahison. Autrement dit, mon frère et mon cousin.

Il y eut un silence prolongé avant qu'il levât les yeux et reprit avec plus d'aisance :

– Toutefois, le roi et moi ne sommes pas convaincus de la complicité du duc François dans cette affaire. D'après les rapports de nos agents à Brest ou à Saint-Malo, ils n'ont rien vu qui ressemblerait à une flotte d'invasion. Néanmoins, nous avons décidé d'envoyer un messager en Bretagne, porteur d'une lettre pour le duc.

Une fois encore, il haussa les épaules.

– Son contenu ne regarde ni toi ni l'homme choisi pour cette mission. Il te suffit de savoir que certaines garanties ont été demandées, assorties de promesses. Mais il est d'importance vitale que la lettre atteigne à coup sûr sa destination.

Il posa les coudes sur les bras de son fauteuil et, par-dessus ses mains jointes, me regarda droit dans les yeux.

– Tu te demandes quel est ton rôle dans tout ceci. Laisse-moi te l'expliquer.

Je m'interrogeais, en effet, et, pendant quelques secondes, j'avais cédé à la panique à l'idée que j'étais le messager choisi. Mais un moment de réflexion avait dissipé cette crainte. Pour une telle mission, il fallait nécessairement faire appel à un familier du duc François, un homme qui, de surcroît, connaissait bien la Bretagne. Des conditions que je ne remplissais pas à l'époque, car je n'étais jamais sorti du pays et j'ignorais tout de la vie au-delà des mers. Je murmurai quelques mots indistincts dans l'espoir que le duc Richard, se méprenant, y verrait un accès d'enthousiasme. Il poursuivit :

– L'homme que Sa Grâce, le roi, a choisi pour cette mission d'une extrême importance nous est connu et nous avons déjà fait appel à ses services.

Il décroisa les mains et se leva brusquement pour aller se poster devant le feu éteint dont il contempla un moment les cendres avant de poursuivre d'un ton âpre :

– Il s'appelle Philip Underdown et je ne lui fais pas entièrement confiance. Il a un passé douteux et, de ce fait, beaucoup d'ennemis. Mon frère trouve que je suis trop délicat mais je préférerais que nous n'ayons pas à utiliser ce type d'individus. Hélas, comme dit le proverbe, « Ne choisit pas qui mendie », et la nature même du travail demande un caractère retors que l'on ne trouve pas chez les honnêtes gens.

Il releva la tête et la tourna dans ma direction.

– Comme je viens de te le dire, beaucoup de gens cherchent à nuire à Philip Underdown et ta mission consiste à faire en sorte qu'il arrive sain et sauf à Plymouth, puis à veiller à son embarquement sur le vaisseau qui l'attendra pour le mener en Bretagne.

– Mais... mais, Votre Grâce, pourquoi n'envoyez-vous pas une escorte armée avec lui ? bégayai-je. Vos soldats sont sûrement capables de lui assurer une meilleure protection que moi...

Esquissant un sourire, le duc retourna vers son fauteuil ; le sourire persistait, gentiment moqueur devant tant de naïveté.

– ... et d'annoncer ainsi à tous les agents ennemis : voici un messager du roi qui se rend à la cour de Bretagne pour une mission importante. On devinerait immédiatement notre intention et, dans l'esprit du duc François aussitôt averti, le fiel agirait contre nos objectifs avant que notre messager eût posé le pied sur le sol breton. Le roi Louis de France y veillera, même si Jasper Tudor et ses partisans y échouent. Non, le roi préfère que la lettre demeure secrète jusqu'à ce qu'elle soit remise en mains propres au duc François, afin qu'il puisse en prendre connaissance sans préjugés. Je veux donc que Philip Underdown soit protégé jusqu'à ce qu'il embarque sain et sauf à bord du *Falcon*, qui l'attendra dans le port de Plymouth d'ici deux jours. Alors seulement ta responsabilité prendra fin et tu pourras revenir ici chercher ta balle. On en prendra soin aussi longtemps que tu seras au loin. Vous partirez cet après-midi et passerez la nuit à l'abbaye de Buckfast, pour vous remettre en route tôt le lendemain matin, ce qui vous laissera le temps d'arriver à Plymouth avant la tombée de la nuit.

Saisi d'une inquiétude subite, il m'apostropha vivement :

– Tu montes à cheval ?

Une réponse négative aurait pu me valoir quelque chance de me soustraire à cette mission que je commençais d'envisager avec un désarroi et une appréhension profonds. Mais l'honnêteté, jointe au sentiment que Dieu m'avait, pour des raisons très précises, distingué pour cette tâche, me forcèrent à l'aveu :

– Un peu. Quand j'étais gamin, j'aimais chevaucher les bêtes de trait, avec ou sans la permission du laboureur.

Le duc rit.

– Dans ce cas, nous allons te trouver une brave monture tranquille pour le voyage, en espérant que l'expérience ne sera pas trop douloureuse.

Il se leva, traversa la pièce et ouvrit la porte. Il y parla quelques minutes à un personnage situé hors de ma vue avant de revenir s'asseoir.

– Et maintenant, as-tu des questions à me poser ?

J'en avais des douzaines, dont la plus brûlante portait sur l'identité exacte des gens qui menaçaient Philip Underdown. Le duc fut incapable de me donner une réponse satisfaisante.

– Peut-être n'y aura-t-il personne ; peut-être, comme je te l'ai déjà dit, le danger viendra-t-il de sources différentes. Bien des protagonistes de sa vie passée lui veulent du mal, c'est certain, et il serait naïf d'imaginer que les missions qu'il a remplies pour mon frère et pour moi ces dernières années sont passées tout à fait inaperçues. Nous-mêmes connaissons parfaitement l'identité de nombreux agents étrangers et d'agents des Lancastre qui travaillent dans ce pays. Certains ont été arrêtés, d'autres poursuivent librement leur travail. Ainsi, nous sommes en mesure de dérouter nos ennemis par de fausses informations.

Il sourit tristement.

– Je vois à l'expression de ton visage que ce monde d'intrigue et de duperie est nouveau pour toi. J'aurais tellement voulu laisser ton innocence intacte... Hélas, j'ai besoin de toi. J'ai envoyé chercher Philip Underdown qui sera bientôt là, dès que mes hommes auront pu l'extraire de la taverne où il doit se trouver en ce moment.

Pendant le silence qui suivit, il me parut que le duc remâchait une idée importante. Mais, quand il parla de nouveau, ce fut simplement pour dire :

– Tu dis que tu as chevauché des bêtes de trait quand tu étais enfant. Qui était assez riche pour utiliser des chevaux et non des bœufs ?

– L'évêque de Bath et Wells, répondis-je, en esquissant un sourire de conspirateur.

Songeant à sa remarque sur les évêques et leur petit confort, j'avais la hardiesse de croire qu'il partagerait mon ironie désabusée. Eh bien, non ; ma remarque l'entraîna, sembla-t-il, vers des pensées plus lointaines et, pendant un bon moment, le silence absolu s'établit entre nous. Pour finir, son regard chercha le mien et le trouva. De son index long et mince, il se frotta l'aile du nez.

– Je dois être honnête avec toi, bien que ce ne soit pas de gaieté de cœur. Un autre danger encore menace Philip Underdown. On l'a vu récemment dans l'entourage de mon frère, le duc de Clarence, qui... qui le prend pour un agent des Tudors. Tu vois le double jeu que nous sommes contraints de mener !

Il prit une profonde inspiration. Il était manifeste, pour moi du moins, qu'en dépit des manifestations innombrables d'inimitié personnelle, de perfidie et de trahison accumulées par George de Clarence, le duc Richard était profondément attaché à ce frère aîné difficile. Il poursuivit :

– Ce que je vais dire à présent ne regarde que toi et tu ne dois en parler à personne. Mais, dans les circonstances présentes, je sens que c'est justice de te le dire puisque je te rends responsable de la sécurité de Philip Underdown. Mon frère George détient un secret, si l'on peut s'exprimer ainsi, car il est incapable de garder quelque chose pour lui seul. Sous-entendus, allusions et insinuations avertissent qui veut entendre : il sait quelque chose que les autres ignorent. Je lui ai clairement fait comprendre que je ne veux rien savoir de ce qu'il sait, ou pense savoir. Rien n'y a fait : je n'ai pu éviter d'apprendre que son secret concerne quelque chose qui discrédite la famille de la reine. Comme tu le sais, les Woodville sont aujourd'hui très puissants et ils ont partout espions et agents. Tout porte à croire qu'ils en entretiennent un ou plusieurs dans la maison du duc de Clarence, mais celui-ci ne se soucie pas du danger ; il pense que le frère du roi est à l'abri des représailles des Woodville. Peut-être l'est-il pour le moment. Mais d'autres personnes ne le sont pas et je crains qu'il ait communiqué ce qu'il sait, ou ce qu'il soupçonne, à Philip Underdown, agent présumé des Tudors. S'il en est ainsi, la famille de la reine en aura entendu parler et cherchera peut-être aussi à le faire disparaître. Ceci n'est qu'une hypothèse de ma part et je te la communique pour que tu sois encore plus vigilant.

J'enregistrai cette nouvelle information et parvins à la conclusion que le danger venu de la famille de la reine était la vraie raison des préoccupations du duc concernant la sécurité de son messager. Je fus sur le point de le questionner : pourquoi ne demandait-il pas carrément à ce Philip Underdown si le duc de Clarence lui avait confié des informations dangereuses ? Puis je réalisai qu'il ne pouvait compter sur une réponse sincère. Un homme qui joue un jeu biaisé ne répugne pas à jouer sur deux tableaux. Je soupirai. Assurer la protection de ce personnage suspect ne serait pas une sinécure et je n'avais pas lieu de me réjouir des deux jours qui m'attendaient.

La porte s'ouvrit et Timothy Plummer fit son apparition. Il jeta sur moi un coup d'œil vif et curieux avant de s'incliner devant le duc et d'annoncer un nouveau venu :

– Maître Philip Underdown.

L'homme qui entra dans la pièce retint toute mon attention, bien que lui-même m'eût seulement accordé un bref regard de ses yeux très sombres. Ils étaient brun foncé, presque noirs, une teinte si intense qu'elle dissimule l'expression et rend difficile la lecture des pensées qu'elle recouvre. Ses cheveux drus et bouclés étaient également sombres, la peau basanée, la tête bien modelée. Grand et bâti en force, l'homme semblait doué pour donner sa pleine mesure lors d'une bagarre. Je commençais à douter sérieusement de l'utilité de mon rôle, puis je réfléchis qu'un homme ne peut se colleter au danger de front tout en surveillant ses arrières. Je me levai et déployai avec ostentation ma taille considérable.

Le duc devait avoir l'air d'un nain entre nous deux ; curieusement, je ne m'en rendis pas compte sur le moment. Inconscient des pouces qui manquaient à sa stature, il dominait la salle de sa présence.

– Philip, dit-il tranquillement, voici un de mes vieux amis, Roger Chapman. Il t'accompagnera jusqu'à Plymouth et veillera à ce que tu embarques sain et sauf à bord du *Falcon*. S'il y a la moindre difficulté, il sera là pour t'aider.

Les sourcils touffus de Philip Underdown s'étaient levés quand le duc m'avait présenté, mais son regard railleur se nuança de respect lorsqu'il put évaluer ma taille et mes aptitudes au combat. Néanmoins, ce fut d'un ton sec qu'il me demanda :

– Sais-tu manier habilement le poignard et l'épée ?

Le sang me monta au visage. A l'époque, je rougissais facilement et ma peau claire rendait ce phénomène encore plus voyant. Néanmoins, je répondis calmement :

– Je n'ai jamais appris le maniement de l'épée mais suis un expert au bâton. Il le faut quand on vit sur la route. Le mien est en bas, avec ma balle, sinon j'aurais été heureux de vous offrir une démonstration.

– Pas en ma présence, Roger, protesta le duc, discrètement réprobateur. S'agissant de tes compétences, nous te croyons tous deux sur parole. Ton modèle de bâton n'est-il pas connu dans cette région sous le nom de cape de Plymouth[1] ?

– Si, Votre Grâce. On raconte que le premier soin des voyageurs qui débarquent à Plymouth est de se tailler la plus grosse branche qu'ils trouvent sur le premier arbre venu pour se prémunir contre les innombrables coquins, coupeurs de bourses et hors-la-loi qui les attaquent quand ils traversent le Dartmoor.

1. Cette expression est un jeu de mots qui se réfère à l'escrime au bâton, sport de combat millénaire, codifié au XIXe siècle et toujours enseigné et pratiqué. Une de ses parades caractéristiques est le moulinet qui protège contre les armes blanches ou l'agression au poing ; c'est ce moulinet que l'on assimile à une cape enroulée sur le bras, destinée à écarter les coups dangereux. *(N.d.T.)*

Le duc rit.

– Belle description de l'état de nos grand-routes royales dans le Devon. Son nom ancien était Dyvnaint, la terre des vallées obscures. Il semble que ces vallées soient toujours aussi sombres et que les criminels en tirent profit. Il faudra que j'en parle au roi, mon frère, quand l'occasion s'en présentera. En attendant, je pense que ta cape de Plymouth est une protection suffisante.

– Bien maniée, elle peut fracasser le crâne d'un homme et l'ouvrir en deux, ou lui briser les jambes. Votre Grâce n'a pas à se soucier à ce sujet. Je suis tout à fait capable de prendre soin de moi.

– Parfait. Alors, je crois que c'est tout. Roger, comme je te l'ai déjà dit, tu laisses ta balle ici et tu la reprendras à ton retour. Vous dînerez tous les deux à la cuisine de l'évêque et vous chevaucherez cet après-midi jusqu'à l'abbaye de Buckfast où vous demanderez l'asile pour la nuit. Demain, vendredi, vous couvrirez toute la route jusqu'à Plymouth, et samedi, à marée haute, le *Falcon* mouillera dans Sutton Pool, prêt à t'embarquer, Philip, pour te conduire à Saint-Malo.

Le duc se tourna vers moi.

– J'aimerais rester seul un moment avec Philip. Attends-le dans l'antichambre. Dieu soit avec toi, Roger. Une fois encore, je te suis redevable.

Je m'inclinai, sortis et refermai doucement la porte derrière moi. Un jeune homme assis devant une table dans la salle à côté consultait des papiers. Je reconnus John Kendall, le secrétaire du duc que j'avais vu deux ans plus tôt lorsque j'étais allé au château de Baynard à Londres. Il leva les yeux, me désigna d'un signe de tête un banc contre un mur et se replongea dans son travail. Vêtu d'un costume de voyage, il était prêt à accompagner son maître cet après-midi pour la première étape de son voyage vers le nord. J'aurais aimé parler, exprimer ouvertement une partie des doutes et des craintes qui bourdonnaient dans ma tête ; discuter du tour imprévu que ma destinée avait pris. Mais il ne souhaitait manifestement pas être dérangé. Si bien que je m'assis ; bouche cousue, je contemplais mes pieds ; quand la porte du corridor s'ouvrit, alors seulement je relevai les yeux.

D'abord, je crus que c'était un enfant dont la silhouette se profilait au premier plan du corridor au fond duquel on s'agitait. Puis je réalisai que c'était un homme, un nain, qui portait la livrée bleu et pourpre du duc de Gloucester. Il avait un peu plus de trois pieds de haut et, du fait d'un corps trop lourd pour des jambes chétives, il se mouvait avec la gaucherie propre à ceux de son espèce. Ses yeux aussi avaient le regard triste et perdu que j'ai vu depuis chez d'autres nains ; un regard où l'incrédulité se mêle à l'indignation devant le tour atroce que la Nature leur a joué et qui les met en butte à la cruauté des hommes, leurs frères.

Pour l'heure, cependant, c'était le premier nain que je voyais de près, bien que j'en eusse aperçu un ou deux à distance. Depuis quelques années c'était la mode chez les riches et les nantis d'utiliser les services d'un ou plusieurs nains ou naines dans leurs maisonnées ; pour les câliner et les dorloter, ou pour les frapper et les maltraiter, selon l'humeur et les caprices. Ces petits hommes faisaient fonction de pages ou de bouffons, ou encore de porte-traîne. Dans certaines demeures, ils étaient traités à peine mieux que des caniches.

John Kendall releva la tête et dit d'un ton irrité :

– Pas maintenant, Paolo. Sa Grâce est occupée.

Volubile, le nain se mit à discourir en italien ; du moins, je présume que c'était de l'italien, à cause du prénom de l'homme et parce que son parler ressemblait au latin. Au prix d'un effort manifeste, le secrétaire maîtrisa son agacement et répondit courtoisement dans la même langue. (Je doute que le duc ait jamais toléré des manières déplaisantes parmi les gens attachés à son service personnel. Ceux que j'ai connus lui étaient tout dévoués.) Le petit homme haussa les épaules ; il faisait demi-tour pour s'en aller lorsque la porte de la pièce intérieure s'ouvrit et le duc Richard en sortit, suivi de Philip Underdown. John Kendall et moi nous levâmes précipitamment. Comme j'esquissais une révérence, j'aperçus le visage de Paolo.

Il ne regardait pas le duc mais Philip Underdown, avec une expression de haine et de peur mêlées. Je vis les yeux de mon futur compagnon se poser sur lui, moqueurs, et se détourner. Le nain n'avait pour lui pas plus d'importance et pas plus d'intérêt que les mouches d'automne qui étaient entrées par la fenêtre ouverte et bourdonnaient paresseusement dans la pièce.

Le duc leva les sourcils lorsqu'il vit le nain et John Kendall se hâta d'expliquer :

– Paolo se demande si Votre Grâce souhaite qu'il se joigne

au premier convoi qui part cet après-midi ou s'il doit attendre demain et suivre avec le reste des chariots à bagages.

Le duc Richard sourit affectueusement au petit homme.

– Tu dois attendre, Paolo. Ce serait trop fatigant pour toi de venir avec nous cet après-midi.

Il lui fit un signe de tête, se tourna vers moi et me tendit la main.

– Je ne serai pas là lors de ton retour, Roger Chapman, mais crois à ma reconnaissance, maintenant et toujours. Encore une fois, Dieu soit avec toi. A présent, je dois partir. J'ai promis de dîner avec l'évêque Bothe à onze heures, aussi je te laisse avec Maître Underdown pour que vous fassiez plus ample connaissance.

3

Le nain sur les talons, John Kendall quitta la pièce derrière le duc Richard. Philip Underdown et moi demeurâmes face à face, comme deux animaux sur leurs gardes en terrain inconnu. Nous étions l'un et l'autre pleins de ressentiment à l'idée d'être attelés ensemble mais, n'ayant pas le choix en la matière, nous étions obligés de nous en accommoder au mieux.

Philip Underdown exprima ce que je pensais :

– Je ne peux prétendre éprouver grand plaisir à t'avoir avec moi. A ce que je vois, tu vas m'être une charge plutôt qu'une aide et je m'en tirerais foutrement mieux sans toi. Dieu sait quelle lubie est passée par la tête du duc mais il m'a imposé ta compagnie et je n'y puis rien. Je ne te cache pas que j'ai fait de mon mieux pour l'en dissuader pendant notre tête-à-tête, ajouta-t-il en désignant d'un coup de menton la pièce où le duc l'avait reçu. Mais il a insisté pour que tu m'accompagnes à Plymouth, reprit-il, et je vais devoir te supporter pendant deux jours. Es-tu disposé à dîner ? D'après Sa Grâce, ce sont les reliefs de ton petit déjeuner que j'ai vus sur la table.

– Je suis toujours prêt à manger, répondis-je avec un entrain que j'étais loin d'éprouver.

Je n'aspirais pas plus à la compagnie de Philip Underdown que lui à la mienne.

– Selon Sa Grâce, nous sommes attendus à la cuisine de l'évêque. Si nous y allions ?

Quand nous fûmes installés à l'angle d'une des longues tables de l'arrière-cuisine, au milieu du tapage et de l'excitation suscités par le repas du frère du roi et de l'évêque, je décidai de suivre le conseil du duc et d'essayer de mieux connaître mon compagnon. Il pourrait m'être utile par la suite d'en savoir plus sur son passé. Quand on eut posé devant nous deux pleines bolées de ragoût de bœuf, je dis :

– Le nain, Paolo, n'a pas l'air de vous aimer beaucoup, d'où je conclus que vous vous connaissez déjà.

Philip Underdown s'esclaffa d'un rire dénué de toute chaleur et plongea un gros morceau de pain dans le bouillon brûlant.

– Pour ça oui, nous nous connaissons ! C'est grâce à lui qu'on m'a embauché pour remplir cet emploi.

Il vit mon air surpris et se remit à rire.

– Mon frère et moi étions négociants. Nous achetions et vendions tout ce qui peut s'acquérir à bas prix et se revendre avec un bénéfice. Partis de presque rien, nous avons trimé jusqu'à ce que nous possédions notre propre vaisseau. Alors, nos horizons se sont élargis : Irlande, Italie, France, Bretagne... Je m'étais fait une petite fortune, que j'ai perdue. L'alcool. Le jeu. Les femmes, bien sûr.

Un sourire de rapace découvrit ses dents.

– Puis, voici deux ans, lors de la dernière traversée qui nous ramenait d'Italie, des pirates nous ont attaqués au large de la Corse. Mon frère a été tué et le vaisseau a subi de lourdes avaries. J'ai réussi à le ramener jusqu'à nos côtes et à lui faire remonter la Manche, puis la Tamise jusqu'à Londres, mais je savais que le vieux *Speedwell* ne reprendrait jamais la mer. Aussi, j'ai payé l'équipage et me suis mis en peine de vendre la cargaison aussi vite et aussi bien que possible, sans autre perspective que de repartir de zéro.

Un marmiton, affecté à notre service et trop heureux de ce bref répit loin des poêles graisseuses, posa devant nous deux mazers de bière avec une telle maladresse que la moitié du liquide se répandit sur la table. Il fila comme un dard, sans attendre nos récriminations. Je suivis des yeux sa fuite éperdue sans réellement le voir.

– Mais qu'est-ce que tout ceci vient faire avec le nain ? demandai-je.

– Il faisait partie de la cargaison, répliqua Philip Underdown en se léchant les doigts.

Il me fallut un instant avant d'assimiler le sens de ces mots ; puis je m'exclamai, horrifié :

– Vous étiez marchand d'esclaves !

Je compris aussi pourquoi son accent m'était familier. Il était originaire de Bristol, dont les citoyens s'adonnaient depuis des siècles à l'esclavage, commerçant essentiellement avec leurs voisins d'Irlande méridionale. D'après une histoire fort répandue dans mon propre comté, il y a très, très longtemps, le roi Jean se plaignait que l'on vît à Dublin plus de natifs de Bristol que d'Irlandais, des individus que leurs propres familles avaient vendus comme domestiques.

Mon compagnon me regardait avec une froide ironie.

– J'ai acheté et j'ai vendu des malheureux comme Paolo. Les parents et les proches de ces créatures ne sont que trop désireux d'en être débarrassés et la plupart d'entre eux sont très pauvres Quelques shillings peuvent faire toute la différence entre mourir de faim et survivre. Quant aux nains, ils atterrissent souvent dans des maisons nobles où ils sont bien vêtus et bien nourris. A ton avis, quelle aurait été l'existence de Paolo si je l'avais laissé en Italie ? Raillé ! Moqué ! Un proscrit au milieu des siens... Quand je suis tombé sur lui par hasard, il vivait dans la soue, avec les cochons de son père.

Cet argument me troubla. Mon instinct me disait que faire commerce de l'homme était mal, mais, simultanément, je voyais que les résultats de ce commerce pouvaient être bénéfiques. Rassemblant mon courage, je produisis la seule objection que je pus trouver dans l'instant :

– Mais Paolo vous hait !

Philip Underdown eut un sourire méprisant et, la bouche pleine de ragoût, répondit :

– Bien entendu, il me hait. Tous nous haïssaient, mon frère et moi. Ces créatures étaient notre marchandise. Que nous quittions ces rivages ou que nous en approchions, nous n'avions pas le temps de les cajoler au milieu des périls du voyage. Une certaine dose de... comment dirais-je ?... de rudesse était inévitable.

Je le fixai, fasciné par cette dureté dénuée de tout scrupule, par cette indifférence totale à l'opinion d'autrui. Néanmoins, rien de ce que je pourrais dire ou faire n'éveillerait en lui le sentiment qu'il avait mal agi, si bien qu'il était inutile d'essayer.

– Mais pourquoi vous fallait-il traverser les mers ? questionnai-je. Comme vous l'avez justement dit, on trouve des nains dans tous les pays.

Il haussa les épaules et termina son ragoût.

– Question de bon sens : il vaut mieux les vendre dans un pays lointain d'où ils sont dans l'incapacité de s'enfuir pour retourner chez eux si l'envie les en prend. Nous vendions donc des nains anglais en Italie et en France, et des nains français et italiens chez nous. Fut une époque où la demande en nains anglais était très forte en Italie. Sans un bouffon miniature, la maison d'un noble eût été imparfaite.

– Je m'étonne que vous ayez pu en trouver autant.

Philip Underdown secoua de nouveau ses épaules puissantes.

– Il y a l'art et la manière, il suffit de les connaître. Paolo, j'ai eu la chance de le vendre à la maison du duc de Gloucester. Je ne sais trop comment, le duc avait entendu parler de mon histoire et de ma situation. J'avais longtemps roulé ma bosse à l'étranger et me débrouillais fort bien tout seul. Le duc a suggéré au roi Édouard que je pourrais devenir messager royal. Je suis d'autant plus irrité qu'il m'ait imposé ta présence pour une minable randonnée de deux jours d'Exeter à Plymouth. Pour qui me prend-il ? Pour un morveux ?

– Il ne veut courir aucun risque. La lettre que vous portez doit être importante.

– Toutes les missives sont importantes, riposta-t-il, hargneux. Pourquoi celle-ci serait-elle différente ?

Je me demandai s'il convenait ou non d'aborder le sujet du duc de Clarence mais décidai finalement que non. Je sentais que je n'obtiendrais probablement qu'une réponse évasive et j'avais, par ailleurs, posé assez de questions pour le moment. Nous avions deux jours et deux nuits devant nous, pendant lesquels je pourrais bien en apprendre davantage. Je fis passer mes deux jambes de l'autre côté du banc et me levai.

– Si vous êtes prêt, je le suis aussi.

Il fit un signe d'assentiment, s'essuya la bouche du revers de la main et se planta sur ses pieds.

– Nos chevaux nous attendent dans les écuries de l'évêque. Suis-moi, dit-il.

– Il faut d'abord que je reprenne mon gourdin. Il est avec ma balle dans le hall d'entrée.

Je le récupérai, ainsi que mon rasoir et le couteau court à manche noir que j'utilisais à table ; je nouai ces deux derniers dans un carré de solide lainage que j'avais sur moi. Puis je suivis mon compagnon qui, sorti du palais, traversait les quelque cent yards qui nous séparaient des écuries.

La monture de Philip Underdown était un grand et beau cheval gris pommelé, qui roula dans ma direction un œil intelligent mais ne hennit pas de plaisir, notai-je, à l'approche de son maître. On m'avait destiné un robuste cob bai, pour le désigner selon le vocabulaire d'aujourd'hui ; dans ma jeunesse, ces animaux placides et de bonne volonté s'appelaient des bourrins. Mes maigres biens tenaient à l'aise dans les fontes mais, comme je l'avais prévu, mon gourdin posait un problème. Pour finir, je me laissai persuader à contrecœur de le raccourcir de plusieurs pouces afin de pouvoir le porter en travers du pommeau.

– A mon avis, commenta Philip Underdown, il sera ainsi plus commode à manier : tu pourras faire plus de moulinets. Et aussi plus pratique... N'importe qui peut manipuler une arme de cette dimension.

– On voit que vous ne connaissez rien à l'art du bâton, répondis-je vertement, satisfait de restaurer un peu mon amour-propre mis à mal par mon escalade laborieuse du cob, spectacle propre à divertir l'homme que j'avais en charge et le garçon d'écurie, un grand rouquin, qui nous aidait.

– En avant ! Nous devons être à Buckfast avant le crépuscule.

Avant que le soleil eût franchement entamé sa descente vers l'horizon, nous avions laissé derrière nous les rues encombrées d'Exeter et nous dirigions à bonne allure vers le sud. Légère comme la gaze, une brume d'automne voilait les vallées et planait en suspens au-dessus des collines. Le sentier presque désert sur lequel nous chevauchions était bordé d'ajoncs, aux fleurs jaune d'or, prisonnières d'épines noires et acérées. Des plaques moussues vert émeraude signalaient les endroits où l'eau de pluie s'était accumulée dans les creux et les cavités du terrain granitique. Le croassement soudain d'un corbeau troublait de loin en loin le silence.

Au milieu de l'après-midi, nous quittâmes le sentier, mîmes pied à terre et laissâmes nos chevaux brouter l'herbe rabougrie. Philip Underdown et moi nous assîmes en plein soleil, adossés à un bloc de roche, et laissâmes la dernière chaleur du jour pénétrer jusqu'à nos os. J'avais grand besoin de repos, encore que j'eusse subi la torture plutôt que de le reconnaître. En vérité, pourtant, j'avais l'impression que des pinces chauffées au rouge avaient déchiré un à un tous les muscles et les tendons de mes cuisses et de mes fesses. Mes bras et mes épaules souffraient de l'effort d'avoir maîtrisé ma monture, si bienveillante fût-elle. J'appuyai la tête contre le rocher et fermai les yeux, contemplant les soleils rouge et orange qui tournoyaient sous mes paupières, heureux que mon compagnon parût absorbé par ses pensées et peu disposé à se gausser de mes malaises.

Je ne sais ce qui, brusquement, me tira de ma torpeur et me jeta en avant, le dos raidi par la tension, les paumes pressées contre le sol ; une réaction spontanée de tous mes sens, peut-être, comme celle de l'animal qui sent le danger. Mes yeux balayèrent l'espace de gauche à droite, cherchant à localiser l'origine de ma peur. A l'horizon, là où la lande rejoignait abruptement le ciel, se dressaient deux énormes *tors*[1], qui sont choses communes dans cette partie du monde. Debout entre les deux, la silhouette d'un homme se profilait nettement, soulignée par les rayons du soleil couchant...

Je dus lâcher un juron car Philip Underdown, étendu près de moi, les yeux mi-clos, bondit sur ses pieds, les doigts déjà serrés sur la poignée du poignard passé dans sa ceinture.

– Qu'y a-t-il ? demanda-t-il.

– Un homme, murmurai-je. Debout là-bas, entre les deux tors.

Je levai la main mais, quand nous regardâmes tous les deux il n'y avait rien ; rien que les lointains estompés, la lumière qui frappait le granit et le sentier de tourbe, vide et silencieux.

– Tu as des visions ! ricana Philip.

– Il y avait un homme là-bas, protestai-je. Je l'ai vu aussi

1. Pic, butte ou massif rocailleux, notamment dans le sud-ouest de l'Angleterre. *(N.d.T.)*

nettement que je vous vois. Attendez-moi ici. Je vais voir de plus près.

Je ramassai mon bâton et me levai.

– Et tu me laisses tout seul, railla-t-il. C'est comme ça que tu suis les instructions du duc ? Les fées pourraient bien m'enlever quand tu auras le dos tourné.

Je pouvais moi aussi jouer à ce jeu-là.

– Si vous avez peur, répondis-je froidement, restez le dos collé au rocher pour qu'on ne puisse vous attaquer par-derrière. Si vous avez besoin de moi, appelez. Je ne serai pas loin.

Il jura grossièrement et ajouta :

– Je viens aussi.

– Mais comment donc ! Si vous craignez de rester seul...

Sans attendre sa réponse, je m'élançai en direction des tors et attaquai en courant la pente escarpée, oubliant passagèrement mes douleurs et courbatures. Je m'arrêtai au sommet, entre les deux formations rocheuses, regardai attentivement autour de moi mais ne vis rien. Je patrouillai autour des deux buttes, m'attendant à tout instant à me trouver nez à nez avec un tueur à gages, mais il n'y en avait pas. Je jetai un coup d'œil vers l'endroit où Philip Underdown était resté, debout près des chevaux. Il haussa les épaules et étendit les bras pour me faire comprendre que lui non plus ne voyait rien. Je commençais à me demander si j'avais été victime de mon imagination.

Puis j'entendis au loin le bruit sourd des sabots d'un cheval, à peine plus qu'une infime vibration du sol. Je fis demi-tour et scrutai la lande en plissant les paupières car j'avais le soleil dans les yeux. Il était difficile de voir une chose précise mais je pensais pouvoir déceler un mouvement. De fait, après quelques secondes, un petit nuage couvrit le disque du soleil et je distinguai avec une parfaite netteté un cavalier qui galopait vers le sud, dans la direction de l'abbaye de Buckfast. Je jurai à mi-voix, maudissant la lenteur de mes réactions qui avait permis à l'homme de s'échapper. Je revins vers Philip Underdown.

– Il y avait bien quelqu'un, dis-je. Je l'ai vu qui s'éloignait au galop. J'aurais dû être plus rapide.

Philip haussa les épaules.

– Il t'aurait vu venir. Tu n'aurais pas pu l'attraper. Et rien ne dit qu'il ne s'agit pas d'un voyageur parfaitement innocent qui se reposait tout comme nous.

– Dans ce cas, pourquoi aurait-il escaladé le *tor* ? Il ne s'est sûrement pas donné tant de mal dans le seul but d'être commodément installé. Non, il nous épiait. Il nous suit certainement à distance depuis que nous avons quitté Exeter.

– Comment diable nous aurait-il dépassés sans que nous le voyions ?

– Il doit y avoir des douzaines de pistes qui sillonnent la lande et celui qui les connaît peut les emprunter sans être vu. Il était probablement en mesure de nous doubler à tout moment, s'il le voulait. Nous ferions mieux de nous remettre en route. Il faut que nous soyons à l'abri dans l'abbaye avant le crépuscule et l'obscurité tombe tôt à cette saison. S'il se trouve un autre étranger qui loge à l'abbaye, nous saurons qu'il faut être sur nos gardes.

– Je doute que les moines aient beaucoup d'hôtes à cette saison, dit Philip en se mettant en selle. Comme tu dis, les jours raccourcissent et seuls les gens contraints de voyager sont encore sur les routes du Dartmoor.

Tandis que je bataillais à l'assaut de ma monture, qui continuait de brouter, nullement gênée par mes bonds maladroits, il me vint à l'idée que mon compagnon avait été plus ébranlé qu'il ne voulait l'admettre par le récent incident. Le ton badin et ricanant avait cédé la place à une nervosité qui révélait la tension. Bien qu'il souhaitât donner l'impression contraire, Philip était préoccupé. « Pourvu que cela dure, me dis-je. Ainsi, la charge d'assurer sa sécurité ne pèsera plus uniquement sur moi. » Je priai le ciel que l'hôtellerie de l'abbaye fût vide lors de notre arrivée, de façon que nous soyons seuls à en disposer.

Ma prière ne fut pas exaucée. Quand nous franchîmes le pont de Buckfast, nous dûmes constater qu'une foule considérable avait envahi les environs immédiats de l'abbaye. Dans la grand-rue du village, je serrai la bride à mon cob et interpellai une femme penchée à sa fenêtre.

– Que se passe-t-il ? Nous espérions trouver le gîte à l'abbaye mais on dirait bien que nous allons être déçus.

– On voit que vous n'êtes pas d'ici ! s'exclama-t-elle avec le fort grasseyement des gens du Devon. C'était hier la fête de la Saint-Michel et l'abbaye est autorisée ce jour-là et pendant les deux jours qui précèdent à organiser une foire à Brent Tor[1]. Des tas de gens venus pour la foire sont encore là, en train de se remettre des effets du cidre de l'abbé. Un drôle de tord-boyau, croyez-moi ! Vous vous en apercevrez vite si vous y tâtez. Encore qu'un grand gars comme vous doive être capable de retenir sa liqueur...

Son regard hardi et admiratif glissa de ma personne à celle de Philip Underdown.

– Le compliment s'adresse aussi à vous, mon joli.

Il se mit à rire, se défaisant des soucis et de la tension de l'heure passée aussi aisément qu'un serpent se dépouille de sa peau. Dressé sur ses étriers, il s'empara de la main de la femme qu'il tira vers lui jusqu'à pouvoir plaquer sur sa joue un baiser sonore. Qu'elle lui rendit avec un entrain rieur.

Tandis que nos montures se frayaient un chemin dans la foule, je fis remarquer :

– Elle est un brin trop vieille pour vous, non ? Elle a plus que son compte de rides et, d'après ce que j'ai entrevu sous son capuchon, ses cheveux grisonnent.

Philip tourna la tête en souriant.

– Quand tu me connaîtras mieux – que le Ciel m'en préserve ! –, tu sauras que j'aime les femmes quel que soit leur âge. Il faudrait qu'une femme soit, gâteuse ou laide à faire peur pour me rebuter. Les minces, les grasses, les petites, les grandes, les jeunes et les vieilles, je les baise toutes si elles me le permettent. Et pour la plupart, elles permettent.

Je n'en doutais pas. C'était un homme sans scrupule qui prenait ce qu'il désirait ; implacable dans sa détermination de parvenir à ses fins. Il faisait bon marché de la vie et de la dignité de l'homme, comme il l'avait déjà prouvé. Sans répondre, je poussai mon cheval pour qu'il franchît la porte de l'abbaye où un frère lui assurait la garde.

– Nous sommes au service du roi, dis-je. Mon ami que voici va vous présenter sa lettre de créance. Nous avons besoin de l'asile pour la nuit.

– Vous et une demi-douzaine d'autres, marmonna le frère qui, pourtant, nous laissa entrer sans demander à voir ladite

1. Colline de 344 m d'altitude, en pierre volcanique, couronnée par la petite église de Saint-Michel qui date du XIIIe siècle. *(N.d.T.)*

lettre. Si vous êtes ce que vous affirmez, je vous conseille de solliciter le père abbé. Attendez ici, je vais voir s'il est disponible. L'hôtellerie est pleine mais il vous installera quelque part ailleurs. Probablement dans ses appartements.

Tandis qu'il s'éloignait, Philip et moi mîmes pied à terre. Alors que je me penchais pour détacher mes fontes, j'eus la nette impression que quelqu'un m'observait mais, quand je tournai la tête, toutes les personnes présentes semblaient absorbées par leurs propres affaires. L'impression persista cependant et le malaise me reprit.

4

L'abbé John Kyng était un homme affable et courtois. C'est du moins ce qui me sembla et je ne me rappelle pas avoir jamais entendu dire du mal de lui ; j'imagine pourtant que certains ne l'aimaient pas. A l'époque – nous étions en 1473 –, il était depuis presque neuf ans abbé de Buckfast et devait le rester encore pendant un quart de siècle. Érudit réputé, il avait été auparavant censeur du St Bernard's College d'Oxford et avait écrit plusieurs traités de théologie, favorablement accueillis à Rome.

Il se leva pour nous recevoir lorsque Philip et moi entrâmes dans sa cellule ; la robe blanche des cisterciens ondoyait autour de son maigre corps.

– J'ai appris que vous êtes au service du roi et que vous avez besoin d'un lit pour la nuit.

Philip me regarda :

– La chose n'est pas censée être connue, mon père. Dans son désir de nous assurer un logement, mon compagnon a péché par excès de zèle.

J'eus la bonne grâce de rougir. J'avais parlé trop vite et oublié l'indispensable prudence. Il est évident que nous aurions fort bien pu, au même titre que les voyageurs et les fêtards qui assiégeaient l'abbaye, tenter notre chance d'y trouver un abri sans attirer l'attention sur nous, comme je l'avais fait.

Sensible à mon embarras, l'abbé m'adressa un sourire rassurant.

– Le frère lai qui vous a conduits à moi termine ce soir son tour de service à l'abbaye et repart demain vers sa ferme, aux premières lueurs de l'aube. Il est de toute confiance et garde pour lui ses opinions. Vous n'avez pas à craindre qu'il répète ce que vous lui avez dit. Pour tous ceux que cela concernerait, vous m'avez apporté un message de l'évêque Bothe ; il n'y aura donc rien de surprenant à ce que je vous procure un lit pour la nuit. L'infirmerie est vide en ce moment. Je vais avertir le frère infirmier que vous y coucherez. Mais je vous conseille de souper avec nos autres hôtes. Ce qui vous donnera l'occasion nécessaire de dissiper les soupçons que pourrait susciter votre traitement privilégié. Aucun dommage irréparable n'a été commis.

– Eh bien, bravo ! me siffla Philip à l'oreille alors que nous nous dirigions vers le réfectoire où les moines commençaient à distribuer le repas du soir. J'aurais fait mieux sans toi !

Je ne répondis pas ; d'une part, je n'avais pas vraiment d'excuse à offrir ; de l'autre, j'étais toujours perplexe lorsque je découvrais que tous les hommes d'Église ne s'estimaient pas liés par la règle de la stricte vérité. Ils sacrifiaient à l'opportunisme plus souvent qu'ils n'auraient voulu le laisser croire. J'étais assez immature à l'époque pour m'attendre à un autre comportement. Après nous être alignés pour recevoir notre bol de bouillon, une tranche de pain noir et un pâle morceau de fromage au lait de chèvre, nous allâmes nous asseoir à une des longues tables à tréteaux. Je fus soulagé de constater que personne ne semblait s'intéresser à nous ou commenter le fait que l'abbé nous avait accordé un entretien, ce qui me conduisit à la conclusion que les gens sont généralement trop absorbés par leurs propres soucis pour être pleinement conscients de ce qui se passe autour d'eux.

Morose, mon compagnon se plaignait de la qualité du repas et maudissait l'insistance du duc qui nous avait obligés à prendre la route cet après-midi au lieu de partir le lendemain à la pointe du jour.

– En poussant nos montures, ajouta-t-il, nous aurions gagné Plymouth à la tombée de la nuit.

– Pas moi, répliquai-je. Et Sa Grâce pensait peut-être que vous seriez plus en sécurité hors d'Exeter. Par ailleurs, je ne vois pas ce que vous reprochez au bouillon. Il est excellent.

C'était une soupe de poissons, comme l'on pouvait s'y

attendre vu la proximité de la Dart, une rivière très poissonneuse. Les frères devaient pêcher tous les jours sur ses berges.

Philip Underdown grogna, mais ne fit pas d'autre commentaire et avala le contenu de son bol aussi vite que possible. Son humeur de nouveau s'aigrissait, ma présence étant pour lui une source permanente d'irritation. Je décidai de parler le moins possible jusqu'à la fin du repas et me contentai d'observer les autres convives. Comme nous l'avait dit la villageoise, la plupart étaient des fêtards attardés de la foire de la Saint-Michel qui se remettaient d'une consommation excessive de cidre. Demain, ils reprendraient le chemin de leurs chaumières, aux quatre points cardinaux de la lande, aussi loin parfois que Plymouth ou Exeter, pour raconter aux infortunés demeurés sur place le bon temps qu'ils s'étaient offert. L'abrutissement dû aux excès de cidre, les maux de tête, la vision brouillée, tout serait oublié. Il y avait cependant quelques voyageurs authentiques, comme nous : deux frères mendiants, des franciscains à en juger d'après leurs vêtements gris, et un homme d'âge mûr, sobrement vêtu, assis près de nous à l'extrémité de la table ; sans un mot pour ses voisins, il regardait fixement son assiette. Je le scrutai longuement du regard mais il n'y avait aucun moyen de savoir s'il était l'homme que j'avais vu dans la lande en fin d'après-midi. A un moment donné, comme s'il était conscient de mon examen, il tourna à demi la tête et posa sur moi un regard fugace sans que ses traits révèlent la moindre expression. Si moi-même et mon compagnon l'intriguions tant soit peu, il n'en montra rien.

Nous avions presque terminé notre repas quand, tout à coup, un brouhaha retentit derrière nous, comme si quelqu'un se levait maladroitement en jurant. Un instant plus tard, une main s'abattit sur l'épaule de Philip Underdown et une voix grinçante s'exclama :

– Je pensais bien que c'était toi !

Philip était en train de nettoyer son bol avec son dernier morceau de pain ; il se retourna et leva les yeux. L'homme debout près de lui était petit et râblé ; il avait des cheveux et des cils blond cendré, une barbe maigre qui tirait sur le roux et une face tannée, parcheminée, dont le trait le plus frappant était les yeux bleus très brillants. Sa tunique brune de laine grossière était sale, tachée et par endroits décolorée. Enroulée autour de son cou, une bande de tissu de lin malpropre lui tenait lieu de chemise et la main rugueuse, agrippée à l'épaule de mon compagnon, était couverte de cals. La férocité de son regard m'aurait fait reculer mais Philip Underdown, après un bref coup d'œil, revint tranquillement à son souper.

– Que veux-tu ? demanda-t-il.

– Tu sais foutrement bien ce que je veux !

L'homme se pencha jusqu'à ce que sa tête fût au niveau de celle de Philip. Son haleine rance parvint à mes narines.

– Je veux mon dû.

– Tu as reçu ton dû il y a deux ans, Silas Bywater. Je t'ai payé la même somme qu'aux autres.

– T'avais promis plus. Tu disais que si on ramenait nous-mêmes ce rafiot pourri au port, tu donnerais à chacun des hommes à bord deux anges[1] d'or. Tout ce qu'on a eu, c'est un shilling.

– Sacrés veinards ! jeta brutalement Philip, à bout de patience. Comment aurais-je pu vous donner davantage avant d'avoir vendu la cargaison ?

Il était à présent désireux de se débarrasser de cette connaissance importune. Aux tables voisines, des curieux tendaient la tête, cherchant à voir ce qui se passait. Il essaya d'une secousse de se libérer de la main plaquée sur son épaule mais sans succès.

– Fous-moi la paix !

Le dénommé Silas Bywater reprit d'une voix sifflante :

– T'avais fixé un jour, une heure et un lieu pour qu'on te retrouve, que tu puisses nous donner notre part de la somme ; mais t'es pas venu. Les autres, pauvres enfoirés, ont décidé de faire avec ce qu'ils avaient et sont rentrés chez eux à Plymouth. Certains croient même que t'as pas réussi à te débarrasser de la marchandise mais moi, je te connais mieux que ça. Je suis resté à Londres un moment, j'ai fait des recherches. C'était juste comme je pensais. T'as fait un joli petit profit. Tu t'en es très bien tiré et puis t'as disparu. T'as jamais eu l'intention de me payer ni de payer rien de plus au reste de l'équipage du *Speedwell*, espèce de bâtard !

Attiré par les voix qui montaient, un frère au visage rond se hâtait vers nous, rose d'inquiétude, éperdu.

1. Ancienne pièce de monnaie anglaise valant la moitié d'une livre, soit dix shillings. *(N.d.T.)*

– Je vous en prie, cessez immédiatement de vous chamailler, dit-il. Rappelez-vous que vous êtes dans la maison de Dieu.

– Alors, débarrassez-moi de cet imbécile ! protesta Philip. Ce n'est pas moi qui lui ai cherché querelle. Je veux simplement qu'on me fiche la paix.

– Je partirai pas d'ici avant d'avoir mon dû, gronda Silas Bywater. Deux ans que je rêve de cette rencontre et voilà que par hasard je te trouve. Quand je pense que j'étais près de renoncer à la foire ! Et ne me dis pas que t'as pas un penny ! A te voir, on comprend que t'es prospère.

– Je te l'ai dit ! rugit Philippe qui perdait son sang-froid. Tu n'auras jamais rien de moi ! Jamais ! Espèce de chien malappris ! Rampe jusqu'au chenil que tu as fui et fous-moi la paix.

Je décidai qu'il était temps de m'en mêler. Le petit moine poussait de vaines objurgations et cherchait des yeux des renforts qui ne venaient pas. Ses confrères, dans leur cellule, se préparaient pour complies ; d'autres vaquaient aux tâches qui leur étaient imparties et nul ne semblait disposé à intervenir. Je balançai mes jambes par-dessus le banc et me redressai lentement. J'étendis le bras pour arracher la main de Silas Bywater à l'épaule de mon compagnon, saisis ses deux poignets et le fis tourner face à moi.

– Laisse mon ami tranquille, dis-je d'un ton paisible, ou tu auras affaire à moi.

Il jura furieusement et tenta de se libérer mais, dans ma jeunesse, j'avais une force extraordinaire dans les mains. Il avait beau se tortiller et se contorsionner, je le maîtrisai sans grande difficulté. Finalement, il dut admettre sa défaite ; hors d'haleine après tant d'exercice, il leva les yeux vers moi. Philip s'était dressé et se tenait à mon côté, le visage empreint d'un tel dédain que je ne fus pas surpris que mon captif tentât un ultime effort pour se libérer. A sa place, si j'avais été l'objet d'un pareil mépris, j'aurais moi aussi voulu me venger de mes poings. Je serrai plus fort jusqu'à ce que j'entendisse un de ses os craquer. Silas hurla de douleur et je le lâchai ; il s'affala sur un banc et frotta son poignet blessé en déversant un flot d'imprécations. Le petit moine, horrifié, se boucha les oreilles.

Je me tournai vers Philip Underdown.

– Sortons d'ici. On nous regarde. Nous devons partir tôt demain. Il est temps d'aller dormir.

Il fit un signe d'assentiment. Je ramassai sur la table mon couteau à manche noir et, sous le banc, mon ballot et mon gourdin que j'y avais glissés au début du repas. En silence, désagréablement conscients des regards qui s'attachaient à nous, nous traversâmes le réfectoire. Nous étions à la porte quand la voix menaçante de Silas Bywater s'éleva :

– Ne crois pas que je vais en rester là, capitaine Underdown ! J'en sais de belles sur ton compte et t'as pas intérêt à ce que je les ébruite. N'oublie pas ça ! Je t'aurai, suppôt de Satan !

Il faisait déjà nuit et les cloches de l'abbatiale sonnaient le dernier office du jour. J'aurais aimé participer à l'adoration des moines mais je n'osai laisser seul mon compagnon et mon instinct me disait que Philip Underdown n'était pas un homme pieux. Bien entendu, il croyait au Ciel et à l'Enfer, comme tout le monde, mais, à mon sens, il faudrait qu'il soit à la dernière extrémité pour considérer avec sérieux l'état de son âme.

– Vous savez où se trouve l'infirmerie ? lui demandai-je.

– Non, dit-il en secouant la tête, mais il n'y a qu'à demander.

Un frère très agité car il était en retard à complies surgit de l'obscurité. En réponse à notre demande, il tendit le bras vers un bâtiment un peu à l'écart des autres et nous confirma que, pour l'instant, tous les lits étaient vides, les maux, les refroidissements et les fièvres de l'automne n'ayant pas encore choisi leurs victimes dans la communauté. Nous le remerciâmes et traversâmes la cour, moi le premier. La porte de l'infirmerie grinça légèrement quand je l'ouvris et me glissai à l'intérieur.

Il y faisait très sombre et la seule chose que je vis aussitôt fut la fenêtre cruciforme à l'autre extrémité. Mais, quand mes yeux se furent habitués à l'obscurité, je distinguai la forme d'un tréteau, placé à droite de la porte, contre le mur. Quelques secondes encore et mes doigts tâtonnants rencontrèrent ce qu'ils cherchaient : une chandelle à mèche de jonc dans son bougeoir et, à côté, un briquet. Je le saisis, le battis et l'amadou prit feu. J'allumai la chandelle et l'élevai : son faisceau flou et vacillant éclaira faiblement les deux rangées de lits qui se faisaient face sur toute la longueur de la salle. Je ne le savais que trop : la seule concession des monastères à la mauvaise santé était une mince paillasse posée sur le cadre de bois.

Philip Underdown alla tout droit vers un de ces matelas bourrés de paille qu'il tâta d'un air dédaigneux. Cependant, il ne fit pas de commentaire, songeant sans doute qu'au moins nous serions seuls et que les lits de l'infirmerie valaient mieux que le sol de l'hôtellerie de l'abbaye où nous aurions bénéficié des odeurs et bruits divers de tous les hôtes. Il ôta son pourpoint et ses chaussures, alla se soulager dans un coin de la salle, contrôla le contenu de la sacoche de cuir attachée à sa ceinture et se jeta sur un lit, tout cela sans desserrer les dents. J'en fis autant mais, avant de m'étendre, je vérifiai que mon couteau et mon bâton étaient tous deux à portée de ma main et je poussai le tréteau en travers de la porte, qui ouvrait vers l'intérieur.

Mon compagnon ricana d'un air moqueur :

– Tu ne vas pas me dire que tu as peur de cette grande gueule de Silas Bywater ! Un hâbleur, voilà ce qu'il est, ce qu'il a toujours été. Il ne me touchera pas, j'y veillerai. En fait, il n'essaiera même pas.

– Je ne suis pas disposé à courir ce risque, répondis-je en essayant de loger ma carcasse dans le cadre étroit du lit. Le duc m'a chargé de vous amener sain et sauf à Plymouth et je n'ai pas l'intention de trahir sa confiance si je peux l'éviter.

J'avais soufflé la bougie mais je n'avais pas besoin de ses rayons blafards pour imaginer l'air railleur de Philip Underdown. Je le comprenais assez à présent pour savoir qu'il méprisait des sentiments tels que loyauté et amitié. Son unique mobile était l'argent, rien que l'argent.

– Donc, vous connaissez bien les lieux où nous allons, Plymouth et ses environs.

– Qu'est-ce qui te fait croire ça ?

– Silas Bywater. C'est là que vous l'avez embauché, ainsi que l'équipage du *Speedwell*. A moins que je ne l'aie mal compris.

Après un court silence, il répondit :

– Non, mon frère et moi menions nos affaires à partir de Plymouth mais aussi de Bristol et de Londres. Nous recrutions chaque fois un nouvel équipage parce qu'il pouvait s'écouler des mois, voire une année ou plus avant que nous ayons de quoi remplir un bateau. Les nains étaient la marchandise qui rapportait le plus d'argent et, comme tu t'en doutes, elle n'était pas toujours facile à trouver. Parfois il fallait écumer le pays jusqu'au nord, jusqu'à la frontière écossaise. Nous n'aurions jamais pu garder un équipage permanent qui aurait fait le pied de grue tout ce temps.

– Mais quand vous étiez en France ou en Italie ? Vous étiez bien obligés de garder vos hommes désœuvrés.

– Ces voyages-là étaient forcément plus courts. Une question de semaines. Nous vendions notre cargaison et l'argent servait à réapprovisionner le bateau. Si on trouvait un gars comme Paolo, ce qui fut le cas la dernière fois, on se disait qu'on avait de la chance, mais la demande de nains n'a jamais été aussi forte chez nous qu'à l'étranger, surtout en Italie. Maintenant, suffit ! Je t'ai déjà dit tout ça, Dieu sait pourquoi ! Tu es là pour me protéger, pas pour fourrer ton nez dans mes affaires. Aussi, je te suggère de la boucler et de dormir.

Il se recroquevilla sur sa paillasse en me tournant le dos. Je joignis les mains derrière ma tête et levai les yeux vers le plafond. Je n'aimais pas Philip Underdown et quelque chose en lui me mettait mal à l'aise. Mais j'étais fatigué. La journée avait été longue, depuis l'aube, quand je m'étais éveillé dans une grange aux alentours d'Exeter, et loin de se dérouler comme prévu, elle m'avait mené sur la route de Plymouth en compagnie de cet homme déplaisant. Je laissai tomber un bras d'un côté du lit et mes doigts se refermèrent sur le manche rassurant de mon couteau là où il était posé sur le sol, près de mon gourdin. Mes idées sombraient ; comme Philip, je me tournai sur le côté et, nichant mon épaule dans le matelas, je répartis mes longs membres du mieux que je pus. J'étais aux frontières du sommeil lorsque mes yeux, s'entrouvrant un court instant, m'informèrent qu'il y avait à l'autre bout de l'infirmerie une seconde porte. Il s'y trouvait très probablement aussi un tréteau de ce côté, avec une chandelle à mèche de jonc et un briquet, et je savais que j'aurais dû me lever, aller voir et, si possible, bloquer également la porte. Mais quand je voulus qu'il se levât, mon corps refusa d'obéir ; tous les tendons douloureux de mes bras et de mes jambes imploraient le repos. Si je devais demain monter avec un minimum de bonne humeur ce cob bien reposé, fraîchement nourri et abreuvé dans les écuries de l'abbaye, il fallait que je dorme. Mes yeux dociles se clorent et je voguai vers l'inconscience. Philip Underdown ronflait déjà...

Je ne sais ce qui m'éveilla mais, tout à coup, j'eus les yeux grands ouverts. Impossible de savoir depuis combien de temps je dormais, assez longtemps, heureusement, pour que dans mon sommeil je me sois retourné du côté de Philip Underdown. Un homme était debout, penché au-dessus de sa forme immobile, le bras droit levé, la main armée d'un couteau. Malgré l'obscurité, je voyais l'éclat sourd de la lame.

Je fus debout avant même d'avoir conscience de ce que je faisais ; ma main droite se referma sur la gorge de l'assaillant, mon genou gauche le bloqua au creux des reins. Il poussa un cri étranglé, lâcha son couteau dont le cliquetis, quand il heurta le pavement de pierre, éveilla Philip qui se redressa aussitôt et saisit son poignard. Toutefois, avant qu'il ait pu venir à mon aide, l'homme que j'agrippais lança un coup de pied en arrière ; plus par chance que par savoir-faire, il m'atteignit dans les organes génitaux, ce qui eut pour effet de me faire lâcher prise. Quand la douleur me plia en deux, il se libéra, esquiva le poignard de Philip Underdown et s'échappa par la porte ouverte à l'autre bout de l'infirmerie. Le lourd battant claqua derrière lui ; nous étions seuls.

5

Philip Underdown voulait le prendre en chasse mais je l'en dissuadai. Il faisait encore nuit noire et il y avait peu d'espoir de rattraper quelqu'un qui avait une telle avance. Cela n'aurait servi qu'à déranger les moines, réveiller tous les dormeurs et attirer l'attention sur nous et sur ce qui venait d'arriver. Il en tomba d'accord avec mauvaise grâce, ralluma la chandelle, la plaça sur le sol entre nos lits et se rassit sur le bord du sien, en me regardant d'un air de défi. Au bout d'un moment, il baissa les yeux, ramassa le couteau qui était tombé et le retourna plusieurs fois entre ses mains. Il ne me demanda pas comment je me sentais, alors qu'il se rendait sûrement compte de ce que j'endurais.

– Qui était-ce ? fit-il. Ce répugnant pestiféré de Silas Bywater ?

Je m'étendis de tout mon long sur le matelas et me calai sur mes coudes.

– Je ne l'ai pas bien vu mais je pense que non. Il était trop grand et trop mince. Plutôt bâti comme l'homme qui nous a regardés pendant le dîner hier soir. Je crois que le duc avait raison ; le danger qui vous menace... émane de gens soucieux d'empêcher que la lettre que vous portez parvienne au duc François, en Bretagne. Et peut-être d'autres individus qui, pour des raisons différentes... souhaitent vous voir mort, ajoutai-je en hésitant.

Il haussa les épaules pour afficher son indifférence mais concéda d'un ton bourru :

– Il semble après tout que le petit frère chéri du roi ait eu raison de t'engager pour me servir de gardien.

C'était le plus qu'un homme de son espèce pouvait exprimer en fait de remerciement à qui lui avait sauvé la vie.

Il s'étira et bâilla.

– Je suis fatigué, dit-il. Je vais voir si on peut bloquer l'autre porte pour que nous puissions dormir pour de bon jusqu'à demain matin.

Il y avait effectivement un tréteau à l'autre extrémité de la salle et Philip Underdown le tira devant la porte. Les deux entrées de l'infirmerie étant désormais barricadées, nous pûmes dormir jusqu'à ce que les premières lueurs de l'aube filtrent à travers les fentes de la fenêtre. Néanmoins, mon sommeil avait été agité et ce fut avec lassitude que je tirai du lit mes membres douloureux, éveillai mon compagnon, rassemblai nos affaires et partis à la recherche du *lavatorium* de l'abbaye. Après nous être lavés à l'eau glaciale et avoir gratté de notre mieux la barbe de notre menton, nous nous alignâmes comme la veille pour recevoir un bol de bouillie d'avoine aqueuse, un morceau de pain rassis de la veille et deux gâteaux d'avoine. Du fait de nos habitudes de propreté, nous étions presque les derniers au réfectoire, la seule personne arrivée après nous étant l'étranger bien habillé. J'eus ainsi l'occasion de constater de près sa belle tenue ; cet homme calme et poli avait un long visage mince, l'air lugubre et donnait l'impression d'être affreusement timide. Mais je savais d'expérience qu'une telle apparence est parfois trompeuse. Je l'invitai à s'asseoir près de nous, curieux de ce que serait sa réaction ; il accepta aussitôt, avec plaisir, me sembla-t-il. Je m'évertuai à lancer la conversation mais il fut très discret.

J'appris de sa bouche qu'il avait passé la nuit dans l'isolement du parloir de l'abbé, ce fut pratiquement tout.

Les deux frères itinérants étaient assis en face de nous et l'un d'eux avait du mal à débiter en bouchées son quignon de pain. Levant les yeux, il demanda à l'étranger qui lui faisait face de bien vouloir lui prêter son couteau.

– Comme vous le savez, mon fils, expliqua-t-il, il nous est défendu d'en porter.

L'homme au triste visage tâta sa ceinture, hésita ; il paraissait nerveux.

– Je suis désolé, dit-il. Il semble que je l'aie égaré. Il va falloir que je demande avant de partir si quelqu'un l'a trouvé.

Philip Underdown tourna vivement la tête de son côté.

– Vous auriez perdu votre couteau ? Nous en avons trouvé un, n'est-ce pas, Roger ? Montre-le à ce gentleman. Ce pourrait être le sien.

Je me penchai, dénouai le ballot à mes pieds et sortis le couteau dont la lame était protégée par un bout de lainage déchiré au carré.

– Comme vous voyez, dis-je en le poussant vers l'étranger, c'est un bel objet. Son manche est en argent.

Il hésita et je ressentis presque avec lui la contraction des muscles de sa main lorsqu'il maîtrisa le geste impulsif de s'en emparer.

– Non, dit-il avec décision en secouant la tête. Ce couteau ne m'appartient pas. Le mien a un manche incrusté d'émail. Vous devriez confier celui-ci à la garde d'un des frères. Il a de la valeur.

« Pour que tu ailles ensuite le lui réclamer », pensai-je, convaincu qu'il en était le propriétaire. Je poussai du pied celui de Philip qui me rendit la pareille avec empressement.

– Nous veillerons à le déposer là où il convient avant notre départ, dis-je tout haut. Ce qui me fait penser que nous devrions déjà être sur la route...

J'avalai mon fond de bière, jetai un regard qui en disait long sur le gobelet toujours plein de mon compagnon et me retournai vers l'étranger.

– Est-ce la direction du sud que vous prenez ? Si oui, voulez-vous vous joindre à nous ? On est encore mieux à trois qu'à deux pour faire face aux mauvaises rencontres.

« Et ainsi, nous vous aurons à l'œil », ajoutai-je *in petto.*

– Merci beaucoup mais... C'est-à-dire que je m'en vais par le nord-ouest, vers Tavistock. C'est là que j'ai affaire. Mais que Dieu soit avec vous deux. Bon voyage !

Philip avait sifflé sa bière d'un trait et s'essuyait la bouche du revers de la main.

– C'est bien notre intention, soyez-en sûr, dit-il sèchement en se levant.

Il salua de la tête les deux frères qui levèrent la main pour nous bénir.

– Je suis prêt, me dit-il. Allons-y.

Dans les écuries de l'abbé où nous nous rendîmes, il ne restait plus qu'à seller nos chevaux, déjà nourris et abreuvés. Quand ce fut fait, nous les sortîmes dans la cour et tandis que Philip sautait en selle gaillardement, je me hissai avec peine, une jambe après l'autre, la blessure de la nuit ajoutant de nouvelles misères à celles de mes muscles et tendons raidis. Philip me regardait faire avec impatience, très désireux soudain de mettre autant de milles que possible entre nous et l'homme dont nous étions à présent tous deux persuadés qu'il l'avait assailli. Si nous pouvions arriver à Plymouth avec une bonne avance – car nous étions tout aussi sûrs qu'il nous suivrait –, nous n'aurions plus qu'à nous terrer jusqu'au lendemain, jusqu'à l'heure où le *Falcon* pénétrerait dans Sutton Pool pour embarquer Philip et le mener en Bretagne.

Tout en m'installant le plus confortablement possible sur ma selle, je me disais que nous devions être le 1er octobre et que demain serait le jour de mon anniversaire. Et de celui du duc de Gloucester. Nous aurions tous deux vingt et un ans. La similarité entre nous s'arrêtait là. Il était amiral et connétable d'Angleterre, gouverneur des marches de l'Ouest vers l'Ecosse, grand chambellan et administrateur du duché de Lancastre au-delà de la Trent. Il était aussi le plus fort soutien du roi, il était époux et il était père. Tandis que j'étais un humble colporteur, un moine manqué, et je n'avais ni parent ni ami. Néanmoins, par deux fois déjà, nos chemins s'étaient croisés. Peut-être le destin voulait-il que nos existences s'entrelacent. Ma rêverie fut brutalement interrompue par la voix rude de Philip :

– As-tu l'intention de passer la journée fiché là comme un oison empaillé ? Pour l'amour du ciel, fichons le camp !

Je baissai le nez et pressai du talon les flancs de mon cob, mais, au même instant, la porte de la cour s'ouvrit brusquement et Silas Bywater apparut. Il se précipita vers nous et saisit la bride du cheval de Philip.

– T'en as pas fini avec moi, capitaine. Te fais pas d'illusions. Tiens ! Voilà pour toi !

Il essaya de mettre de force quelque chose dans la main de son ennemi mais Philip le frappa au visage, l'envoyant rouler dans la poussière, tira sèchement sur les rênes pour faire tourner la tête de son cheval et disparut par la porte de l'abbaye en me criant de le suivre. Avant que j'aie rassemblé mes esprits et mes rênes pour m'élancer à sa suite, Silas s'était relevé et avancé près de la tête du cob. Ses traits meurtris contractés par la rage et la haine, il leva une main vers moi et cria :

– Tiens ! Tu lui donneras ça. Dis à Philip Underdown qu'un jour je le rattraperai et, ce jour-là, il connaîtra son malheur. J'en sais trop long sur lui.

De nouveau je donnai à mon cheval le signal du départ et tandis qu'il s'ébranlait, je regardai avec curiosité ce que j'avais dans la main : une tige de plante grimpante, portant par intervalles de petites touffes de fleurs blanches. Ayant vécu toute mon enfance à la campagne où j'étais né, je reconnus immédiatement une espèce commune des terres cultivées qui fleurit dès le milieu de l'été et une bonne partie de l'automne. Du fait de la répartition de ses fleurs, elle est connue sous le nom de renouée.

Nous atteignîmes Plymouth au milieu de l'après-midi, ayant chevauché plus vite et plus rudement que la veille. En d'autres circonstances, j'aurais protesté et insisté pour prendre un peu de repos ; mais notre adversaire anonyme étant probablement très près derrière nous, je n'osai pas et m'arrangeai de mon mieux de mes maux et de mes peines. Je me maudis à voix haute de n'avoir pas demandé son nom au bonhomme, mais Philip balaya mes regrets, disant que ç'aurait été vain.

– Il t'aurait donné un faux nom et en aurait changé encore en arrivant à Plymouth, si bien que tes recherches n'auraient abouti à rien. Oublie ça. Nous allons loger à *La Tête de Turc*. Le patron est un bon ami à moi, il veillera à ce que personne ne nous approche. Et il nous préviendra dès que le *Falcon* jettera l'ancre.

Je n'avais plus qu'à me taire. De toute façon, la conversation était forcément limitée : si je ne voulais pas mordre la poussière et entraver notre progression par suite d'une blessure, je devais me concentrer pour guider ma monture sur les pistes défoncées du Dartmoor. C'était une belle journée, claire et transparente comme une bulle, et le soleil d'octobre givrait de ses feux les buttes rocheuses et les hautes terres lointaines. De temps à autre, nous passions devant une ferme isolée ou un hameau minuscule, dont les demeures coiffées de chaume projetaient leurs ombres noires sur l'herbe ensoleillée. Parfois, très haut au-dessus de nos têtes, un oiseau solitaire lançait son cri plaintif. Nous rencontrâmes très peu de voyageurs et ceux-ci allaient dans la direction opposée. Personne ne nous dépassa ; je jetais régulièrement un coup d'œil en arrière mais la lande était déserte pas de poursuivants.

Nous fûmes contraints de nous arrêter à midi pour satisfaire aux exigences de la nature et pour acheter dans une chaumière du pain, du fromage et de la bière à la ménagère. Tandis que nous mangions et buvions, assis au soleil, le dos calé contre le mur de pierre rouge et rugueuse qui entourait son enclos, je montrai à Philip Underdown la tige de renouée et lui demandai ce que cela signifiait. Il la regarda un moment, puis il cracha.

– Comment le saurais-je ? Cet homme est fou à lier. Il a essayé de me la fourrer dans les mains avant que je le frappe. Tu aurais dû faire de même au lieu d'accepter docilement cette saloperie.

Sa véhémence qui frisait la fureur m'apprit que la renouée avait pour lui une signification dont il ne voulait pas qu'on la lui rappelât ; mais, comme j'avais peu d'espoir de la découvrir, j'avais intérêt à tenir ma langue. J'examinai la plante avec intérêt et tentai de me souvenir si, par chance, j'avais connaissance de ses propriétés. La seule réminiscence qui me vint à l'esprit datait de mon enfance : ma mère m'en avait retiré de la bouche un brin, que je commençais à mâchouiller, en disant : « Ne mange pas ça ; c'est du poison. » Mais les connaissances de ma mère n'étaient pas exemptes d'erreurs. Comme beaucoup de gens de la campagne, elle était extrêmement avisée dans certains domaines, mais elle était aussi victime de toutes sortes de contes de bonne femme, transmis de génération en génération et qui se chargeaient d'un peu plus d'inexactitudes lors de chaque redite. Et, ni avant ni depuis, je n'avais entendu dire que la renouée fût vénéneuse.

Soudain, Philip m'arracha la tige des mains et la jeta.

– Je t'ai déjà dit que Silas Bywater est fou ! fit-il d'un ton farouche. Oublie-le. Il ne nous embêtera plus. J'aurai quitté Plymouth avant qu'il puisse nous rattraper. Il est à pied. Il lui faudra plus d'un jour avant d'arriver chez lui.

– A-t-il dit la vérité ? demandai-je. Leur aviez-vous promis, à lui et à l'équipage du *Speedwell*, qu'ils recevraient plus d'argent ?

Je m'attendais à un nouvel accès de rage mais il ne fit que rire et hausser les épaules.

– Tu aurais promis ton âme au diable si tu avais eu à lutter contre la tempête pour remonter la Manche sur un rafiot qui prenait l'eau. Seul un fou t'aurait pris au sérieux.

Coupant court à la conversation, il se leva.

– Allez, viens. Si nous repartons maintenant, nous serons à Plymouth à temps pour le souper. A *La Tête de Turc*, la chère est ordinaire mais abondante, et j'ai faim. Rapporte les gobelets à la femme et partons.

Je n'appréciai guère sa tendance à me traiter comme un domestique mais je ravalai ma colère. Le duc comptait sur moi pour que sa lettre parvînt en Bretagne ; le reste était sans importance.

Nous atteignîmes Plymouth juste à temps pour le souper. Le quatrième coup de l'après-midi venait de retentir quand nous franchîmes les portes. La ville n'a pas de murailles, le seul péril qu'elle doit craindre étant une invasion venue de la mer ; elle en avait d'ailleurs subi plusieurs au cours des cent dernières années. Mais les quatre routes principales qui convergent sur la place mènent à des portes équipées de chaque côté de courtes palissades, si bien que les gardiens peuvent examiner les gens qui sortent de la ville ou y pénètrent et chasser les indésirables. Telle est du moins la théorie car, dans la pratique, une douzaine de sentiers permettent d'entrer dans la ville et de la quitter, et toutes sortes de coquins et de vagabonds ne se privent pas de les utiliser. La plupart des bâtiments s'élèvent sur le pourtour et à l'ouest de Sutton Pool, et *La Tête de Turc* est située dans le labyrinthe de ruelles proches du port. A l'époque, son propriétaire était John Penryn, un Cornouaillais d'au-delà de la Tamar. Taciturne, cet homme aux cheveux noirs menait son auberge en assurant à ses hôtes un bon service et sans se mêler jamais de leurs affaires. Il ne savait rien, ne voyait rien, n'entendait rien. Une seule chose lui importait : être payé en temps et heure. Un meurtre aurait-il été commis sous son toit, ni le shérif ni les officiers du comté n'auraient reçu de lui la moindre aide.

Philip Underdown le salua comme on salue un vieil ami et je crus comprendre que leur association remontait loin, à l'époque où Philip et son frère exerçaient leur commerce dans et hors la ville, et utilisaient son auberge comme quartier général. Nous passâmes devant la taverne, dont s'échappait une bruyante cacophonie, avant d'être introduits à l'étage dans une chambre de bonnes dimensions dont la porte unique donnait juste en face de l'escalier.

– Vous y serez confortablement installés, dit le patron.

Dieu sait pourquoi, je me mis aussitôt en tête que ces mots dissimulaient un sens secret. Philip Underdown fit un signe d'assentiment.

– Nous prendrons le souper et le petit déjeuner dans notre chambre, si tu n'y vois pas d'inconvénients. Je ne tiens pas à être vu plus qu'il n'est besoin au rez-de-chaussée.

John Penryn inclina la tête.

– Moll s'occupera de vos repas. C'est une brave fille qui ne plaint pas sa peine. Dois-je faire attention à quelqu'un en particulier ? demanda-t-il après une pause, la main sur le loquet de la porte.

– Les étrangers, tous les étrangers. Et surtout un homme bien vêtu, brun, au visage étroit. Et garde un œil de lynx sur Silas Bywater, si jamais il se présente ; mais, à moins qu'un roulier ne l'ait pris en charge, je doute qu'il soit de retour avant que j'aie quitté Plymouth demain. Il est allé à Buckfast pour la foire de la Saint-Michel et nos voies se sont malencontreusement croisées.

Le patron fit la moue.

– C'est donc là qu'il était. J'avais bien l'impression de ne pas l'avoir vu dans les parages la semaine dernière. C'est un provocateur-né. Un de ces jours, il dépassera les bornes. Mais ne t'inquiète pas, je veille au grain.

Il disparut et je l'entendis siffler en descendant l'escalier. Je regardai autour de moi et conclus que la chambre était probablement la meilleure dont disposait l'auberge. Il y avait deux lits – j'en fus bien heureux car je n'aurais pas aimé partager un matelas avec mon compagnon de voyage –, un grand coffre sculpté pour les vêtements et, sauf erreur, pas de puces dans les joncs sur le sol. Le souper quand il arriva était lui aussi de bonne qualité et copieux, surtout composé de poisson car nous étions vendredi. Philip ronchonna ; nous avions déjà mangé une soupe de poisson la veille au soir mais, comme moi, il était trop fatigué d'être resté tout le jour en selle pour se soucier vraiment de ce qu'il mangeait. Et quand l'aimable fille nommée Moll eut repris nos assiettes sales et nous eut apporté notre « en-cas » de pain et de bière pour la nuit, tous deux, avec un bel ensemble, retirâmes nos bottes et nos tuniques pour nous affaler dans nos lits, bénissant la douceur des matelas de plume.

Cette nuit-là, rien ne troubla notre repos et le soleil matinal filtrait autour des volets avant même que je fusse conscient d'avoir fermé les yeux. Assis au bord de mon lit, je m'étirai et bâillai tout mon soûl, songeant que je serais délivré de ma charge au cours de la journée et libre de regagner Exeter pour reprendre ma balle et ma vie quotidienne, avec l'assurance d'avoir mené à bien la mission que m'avait confiée le duc. Philip Underdown serait content lui aussi de me voir disparaître lorsque, sur le *Falcon*, il voguerait vers la Bretagne.

John Penryn avait promis de nous avertir dès qu'il verrait le *Falcon* entrer dans la Cattewater au-delà du récif de Sutton Pool. Par ce beau jour et avec une mer d'huile, on ne voyait vraiment aucune raison pour que son capitaine ne l'amenât pas dans les temps convenus. Mais la matinée s'enfuit et son éclat se ternit lentement, puis un après-midi couvert s'écoula lui aussi et le navire n'apparaissait toujours pas ; il était près de quatre heures et il serait bientôt temps de souper. De plus en plus nerveux et contrariés, Philip Underdown et moi, jetant la prudence aux orties, descendîmes vers le port pour nous assurer par nous-mêmes que le *Falcon* n'était réellement pas en vue.

– Où diable peut-il être ? marmonna Philip, les dents serrées. Le duc m'a certifié que le capitaine avait reçu ses ordres et serait là samedi avec la marée.

Je n'avais pas de consolation à lui offrir et j'étais occupé à me réconcilier avec la perspective d'une nouvelle soirée et d'une nouvelle nuit dans la compagnie indésirable de Philip Underdown. J'étais aussi tourmenté que lui par la tournure que prenaient les événements et fis brusquement demi-tour avant que mes sentiments se manifestent avec trop d'évidence. Ce faisant, je vis une silhouette se couler furtivement dans une des ruelles qui s'enfoncent entre les maisons en bordure du quai. J'eus beau faire vite, quand je scrutai la petite rue pestilentielle, au caniveau gorgé des ordures pourrissantes de la vie quotidienne, je ne vis personne. A cette heure, tout le monde soupait ; le lieu était silencieux comme la tombe.

6

Ni lui ni moi ne dormîmes bien cette nuit-là. D'abord, nous n'étions pas fatigués : après une journée passée à traîner dans notre chambre, sans autre chose à faire que manger et sommeiller, le soir nous trouva vifs et pleins d'énergie. Nous étions tous deux rompus aux rudes travaux, à une activité incessante, et cette oisiveté forcée ne convenait pas à notre constitution. Ensuite et surtout, le retard pris par le *Falcon* était un facteur d'irritation dont nous nous serions bien passés, chacun tolérant mal la compagnie de l'autre. Mais cela aussi, nous aurions pu l'endurer stoïquement – nombreuses sont les raisons qui peuvent retenir en mer un bateau –, n'eût été ma conviction croissante que quelqu'un nous avait épiés sur le quai.

J'avais commencé par m'en prendre à mon imagination surchauffée, mais plus j'y pensais et plus j'étais persuadé d'avoir bien vu un rôdeur à l'entrée de la ruelle.

– Et ensuite, où est-il allé ? demanda Philip avec l'agressivité de qui refuse de croire quelque chose. Tu as dit qu'il n'y avait personne quand tu as regardé.

– La ruelle est bordée de nombre de maisons où il a pu s'introduire.

– Rien que des taudis, grommela Philip Underdown. Un homme aussi raffiné que notre ami de l'abbaye aurait répugné à s'introduire dans l'un d'eux. Il aurait pu salir ses beaux vêtements.

Philip raillait et riait trop fort ; en fait, c'était lui qu'il cherchait à convaincre. Car il savait aussi bien que moi que si l'homme était un tueur à gages ou un serviteur des Woodville, sa belle mise et ses manières recherchées n'étaient qu'une feinte destinée à nous leurrer. Un tel homme ne serait pas rebuté par la perspective de crotter son habit.

Ces pensées, qui nous hantèrent toute la soirée, furent le thème du débat décousu mais virulent que nous eûmes dans notre chambre, sur fond de braillements et de gros rires qui montaient de la taverne au rez-de-chaussée. Ceux-ci écorchaient nos nerfs trop tendus mais le silence relatif qui suivit la cloche du couvre-feu fut pis encore. Nous finîmes la bière que la gentille Moll nous avait apportée et décidâmes qu'il était temps de dormir, sans espérer ni l'un ni l'autre y parvenir.

Curieusement, à peine la tête sur l'oreiller, je m'endormis, mais je commençai aussitôt à rêver. C'était le rêve que j'avais fait un mois plus tôt à l'hôpital de St Cross, à Winchester. De nouveau je sentis le vent frôler mon visage tandis que j'avançais lentement sous les arbres aux ramures entrecroisées, je vis le croissant de lune émerger des nuages, je sentis sous mes pieds le sentier pierreux. Et la même folle terreur s'empara de moi quand je butai contre le corps...

Je m'éveillai paniqué, trempé de sueur, ignorant où j'étais. Puis, m'arrachant à mon lit, je traversai la pièce pour ouvrir les volets qui donnaient sur la cour, derrière l'auberge, et j'aspirai à grands coups l'air marin.

– Qu'y a-t-il ? Qu'est-ce qui se passe ?

Je tournai la tête : Philip avait déjà les pieds par terre, son poignard serré dans sa main droite.

– Rien, dis-je, convaincu de ma stupidité. Un cauchemar, c'est tout. C'est un mal dont je souffre depuis que je suis enfant.

Mon explication n'était pas vraiment exacte, mais je sentais que si je disais la vérité, à savoir que mes rêves sont souvent des aperçus du futur, je m'exposerais plus encore à son dédain et à son mépris. Avant de se recoucher, il exprima d'ailleurs sa dérision :

– C'est la mauvaise conscience, peut-être, suggéra-t-il avec un rire méchant.

– Peut-être.

Je n'étais pas d'humeur à en débattre. Je me penchai pour refermer les volets quand je remarquai pour la première fois le mince croissant de lune posé au-dessus des cheminées de la ville. Une peur prémonitoire m'empoigna de nouveau et je frissonnai. La brise qui s'était levée soufflait du port. Alors que j'attrapais le second volet, j'entendis un grincement au-dessous de moi. En me penchant, je vis que les volets de la chambre juste sous la nôtre se balançaient librement sur leurs gonds. Quelqu'un les avait forcés pour pénétrer dans la maison.

– Il est là, murmurai-je à Philip d'une voix hachée. Il est dans l'auberge ! Il est trop tard pour demander de l'aide ou pour essayer de le piéger. Poussons un lit devant la porte.

Je n'eus pas à le lui dire deux fois ! Pendant que nous manœuvrions le lit, une marche de l'escalier gémit de façon révélatrice. Elle se situait à peu près au milieu de l'escalier ; la veille, quand nous étions remontés dans notre chambre, j'avais remarqué ses planches disjointes. Quelques secondes plus tard, le loquet de la porte de la chambre se souleva doucement, la porte s'entrouvrit vers l'intérieur, aussitôt arrêtée par l'obstacle inébranlable du lit. Il y eut une pause, puis un nouvel essai ; suivirent un juron étouffé et le bruit de pas qui battaient rapidement en retraite dans l'escalier. Je me précipitai à la fenêtre et me penchai dans l'espoir d'apercevoir l'intrus mais il sortit par la porte de devant, qu'il laissa grande ouverte, comme nous le découvrîmes quand nous descendîmes pour chercher des secours.

Tiré de son sommeil, John Penryn se confondit en excuses ; elles reprirent de plus belle quand on découvrit que la barre des volets du bas n'avait pas été mise, négligence dont notre ennemi avait tiré parti. Il avait dû rôder autour de l'auberge, essayant tour à tour portes et fenêtres. N'eussé-je pas été éveillé, l'épisode de Buckfast se serait reproduit et l'issue, cette fois, aurait peut-être été fatale.

Après avoir réintégré notre chambre – Philip se coucha dans mon lit et moi dans le sien que nous replaçâmes en travers de la porte –, je réfléchis longtemps. L'intrus de cette nuit était-il Silas Bywater qui, grâce à la complaisance d'un charretier, s'était débrouillé pour être à Plymouth avant l'heure probable de son retour ? Ou bien était-ce notre agresseur de l'abbaye et, si oui, qui était-il et que voulait-il ? Était-ce un agent des

Woodville ? Dans ce cas, la mort de Philip l'intéressait plus que la lettre qu'il portait. Ou travaillait-il pour les dissidents lancastriens, dont l'objectif essentiel devait être d'empêcher que le duc François de Bretagne ne retire son soutien à Henri Tudor ? Et pour cela, il fallait faire en sorte que la missive de conciliation du roi Édouard n'arrive pas.

Il y avait évidemment une troisième possibilité : l'intrus de cette nuit n'était ni Silas ni le gentleman de Buckfast, mais un agresseur tout différent qui, lui aussi, pouvait être un agent soit des Woodville, soit des Lancastre... La tête me tournait. Malgré moi, je m'endormis.

Quand je m'éveillai, ni reposé ni détendu, Philip était debout et habillé. Moll frappait à notre porte, disant qu'elle apportait l'eau pour nous raser et le petit déjeuner, mais qu'elle ne pouvait entrer. J'enfilai en vitesse mes bottes et ma chemise et j'aidai mon compagnon à remettre le lit à sa place habituelle.

Nous nous rasâmes d'abord, avant que l'eau refroidît, mais mon couteau à manche noir ayant besoin d'être affûté, j'avais presque autant de poil au menton après qu'avant. Philip, lui, se coupa deux fois. Nous mangeâmes peu car l'inquiétude et les incertitudes qui pesaient sur le jour à venir nous avaient coupé l'appétit. De plus, c'était dimanche et les cloches de l'église appelaient déjà les fidèles à la messe.

L'état de nos nerfs était tel après les péripéties de la nuit qu'un coup vif frappé à la porte de la chambre nous fit sursauter tous les deux. Ce n'était que John Penryn.

– Il y a en bas un homme qui te demande en personne, annonça-t-il à Philip. Il m'a dit de te donner ça.

Philip prit la plaque d'argent que le patron lui tendait et la posa sur son lit avec un soupir de soulagement. De l'endroit où j'étais assis, je pus seulement voir qu'elle était gravée d'un blason.

– Fais-le monter, dit-il, c'est un messager du roi, comme moi.

Je me levai.

– Si vous pouvez nous trouver dans la taverne un coin discret où l'on ne pourra nous entendre, nous allons descendre, dis-je en soutenant calmement le regard furieux de Philip. Grand nombre est synonyme de sécurité. Il est sûrement possible de voler une de ces plaques ou de l'obtenir par de vils moyens. Si le patron et deux de ses hommes peuvent demeurer à portée de voix, je serai plus tranquille.

John Penryn m'apporta son soutien mais, en l'occurrence, notre prudence était inutile. Dès que Philip eut posé les yeux sur l'homme, il l'interpella familièrement.

– Simon Whitehead ! Qu'est-ce qui t'amène à Plymouth ?

Petit et trapu, les cheveux blancs à force d'être blonds et les cils presque invisibles, le nouveau venu, installé par le patron dans l'angle de la taverne le plus éloigné de la porte, nous fit signe de nous asseoir tous les deux face à lui. Trois mazers de bière nous y attendaient ainsi qu'un plat de gâteaux d'avoine. John Penryn et les deux garçons de cabaret furent congédiés ; assurés qu'aucun danger ne menaçait, ils repartirent vers leurs besognes matinales.

Simon Whitehead me désigna d'un signe de tête

– Qui est-ce ? demanda-t-il d'un ton suspicieux.

– Tout va bien. C'est l'homme du duc de Gloucester, répondit Philip qui sentait sans doute qu'une explication plus poussée prendrait trop de temps. Tu peux parler devant lui. D'où viens-tu et comment as-tu appris que j'étais ici ? Tu es manifestement venu pour me voir.

– Je m'occupais des affaires du roi à Falmouth quand la nouvelle est arrivée que le comte d'Oxford avait investi le St Michael's Mount[1]. Il y a trois jours, le dernier jour de septembre.

Ignorant nos exclamations consternées, Simon puisa des forces dans son mazer et poursuivit :

– Apparemment, il a jeté l'ancre dans la baie du Mont. Lui et ses partisans – pas plus d'une centaine d'hommes en tout, si mes informations sont fiables –, déguisés en pèlerins avec des manteaux et des chapeaux à large bord, ont attendu la marée basse pour traverser à pied la chaussée, hardis comme des lions. Ils ont dit qu'ils étaient revenus ensemble de Terre sainte par la voie des mers – ce qui doit être vrai, je pense – pour faire leur offrande au reliquaire.

1. Il s'agit du monastère construit vers 1150 par l'abbé Bernard du Mont-Saint-Michel de Normandie, sur une île dans la Mount's Bay, à l'extrême pointe sud-ouest de Cornouailles. Saisi par la couronne d'Angleterre en 1425, St Michael's Mount fut un point stratégique jusqu'au XVIIe siècle. *(N.d.T.)*

Simon grogna d'exaspération.

– On les a laissés entrer sans leur poser d'autres questions ; sitôt après avoir pénétré dans la cour supérieure, ils ont rejeté leurs manteaux, tiré leurs épées et le tour était joué. Ils ont expulsé les moines et la garnison, et lancé des incursions dans les villages voisins pour trouver des victuailles. Il va sans dire qu'ils essaieront de fomenter une insurrection mais je serais surpris qu'ils y réussissent. Quelques mécontents, peut-être, mais pas beaucoup de monde. Néanmoins, Sir Henry Bodrugan et le shérif, Sir John Arundel, ont ordonné que tous les bateaux présents dans la zone demeurent pour l'instant où ils sont jusqu'à ce que les messagers dépêchés à Londres aient informé le roi de ce qui s'est passé et pris ses instructions. Bien entendu, cet ordre concerne le *Falcon* qui, jeudi, était à l'ancre en rade de Falmouth. En fait, il y est toujours, dans l'attente des événements. Heureusement, le capitaine savait que je logeais en ville. Le lendemain, lui-même est venu en barque jusqu'à la côte pour me demander de te porter de toute urgence un message et te prévenir de son retard. Il pense, comme moi, que le roi Édouard va lui donner aussitôt l'ordre de poursuivre sa mission mais, tant qu'il n'a pas reçu effectivement ces ordres, le capitaine n'ose pas désobéir à Sir Henry ou à Sir John.

– Et en attendant ? demanda Philip Underdown.

Sa voix était rauque et ses yeux trahissaient la peur. Simon Whitehead avala une lampée de bière et prit un gâteau d'avoine.

– Tu restes ici, fit-il en haussant les épaules. Tu es bien logé à *La Tête de Turc* et John Penryn ne posera pas de questions. Ce sera probablement l'affaire de quelques jours.

– Non ! hurla Philip en reposant son mazer sur la table avec une telle violence que son vis-à-vis sursauta. Je ne reste pas ici. On a déjà essayé deux fois d'attenter à ma vie ces deux dernières nuits ; je ne vais pas attendre ici passivement la troisième.

Le patron, qui veillait lui-même à nos besoins, entendit la dernière phrase alors qu'il avançait vers notre table avec un second pichet de bière.

– Il y a toujours les caves, rappela-t-il à Philip et, comme celui-ci secouait la tête avec véhémence, il ajouta : Pas un seul fantôme ! Juste la meilleure bière et le meilleur vin disponibles de ce côté de la Tavy !

– Et des droits impayés d'un côté comme de l'autre, je parie, plaisanta Simon Whitehead en souriant.

John Penryn lui rendit son sourire niais ne fit pas de commentaire. Il se contenta d'interroger Philip du regard.

Mon compagnon fut inflexible :

– J'ai dit non. Je ne vais pas aller me claquemurer là en bas, dit-il avec un frisson à peine perceptible. Pourquoi devrais-je endurer une telle épreuve ?

– Alors, restons dans notre chambre jusqu'à ce que le *Falcon* jette l'ancre dans la Cattewater, dis-je. Nous pouvons tirer un lit devant la porte, comme nous l'avons fait la nuit dernière, et ne répondre à aucun appel, excepté ceux de Moll et de Maître Penryn. Nous serons suffisamment protégés pour être à l'abri de toute intrusion.

Mais je dois reconnaître que je présentais cette suggestion à contrecœur. Cinq jours, six peut-être, en tête à tête avec Philip Underdown dans ce qui serait virtuellement une prison, c'était plus que je ne pouvais envisager avec sérénité. Il faudrait au moins ce temps pour que les messagers du shérif, en admettant même qu'ils chevauchent jour et nuit, atteignent Londres et le roi, et rapportent sa réponse. Et quand tout cela serait fait, il faudrait encore que le *Falcon* remonte la côte jusqu'à Plymouth.

Je fus presque soulagé d'entendre Philip s'écrier :

– Non ! Je ne supporterai pas ça ! Est-ce que tu retournes à Falmouth ? demanda-t-il en regardant Simon Whitehead.

Le messager jeta un coup d'œil de biais vers le patron qui se retira avec circonspection, laissant le pichet de bière sur la table. Simon remplit son mazer et répondit :

– Il le faut. J'ai des affaires en attente là-bas. Pourquoi ? Que veux-tu que je fasse ?

– Que tu portes un message au capitaine du *Falcon*. Dis-lui que je serai de retour à Plymouth dans une semaine à compter d'aujourd'hui. D'ici là, j'ai l'intention de me cacher au manoir de Trenowth, de l'autre côté de la Tamar. Roger et moi partirons cette nuit et prendrons le bac. Ensuite nous marcherons vers le nord sous le couvert de la nuit et serons à Trenowth pour le petit déjeuner.

Je fronçai les sourcils.

Et quelle histoire comptez-vous raconter au maître de maison pour obtenir de passer huit jours sous son toit ? demandai-je. Le temps n'est pas encore assez rude pour fournir un prétexte.

– Je dirai la vérité à Sir Peveril. Lui et son épouse sont des partisans indéfectibles de la maison d'York. Ils ne nous feront pas défaut.

Simon Whitehead mordillait sa lèvre inférieure.

– J'ai appris que Sir Peveril et Lady Trenowth sont à Londres depuis le mois d'août et ont l'intention d'y rester jusqu'à l'hiver.

– Encore mieux ! Nous allons concocter une histoire pour convaincre les serviteurs ; de toute façon, ils ne poseront pas trop de questions. A cette saison, quand les ménestrels, les jongleurs et les acrobates prennent leurs quartiers d'hiver, l'existence devient fastidieuse dans les manoirs. Ils se réjouiront d'avoir de la distraction et les femmes seront ravies de voir arriver un joli garçon comme Roger !

Le sourire subit de Philip découvrit largement des dents dont sa peau tannée rehaussait la blancheur.

– Et bien sûr, quel que soit leur âge, je serai charmé de laisser les dames libres d'user de moi.

– Connaissez-vous bien le manoir de Trenowth ? demandai-je à Philip, nullement heureux du rôle qu'il esquissait pour moi. Il me semble que c'est prendre un risque insensé alors que *La Tête de Turc* nous garantit une sécurité acceptable.

Simultanément pourtant me revenait le souvenir de mes appréhensions antérieures et je me rendis compte que je n'étais pas si hostile à cette idée que je l'avais d'abord pensé.

– Je connais toute cette région aussi bien que les environs de ma ville natale. Je croyais t'avoir dit que mon frère et moi avions travaillé à Plymouth pendant des années.

Philip croisa les mains, les posa devant lui sur la table, nous défiant du regard, Simon Whitehead et moi.

Simon Whitehead termina sa bière.

– Pour moi, que tu attendes ici ou là, peu importe. Je vais bien sûr porter ton message au capitaine du *Falcon* ; cela fait, mon rôle dans cette affaire sera terminé. Et maintenant, il faut que je mange, me repose, et trouve un cheval frais avant de repartir pour Falmouth cet après-midi. Dieu soit avec vous.

Il nous salua tous deux d'un bref mouvement de la tête avant de quitter la table et de partir à la recherche de John Penryn. Mon compagnon et moi restâmes seuls.

– Qu'est-ce qui vous fait croire que nous ne serons pas suivis jusqu'au manoir de Trenowth ? demandai-je. Notre gentilhomme inconnu s'est révélé très persévérant.

– Comme je l'ai dit, il fera noir. Il y a de nombreuses issues pour sortir de cette ville et John Penryn les connaît toutes. Moyennant rémunération, lui et deux de ses hommes viendront avec nous jusqu'aux faubourgs et s'assureront que nous ne sommes pas suivis. Tu peux lui faire confiance.

– Et nos montures ? Après le couvre-feu, deux chevaux dans les rues ne manqueront pas d'attirer l'attention du guet.

– On emmitouflera leurs sabots et Penryn connaît l'heure du passage de la patrouille dans chaque rue. Le guet ne peut être partout à la fois, sans cela pas un criminel ne serait en mesure de gagner honnêtement sa vie.

Il sourit à sa plaisanterie et vida le fond du pichet dans son mazer.

– Tu es trop innocent, l'ami. On voit que tu n'as jamais eu affaire à des criminels.

Je m'abstins de l'éclairer sur ce point et demandai simplement :

– Et comment allons-nous faire pour prendre le bac ?

– Nous réveillerons le passeur et balancerons nos bourses sous son nez. Avec de l'argent, il nous fera passer sans tarder. Et maintenant, puisque nous devons voyager toute la nuit, je propose que nous nous reposions un peu. Il le faut si nous voulons être à Trenowth demain matin.

7

Sitôt qu'il fit noir, nous quittâmes l'auberge avec John Penryn. Un de ses hommes nous précédait pour vérifier que le guet ne patrouillait pas dans les rues ; un autre suivait à distance afin de vérifier que nul ne nous avait pris en filature. Tel était du moins l'objectif. Pour ma part, je n'étais pas convaincu qu'un caviste fût apte à détecter la présence d'un traqueur de métier qui, par nécessité, savait se rendre invisible et bénéficiait du couvert de la nuit. Toutefois, Philip Underdown paraissait tout à fait satisfait, si bien que je me tus.

Après deux jours sans exercice, nos chevaux étaient tout fringants ; oui, même mon bourrin si placide, mais ils s'apaisèrent rapidement, ayant tôt fait de sentir, à la manière des animaux, l'humeur des hommes qui les entouraient. Une fois leurs sabots emmitouflés de bandes de chiffon entortillées, ils devinrent dociles et se comportèrent tous deux à notre convenance tandis que Philip et moi les menions à travers le lacis des ruelles qui conduisaient aux faubourgs de la ville. Il y eut pourtant un léger incident quand nous passâmes devant une écurie. Naseaux frémissants, le gris pommelé leva subitement la tête et hennit. Philip jura, tira violemment sur les rênes, rétablissant le silence, mais, un peu plus loin, les volets d'une maison s'étaient ouverts tout grands et la tête et les épaules d'une femme s'encadrèrent avec netteté dans l'embrasure de la fenêtre. Elle se pencha.

– Qui va là ? cria-t-elle.

– Ne réponds pas, me souffla Philip à l'oreille. Continue d'avancer.

John Penryn acquiesça tout bas :

– Elle ne fera pas d'histoire. Ce n'est pas un quartier respectueux de la loi.

Dix minutes plus tard, nous sortions de Plymouth et débouchions dans les champs, loin des portes et de leurs gardiens. Le patron et ses hommes prirent congé de nous ; ils nous souhaitèrent bonne chance et repartirent par où nous étions venus. Philip et moi montâmes à cheval et nous prîmes vers l'ouest, en direction de la chaumière du passeur, sur les rives de la Tamar. Le temps était sec, la nuit tranquille, le ciel semé d'étoiles, et le croissant de lune que j'avais observé aux premières heures du matin luisait bas dans les cieux. Un frisson parcourut mon épine dorsale ; j'étais de nouveau la proie de la peur et du pressentiment.

Au bac, tout se passa comme Philip l'avait prévu. Tiré du sommeil, furieux, grossier, le passeur commença par nous agonir, nous et nos ascendants, de toutes les insanités à sa disposition. La bourse pleine que Philip exhiba et la promesse d'un shilling s'il nous faisait passer la rivière, nous et nos chevaux, tarirent subitement ce torrent d'injures. Un shilling représentait pour lui le gain de plusieurs jours de travail : l'homme disparut dans sa chaumière et reparut quelques minutes plus tard, vêtu de pied en cap.

D'après mes calculs, il était minuit passé car nous avions dû couvrir six ou sept milles vers le nord-ouest depuis la ville. Le passeur exigea de nous faire traverser l'un après l'autre, ce qui accroîtrait notre retard.

– Un homme, un cheval, annonça-t-il de sa voix hargneuse. C'est pour votre sécurité.

Nous y consentîmes à contrecœur.

– Je passe le premier avec le cob, dis-je. L'attente me rendrait nerveux.

– Tu veux dire que tu me soupçonnes de filer sans t'attendre si je passe le premier ! dit Philip en riant. Ne t'inquiète pas. Je n'ai pas l'intention de déguerpir. Je commence à m'habituer à t'avoir sans cesse dans mes jambes.

Je n'étais pas sûr de pouvoir le croire et, de toute façon, il y avait du vrai dans ce que j'avais dit. J'avais déjà traversé en bac bien des rivières mais jamais encore en compagnie d'un cheval et, bien que le cob fût solidement attaché, j'étais pourtant très nerveux. Mon soulagement fut considérable quand je retrouvai sous mes pieds le contact de la terre ferme ; à mon avis, le cob éprouvait le même sentiment. Il flaira mon visage avec affection quand le radeau repartit chercher Philip et sa monture. Je regardai autour de moi.

Pour autant que je pouvais en juger dans l'obscurité, nous étions sur une mince langue sablonneuse qui avançait sur quelques yards dans la rivière. Derrière s'étendait une petite plage et, au-delà, la lande s'élevait doucement jusqu'à une zone boisée, la lisière des forêts qui couvrent cette partie de la Cornouailles. La rivière se rétrécissait à cet endroit – les chevaux ne pouvaient cependant la traverser à la nage – et clapotait entre les berges sous l'effet de la marée descendante. S'élevant à pic, la rive opposée formait une falaise où des arbres et des arbustes chétifs s'agrippaient à leur socle précaire, exposés aux coups du vent debout qui devait battre la côte tout l'hiver. Même par cette nuit calme, ils oscillaient légèrement au rythme de la brise ; on eût dit qu'ils saluaient et faisaient leur révérence ; des formes plates et noires se profilaient sur l'horizon faiblement lumineux.

Soudain je me raidis, mes doigts se crispèrent sur les rênes de mon cob : il y avait certainement eu quelqu'un là-haut, sur la falaise, qui se tenait parfaitement immobile et suivait la scène en contrebas. Je concentrai mon regard, tâchant de voir dans les ténèbres environnantes. Mais il n'y avait rien que les arbres et les buissons malmenés par la brise. Je scrutai longtemps la falaise à la recherche d'un mouvement révélateur, m'efforçant de ne pas ciller jusqu'à ce que l'irritation de mes yeux me forçât à abandonner. Tout en me reprochant ma nervosité croissante, qui me faisait imaginer des dangers là où il n'y en avait pas, je continuai de surveiller la falaise lointaine, pas vraiment convaincu que je m'étais trompé.

Le radeau effectuait sa lente traversée de la rivière ; le passeur barrait adroitement, tenant compte du courant rapide, et déposa Philip et son cheval gris, sains et saufs, sur le sol de Cornouailles. L'homme tendit la main pour recevoir son argent ; quand ce fut fait, nous montâmes à cheval et dirigeâmes nos montures vers la côte. Philip se retourna :

– Rappelle-toi : si quelqu'un te questionne, tu ne nous as pas vus. Personne n'a traversé cette nuit. Compris ?

Le passeur marmonna ce qui pouvait être pris pour un assentiment, dont mon compagnon parut se contenter. Pour ma part, j'étais dubitatif : si quelqu'un lui offrait assez, le passeur nous trahirait sans scrupule de conscience. Je m'en ouvris à Philip tandis que nous quittions la berge en direction des forêts.

– C'est un risque à courir, fit-il avec un geste fataliste. Il peut craindre aussi notre vengeance si nous revenions par là. Ça valait le coup de l'avertir.

Je me demandais si j'allais lui dire qu'à mon avis un spectateur avait déjà observé notre traversée ; mais j'étais si peu sûr d'avoir vu cet éventuel témoin que je décidai de rester bouche cousue. De toute façon, j'allais redoubler de vigilance, au cas où mes yeux ne m'auraient pas trompé.

Avant l'orée de la forêt, nous tournâmes pour emprunter un sentier qui longeait la rivière sur une certaine distance, puis s'enfonçait dans les terres, là où les arbres leur cédaient la place. Je fus profondément soulagé ; j'avais craint que Philip n'eût l'intention de suivre des layons forestiers qui, s'ils vous dissimulent efficacement, sont infestés de hors-la-loi et de brigands. J'avais envisagé de protester, sûr d'avance qu'il prétendrait connaître ces campagnes comme le dos de sa main et que quelques meurtriers et voleurs n'étaient pas pour l'intimider ; les choses ayant tourné différemment, je me réjouis de n'avoir pas prêté le flanc au ridicule. J'étais déjà bien assez inquiet de la situation présente et, pour me rassurer, je tâtais souvent ma cape de Plymouth, placée en travers du pommeau de ma selle.

Nous chevauchions à une allure régulière, évitant autant que possible les hameaux et les groupes de chaumières étirés en longueur. A droite, le fleuve coulait vers la mer, à gauche, les ondulations de la forêt luxuriante empiétaient sur les champs et les bandes labourées, à peine visibles, de très petites exploitations. C'était une terre féconde, comme le Devon voisin ; en plein jour, la végétation opulente submergeait l'œil. Nous fîmes deux haltes pour nous restaurer, grâce aux provisions que John Penryn nous avait fournies pour le voyage ; une fois dans un fourré d'ajoncs, la seconde dans une hutte de pierre depuis longtemps abandonnée par quelque chevrier ou berger. Nos propos rares et intermittents avaient pour thème les réactions probables du roi aux événements du St Michael's Mount.

– N'auriez-vous pu attendre de trouver un autre navire pour vous mener en Bretagne ? lui demandai-je.

– Et tomber dans les filets de lancastriens déguisés en honnêtes pêcheurs ou en négociants ? repartit Philip, caustique. Non ! J'attendrai le *Falcon*.

Je ne l'écoutais que d'une oreille car l'autre guettait sans relâche le pas tranquille du cheval de notre poursuivant. Mais je n'entendais rien que le bruissement de la brise à travers les bois lointains et le murmure apaisant de l'eau vive.

D'après Philip, nous étions à un mille de Trenowth quand nous nous arrêtâmes pour la troisième et dernière fois ; ayant mis pied à terre, nous conduisîmes les chevaux au bord de la rivière pour nous laver le visage dans l'eau glacée. Pendant que les animaux assoiffés buvaient à longs traits, nous nous efforçâmes de nous débarrasser de notre barbe de la nuit et de brosser nos vêtements fripés et maculés par le voyage. Il faisait presque jour et le temps serait beau. La brume du petit matin se levait, nous enveloppant de fils de soie tournoyants ; ses volutes flottantes et nonchalantes semaient ici et là des perles dorées et tremblantes. Puis le soleil parut, irisant les nuages, et la brume se dispersa, laissant la terre humide exhaler sa buée.

Philip bâilla et s'étira.

– Je ne serai pas fâché d'avoir un déjeuner dans le ventre, dit-il. Espérons qu'il sera chaud et abondant.

Je partageai ce vœu. Mon estomac affamé gargouillait malgré les pâtés de viande froide que nous avions avalés moins de deux heures plus tôt. Je conduisis le cob jusqu'en haut de la rive et contemplai le chemin parcouru, le sentier où alternaient maintenant les zones de soleil et les taches d'ombre. J'y demeurai un moment, parfaitement immobile, mais il n'y avait rien à entendre que le chant des oiseaux, rien à voir que leurs ébats dans les arbres.

Sur un vaste plateau qui surplombe les rives boisées du fleuve, le manoir de Trenowth domine de haut la Tamar. La demeure de Sir Peveril et de Lady Trenowth est construite autour d'une cour intérieure ; ses murs de granit gris aux ouvertures étroites offrent au monde extérieur un aspect sévère mais les portes et fenêtres qui ouvrent sur la cour sont plus avenantes. En gravissant la pente raide qui mène à la loge de garde, nous constatâmes que les domestiques étaient déjà dehors ; le portail était grand ouvert et deux hommes déchargeaient des sacs de farine qu'un chariot avait dû transporter depuis le moulin à blé. Philip s'approcha d'eux.

– Votre maître est-il chez lui ? Dites-lui que son vieil ami Philip Underdown souhaite le voir.

Il avait parlé avec tant d'assurance que j'étais presque tenté de croire qu'il disait vrai et ne vis rien d'étonnant à ce que les deux hommes abandonnent aussitôt leur besogne, prêts à satisfaire ses vœux.

– Le maître est pas chez lui, monsieur, dit l'un d'eux en portant la main à son front.

– La maîtresse non plus, ajouta l'autre, confirmant ainsi les dires de Simon Whitehead.

– Y sont montés à Londres, reprit le premier, manifestement irrité par l'intervention de son compère qu'il regarda de travers. Service du roi, ajouta-t-il en se rengorgeant. L'a dit qu'ils seraient pas de retour avant longtemps.

J'avais craint qu'ils ne parlent que le cornouaillais mais les voyelles grasses et traînantes de leur parler rappelaient l'accent du Devon, de l'autre côté de la Tamar, et l'anglais était manifestement leur langue maternelle.

– Oh ! s'exclama Philip, l'air perplexe, comme s'il avait à faire face à une situation inattendue. Que c'est fâcheux ! Mon domestique et moi sommes sur les routes depuis plusieurs jours et nous comptions nous reposer un moment à Trenowth, mais dans ces conditions...

Un petit haussement d'épaules éloquent suivit sa phrase inachevée. Puis il se tut.

– Attendez-moi ici, monsieur, ordonna l'aimable compère, je vais vous chercher tout de suite l'intendant Alwyn.

Il partit en courant et revint quelques minutes plus tard accompagné de l'intendant, un individu grand, mince, un peu chauve déjà et la silhouette légèrement voûtée, comme s'il s'inclinait en permanence pour mieux entendre les requêtes de chacun. Ses yeux d'un bleu transparent m'effleurèrent avant de s'arrêter sur Philip, ce qui prouvait combien ce dernier avait eu raison de nous présenter comme maître et serviteur.

A présent certain que Sir Peveril ne pourrait revenir chez lui et le confondre, Philip réitéra son histoire avec plus de superbe encore. Faisant effort pour se rappeler son nom, l'intendant fronça légèrement les sourcils.

– Vous dites, monsieur, que vous êtes un ami de mon maître ?

– Un ami de Londres. Lui et Lady Trenowth m'ont souvent pressé de séjourner chez eux si jamais je passais par cette région de Cornouailles.

Philip mit pied à terre et entraîna Alwyn à l'écart. Je suppose qu'il lui montra sa plaque de créance, semblable à celle que portait Simon Whitehead, car je vis luire un éclat argenté et l'entendis murmurer « service du roi ».

L'intendant parut impressionné et le fut plus encore, j'imagine, lorsque Philip lui fit jurer de garder le secret.

– Entrez, monsieur, et demeurez ici aussi longtemps que vous voudrez. Mon maître et ma maîtresse ne me pardonneraient pas si je faillissais à l'hospitalité due à leurs amis. Sir Peveril sera navré de vous avoir manqué.

Il nous précéda sous le portail de la loge de garde où les sabots de nos montures firent gravement sonner les pavés, et nous demanda d'attendre pendant qu'il partait à la recherche de la gouvernante. Pendant son absence, j'observai les lieux.

Deux ailes de la cour, celle qui nous faisait face et celle à notre gauche, comprenaient deux étages ; c'étaient donc les quartiers d'habitation de la famille. Il y avait là tout l'espace nécessaire à une vaste nichée d'enfants, mais j'appris plus tard de la bouche de la gouvernante que le ciel n'avait pas béni Sir Peveril et Lady Trenowth d'une telle faveur. La buanderie et la laiterie se trouvaient d'un côté de la loge de garde, la boulangerie de l'autre, et l'on voyait par leurs portes ouvertes s'activer les domestiques. L'absence du maître et de la maîtresse n'entraînait apparemment aucun laisser-aller, fait qui témoignait que les serviteurs étaient satisfaits et bien traités. D'après une odeur délicieuse provenant d'une porte ouverte à l'angle droit de la cour, la cuisine n'était pas loin et, selon la coutume, l'office devait lui être mitoyen. Le bâtiment bas à notre droite était donc vraisemblablement le quartier des domestiques.

L'intendant revint, très agité, et nous pria de l'excuser de nous avoir fait attendre. En l'absence de Sir Peveril et de Lady Trenowth, il assumait l'entière responsabilité de la vie quotidienne au manoir.

– J'ai parlé à Janet Overy, dit-il, et elle fait préparer vos lits. Vous disposerez de la chambre d'invité, voisine de celle de Sir Peveril, Maître Underdown, et l'on y installera pour votre domestique un lit bas à roulettes. A moins, bien sûr, que vous ne souhaitiez qu'il dorme dans le quartier des serviteurs ou à la cuisine.

Je lançai à Philip un coup d'œil véhément : qu'il ne s'avise pas d'opter pour l'une ou l'autre des dernières propositions ! Je voyais qu'il en était tenté et, si les événements récents ne l'avaient tant ébranlé, il l'aurait fait, poussé par un sens pervers de l'humour. Les choses étant ce qu'elles étaient, il répondit tranquillement :

– Mon domestique dormira avec moi.

– C'est ce que Maîtresse Overy et moi pensions, opina Alwyn.

Une porte s'ouvrit dans le bâtiment des domestiques.

– Ah ! Voici Maîtresse Overy. Je vous laisse pour le moment entre ses mains compétentes. Faites-moi appeler lorsque vous serez installés. Je dois vous quitter. En l'absence des maîtres, il me faut veiller à tout.

L'air imbu de son importance, il se hâta vers l'autre extrémité de la cour, le bas de sa robe serrant ses chevilles fines, et disparut par la porte principale au sommet d'une courte volée de marches qui enjambait le sous-sol. Philip et moi tournâmes nos regards vers la gouvernante.

C'était une belle femme, bien qu'elle ne fût plus de la première jeunesse ; je lui attribuai dans les trente-cinq ans. Sur une robe de lainage noir, elle portait un tablier et une fine gorgerette de lin blanc. Un capuchon de soie noire couvrait sa tête mais, d'après une mèche qui en dépassait, elle avait la blondeur saxonne que suggéraient aussi ses yeux bleus et son teint pâle. Le lourd trousseau de clés attaché à sa ceinture témoignait de son importance dans la maison. Son sourire était agréable mais une lueur d'acier brillait dans ses prunelles, et le pli déterminé de sa bouche ne présageait rien de bon pour le subalterne qui n'aurait su rester à sa place. Elle avait l'air d'une femme capable ; personnellement, l'idée ne me serait pas venue de la contrarier.

A quelques pas de nous, elle s'immobilisa subitement et plissa les yeux comme si elle voulait mieux nous cadrer. Nous recevions en plein visage le premier soleil du jour et elle se déplaça un peu de côté, là où l'ombre du mur de la loge lui fournissait une meilleure visibilité.

– Vous ! dit-elle en regardant Philip.

Il lui rendit son examen avec intérêt ; de son propre aveu, toutes les belles femmes l'attiraient.

– Nous nous connaissons ? demanda-t-il en souriant.

Sincèrement amusée, la gouvernante se mit à rire, un rire de gorge, bas et musical.

– Pas à proprement parler. Mais je vous ai déjà vu dans ces parages, il doit y avoir quatre ans, cinq peut-être... Je suis sûre de ne pas me tromper.

Elle pencha la tête de côté et le contempla sans dissimuler son admiration.

– Je suis certaine de ne pouvoir confondre avec un autre un homme aussi beau et bien bâti !

C'était à Philip de rire à présent. Il se gonfla de vanité et se boursoufla d'orgueil à l'idée qu'elle se souvenait de lui.

– Vous avez raison. A l'époque, j'avais encore mon frère avec moi, Dieu l'ait en Sa sainte garde ! Nous étions commerçants, nous achetions et nous vendions. Mais je ne me souviens pas de vous avoir vue à Trenowth ces années-là.

– Je n'y étais pas. J'habitais sur l'autre rive du fleuve, dans le Devon. J'étais veuve alors, et je le suis toujours, mais aujourd'hui, j'ai cette excellente place. Allons, ajouta-t-elle, se rappelant ses devoirs, nous pourrons en parler plus tard, quand vous serez lavés et repus. Suivez-moi, je vous prie, Maître Underdown, ainsi que votre homme, s'il le veut. Je vais vous montrer vos appartements.

8

Nous étions logés dans une pièce d'angle au-dessus de la grande salle ; son unique porte ouvrait sur un corridor étroit qui desservait une seconde chambre d'invité, pour l'instant fermée, et menait en haut de l'escalier principal.

– Nous avons peu d'invités quand le maître est absent, dit Janet Overy en nous faisant entrer. L'intendant Alwyn et moi pensons que cette pièce est la plus plaisante des deux, à cause de la fenêtre.

Elle désignait le volet ouvert qui laissait affluer le soleil d'octobre à travers des carreaux de verre plombé, un luxe inhabituel dans une pièce à l'étage, surtout une chambre à coucher.

– Sir Peveril l'a fait faire l'année dernière, reprit-elle, lorsqu'il a eu l'honneur de recevoir le shérif pendant quelques nuits. Les domestiques apporteront le lit à roulettes pendant que vous prendrez votre petit déjeuner. Maître Underdown, vous serez servi dans la grande salle. Et vous, jeune homme, vous irez à la cuisine.

Philip secoua la tête.

– Si cela vous est égal, Maîtresse, je mangerai à la cuisine avec Roger que voici. Je ne tiens pas à être seul. Ceci vaut pour tous mes repas pendant notre séjour qui, pour autant que je puisse le prévoir, durera probablement huit jours. L'intendant est au courant des tenants et aboutissants de la situation. A ce propos, je souhaite lui dire encore un mot après le petit déjeuner.

Il fit du regard le tour de la pièce : le lit, le coffre à vêtements en cèdre, la table de nuit où se trouvaient déjà un pichet et une assiette d'étain prêts pour l'en-cas de la nuit.

– Où est la garde-robe[1] ? s'enquit-il.
– Au bout du corridor, près de l'escalier. Une fille vous apportera de l'eau pour vous laver et il y a une pompe dans la cour pour votre domestique s'il le désire.
Janet Overy me regarda comme si elle voyait vraiment pour la première fois l'homme que je suis et pas seulement le domestique de Philip Underdown. Elle parut légèrement surprise, comme si je ne correspondais pas à ce qu'elle attendait ; mais l'expression fut si fugitive que je me dis finalement que j'avais dû me tromper. Elle ajouta :
– Quand vous serez prêts, descendez à la cuisine pour votre petit déjeuner. Je vous y attends.
Elle sortit et ferma la porte.
Philip se jeta sur le lit avec jubilation.
– Alors, elle n'était pas bonne, mon idée ? Un doux logis, aussi longtemps que nous le désirons... Désolé de t'avoir attribué le rôle de domestique mais il aurait paru étrange que je voyage sans équipage.
Son ton joyeux démentait son propos ; à mon avis, il n'était pas du tout désolé. Il tirait de la situation un sentiment de puissance et restaurait en partie son orgueil que ma présence indésirable avait entamé. Sans piper mot, j'allai à la fenêtre, l'ouvris et regardai. Le manoir étant exposé au sud et le climat cornouaillais généralement doux, quelqu'un avait jadis planté une vigne contre le mur ; au fil des ans, le cep avait grandi avec tant de vigueur et d'obstination que ses feuilles et ses vrilles enserraient la fenêtre sur trois côtés. De ce fait, au lieu de deux volets, la fenêtre était équipée d'un seul qui se rabattait à gauche contre le mur. Au premier plan du paysage s'étendaient de vastes prés qui s'inclinaient brusquement devant les berges boisées du fleuve et le large chemin battu où nous chevauchions un peu plus tôt ce matin.
Je respirai profondément l'air frais et doux, et humai les senteurs de la Tamar invisible ; née sur les hautes terres, elle coulait quelque part en contrebas avant de rejoindre la mer. Sur les instances impatientes de Philip, je quittai la fenêtre pour défaire mon ballot. Non qu'il y eût beaucoup à déballer, et la chose fut

1. Expression empruntée au français et considérée comme plus distinguée à l'époque pour désigner les lieux d'aisances. *(N.d.T.)*

vite faite : ma chemise de rechange vola vers le coffre, et mon fidèle couteau à manche noir et aux multiples usages, je le glissai dans ma ceinture, à côté de la bourse où je gardais ma petite réserve d'argent. Je saisis mon gourdin.

– Pour l'amour de Marie, pourquoi prends-tu cet engin ? demanda Philip, irrité. Laisse-le là.

Je secouai la tête avec obstination.

– Quand nous aurons mangé, nous irons faire un tour de reconnaissance. Je me sens plus en sécurité quand je l'ai avec moi.

– Comme tu veux, concéda Philip en haussant les épaules. J'ai besoin d'aller à la garde-robe. Alors, descendons. Je m'y arrêterai en chemin.

Nous nous y succédâmes puis, nettement plus à l'aise, nous gagnâmes la cuisine. Elle était pleine de monde ; c'était manifestement l'heure à laquelle une partie du personnel rompait le jeûne[1] de la nuit, après avoir effectué les premières tâches de la journée. Une fille de cuisine tournait le contenu d'une grande marmite au-dessus du feu, une autre retirait d'un panier les miches de pain chaud qu'elle avait apportées. Assis sur un banc près du mur, leur bol et leur cuiller à la main, les deux hommes qui déchargeaient des sacs de farine lors de notre arrivée attendaient impatiemment. L'intendant Alwyn surveillait la troisième fille de cuisine, qui mettait son couvert à la table centrale, et rectifiait avec une précision tatillonne ses gestes malhabiles ; Janet Overy allait calmement d'un point à un autre pour s'assurer que tout se passait comme il se devait. Nul ne capta si vivement notre attention que la femme déjà installée au bout de la table, un peu à l'écart des autres, et qui mangeait une pomme.

– Jésus ! me souffla Philip à l'oreille. Quelle merveille !

Son enthousiasme était pleinement justifié. J'avais déjà rencontré quelques très belles femmes mais peu d'entre elles auraient pu rivaliser avec la voluptueuse créature aux yeux verts et aux cheveux roux que l'on nous présenta sous le nom d'Isobel Warden.

– La femme d'Edgar, notre régisseur, dit Janet Overy, la voix empreinte, me sembla-t-il, d'une nuance d'avertissement.

1. Traduction littérale de *breakfast* : *to break* : rompre, et *fast* : jeûne. *(N.d.T.)*

Si elle essayait ainsi de nous mettre en garde, Philip l'ignora. Isobel Warden était en soi un tel défi qu'on ne pouvait y résister. Enjambant le banc avec agilité, il s'assit près d'elle. La femme – si jeune fût-elle, on ne pouvait penser à elle comme à une jeune fille – lui jeta un regard de biais. Les veines saillaient comme des cordes sur le cou épais de Philip. Il glissa son bras autour de la taille d'Isobel et la serra. L'intéressée n'émit pas d'objection.

Elle était effrontée à un degré que je n'ai retrouvé chez aucune autre femme. Visiblement habitués à ses façons, les autres membres de la maisonnée n'en étaient pas moins désapprobateurs. Janet Overy fronça les sourcils, le nez d'Alwyn se pinça comme s'il venait de renifler une odeur d'égout, les trois filles de cuisine se mirent à ricaner avec une affectation qui révélait la gêne plus que l'amusement et les deux hommes, l'air menaçant, se parlaient à voix basse ; leur sympathie allait de toute évidence au mari absent.

La gouvernante prit un bol de bouillie d'avoine des mains d'une fille et le plaça devant Philip.

– Mangez ceci, Maître Underdown, dit-elle, et laissez Isobel tranquille. Elle a un homme bien à elle et, de surcroît, très jaloux. Il y a au manoir beaucoup de femmes seules et de veuves, comme moi, poursuivit-elle avec un sourire apaisant, pour que les hommes n'aient pas besoin de se voler les uns les autres.

Philip rit et je lui jetai un regard sévère en m'asseyant à son côté. Regard qu'il me rendit sur le mode railleur puis, nous défiant tous, il enlaça de nouveau la taille bien tournée d'Isobel Warden.

– Tu n'as rien contre, n'est-ce pas, ma douce ? lui souffla-t-il, avant de déclarer à la cantonade : Je lui plais !

Pendant qu'il parlait, une silhouette s'était profilée dans l'embrasure de la porte. L'homme qui entrait poussa un beuglement de rage ; il était jeune, brun et bouclé, bâti en force, muni de poings impressionnants.

– Laisse ma femme tranquille ! hurla-t-il.

Il traversa la cuisine en trois enjambées, saisit Philip à bras-le-corps, le souleva du banc, le fit pivoter et l'expédia au sol d'un coup dans la mâchoire. Le tout si vite que nul, pas même moi, n'eut le temps d'intervenir.

Je fus pourtant assez rapide pour me poster à califourchon sur mon compagnon allongé avant que le jeune et farouche hercule pût lancer une nouvelle attaque. Ses mains crispées comme des serres témoignaient de son intention de poursuivre sa besogne en étranglant Philip. Ce fut sur mes biceps qu'elles se refermèrent.

– Ôte-toi de là ! gronda le régisseur.

– A vous de m'y contraindre, répondis-je.

– Cessez immédiatement cette bagarre indécente !

Alwyn tendait entre nous son bâton blanc d'intendant

– Edgar, cet homme est un ami de Sir Peveril et tu te conduiras envers lui comme si le maître était présent. Prends garde à ce que je te dis ou je serai contraint de te renvoyer Quant à vous, monsieur, poursuivit-il à l'adresse de Philip humilié qui se remettait sur ses pieds, ayez l'obligeance de traiter nos femmes avec la courtoisie qu'elles méritent. Et toi, femme, acheva-t-il en se tournant vers Isobel, essaie de te souvenir que tu es désormais mariée et garde tes faveurs pour ton mari !

Si je n'avais été témoin de cette scène, jamais je n'aurais cru qu'un homme d'apparence si falote disposât d'une telle autorité. Edgar, qui semblait toujours aussi assoiffé de vengeance, s'assit à la table sans discuter et se contenta de jeter à sa femme un coup d'œil qui ne présageait rien de bon. Philip, lui aussi, reprit sa place, bien que sa blessure et sa mâchoire enflée fussent de nature à lui gâcher tout plaisir lors des repas à venir. Seule l'objet de la querelle, apparemment indifférente aux admonestations de l'intendant, continuait placidement de manger sa pomme.

Maîtresse Overy voulut s'occuper aussitôt de la mâchoire de Philip mais il la repoussa d'un geste, résolu à traiter sa blessure par le mépris. En fait, son orgueil avait été blessé, bien plus que sa carcasse ; son expression furieuse me le disait. Mais après tout, il l'avait cherché et je n'étais pas d'humeur à dilapider ma sympathie sur sa personne.

Le repas se déroula dans un silence gêné ; seuls, la gouvernante et moi tentâmes d'amorcer une conversation. Quand il fut terminé, Philip annonça qu'il allait se reposer dans sa chambre. Lui devant, moi sur ses talons, nous traversâmes la cour, la grande salle et l'escalier en colimaçon jusqu'aux chambres du second étage. Là, faisant brusquement demi-tour, il jeta, irrité :

– Faut-il vraiment que tu me suives partout, où que j'aille ?

– Je pense que c'est plus sage. Pas vous ? répondis-je froidement.

Il hésita, haussa les épaules et se dirigea vers son lit.

– Dans les circonstances présentes, peut-être bien. Je suis fatigué d'avoir voyagé toute la nuit. J'ai envie de dormir.

Avec un rire méchant, il observa :

– Dommage qu'ils n'aient pas encore apporté le lit à roulettes !

Les yeux fixés sur la fenêtre ouverte, il abandonna brusquement son ton goguenard.

– Il y a quelqu'un là-bas, sous les arbres. Je l'ai vu, dit-il en se tournant et me serrant le bras à m'en faire mal.

Je tentai de le rassurer bien que mon cœur battît, lui aussi, à m'en faire mal.

– C'est sans doute un homme de Sir Peveril. Vous avez entendu ce que Maîtresse Overy disait au petit déjeuner. Le moulin à grain, la scie de long et la forge sont tous hors de vue du manoir, à la limite du domaine. Les hommes doivent aller et venir sans cesse toute la journée.

Philip secoua la tête.

– Non. Cet homme a vu que je le regardais et s'est immédiatement dissimulé derrière un tronc. Je pense que tu dois aller y voir de plus près. Je reste ici. Seul, tu n'as rien à craindre.

– Très bien, dis-je à contrecœur. Mais gardez la porte verrouillée aussi longtemps que je suis absent.

Je pris mon gourdin et descendis. Alors que je traversais la cour pour gagner le portillon de la loge de garde, j'entendis mon bourrin hennir dans l'écurie qui jouxtait l'aile des domestiques. J'étais étonné moi-même de constater comment, en quelques jours, j'avais appris à connaître son cri, son odeur et la texture de sa robe. Je sentais d'avance combien il m'en coûterait de me séparer de lui quand le temps serait venu de le ramener dans les écuries de l'évêque à Exeter. Je fus tenté d'aller le voir pour m'assurer qu'il avait été correctement nourri et abreuvé après sa longue course nocturne ; mais je ne pouvais laisser à notre intrus, si intrus il y avait, le temps de s'éloigner et, de toute façon, je pouvais faire confiance au valet d'écurie de Sir Peveril : il connaissait sûrement son travail.

Une des laveuses sortit de la buanderie, portant un panier de lessive sous le bras. Elle me souhaita bonjour, me suivit sous le portail et s'arrêta dans la prairie pour étendre sur l'herbe le linge humide. Moi-même je continuai vers la lisière des bois, piquant par le sentier qui menait à la rivière, ralentissant l'allure et observant soigneusement de droite et de gauche. Sous le couvert, l'éclat du soleil parvenait adouci par le combat mené pour pénétrer l'entrelacs des branches. Déjà les feuilles jaunissaient et la brise en détachait certaines dont elle soutenait le vol avant de les déposer au sol, tels de délicats copeaux de cuivre battu.

Empoignant solidement mon gourdin, je quittai le sentier pour explorer le sous-bois où le terreau de feuilles adhérait aux troncs et aux racines des jeunes arbres rabougris, incapables de se frayer une voie vers l'air et la lumière. Tout était tranquille ; je m'arrêtai de temps à autre, sans rien percevoir que les battements sourds de mon cœur. Une fois seulement, j'entendis le roulement d'un chariot sur le sentier, à présent hors de ma vue, et le charretier crier à son aide : « Regarde donc à l'arrière si les bûches sont solidement arrimées ! » Ils rapportaient de la scierie le bois de chauffage destiné au manoir en vue de l'hiver qui s'annonçait.

Je n'avais pas l'impression d'être observé mais le sentiment d'une solitude extrême. En dépit de ce que je pensais avoir vu lors de la traversée en bac, une conviction s'empara de moi : Philip, lui, n'avait vu personne et venait de se débarrasser sournoisement de moi pour se lancer à la recherche d'Isobel Warden. Il n'avait plus maintenant qu'une idée en tête : se venger du régisseur, et le meilleur moyen d'y parvenir était de séduire sa femme. Le bon sens me disait que même Philip Underdown ne serait pas assez fou pour cela. Néanmoins, je me retrouvai bondissant dans le sous-bois sans souci de discrétion puis remontant en courant le sentier jusqu'à la loge de garde comme si j'avais l'Homme vert[1] à mes trousses. Toujours courant, je traversai la cour et la grande salle, grimpai l'escalier quatre à quatre et bondis dans notre chambre...

Vautré sur le lit, Philip ronflait.

Convaincu de ma stupidité, un peu honteux de mes soupçons, je refermai doucement la porte sur mon compagnon et me demandai ce que j'allais faire à présent. Il semblait vain de

1. Personnage de la mythologie nordique. *(N.d.T.)*

retourner aussitôt dans les bois poursuivre mes recherches. Si un guetteur y avait été tapi, il s'était retiré depuis longtemps, dérangé par mon départ bruyant. Je m'aperçus que, malgré le déjeuner avalé moins d'une heure plus tôt, ma randonnée dans les bois avait aiguisé mon appétit et je me dirigeai vers la cuisine, dans l'espoir d'y trouver quelque chose à manger.

L'activité régnait à présent dans la cour où tous allaient et venaient, absorbés par leur tâche quotidienne, mais la cuisine était temporairement tranquille ; seule Janet Overy s'y trouvait encore, près d'une longue table à l'extrémité de la pièce où elle contrôlait les produits frais du potager, situé derrière le manoir, qu'un homme venait de lui apporter. En m'entendant entrer, elle se retourna et me sourit.

– Tu as faim ? demanda-t-elle en s'essuyant les mains sur un linge et s'avançant vers moi.

– Comment le savez-vous ? répondis-je, décontenancé. J'ai dû manger comme quatre au petit déjeuner.

Elle riait.

– A d'autres ! Un grand gars comme toi a constamment besoin de se sustenter. Je le sais. J'en avais épousé un tout pareil.

Elle me fit signe de m'asseoir et apporta du pain, du fromage et une assiette de doucettes[1] au lait d'amande dont elle me dit qu'elle les avait faites le matin. Puis elle emplit un mazer au baril de bière et vint s'asseoir à la table pour me tenir compagnie. Elle était rouge et semblait incommodée par la température de la cuisine ; je me dis qu'elle était sans doute contente de se reposer un moment.

– Tu me rappelles un peu mon mari, ajouta-t-elle.

– Êtes-vous veuve depuis longtemps ? demandai-je, la bouche pleine de pain et de fromage.

Un voile de tristesse assombrit son visage.

– Huit ou neuf ans, peut-être plus. Le temps passe si vite et il n'est pas toujours facile de garder la trace de sa fuite. Hugh était pêcheur, et maître à son bord. Lui et deux de ses hommes se sont noyés en mer une semaine avant la naissance de notre fils.

1. Pâtisserie fourrée de jaune d'œuf, de crème, de safran, et sucrée au miel. *(N.d.T.)*

Je reposai le mazer que j'allais porter à mes lèvres et tendis une main pour effleurer la sienne.

– J'en suis navré. Mais le garçon doit être pour vous un grand réconfort.

A son expression, je vis aussitôt que j'avais commis un impair. On eût dit que l'ombre de la mort se déployait de son menton à son front, laminant ses traits et les vidant de toute animation.

– Je l'ai perdu quand il avait cinq ans, dit-elle. Un des plus ravissants enfants qui se puisse voir, aux yeux bleus et aux cheveux blonds comme les tiens. Mais c'est assez parlé de moi et de mes affaires.

Elle prononça ces derniers mots avec entrain et une détermination qui m'interdisait de revenir sur le sujet.

– Parle-moi plutôt de toi, poursuivit-elle. Que fais-tu avec Maître Underdown ? Tu es trop jeune pour avoir été associé à ses affaires d'autrefois.

J'avais prévu la question et m'étais demandé jusqu'à quel point je pourrais lui dire la vérité si elle m'interrogeait. Manifestement, l'intendant Alwyn avait reçu certaines confidences de Philip et j'ignorais jusqu'à quel point on pouvait se fier à lui pour n'en rien révéler à Maîtresse Overy, qui venait sitôt après lui dans la hiérarchie des serviteurs. Par ailleurs, si Philip et moi avions été suivis depuis Plymouth, la vigilance d'une paire d'yeux supplémentaire ne nous nuirait certes pas et pourrait même prévenir tout danger. Et puis, la responsabilité d'assurer la sécurité de mon compagnon commençait à peser lourdement sur mes épaules. Le duc m'avait imposé deux jours de garde et nous en étions déjà à cinq, sans parler de ceux à venir. J'avais besoin de partager mon fardeau avec quelqu'un et Maîtresse Overy, bien qu'elle fût nettement plus jeune, me rappelait beaucoup ma mère, dont elle avait la même attitude sereine devant l'existence, l'air de connaître la réponse à toutes les questions qu'elle pose, et aussi l'art de vous soutirer les secrets que vous avez résolu de taire. Je savais bien que je n'aurais dû faire confiance à personne mais le désir de parler était souverain.

Je regardai derrière moi pour m'assurer que nous étions toujours seuls, jetai deux brefs coups d'œil vers la porte et vers la fenêtre ouvertes, ma voix devint murmure et je m'abîmai dans mon récit.

9

Quand je me tus, Janet Overy se leva pour remplir mon mazer, puis reprit sa place à la table et posa devant elle ses mains jointes.

– Une histoire étonnante, dit-elle, qui en recouvre une autre que tu ne m'as pas dite, sinon pourquoi un personnage aussi important que le frère du roi t'aurait-il choisi pour une telle mission ? Sois tranquille, je vais ouvrir l'œil sur tous les étrangers au manoir. Quant à l'homme que tu appelles Silas Bywater, je crois le connaître. Je me souviens l'avoir vu en compagnie de Maître Underdown un jour que je faisais des provisions à Plymouth. A l'époque, j'avais encore mon fils.

Elle se tut abruptement, sans doute pour chasser des souvenirs par trop insupportables.

– Je vous en supplie, gardez pour vous ce que je vous ai dit, lui recommandai-je. Encore que je suppose qu'Alwyn en sache une partie.

Elle sourit :

– Je n'ai pas l'habitude de commérer avec les filles de cuisine... Tu as entendu ?

L'index dressé en signe d'avertissement, elle se leva brusquement et traversa la pièce sur la pointe des pieds pour regarder par la porte. Je la suivis anxieusement des yeux. Au bout d'un instant, elle se retourna en secouant la tête.

– Il n'y a personne. Je dois entendre des voix... De toute façon, dit-elle avec optimisme, nous parlions si bas que personne n'aurait pu nous écouter.

Soulagé mais pas vraiment convaincu, je sortis à mon tour pour vérifier par moi-même. Beaucoup de gens circulaient dans la cour – les bûches que j'avais vu charger sur le chariot étaient maintenant rangées dans la salle en sous-sol – mais il n'y avait personne près de la cuisine. Je rentrai dans l'intention de terminer les dernières doucettes. Un souvenir me revint alors et j'ouvris la sacoche attachée à ma ceinture dont je tirai le brin de renouée tout flétri et fané.

– Voici ce que Silas Bywater m'avait demandé de donner à Maître Underdown. Est-ce que cela vous dit quelque chose ?

La gouvernante saisit la tige et l'examina avec curiosité avant de secouer la tête.

– C'est tout simplement de la renouée, comme tu le dis. Une plante très commune.

– Ma mère m'a dit un jour qu'elle est vénéneuse.

Maîtresse Overy parut dubitative.

- Je ne l'ai jamais entendu dire. Mais je ne sais pas tout, reconnut-elle, rieuse, et ta mère avait sans doute raison.

Elle pencha la tête de côté et me considéra pensivement.

– J'avais cru comprendre que Philip Underdown l'avait jetée après que tu la lui avais montrée. Si c'est le cas, comment se fait-il que tu l'aies encore ?

– Dès qu'il a eu le dos tourné, je l'ai ramassée et mise dans ma poche. Ne me demandez pas pourquoi... Je pense que c'était simple curiosité de ma part ; la plante en soi et l'effet qu'elle a produit sur Philip m'intriguaient. J'ai senti qu'elle avait pour lui une certaine signification, bien qu'il l'eût nié avec la dernière énergie. A vrai dire, je l'avais oubliée jusqu'à cet instant. Eh bien, je n'ai plus qu'à m'en débarrasser.

J'allai jusqu'à la porte et jetai la plante. Un petit coup de vent s'en empara, la fit virevolter en l'air avant de la laisser tomber dans la poussière de la cour.

– Je vous empêche de faire votre travail, dis-je. Merci pour les doucettes et la bière, et merci de m'avoir écouté. A présent, je vous quitte.

– Va dormir un peu, me conseilla-t-elle, comme ton prétendu maître. James et Luke ont dû porter le lit dans votre chambre. Si je remarque ou si j'entends quoi que ce soit d'anormal, j'enverrai l'un d'eux te réveiller. Après avoir passé la nuit à cheval, tu dois être fatigué.

Je reconnus le fait et la remerciai à nouveau. J'étais heureux de lui avoir dit la vérité. Janet Overy était une femme de tête et je lui faisais confiance : elle saurait tenir sa promesse. De plus, il y avait à la porte de notre chambre une solide serrure pourvue de sa clé. A condition de fermer la fenêtre, car la vigne me tracassait un peu, nul ne pourrait nous surprendre, Philip et moi. Quand j'arrivai dans la chambre, j'y trouvai le lit à roulettes installé contre un mur et il semblait que son installation n'avait pas troublé mon compagnon qui ronflait toujours à pleine gorge.

Je posai mon gourdin, retirai mes bottes et, sans prendre le temps d'ôter mon pourpoint, je m'affalai sur le matelas étroit et tombai instantanément dans un sommeil aussi profond que celui de Philip. Et, pour autant que je sache, aussi sonore.

Quand je m'éveillai, le soleil déjà haut dans le ciel entrait à flots par les vitres de la fenêtre. Assis sur son lit, Philip m'observait.

– Enfin ! Te voilà réveillé ! soupira-t-il en sautant sur ses pieds. J'ai réfléchi.

Je prêtai peu d'attention à ce qu'il disait, tant j'étais absorbé par une découverte subite : j'avais échangé une prison pour une autre, *La Tête de Turc* pour le manoir de Trenowth, et il me faudrait encore endurer une semaine en compagnie de Philip Underdown avant d'être relevé de ma charge ; peut-être même davantage si, étant donné les événements du St Michael's Mount, le roi Édouard décidait que le *Falcon* devait demeurer là où il était mouillé. J'aspirais infiniment à retrouver ma solitude et ma grand-route, et l'insouciance qui était mienne quand je colportais ma marchandise de village en hameau. Si seulement j'avais décidé d'éviter Exeter jeudi matin, je ne serais pas ici, en train de servir de nourrice à un homme que je trouvais de plus en plus difficile d'apprécier.

Je me rendis compte que Philip essayait de me fourrer quelque chose dans les mains.

– La voici, disait-il, tu la prends.

– Quoi ? Quoi ? bégayai-je, essayant de rassembler mes idées.

– Tu n'as pas écouté un mot de ce que je t'ai dit, maugréa-t-il, postillonnant d'exaspération. Je veux que tu gardes la lettre du roi jusqu'au moment où j'embarquerai à Plymouth la semaine prochaine ; si tout va bien, évidemment.

Cette précaution oratoire rejoignait hélas mes propres réserves.

– Mets-la à l'abri.

– Pourquoi ? demandai-je, sans un geste pour prendre la lettre.

– Parce que, comme je viens de te l'expliquer pendant que tu rêvassais, s'il m'arrive quoi que ce soit – ce qu'à saint Michel et tous ses anges ne plaise ! –, ce sera la première chose que mon agresseur cherchera sur moi. Personne ne pensera que c'est toi qui en as la charge, ricana-t-il. Mets-la dans ta sacoche et préserve-la au péril de ta vie.

Le regard qu'il me lança impliquait que cette dernière ne valait pas cher. Toutefois, la force de son argument ne pouvait m'échapper, bien que je fusse vaguement surpris qu'il manifestât tant d'inquiétude et de lucidité à propos de sa mission. Jusqu'alors, en dépit de ses mésaventures, il s'était conduit comme s'il était immunisé contre le danger. Il commençait enfin à se comporter comme un homme sensé, conscient de ses responsabilités, et ce n'était sûrement pas moi qui l'en découragerais. Je pris la lettre cachetée du sceau royal et la mis dans ma sacoche comme il me l'avait demandé. Je me sentis brusquement encore plus accablé, comme si mes soucis venaient de décupler.

Il me vint tout à coup à l'esprit qu'il ne m'avait pas questionné à propos de l'étranger qu'il avait juré avoir vu ce matin de la fenêtre. Étrange omission de la part d'un individu qui, sur le moment, avait manifesté tant d'anxiété. Maintenant que j'y pensais, il était aussi bizarre qu'il se fût tranquillement endormi sur le lit, sans attendre mon retour et mon rapport. Mon malaise se renforçait. Qu'avait-il bien pu faire en mon absence ?

– Isobel Warden... dis-je spontanément.

Puis j'hésitai.

– Eh bien, quoi, Isobel Warden ?

– Ce serait pure folie de s'aliéner le mari. Nous avons d'autres ennemis auxquels penser. S'en faire délibérément un de plus du régisseur serait aller au-devant d'ennuis inutiles.

Sa moue hautaine s'accentua :

– Tu me prends vraiment pour un crétin ! Je n'ai pas besoin de toi pour résoudre ça.

– Je pense que vous êtes imprudent et que vous pouvez être irréfléchi quand vous vous croyez provoqué. En l'occurrence, c'est vous qui avez joué les provocateurs.

Il tourna la tête et la lumière tomba en plein sur sa joue et sa mâchoire meurtries.

– Tu n'appelles pas ça une provocation ?

– Non, des représailles. Avant de mettre la main sur elle, vous saviez que la femme était mariée.

Philip s'esclaffa et se rassit sur le bord de son lit.

– Sainte Mère de Dieu, préservez-moi de ce Roger Chapman

prude et hypocrite ! implora-t-il, les yeux au ciel. Et si tu crois qu'Isobel Warden est une dame, laisse-moi te dire que tu fais erreur. C'est une putain comme j'en connais peu. Je te parie, moi, qu'avant la prochaine Saint-Michel son mari pourra casser la mâchoire d'un bonhomme qui aura fait mieux que lui enlacer tendrement la taille.

– C'est possible, répondis-je en ravalant ma colère de ce qu'il eût si bien lu mon caractère. Mais ceci ne regarde que lui et elle. Notre objectif prioritaire est de faire ici aussi peu de remous que possible. Si Edgar Warden commence à se plaindre de vous dans la taverne du pays, chacun saura bientôt où vous êtes et ce que vous y faites. Nous devons rester discrets. Et puisque vous ne me l'avez toujours pas demandé, je vous informe que je n'ai trouvé personne dans les bois ce matin.

– Hein ? fit-il, déconcerté, en me regardant les yeux écarquillés.

Puis il se reprit.

– Ah oui... commença-t-il, décontenancé, ne sachant comment expliquer son oubli. Après ton départ, je me suis dit finalement que j'avais dû me tromper. Ce que j'ai vu n'était sans doute que l'ombre d'une branche agitée par la brise.

Sa trouvaille était minable, et il le savait. Sans me laisser le temps de répliquer, il se leva comme un ressort.

– D'après le soleil, il doit être près de midi. Si on ne se dépêche pas un peu, il ne restera rien du dîner.

Je laissai tomber le sujet, mais résolus d'avoir Philip doublement à l'œil et de ne plus me laisser berner. Je le soupçonnais plus que jamais d'avoir exploité mon absence au profit de quelque dessein personnel.

La fin de la journée se passa comme se passerait, j'en avais très peur, le reste de la semaine : à manger, somnoler et de nouveau manger. La vie du manoir se déroulait autour de nous mais nous n'y avions pas de rôle actif à tenir. D'après Philip, l'indifférence des serviteurs à notre égard tenait à l'explication que l'intendant avait jugé bon de leur fournir au sujet de notre présence parmi eux.

– Car, il faut que tu le saches, insista-t-il, j'ai jugé nécessaire de dire à Alwyn une part de la vérité.

– Je m'en doutais.

Je m'abstins de lui révéler que j'avais moi-même raconté toute l'histoire à Janet Overy, y compris des bribes d'informations dont j'étais sûr que j'aurais mieux fait de les taire. Si la dame les gardait pour elle, ce dont j'étais certain, il n'était pas besoin d'exciter la colère de Philip. Une seule chose me préoccupait : avant de se convaincre du contraire, Janet avait craint que l'on n'eût surpris notre conversation.

Ni Philip ni moi ne nous aventurâmes hors de la cour ; adossés au mur du manoir, nous nous délectâmes tout l'après-midi de la douceur du soleil d'octobre, en attendant que viennent quatre heures et le signal du souper. A mon avis, Philip commençait à se rendre compte qu'en matière de distraction le manoir de Trenowth ne valait pas mieux que *La Tête de Turc*. J'espérais qu'il s'en accommoderait ; sinon, il était bien capable de créer à sa manière son propre divertissement, auquel, me disais-je, Isobel Warden serait inévitablement associée.

Nous assistâmes aux vêpres dans la chapelle du manoir ; en cette veille de la Sainte-Foi et en l'absence du chapelain de Trenowth, qui avait accompagné son maître et sa maîtresse à Londres, elles furent célébrées par le curé de la paroisse. Rouge, suant et agité, celui-ci traversa la cour au pas de course et se confondit en excuses pour son retard, alors que nous nous asseyions pour souper. Ses yeux chassieux brillèrent quand il vit la table dressée, et il n'y avait aucun risque qu'il refusât de prendre place à table et de partager le repas après l'office. Quand, de nouveau, nous fûmes tous assemblés dans la cuisine et assis autour de la table, une fois les premières affres de la faim apaisées par le poulet, le bacon et les pois bouillis, le curé réussit à détourner son attention de son assiette et la focalisa sur Philip et sur moi.

– Alwyn m'a appris que vous êtes un ami de Sir Peveril et que vous voyagez dans notre région, dit-il à Philip.

Là-dessus, il haussa ses sourcils hirsutes, comme une invite éloquente aux confidences, mais Philip se contenta d'un vague grognement et continua de manger.

– Sir Peveril est un excellent homme, reprit le prêtre sur un ton onctueux. Un grand bienfaiteur de l'Église.

– Et un excellent ami, reconnut Philip en se servant une seconde ration de poulet.

– Quant à vous, monsieur, insista le prêtre que tout le monde appelait père Anselm, puis-je vous dire combien il est plaisant de rencontrer un gentleman qui n'hésite pas à prendre ses repas en compagnie des membres les plus modestes de la maisonnée et d'un humble prêtre de paroisse tel que moi...

– Je n'aime pas manger seul, répondit Philip bourru.

Sur quoi, il enfourna une grosse bouchée qui le dispensait de s'étendre davantage.

Le père Anselm eut un mince sourire, acceptant sa défaite dans le jeu subtil auquel normalement il excellait : soutirer des renseignements à autrui.

– Néanmoins, je considère qu'il est digne d'éloges de ne pas tenir à distance vos frères humains. Voyez l'autre étranger à notre communauté qui est arrivé ce matin à la taverne du village. Il n'a pas assisté aux vêpres à l'église et Thomas Aylward, le tenancier, m'a dit qu'il n'a pas daigné quitter sa chambre depuis son arrivée et demande que ses repas lui soient montés par une servante.

La main de Philip qui portait une bouchée à ses lèvres trembla et je dressai la tête.

– Un étranger ? demandai-je. Au village ?

Village était peut-être un grand mot pour décrire Trenowth, que nous avions traversé à l'aurore. Une poignée de chaumières rassemblées autour d'une église et d'une hôtellerie abritaient les familles qui travaillaient sur le domaine mais n'habitaient pas au manoir. Ce hameau se dressait en retrait de la limite des eaux, sur un bras de terre qu'enlaçait le cours protecteur d'un petit affluent de la Tamar. Dans la lumière rosée de l'aube, il m'avait paru prospère et bénéficiait manifestement de la protection de Sir Peveril et de son épouse.

Le père Anselm avait dû sentir la nuance d'alarme dans ma voix car il parut surpris et intrigué.

– Je reconnais que nous sommes isolés ici, à l'écart du grand courant des événements, mais les étrangers ne sont pas une espèce inconnue, ce dont vous et votre maître portez témoignage. Étant donné les nouvelles qui nous sont parvenues hier – la prise du St Michael's Mount par le comte d'Oxford –, on peut s'attendre, je crois, à quelques allées et venues des autorités jusque dans notre petit trou.

A présent, Philip n'avait plus la bouche pleine et il avait

recouvré son contrôle. Il m'envoya sous la table un vilain coup de pied.

– Mon père, vous avez tout à fait raison. Un tel événement est de nature à accroître la circulation sur les routes. Le gentleman hautain qui demeure à l'auberge pourrait bien être là pour le service du roi.

Ayant habilement détourné la conversation, il fit dévier l'intérêt du prêtre par une question qui me coupa le souffle.

– Nous confesserez-vous avant de nous quitter, mon père ?

– Bien sûr, mon fils, repartit le père Anselm, ramené sans détour à ses devoirs envers ses ouailles. Tous ceux qui le désirent. Je serai à la chapelle après le souper.

Je ne pouvais imaginer que Philip Underdown fût désireux de purifier son âme mais j'admirai sans réserve le tour de passe-passe grâce auquel il avait fait oublier ma bourde. Un intérêt trop manifeste à l'égard de l'étranger qui logeait à la taverne reviendrait aux oreilles du patron qui, à son tour, révélerait notre présence à son client. Personnellement, j'avais très peu d'espoir que celle-ci demeurât longtemps un secret et, si le visiteur était notre gentilhomme de l'abbaye de Buckfast, il devait avoir déjà une idée assez précise du lieu où nous nous étions réfugiés. Mais il se pouvait aussi qu'il fût un voyageur parfaitement inoffensif et, jusqu'à ce que son identité fût confirmée grâce à l'enquête prudente que je mènerais le lendemain, mieux valait apaiser la curiosité du père Anselm et modérer sa propension évidente aux ragots.

Je fis des yeux le tour de la table. Mis à part le prêtre, Philip et moi, les autres convives étaient Janet Overy, l'intendant, deux petites servantes – la nuit, elles couchaient à la cuisine sur des paillasses, dans la chaleur douillette du feu –, et Isobel et Edgar Warden, qui logeaient dans l'aile des domestiques, ainsi que la gouvernante et Alwyn. Tous les autres habitaient le village et venaient chaque matin au manoir, dès l'ouverture des portes. Je rencontrai le regard de Janet Overy et détournai les yeux. A l'exception de mon compagnon et de moi-même, elle seule avait saisi le sens possible de la présence de l'étranger à l'auberge puisque je lui avais raconté l'affaire, et je devais à tout prix cacher à Philip que j'avais failli à la discrétion : j'arrivais à m'arranger de ses colères mais pas de son mépris. Pour le reste, Alwyn en savait trop peu pour flairer le danger ; Isobel fixait son assiette d'un air maussade : marque du courroux marital, un bleu s'étalait sur sa tempe droite ; Edgar ruminait ses propres pensées qui n'étaient guère amènes à en juger par les coups d'œil venimeux qu'il dardait sur Philip.

Une fois le souper fini et la table débarrassée, le père Anselm annonça qu'il écouterait les confessions le plus tôt possible ; le crépuscule d'octobre tombait et il souhaitait être de retour au presbytère avant la nuit. Il repartit en hâte vers la chapelle, située dans un angle du quadrilatère, entre la buanderie et la grande salle.

– Tel est pris qui croyait prendre, soufflai-je en souriant à l'oreille de Philip. Je crains que vous n'ayez d'autre choix que de passer le premier.

Nous étions sur le pas de la porte de la cuisine, contemplant le fin voile bleuté qui commençait à noyer les bâtiments. Sur un ton plus sérieux, je questionnai :

– Cet étranger, croyez-vous que ce soit notre assaillant ?

– *Mon* assaillant ! jappa-t-il. C'est bien pourquoi je t'ai confié la lettre. Tu l'as toujours ?

Je fis signe que oui, et il reprit :

– Il se peut après tout que nous ayons été suivis. Mais nous n'avons vu personne et, en définitive, j'en doute. Nous commençons à flairer des ennuis là où il n'y en a pas et nous sursautons à la vue de notre ombre. N'était mon intervention opportune, tu aurais rendu ce prêtre malade de curiosité.

Son ton était devenu mauvais.

– Et à présent, à cause de ta stupidité, me voilà contraint de passer à confesse, chose que j'ai pu éviter depuis des années. Je pourrais raconter une histoire qui ferait crever de peur le malheureux, fit-il avec un rire sinistre. Mais je ne le ferai pas. A quoi bon ? Il n'est pas de pénitence qui pourrait me laver de mes péchés. Quand je mourrai, j'irai droit en Enfer.

10

Au cours de cette soirée nacrée, iridescente, il semblait que le ciel avait aspiré les couleurs de la terre pour les fondre en un vaste lac céleste, d'une pâleur chatoyante. Mais quand je sortis de la chapelle, ce jour, un des plus longs de ma vie, arrivait à son terme. On avait allumé les torches qui léchaient l'obscurité croissante de leurs brillantes langues de feu. J'avais été le dernier à me confesser ; sorti derrière moi, le père Anselm fit des adieux hâtifs à Janet Overy et à l'intendant qui, sitôt qu'il fut parti, verrouilla et barricada la grande porte tandis que la gouvernante fermait à clé le portillon à gauche du portail.

Philip m'attendait, un sourire sardonique aux lèvres.

– Pur et purgé ! s'esclaffa-t-il. Deux *Je vous salue, Marie*, et me voilà innocent comme l'enfant au berceau. Il est facile de berner ces prêtres !

– Peut-être. Mais sûrement pas Dieu, répondis-je tranquillement.

Je m'attendais à ce qu'il déversât sur moi le flot de son mépris et sa réaction me surprit : ses traits se vidèrent de toute expression et il resta muet. Nous franchîmes les quelques pas qui nous séparaient du seuil de la grande salle, prêts à nous coucher bien qu'il fût encore tôt. La gouvernante et l'intendant nous souhaitèrent une bonne nuit et repartirent vers la cuisine, sans doute pour bavarder et boire de la bière chaude aux épices jusqu'à ce que leur vienne l'envie de dormir. L'aiguillon du remords me tourmentait de nouveau en songeant aux révélations que j'avais faites à Janet Overy. Car, après tout, que savais-je d'elle ? Je soupirai. Le duc n'aurait jamais dû placer en moi sa confiance. Je n'étais pas taillé pour ces besognes clandestines et tortueuses. Une fois encore, je fus tenté de soulager ma conscience en avouant mon indiscrétion à Philip ; une fois encore, le courage me manqua.

Nous montâmes l'escalier et entrâmes dans notre chambre au bout du petit corridor. Je posai mon gourdin au pied de mon lit à roulettes et j'allai fermer la fenêtre. Penché sur l'appui, je jetai sur le paysage un regard anxieux ; tout semblait tranquille et, juste à cet instant, l'ultime traînée de jour vacilla et mourut, adoptant une teinte froide et cendrée sous le ciel obscurci. Je fermai le volet de bois, puis la fenêtre. Quand je la poussai, elle grinça légèrement sur ses gonds de fer. Je m'assis sur le bord de mon lit et retirai mes bottes. Philip s'était déjà débarrassé des siennes et délaçait son pourpoint.

– Tu penses que je suis un crétin d'être venu ici, pas vrai ? me lâcha-t-il tout à trac.

J'étais sidéré. C'était la première fois depuis nos cinq jours d'intimité forcée qu'il manifestait quelque intérêt pour mon opinion, voire qu'il laissait entendre que je pouvais en avoir une.

– Je pense que nous aurions mieux fait de rester à Plymouth, dis-je prudemment. Nous y étions aussi bien protégés qu'ici et vous auriez appris sans délai l'arrivée du *Falcon* dans le port.

Il y eut un silence avant qu'il rétorquât avec une violence contenue :

– Je ne supporte pas d'être enfermé ! Cela me taraude de rester très longtemps dans un espace confiné.

Il avait légèrement buté sur le mot « taraude » et il me vint à l'esprit qu'il avait failli utiliser le mot « terrorise ». Il eut un rire forcé.

– Foutaises, bien sûr, mais, dans mes cauchemars, je me vois enchaîné dans le noir.

A peine prononcé cet aveu, je sentis qu'il le regrettait et mon intuition me dit qu'il l'avait lâché malgré lui, dans la foulée de sa confession au prêtre.

Pour le mettre à l'aise, j'enchaînai vivement :

– Moi aussi, j'ai parfois de mauvais rêves qui sont généralement la conséquence de trop de bière et de pain aigre. Pensez aussi que nous disposons à Trenowth de tout le manoir au lieu d'être enfermés dans une chambre, comme à *La Tête de Turc*.

Il acquiesça, apparemment soulagé que j'aie pris sa défaillance à la légère.

– J'ai entendu parler du manoir de Trenowth il y a quelques années, dit-il, un été où mon frère et moi écumions les hameaux et les villages au bord de la Tamar, du côté du Devon. J'avais traversé le fleuve pour voir si Sir Peveril souhaitait vendre des bijoux ou de l'argenterie. C'était l'époque du mariage de la princesse Marguerite et du duc de Bourgogne et, dans la petite noblesse, beaucoup avaient du mal à trouver assez d'argent pour gagner leurs bonnes grâces en leur offrant un cadeau de mariage princier.

– Était-ce le cas de Sir Peveril ?

– Cette fois-là, je n'ai même pas eu accès à la cour du manoir, ricana Philip sur un ton mordant. Alwyn m'a envoyé promener. Manifestement, il a oublié l'incident.

– Encore une chance, puisqu'il vous a fallu le convaincre que vous êtes un ami de son maître. Que lui avez-vous raconté exactement ? demandai-je en tâtant du bout des doigts le poil de ma barbe.

Il bâilla à s'en décrocher la mâchoire et s'étira ; ses jointures craquèrent.

– J'en ai dit le moins possible. Que je suis un agent du gouvernement, que j'ai besoin d'un asile pendant quelques jours et que mon ami Sir Peveril, partisan sincère de la maison d'York, aurait souhaité que je séjourne chez lui. Si bien que je n'ai rien d'autre à faire qu'à me divertir pendant une semaine. Ça ne devrait pas être sorcier.

– Si vous pensez à Isobel Warden... commençai-je.

Il me coupa la parole en claquant rageusement des doigts.

– Ma façon de me divertir ne concerne que moi. Alors, mêle-toi de tes oignons ! Ta besogne consiste à veiller à ce qu'il ne m'arrive rien et elle s'arrête là. Côté femmes, je m'en tire très bien tout seul. Et Dieu sait qu'avec les jaloux je ne manque pas d'expérience, ajouta-t-il avec un sourire abject.

Il n'était pas d'humeur à entendre raison, aussi décidai-je de ne rien ajouter pour l'instant. Je n'avais d'ailleurs plus l'énergie nécessaire pour discuter avec lui. Le voyage de la nuit et les péripéties du jour m'avaient fatigué. Je retirai ma chemise et mes chausses et suggérai que nous nous mettions au lit. Philip étant d'accord, j'allai éteindre la bougie posée sur le coffre contre le mur. En me penchant pour la souffler, je m'avisai que quelqu'un avait posé un petit bouquet de marguerites près du chandelier et qu'au milieu des fleurs se trouvait la tige de renouée. Celle que j'avais moi-même jetée ce matin, je le sus car elle était sèche et flétrie.

Je dus émettre un son – inspiration rapide ou soupir de désarroi, je ne sais – car Philip demanda sèchement :

– Qu'est-ce qui se passe ?

Je réfléchis rapidement. Il était de loin préférable de le laisser dormir tranquille cette nuit et de repousser à demain l'annonce de ma trouvaille.

– Rien du tout, dis-je. Une goutte de cire chaude m'est tombée sur la main.

Je laissai choir les fleurs entre le mur et le flanc du coffre, retournai dans mon lit et tirai les couvertures sous mon menton. Mais cette découverte m'inquiétait. Les yeux ouverts dans l'obscurité, j'étais en proie au malaise et au pressentiment. Qui donc avait récupéré la tige de renouée dans la cour et avait pris la peine de la mettre dans notre chambre ? Que signifiait-elle pour Philip ? Et qui donc avait bien pu cueillir les marguerites ? A ces questions s'ajoutait le souvenir de mon rêve. Pour me rassurer, je m'accrochai à l'idée que son message n'était pas forcément de m'annoncer un événement qui devait advenir mais de m'en avertir pour que je puisse le prévenir. Mais qui était l'étranger de la taverne du village ? Mes idées tournoyaient.

– Roger ! appela doucement Philip.

– Quoi encore ? répondis-je rudement, car je commençais à sommeiller et j'étais irrité d'avoir été réveillé.

– Je voudrais que, cette nuit, tu montes la garde de l'autre côté de la porte. Je me sentirais mieux. Si quelqu'un essaie d'entrer, il devra d'abord t'enjamber et tu pourras donner l'alarme.

Si j'avais eu toute ma tête, j'aurais protesté ou subodoré quelque stratagème. Mais la réapparition de la renouée m'avait troublé. Je repoussai mes couvertures et me levai.

– N'oubliez pas de refermer la porte derrière moi.

J'enfilai mon pourpoint, m'assurai que ma sacoche et la lettre étaient avec le reste de mes biens et empoignai matelas et couvertures. Je me baissai pour ramasser mon bâton mais décidai finalement de le laisser là. Si l'on m'attaquait dans le noir et que j'avais à me défendre, ce serait une arme peu maniable dans l'espace exigu du corridor. A la place, je passai mon couteau dans ma ceinture.

Quelques secondes plus tard, ayant installé mon matelas et ma personne sur les dalles de pierre du couloir, j'entendis Philip tourner la clé et, pour plus de précaution, la retirer de la serrure. Le silence retomba. Je m'enroulai dans mes couvertures et m'efforçai de rester éveillé.

Bien sûr, c'était impossible. Tour à tour je somnolais, m'éveillais, m'assoupissais de nouveau. Puis je sombrai dans un sommeil hanté par un bric-à-brac de rêves incohérents. Soudain, je m'assis brusquement, l'oreille aux aguets. Tout était tranquille. Je pressai l'oreille contre le trou de la serrure. Le silence régnait...

Mon cœur se mit à battre un peu trop vite. Le silence était trop profond. Philip Underdown avait le sommeil sonore, je l'avais appris à mes dépens lorsque nous avions passé la nuit dans une même salle à l'abbaye de Buckfast et à *La Tête de Turc*. Pourquoi donc avais-je obtempéré si docilement quand il m'avait demandé de coucher dans le corridor ? J'avais été un parfait imbécile d'accéder à cette exigence, maintenant, je le savais. J'appelai par le trou de la serrure :

– Philip ?

Pas de réponse. J'appelai de nouveau, plus fort. Toujours rien. Après plusieurs tentatives, abandonnant toute prudence, je criai son nom et tambourinai contre la porte. Je faisais un vacarme à réveiller les morts mais, grâce au ciel, nous étions logés dans l'aile de bâtiment opposée à celle des domestiques. Je secouai et agitai désespérément le loquet mais c'était en pure perte, la porte étant fermée de l'intérieur. Tout en me traitant de sombre crétin réchappé de la potence, je collai un œil devant le trou de la serrure sans voir autre chose que les ténèbres. Il était arrivé quelque chose à Philip et j'étais enfermé hors de la chambre.

Je me souvins de mon couteau dans ma ceinture et d'un certain Nicholas Fletcher, novice comme moi à Glastonbury. Dans ses vertes années, Nicholas et sa mère avaient voyagé avec une troupe de jongleurs et de danseurs, souvent reléguée dans la compagnie des coquins et des vagabonds. Il avait appris de l'un d'eux comment crocheter les serrures et, à ses moments perdus, m'avait transmis son savoir. Jamais je n'avais songé à l'utiliser avant cette nuit. Je sortis le couteau de son fourreau et introduisis la lame dans la serrure. Suivit un instant d'angoisse : et maintenant, que faire exactement ? Ma fidèle mémoire, elle, le savait encore et j'entendis bientôt le pêne glisser librement. J'ouvris tout grand la porte et me précipitai.

Le lit était vide, les couvertures par terre, la fenêtre et le volet béaient sur leurs gonds. Je poussai contre la paroi intérieure la vitre plombée encadrée de fer et envoyai le volet de bois heurter le mur extérieur. Mes yeux s'étaient habitués à l'obscurité. En me penchant sur le rebord de la fenêtre, je constatai les dommages que Philip avait infligés à la vigne en l'utilisant comme échelle. De toute évidence, il était sorti de son plein gré pour honorer un rendez-vous ou se rendre à une assignation dont j'ignorais tout. Mais où ? Dans la forêt ou sur les berges du fleuve probablement, car il n'était pas imaginable qu'il ait pu entrer dans la cour du manoir sans la clé du portail, laquelle était à la garde de l'intendant. J'étais sûr d'avoir raison ; outre qu'il s'agissait d'une hypothèse plausible, il y avait aussi le souvenir de mon rêve...

De toute mon âme, je priai le ciel qu'il m'accorde d'arriver à temps pour empêcher qu'il ne s'accomplît. Je m'étais félicité le matin de ma perspicacité : j'avais vu que la vigne était un moyen de pénétrer dans la chambre à coucher ; mais que l'on pût aussi l'utiliser pour s'enfuir m'avait échappé. J'aurais dû envisager cette possibilité sitôt que Philip avait posé les yeux sur Isobel Warden. Comment s'y prendrait Isobel pour sortir de l'enceinte barricadée ? Je ne m'attardai pas à étudier la question. Le manoir de Trenowth n'était pas fortifié et il existait forcément des moyens d'y entrer et d'en sortir une fois le portail fermé ; le tout était de les connaître. Ces considérations, d'ailleurs, pouvaient attendre. L'essentiel pour l'instant était de trouver Philip et de le ramener sain et sauf au manoir.

Je fis demi-tour et tâtonnai au pied du lit à roulettes en quête de mon bâton ; j'avais l'intention de le jeter par la fenêtre avant de sauter et de le ramasser une fois parvenu au sol. Mais il avait disparu... Philip l'avait emporté. Jurant entre mes dents, j'enjambai le rebord de la fenêtre, basculai de côté, réussis à agripper la vigne et balançai mes jambes jusqu'à ce qu'elles trouvent une prise parmi les branches. Quelques minutes plus tard, mes pieds entraient en contact avec la terre ferme ; j'étais en bas. Murmurant à mi-voix une prière de remerciement, je traversai le pré jusqu'au chemin qui menait au moulin, à la scierie, à la rivière et au village, lové dans son cirque de forêts.

Une brise rafraîchissante agitait les branches enlacées au-dessus de moi ; je percevais les inégalités du sentier sous mes pieds et tendis l'oreille aux pas furtifs d'un animal nocturne apeuré qui se coulait dans le fouillis protecteur des ronces et des buissons. Mon appréhension concernant Philip tournait à la crainte et je progressais prudemment, sans bruit, sauf quand une petite branche se brisait sous mes pieds. En levant les yeux, je voyais paraître de temps à autre le croissant de lune qui, très haut, indifférent, chevauchait les nuages. Le temps changeait et une bourrasque automnale soufflait de la mer.

Chaque fois que la rive tombait à pic et que les fourrés s'éclaircissaient, je voyais à mes pieds luire la Tamar. Je m'arrêtai plusieurs fois pour regarder derrière moi et j'écoutais intensément, à l'affût du moindre bruit qui pourrait me révéler la présence de Philip, encore que le bon sens suggérât que je le découvrirais avec Isobel Warden, dans l'herbe haute des bords du fleuve. Je sentais un filet de transpiration couler entre mes omoplates.

Je faisais halte à chaque tournant, à chaque courbe du sentier pour scruter l'obscurité devant moi. Une chouette quitta les cimes et glissa silencieusement d'un perchoir à l'autre, traversant mon champ de vision. Son mouvement soudain me fit sursauter et je m'immobilisai, le souffle court et rapide, le cœur fou dans ma poitrine. Puis je me remis en marche avec précaution, conscient que j'étais presque au bas de la descente ; quelques minutes encore et j'étais au niveau de la Tamar : Grâce à une trouée entre les arbres, je distinguai jusqu'à son autre rive la vaste étendue d'eau qu'argentait la lune fugitive.

J'appelai doucement :

– Philip ! Philip ! Êtes-vous là ?

Faute de réponse, je continuai d'avancer parmi les herbes folles qui, de ce côté, frangeaient le cours d'eau et me frôlaient jusqu'à mi-jambes. Derrière moi, dans les arbres, la chouette hulula...

L'extrémité de ma botte gauche buta contre une grande forme qui gisait, à demi cachée par la végétation. Mes cheveux se hérissèrent sur ma nuque et je baissai les yeux à l'instant où le fragile croissant, émergeant des nuages, me permit de distinguer la forme d'un corps. « Marie, mère de Dieu, priai-je avec ferveur, faites que ce ne soit pas Philip. » Mes jambes tremblaient mais je me forçai à m'accroupir pour regarder de plus près.

Il gisait face contre terre. J'avançai la main pour toucher la tête et la retirai instinctivement. La substance qui poissait mes doigts ne pouvait être que du sang. Le crâne de Philip avait été défoncé. J'avais brisé mon rêve.

Assis sur mes talons, j'essayai de contrôler le tremblement qui s'était emparé de mon corps tout entier. Mon cerveau avait cessé de fonctionner et je demeurais immobile, inconscient de l'écoulement du temps, privé de sensation. Toutefois, l'engourdissement ne se dissipa que trop vite et je plongeai alors dans un tourbillon de terreurs et d'émotions contradictoires. Mais, peu à peu, j'en pris le contrôle et m'obligeai à penser clairement. Je me signai puis me mis à palper la terre autour du corps, à la recherche d'un objet hypothétique que le meurtrier aurait pu laisser tomber, du moindre indice qui me mettrait sur sa piste.

Je trouvai cet objet mais il n'était ni ce que j'espérais, ni ce à quoi je m'attendais. Avec une horreur grandissante, mes doigts reconnurent l'écorce et les nœuds de mon propre gourdin dont une extrémité était encore humide de sang. Mon esprit s'emballait ; comme un écureuil en cage, il se précipitait avec frénésie de tout côté. Philip s'était muni du bâton pour se protéger en cas d'attaque, mais l'assaillant le lui avait arraché et s'en était servi pour le tuer. La chose était claire, et plus claire encore la suite des événements : si je laissais mon gourdin sur place et que je donnais l'alarme, je serais moi-même suspect. Et pour ne pas trahir complètement la confiance du duc de Gloucester, il fallait à présent que je prenne la place de Philip à bord du *Falcon* et porte la lettre du roi Edouard à la cour de Bretagne. Je devais revenir immédiatement au manoir, emporter avec moi ma cape de Plymouth et laisser quelqu'un d'autre découvrir le corps de Philip.

Mais Philip était venu là pour rencontrer une autre personne et, pour moi, cette personne était Isobel Warden. Alors, que lui était-il arrivé ? Avait-elle changé d'idée et manqué à sa promesse ? Avait-elle au contraire assisté au meurtre de Philip et vu le meurtrier ? Un instant de réflexion me permit cependant d'éliminer cette seconde hypothèse : dans ce cas, le meurtrier l'aurait aussi tuée. Et si elle s'était trouvée à proximité, sans être cependant assez près pour que l'agresseur pût l'apercevoir, alors elle aurait été dans l'incapacité de l'identifier, du fait de l'obscurité ambiante. De toute façon, il était peu probable qu'elle se présente comme témoin, car cette initiative l'obligerait à exposer les raisons de sa présence dans les bois, au milieu de la nuit, avec Philip Underdown. Non, même si dans sa terreur elle était encore tapie dans le sous-bois, je n'avais rien à craindre d'elle si j'usais de ce subterfuge.

Avec lenteur et précaution, je me remis debout, ramassai mon bâton et franchis les quelques yards qui me séparaient du fleuve dont la berge à cet endroit dépassait de deux pieds le niveau de l'eau. Étendu à plat ventre, je plongeai dans l'eau l'extrémité souillée de sang de mon bâton et le maintins dans le courant rapide. Cela fait, je me relevai et, transpirant de peur, regardant sans cesse derrière moi, je revins au manoir et regagnai la chambre en escaladant la vigne.

11

Une fois revenu dans la chambre que j'avais partagée avec Philip, je fermai le volet et la fenêtre. Je fis deux tentatives infructueuses pour allumer la bougie : la première fois, mes doigts tremblants laissèrent échapper le briquet, la seconde, je ne parvins pas à faire jaillir assez d'étincelles entre le chien et le silex pour enflammer l'amadou. La troisième fois fut la bonne. Ensuite, je fus forcé de rester quelques instants immobile, à genoux près du coffre, avant que mes jambes retrouvent quelque vigueur. Alors seulement, j'ouvris la porte pour débarrasser le couloir de mon matelas et de mes couvertures.

Je fouillai toute la pièce avant de trouver la clé que Philip avait simplement laissée sur la table, à côté de son en-cas, auquel il n'avait pas touché : le pichet de bière était plein et la petite miche de pain intacte. Je réalisai soudain qu'en dépit de tout je mourais de faim. Je n'avais rien mangé depuis le souper, et ni la peur ni la panique la plus pitoyable ne pouvaient entamer mon appétit. Mais il fallait d'abord que je m'assure que la serrure de la porte fonctionnait toujours et que mes exploits de crocheteur novice ne l'avaient pas mise à mal. Je n'en crus pas mes oreilles quand j'entendis le pêne se loger dans la gâche et je bénis Nicholas Fletcher et sa fructueuse initiation. Puis, assis sur le bord du lit de Philip, je mangeai.

Tant que ma faim ne fut pas rassasiée et ma soif étanchée, je refusai d'affronter les fantasmagories dont ma conscience était assaillie. Horrifié par ce qui venait d'arriver, j'avais tour à tour trop chaud ou très froid. J'étais aussi très en colère ; furieux de mon incroyable niaiserie et de ma stupidité qui avaient permis à Philip de me jouer un tour auquel un écolier ne se serait pas laissé prendre ; furieux aussi de l'irresponsabilité de Philip qui l'avait conduit à risquer sa vie et le succès de sa mission pour un rendez-vous clandestin avec une femme. Mais je ne devais pas laisser mes émotions l'emporter sur les autres considérations. Avant le lever du jour et la découverte inévitable du corps, j'avais à résoudre certaines questions et à prendre des dispositions. Et pour cela, j'avais besoin de nourriture.

Engloutis jusqu'à la dernière miette et la dernière goutte, le pain et la bière remplirent leur fonction : je me sentais un peu mieux. Mes idées étaient plus claires et j'avais pris les précautions dont j'aurais dû me soucier sitôt revenu dans la chambre ; je vérifiai mes affaires pour m'assurer que la lettre du roi Édouard au duc François s'y trouvait toujours. Jusqu'alors, je n'avais pas envisagé que quelqu'un ait pu attirer Philip hors de la chambre et lui voler ainsi ce pour quoi il avait été tué ; c'est dire l'innocent que j'étais dans ce monde d'intrigues et de complots. Cependant, la lettre était toujours là dans ma sacoche, enveloppée dans mon ballot sous le lit à roulettes. Du fond du cœur, j'adressai au ciel une prière de gratitude.

Je comprenais mieux à présent le mobile de Philip lorsqu'il m'avait confié la lettre. D'une certaine manière, il avait connaissance du risque qu'il courrait lors de ce rendez-vous nocturne. Qu'avait-il donc dit ? *« S'il m'arrive quoi que ce soit, ce sera la première chose que mon assaillant cherchera sur moi. »* Ses narines s'étaient pincées quand il avait évoqué ce danger qu'il avait cependant considéré comme trop minime pour en tenir vraiment compte, mais il avait pris contre cette menace les précautions qu'il pouvait. Cependant, il n'aurait sûrement pas gardé la lettre sur lui lors d'un rendez-vous galant avec Isobel Warden. Il l'aurait laissée derrière lui. Il avait même estimé qu'elle serait plus en sûreté dans mes affaires que dans les siennes...

Mes paupières pesaient de plus en plus. En dépit de l'effervescence de mes idées et de la nécessité de jouer les innocents quand viendrait le jour, mon corps exigeait du repos. Il est presque impossible de résister à ce besoin impérieux sur lequel nous n'exerçons pas de contrôle. J'ai entendu dire que des hommes condamnés au gibet dormaient encore profondément la veille de leur exécution. Je ne faisais pas exception à la règle : je dus m'étendre sur le lit, m'emmitoufler dans les couvertures et m'endormir sur-le-champ, bien que je n'en aie gardé aucun souvenir.

Nul rêve ne troubla mon sommeil ; les cavales de la nuit[1] ne m'emportèrent pas sur leur croupe vers les portes du monde hideux où les chimères tapies guettent le dormeur et l'étreignent férocement pour lui ravir sa forme humaine. Je dormis

1. Traduction littérale du mot anglais *nightmare* (cauchemar), composé de *night* : nuit, et *mare* : jument. *(N.d.T.)*

profondément et m'éveillai revigoré, conscient que c'était le matin avant même de discerner derrière le carreau de verre plombé le mince filet de lumière autour du volet. Je m'étirai avec plaisir, comme un homme en paix avec lui-même et avec son environnement, puis je tournai la tête et mon regard se posa sur le lit de Philip : vide. Aussitôt les souvenirs affluèrent. Je m'assis et me mis à transpirer tout en essayant de me convaincre que mes expériences de la nuit n'étaient rien d'autre qu'un rêve abominable. En vain. Philip était mort, assassiné, et pour détourner les soupçons de ma personne, je devais feindre d'ignorer ce qui était arrivé jusqu'à ce qu'un autre apportât la nouvelle.

J'ouvris la fenêtre, ôtai la barre du volet et le rabattis contre le mur. Une lumière tamisée pénétra dans la chambre ; la tempête qui menaçait la nuit dernière s'était apaisée ou dissipée. L'air était moins vif et limpide que la veille mais le vent était tombé et les sombres nuages s'étaient dispersés, laissant derrière eux une blancheur laiteuse qui atténuait l'éclat du soleil. Je quittai la fenêtre et ramassai mon gourdin qu'à mon retour, plus tôt le matin, j'avais laissé sur le plancher. En l'examinant minutieusement près de la fenêtre, je m'aperçus que, malgré le rinçage dans le fleuve, une de ses extrémités avait nettement changé de couleur. Quelques cheveux noirs et bouclés de Philip adhéraient encore au bois et je les détachai avec soin avant de les jeter par la fenêtre. Cela fait, je me sentis moins mal. Si quelqu'un remarquait le ternissement du bois, il serait simple de le justifier et, de toute façon, seul le meurtrier savait que c'était l'arme utilisée pour tuer Philip Underdown.

Autre chose à faire de toute urgence : dissimuler la lettre du roi sur ma personne. Ma sacoche était une cachette beaucoup trop rudimentaire ; après réflexion, je pensai à mon pourpoint. Ce n'était pas un vêtement de paysan, taillé dans le lainage grossier qu'autrefois on appelait *brocella* ; façonné dans un cuir souple, il m'avait été donné par une veuve pour payer des marchandises que je lui avais vendues. Les temps étaient durs pour elle depuis la mort de son mari et elle avait été bien contente d'échanger mes articles contre quelques vêtements du défunt dont elle n'avait que faire. L'agrément de ce pourpoint était sa doublure d'écarlate, un doux lainage teint à la cochenille que l'on utilisait pour les sous-vêtements et qui protégeait du froid pendant l'hiver. Je le destinais à présent à un autre usage. Prenant mon couteau, je fis une fente de plusieurs pouces dans la doublure du devant gauche et je glissai la lettre entre la laine et le cuir. Plus tard, je demanderais à Janet Overy une aiguille et du fil pour refermer la déchirure ; en attendant, le document était en sécurité, l'ourlet l'empêchant de tomber. Cela fait, j'enfilai mon pourpoint que j'attachai, avant de faire usage de la garde-robe en haut de l'escalier puis de descendre à la cuisine pour le petit déjeuner. (Je dois dire ici que le mot « lieux d'aisances » m'a toujours convenu mais certaines personnes sensibles lui préfèrent le terme franco-normand de « garde-robe ».)

Je traversai la cour avec circonspection, mes sens en alerte guettant des signes de bouleversement, mais, pour l'instant, tout semblait normal. Par les portes ouvertes s'écoulait le double courant des domestiques et des servants du manoir qui entraient et sortaient. De la fumée s'élevait du trou dans le toit de la boulangerie et de la vapeur s'échappait de la buanderie où un chaudron chauffait sur le feu. J'entrai dans la cuisine, conscient que la matinée était déjà bien avancée et qu'il était plus près de huit heures que de sept. De fait, deux filles de cuisine récuraient les pots et les poêlons utilisés pour cuire les mets du petit déjeuner et le blâme durcissait le visage de Janet Overy.

– Toi et ton maître êtes en retard ce matin, grommela-t-elle en désignant la table du menton. Assieds-toi ! Assieds-toi ! Je vais t'apporter du porridge.

D'un geste brusque, elle s'empara du bol de bois posé devant moi. Puis, se tournant vers une fille, elle ordonna :

– Agnès ! Donne un mazer de bière à Roger Chapman. Où donc est ton maître, hein ? enchaîna-t-elle en emplissant mon bol. S'il paresse au lit plus longtemps, il n'aura rien à manger avant le dîner. Je ne peux pas tenir la nourriture au chaud et les filles à musarder pour ça toute la matinée. Elles ont autre chose à faire et moi aussi.

Elle avait l'air épuisée et j'aurais aimé qu'elle fût de meilleure humeur. Ç'aurait été plus facile pour moi de jouer mon rôle. Toutefois, je n'y pouvais rien et demandai aussi calmement que je pus :

– Maître Underdown n'a donc pas encore mangé ? Il n'était pas dans son lit quand je me suis réveillé. J'ai pensé qu'il s'était levé très tôt. Vous... vous ne l'avez pas vu ?

– Non, je ne l'ai pas vu, dit-elle avec humeur. Et il est bien dommage qu'il soit allé flâner autour du manoir sans rien avoir dans l'estomac.

Elle posa le bol de porridge devant moi et ajouta sur un ton moins bourru :

– Tu le trouveras peut-être quand tu auras fini de manger, à moins qu'il ne soit revenu d'ici là.

Puis, comme si elle avait honte tout à coup de son accès d'humeur, elle sourit et me tapota l'épaule :

– Désolée, mon garçon. Ce n'est pas ta faute si Maître Underdown n'est pas là. Mais tout est allé de travers ce matin. Moi-même, j'ai trop dormi et j'étais en retard pour envoyer Alwyn ouvrir les portes. Et quand il les a ouvertes, nous avons découvert un autre visiteur devant chez nous, une autre bouche à nourrir.

Elle donna un petit coup de tête en direction de l'âtre où j'aperçus une silhouette que je n'avais pas remarquée jusqu'alors : un homme assis sur un tabouret, penché en avant, les mains tendues vers la chaleur du feu.

Vu de dos, cet homme me rappelait quelqu'un mais je n'eus pas le temps d'interroger ma mémoire qu'il se levait, et je le vis clairement. Court, trapu, les cheveux cendrés, la barbe en bataille, le visage buriné, les yeux bleus et brillants, on le reconnaissait au premier coup d'œil.

– Toi ! suffoquai-je. Au nom du ciel, que viens-tu faire ici ? Comment nous as-tu trouvés ?

C'était Silas Bywater.

Il porta son tabouret près de la table et s'installa à côté de moi sans cesser de se curer les dents ; manifestement, on l'avait bien nourri et il avait apprécié son petit déjeuner.

– Oh, vous n'êtes pas difficiles à trouver, dit-il, pas pour un homme comme moi qui a des amis à Plymouth. Il ne m'a pas fallu longtemps pour découvrir que toi et Maître Underdown aviez logé à *La Tête de Turc*. Quand je le lui ai suggéré, le patron ne l'a pas nié mais il a dit que vous étiez partis et qu'il ignorait où vous alliez. Bien entendu, je savais qu'il mentait, conclut Silas en riant.

– Quand es-tu arrivé à Plymouth ? demandai-je.

Mon cerveau s'activait, essayant d'évaluer ce que signifiait la présence de Silas Bywater dans le voisinage. S'il attendait derrière la porte ce matin, c'est qu'il était déjà dans les environs du manoir pendant cette dernière nuit blafarde. Était-ce lui l'assassin de Philip, et non le voyageur inconnu de l'auberge ? Était-ce lui que j'avais vu se dissimuler dans l'ombre sur le quai du port de Sutton ? Il y avait trop de questions et pas l'amorce d'une réponse. Il me fallait de surcroît imposer à mes traits une expression proche de l'indifférence, comme si ses déplacements n'avaient guère d'importance. Je priai le ciel que quelqu'un surgît rapidement, apportant la nouvelle de la mort de Philip. Dissimuler m'était difficile.

– Samedi vers le crépuscule, dit-il en réponse à ma question. Un roulier qui transportait de la tourbe m'a emmené jusqu'au prieuré de Plympton. J'ai passé là-bas la nuit de vendredi et, le lendemain, j'ai couvert à pied la fin de mon voyage ; j'étais chez moi en fin d'après-midi et j'ai commencé mes recherches le dimanche. A vrai dire, il n'était pas vraiment besoin de chercher pour vous retrouver.

Il sourit en caressant sa barbe.

– Je savais où Maître Underdown se rendrait : là où il descendait toujours quand il était à Plymouth, chez son vieux compère John Penryn.

– Ainsi, tu étais dans la ville samedi soir et tu savais où nous trouver, dis-je. Aurais-tu par hasard essayé de pénétrer par effraction dans la chambre à coucher de Maître Underdown pour terminer ce que tu avais essayé de faire à l'abbaye de Buckfast et que tu avais raté ?

Roulant des yeux comme un cheval nerveux, il me lança un long regard de biais.

– Je ne vois pas ce dont tu parles, répondit-il. J'ai poursuivi Philip Underdown pour une seule raison : lui arracher un peu de l'argent qu'il m'a promis autrefois et ne m'a jamais payé.

– Tu ne m'as toujours pas dit comment tu as remonté notre piste jusqu'ici. Tu dis que John Penryn t'a affirmé ne rien savoir de notre destination.

Silas Bywater haussa les épaules.

– Si vous voulez quitter une ville de nuit et en secret, il faut contrôler mieux vos chevaux. Si l'un d'eux hennit, cela attire l'attention. Une amie à moi a vu des hommes et des chevaux passer sous sa fenêtre bien après le couvre-feu ; elle a déduit de leur direction qu'ils prenaient la route du bac. Le passeur, un autre ami à moi, m'a confirmé qu'il avait fait traverser la Tamar à deux hommes et leurs chevaux aux mortes heures de la nuit, quand les honnêtes citoyens dorment dans leur lit. Il m'a dit aussi qu'une fois sur l'autre rive ses clients avaient pris la direction du nord. J'ai passé toute la journée d'hier à suivre la foulée de vos chevaux, m'arrêtant pour questionner dans toutes les maisons devant lesquelles je passais. Je savais que si Philip Underdown travaillait de ce côté du fleuve, il serait planqué quelque part mais, grands dieux, je ne m'attendais pas à le trouver dans une pareille demeure ! La nuit dernière, j'ai dormi sous une haie et ce matin, quand les portes se sont ouvertes, je suis venu mendier un petit déjeuner avant de poursuivre mes recherches. Quand tu es entré il y a un instant, je me suis rendu compte que toi et Maître Underdown deviez loger ici ; je n'en croyais pas mes yeux. Puis je me suis dit : et pourquoi pas ? Il a toujours eu un culot d'enfer !

Silas Bywater pivota sur son tabouret pour me voir bien en face et, pour la première fois, me regarda droit dans les yeux.

– Tu es son nouvel associé, pas vrai ? Tu as pris la place de son frère ? Bizarre... T'as pas le genre de ces petits gars qui trifouillent dans les affaires de Philip Underdown.

Je le regardai bêtement pendant quelques secondes avant de comprendre brusquement. Bien entendu, Silas Bywater ne pouvait pas savoir que Philip avait changé d'occupation après le sinistre et ultime voyage du *Speedwell*. Il le croyait toujours commerçant et marchand d'esclaves, et me prenait pour son complice. Ce qui ne voulait pas dire pour autant qu'il était innocent du meurtre de Philip. S'il était tombé sur lui par hasard dans la nuit, sa soif de vengeance l'avait peut-être submergé. Il avait pu saisir ou ramasser le gourdin et frapper Philip à mort avant de s'arrêter pour penser à ce qu'il faisait.

A ce moment, Janet Overy, qui apprenait aux filles de cuisine comment on prépare un pot-au-feu, quitta la table de travail à l'autre bout de la cuisine et s'approcha de nous.

– Je ne peux pas garder le porridge au chaud plus longtemps, me dit-elle sèchement. J'ai besoin de la crémaillère pour y pendre la marmite du ragoût. Ton maître devra rester sur sa faim jusqu'au dîner. Si tu le trouves, dis-le-lui.

Ses yeux se tournèrent vers Silas Bywater qu'elle observa pensivement.

– Et vous, mon brave, si vous voulez rester et partager notre repas, vous êtes le bienvenu. Votre visage me dit quelque chose. Si je ne me trompe, nous nous sommes déjà rencontrés.

– Pas à ma connaissance, Maîtresse, répondit Silas en levant les yeux vers elle. Je ne me rappelle pas vous avoir déjà vue.

Je saisis le regard de la gouvernante et dis d'un ton significatif :

– Cet homme s'appelle Silas Bywater ; c'est un ancien ami de Maître Underdown.

Je la vis triturer sa cervelle quelques secondes avant que sa mémoire lui restituât ce que recouvrait ce nom.

– Bien sûr, dit-elle en souriant. Il y a bien des années maintenant, quand je vivais de l'autre côté du fleuve, j'allais chaque mois au marché de Plymouth. Je me souviens vous avoir vu en compagnie de Maître Underdown et avoir entendu votre nom. Sauf erreur de ma part, vous étiez alors capitaine de la marine marchande.

– Je le suis toujours quand il y a du travail, répondit Silas avec un sourire complaisant, heureux de constater qu'il était dans sa ville natale un personnage assez connu pour qu'une belle femme, même si elle n'était plus toute jeune, l'eût remarqué et reconnût son visage.

Je me levai.

– Je vais aller chercher mon maître, dis-je avec réticence car je haïssais les subterfuges auxquels j'étais contraint de recourir.

– Je viens avec toi, dit Silas Bywater en se levant lui aussi. Je resterai volontiers pour le dîner, Maîtresse. Merci beaucoup. J'ai quelques affaires en suspens dont je veux parler avec Maître Underdown.

Il me suivit dans la brume ensoleillée de la cour et me dit, l'œil luisant de curiosité :

– Ainsi, il est ton maître, hein ? Je comprends mieux, poursuivit-il en me jaugeant du regard. Il a besoin d'un bon garde du corps, jeune, fort et robuste comme toi pour le protéger de tous les gens qui lui veulent du mal. D'après ce que tu viens de dire, il y avait à Buckfast et à Plymouth quelqu'un qui ne le porte pas dans son cœur.

Il eut un mauvais rire et reprit :

– Ce qui explique la fuite clandestine à minuit. Mais, qui que ce fût, ce n'était pas moi. Je veux Philip Underdown vivant, du moins jusqu'à ce que j'aie obtenu ce que cet immonde bâtard me doit. Je l'ai prévenu que maintenant que j'ai mis la main sur lui, je ne le laisserai pas se défiler facilement.

Il avait l'air sincère, mais c'était son intérêt de le paraître s'il était le meurtrier, car on trouverait bientôt le corps et il y aurait certainement une enquête.

Je me dirigeai vers la porte ouverte, conscient qu'il ne me lâchait pas d'une semelle. Nous avions presque atteint la zone d'ombre sous le porche quand j'entendis des bruits de roues sur le chemin et des voix qui criaient et appelaient pour attirer l'attention. Un moment plus tard, conduit par le scieur et son aide que j'avais vus la veille, le chariot utilisé pour le transport des bûches franchit en cahotant le passage pavé et s'arrêta au milieu de la cour ; entre les brancards, les flancs du cheval couverts d'écume se soulevaient rapidement, la pauvre bête ayant été poussée à une vive allure, pour elle inhabituelle. Mais, ce jour-là, le chariot n'apportait pas de bois : rien que le corps affalé, sans vie, de Philip Underdown.

12

Silas Bywater s'approcha le premier du chariot.

– Couteau, dit-il laconique. En plein cœur.

– Quoi ! Tu dois te...

J'avais failli dire « Tu dois te tromper » mais je m'étais retenu à temps. Je m'avançai pour voir par moi-même.

Philip était étendu sur le dos, tel que le scieur et son aide l'avaient jeté sans cérémonie ; sous la couche de boue et les traces laissées par l'herbe, son visage était cireux et ses traits puissants amoindris par la mort. Les yeux à demi clos et les lèvres épaisses gardaient secrète l'ultime expression de surprise ou d'horreur qui avait été sienne à l'approche du destin. De la terre s'était agglutinée aux genoux de ses chausses et à la pointe de ses bottes pendant les longues heures qu'il avait passées face contre terre sur la rive imbibée d'eau. Le devant de son pourpoint avait aussi changé de couleur et, mêlés à la boue, de sinistres filets brun rouille suintaient du manche d'un couteau planté jusqu'à la garde dans sa poitrine et solidement arrimé dans sa chair et ses muscles.

– Le dos d' sa tête a aussi été défoncé, dit le scieur avec délectation. J'dois dire que çui qu'a fait ça, l'a fait du bon boulot.

La représentation de ce qui était véritablement arrivé à Philip s'ébaucha dans mon esprit quand je me rendis compte que le couteau aurait pu ne pas l'avoir achevé. J'étais certain que le meurtrier avait eu l'intention de le tuer à coups de couteau mais que, dans l'obscurité, il avait manqué son but : Philip s'était abattu mais respirait encore. Il était tombé en avant, le couteau dans le corps, et l'assassin avait alors cherché un autre moyen de l'achever. Mon bâton, que Philip avait emporté, avait dû lui échapper des mains et l'autre s'en était saisi pour lui défoncer le crâne et en finir ainsi avec sa sinistre besogne. Je me penchai davantage pour examiner le manche du couteau mais il était en os, très ordinaire et dépourvu d'ornement ; l'objet aurait pu être acheté dans n'importe quelle coutellerie ou à l'éventaire d'un marché de campagne.

A ce moment, les domestiques du manoir qui se trouvaient à portée de voix avaient compris qu'un événement fâcheux était survenu. Maîtresse Overy et les deux filles de cuisine sortirent de leur domaine, la blanchisseuse et ses aides émergèrent des nuages de vapeur qui s'échappaient par la porte de la buanderie, le boulanger apparut, son tablier blanc de farine, ses mains engluées de pâte, et Alwyn, surgissant du hall principal, traversa hâtivement la cour, sa longue robe bleu nuit battant ses chevilles fines. Encore une minute et Isobel Warden sortait du quartier des domestiques ; des boucles de cheveux roux qui s'échappaient de son capuchon de femme mariée luisaient insolemment au soleil. Elle portait une robe de laine vert foncé qui reflétait la couleur de ses yeux et ne faisait rien pour dissimuler les courbes de sa splendide silhouette. Philip aurait bien pu estimer qu'elle valait tous les risques.

Un long silence pesa pendant que tous se rassemblaient autour du chariot pour en examiner le contenu. Je pouvais presque voir comment, au rejet initial du témoignage de leurs yeux, succédaient lentement l'acceptation naissante et l'horreur croissante. Une des petites laveuses se mit à hurler et sombra dans une crise d'hystérie ; Alwyn blêmit visiblement ; les deux aides de cuisine cherchèrent soutien en s'accrochant l'une à l'autre ; le boulanger se passa la main sur le front, y laissant une traînée de farine. La gouvernante et Isobel Warden étaient, semblait-il, moins affectées ; la première avait connu trop de tragédies personnelles pour se laisser abattre par cette manifestation présente de la dureté du destin, la seconde demeura impassible pour des raisons que je n'osais imaginer. Isobel savait-elle à quoi s'attendre avant de s'approcher du chariot ? Le beau visage à la peau crémeuse et à la pâleur délicate ne livra pas ses secrets.

– Est-il mort ? demanda Alwyn pour briser le silence, la réponse ne faisant aucun doute.

– Par-devant tout comme par-derrière, répondit le scieur, révélant un sens de l'humour morbide. L' fond d' son crâne, il est fendu en deux, ajouta-t-il à l'intention de ceux qui l'ignoraient encore.

L'intendant respira profondément. En l'absence de son maître et de sa maîtresse, c'était à lui de décider ce qu'il convenait de faire à présent et, pour l'instant, il ne savait vraiment pas comment s'y prendre. La mort violente, sous le toit même de Sir Peveril, d'un individu qui se disait l'ami de Sir Peveril était évidemment chose grave et il se sentait mal armé pour y faire face.

– Nous ferions mieux d'envoyer un courrier à Londres pour prévenir Sir Peveril de l'événement, dit-il enfin. Pendant ce temps, quelqu'un doit partir au galop pour Launceston Castle et ramener l'officier du shérif de la garnison.

Alwyn fit du regard le tour des visages.

– Thomas Sawyer[1], à toi de le faire. Dès qu'il reviendra de l'entraînement des chevaux, dis à John Groom[1] de seller la jument grise. Si tu pars dans moins d'une heure et pousses ta monture, tu pourras y être à midi et revenir avec l'officier avant la tombée de la nuit. Est-ce toi qui l'as découvert ?

Imbu de sa soudaine importance, Thomas Sawyer hocha la tête. La perspective d'un jour de liberté, loin de sa fosse de scieur de long, et l'occasion de filer tout le travail à son aide l'enchantaient.

– Je m' promenais le long d' la rive pour m' dégourdir les jambes. C'est un travail à attraper des crampes d' rester debout

1. L'apparition des patronymes était souvent liée à la profession exercée. *Sawyer* : scieur. *Groom* : valet d'écurie. *(N.d.T.)*

dans la fosse pendant des heures, ronchonna-t-il sur le mode défensif. Y suis tombé sur lui. Il était le visage dans les grandes herbes du bord de l'eau. Pas possible d' le voir du sentier, je dirais.

– Eh bien, nous ferions mieux de porter le corps dans la maison, décida Alwyn. Nous allons dresser un tréteau dans le grand hall et l'y installer. Thomas, toi et le jeune Gérard, vous vous en occupez. D'ici là, John Groom sera revenu avec les chevaux et tu partiras pour Launceston. Ensuite, toi, Gérard, tu redescendras au village et tu rassembleras le reste des hommes. Dis-leur ce qui est arrivé. Colin et Ned travaillent à la clôture de l'est avec Edgar Warden.

Puis l'intendant se retourna ; avec un grand geste du bras qui nous englobait tous, il nous enjoignit :

– Allez-y ! Rentrez. Il n'y a pas de raison de s'attarder dehors et je pense, Maîtresse Overy, qu'une mesure de bière forte pour chacun ne sera pas malvenue. A bien y réfléchir, peut-être que du vin serait plus approprié ; vu les circonstances, je suis sûr que Sir Peveril n'y verrait pas d'objection. Vous avez la clé de l'office.

– Je m'en occupe tout de suite.

Janet Overy pivota vivement sur ses talons et ramena sous sa houlette les jeunes aides de la cuisine et de la buanderie à la maison ; la blanchisseuse et le boulanger suivirent, ni l'un ni l'autre n'auraient manqué l'aubaine d'une mesure de vin gratuite. Et puis, tout prétexte d'interrompre le travail était aussi le bienvenu.

Quand nous entrâmes dans la cuisine, je saisis la manche de l'intendant et le tirai à l'écart. L'évocation de John Groom et des chevaux m'avait fait prendre conscience d'un autre problème.

– Maître Underdown vous avait parlé de la mission dont il était chargé, dis-je à voix basse. Je dois à présent la terminer à sa place. Puis-je laisser son cheval dans vos écuries jusqu'à ce que j'aie pris contact avec ceux qui viendront le récupérer ?

Alwyn parut un peu surpris.

– Il restera ici, dit-il. C'est certainement le bien le plus précieux qui était en la possession de Maître Underdown au moment de sa mort, et comme sa mort a eu lieu dans le territoire du manoir de Trenowth, l'animal appartient désormais à Sir Peveril.

Il leva les sourcils devant mon air manifestement perplexe.

– C'est la loi féodale en Cornouailles, m'expliqua-t-il. N'en est-il pas de même en Angleterre ?

– Pas à ma connaissance, répondis-je sèchement. Mais je ne suis pas très versé en matière de droit. Les moines de Glastonbury m'ont appris à lire et à écrire, mais l'acquisition de biens n'était pas considérée comme un sujet convenant aux novices. J'en aurais sûrement appris davantage si j'étais resté assez longtemps pour m'élever dans la hiérarchie de l'Église.

Alwyn semblait terriblement choqué par ce cynisme éhonté et je décidai que j'en avais assez dit. Un de ces jours, ma langue me jouerait de vilains tours, pensai-je. Et le problème de l'entretien du gris pommelé de Philip venait d'être résolu pour moi, même si ce n'était pas, je l'avoue, de la manière que j'avais escomptée. Je détournai l'attention d'Alwyn sur Maîtresse Overy qui revenait à la cuisine, porteuse de deux grandes outres.

On les ouvrit et l'on servit du vin à toutes les personnes présentes. Un moment plus tard, Thomas Sawyer et son aide Gérard vinrent réclamer leur part et dire que le corps était à présent étendu sur un tréteau dans le grand hall, prêt à recevoir les soins des femmes.

– Quelqu'un devrait informer le prêtre de la paroisse que nous aurons besoin de ses services, rappelai-je à l'intendant. Heureusement, comme nous tous, Maître Underdown s'est confessé hier soir et a reçu l'absolution. Il ne peut donc y avoir discussion quant aux dispositions de son âme à l'heure de la mort.

Tout en parlant, je m'interrogeais secrètement sur la véracité de ces paroles ; mais en ce qui concernait le père Anselm, il pourrait enterrer Philip la conscience tranquille.

Alwyn hocha la tête.

– Thomas, arrête-toi en route au presbytère et dis au père Anselm ce qui est arrivé. Comme c'est le jour de la Sainte-Foi, il doit célébrer une messe spéciale ; donc, si tu ne peux pas le voir, laisse un message à sa gouvernante ou à un voisin. A présent, si tu as terminé ton vin, pars pour Launceston. Il n'y a pas de temps à perdre. Toi et l'officier du shérif devez être de retour ici à la tombée de la nuit.

Contrarié qu'on le bousculât, le scieur était néanmoins si content de cette journée de liberté qu'il se contenta de grommeler un juron dans sa barbe, histoire de ménager son amour-propre.

Il aurait eu piètre opinion de lui s'il n'avait manifesté, ne serait-ce que pour la forme, son opposition à l'autorité. Il siffla les dernières gouttes de son vin, reposa le gobelet sur la table et redressa les épaules.

– J'suis parti, déclara-t-il. Ça fait dix minutes que John Groom est rentré d' l'entraînement avec les chevaux. J' saute en selle et j' me cavale comme si j'avais la mort aux trousses...

La maladresse de cette remarque le frappa comme un soufflet et il rougit.

– Alors... Dieu soit avec vous tous ! J' suis d' retour dès que possible.

– Et je dirai aux autres ce qui s'est passé, conclut Gérard, se rappelant soudain les premières instructions de l'intendant.

Craignant une réprimande, il se faufila hors de la cuisine dans le sillage de Thomas.

L'air fortement réprobateur, Alwyn suivit des yeux son dos qui s'éloignait, avant de revenir à la besogne désagréable qui réclamait son attention. Il regarda Janet Overy :

– Voulez-vous, avec une des filles, vous occuper de la toilette mortuaire ?

Nerveuses, les jeunes servantes de la cuisine et de la buanderie, dont la détresse initiale s'était calmée et qui chuchotaient entre elles, manifestèrent aussitôt tous les signes d'un débordement hystérique. La gouvernante les rassura.

– Isobel m'aidera, n'est-ce pas, ma chère ?

La jeune femme n'avait pratiquement pas touché au vin ; assise à la table, elle nous regardait tous avec un ennui détaché et répondit d'un ton indifférent :

– Si vous le souhaitez.

– Je le souhaite sincèrement, affirma vivement Janet Overy qui s'efforçait de ramener un peu de calme dans une maisonnée saisie par l'horreur et la suspicion. Mettons-nous-y tout de suite. Repousser à plus tard n'y changerait rien.

Passant aussitôt aux préparatifs, elle prit le chaudron qui était sur le feu et versa de l'eau chaude dans une grande terrine de terre cuite ; puis elle envoya une de ses aides à la lingerie pour y chercher une chemise de nuit propre, des draps et quelques chiffons. Une fois ces objets rassemblés, elle interpella de nouveau Isobel Warden.

– Prenez le linge, je porterai la terrine.

Puis elle ajouta :

– Ceci va nous prendre un moment. Si l'intendant Alwyne le veut bien, je suggère que tout le monde reparte à son travail aussi vite que possible. Chacun de nous s'en trouvera mieux.

Les jeunes membres de la maisonnée n'étaient guère portés à croire en sa sagesse mais, d'une voix sans réplique, la blanchisseuse ordonna à ses aides de retourner à la buanderie ; le boulanger reconnut à contrecœur qu'il devait aller voir son pain, sinon toutes les miches seraient brûlées, l'œil d'aigle d'Alwyn contraignit les deux aides cuisine à reprendre leur besogne. En dépit d'équilibre précaire dû aux effets du vin, elles bâtirent en retraite à l'autre bout de la cuisine et se mirent à couper les légumes du dîner avec une négligence qui me fit trembler pour l'intégrité de leurs doigts.

Je posai la main sur le bras de l'intendant, espérant obtenir de lui un entretien privé, loin de Silas Bywater, mais, à ce moment, Edgar Warden entra dans la cuisine, suivi des deux hommes, Colin et Ned, qu'Alwyn avait mentionnés. Le visage basané du régisseur était tendu et soupçonneux, comme s'il pensait qu'on lui avait joué un tour.

– Qu'est-ce que cette histoire absurde que nous a racontée le jeune Gérard ? demanda-t-il d'un ton agressif. Il y a encore beaucoup de travail à faire sur la barrière extérieure. Si le gamin s'est moqué de nous, je l'écorche vif !

Bougonnant à mi-voix, ses deux compagnons approuvaient ses dires mais Alwyn saisit vivement le régisseur par la main.

– Gérard vous a dit la vérité. Notre hôte, Maître Underdown, a été assassiné la nuit dernière, sur la berge. J'ai envoyé chercher l'officier du shérif de Launceston Castle. Il n'y a rien que nous puissions décider avant son arrivée. Maîtresse Overy est en train de procéder à la toilette du corps dans le grand hall.

J'avais observé attentivement Edgar Warden depuis son arrivée ; de même que l'étranger inconnu qui logeait à l'auberge de Trenowth, il était un de mes principaux suspects pour le meurtre de Philip. Car si Philip avait eu un rendez-vous galant avec la ravissante Isobel et que le mari les avait surpris, la réaction de celui-ci ne faisait pour moi aucun doute. Et s'il est vrai que les deux hommes étaient bien assortis quant à la taille et au poids, les conditions du combat n'auraient pas été équitables. Dans mon idée, si Edgar était le meurtrier, il devait avoir eu vent du rendez-vous que sa femme projetait et il était à l'affût. Il avait affronté Philip le couteau à la main et frappé avec une rage aveugle, si bien qu'il avait manqué son coup. Philip était tombé sur les genoux, encore vivant, puis il avait été achevé avec le bâton qu'il avait lâché.

Cette version du meurtre pouvait aussi valoir pour l'étranger inconnu, le tueur à gages des Woodville ou des Tudors, et il fallait que je garde l'esprit ouvert. Une troisième hypothèse se présentait ; elle aurait eu pour acteur Silas Bywater qui nous observait de ses yeux brillants, des yeux d'oiseau dont il dardait tour à tour sur chacun de nous le regard vif et rusé. Il avait juré de se venger de Philip et, bien qu'il fût incontestable que Philip vivant valait davantage pour lui que Philip mort, Silas Bywater n'aurait pas été le premier homme à tuer dans un accès de rage incontrôlable. Il y avait aussi la possibilité que Silas fût la personne que Philip devait rencontrer, mais je n'y croyais pas beaucoup. Maître Underdown n'aurait pas perdu son temps et son énergie à quitter la chambre par la fenêtre pour aller dire secrètement à Silas ce qu'il lui avait déjà signifié en public. A moins que... A moins que Philip n'ait voulu tuer Silas pour mettre définitivement fin à ses menaces et réclamations importunes. Je pataugeais tant et si bien dans cette mer de possibilités que je me sentis soudain pris de vertige.

Edgar Warden s'assit à la table ; Ned et Colin firent de même et l'intendant poussa vers eux l'outre de vin. Il demanda à une aide de cuisine d'apporter d'autres mazers et servit lui-même les trois hommes.

– Allez, buvez-moi ça. Un des meilleurs vins de Sir Peveril. Dans les circonstances présentes, Maîtresse Overy et moi avons pensé qu'il ne nous le reprocherait pas.

Le régisseur vida son mazer d'un trait puis s'essuya la bouche avec le dos de sa main.

– Je ne peux pas dire que la mort d'Underdown me consterne, déclara-t-il après un moment de silence, le visage et la voix dénués d'expression. Pour le peu que j'ai vu de lui hier, je n'avais pas de raison de l'apprécier. Je ne serais pas étonné qu'il se soit fait beaucoup d'ennemis de son vivant.

– Par Dieu, l'ami, vous parlez d'or ! intervint inopinément Silas Bywater, toujours rencogné au coin du feu. Vous savez reconnaître un coquin !

– Qui est-ce ? questionna Edgar, avec un coup de tête impérieux en direction de Silas.

– J'étais autrefois le capitaine de vaisseau de Philip Underdown quand il appareillait de Plymouth, répondit l'intéressé. Il engageait d'autres capitaines à Bristol et à Londres quand le *Speedwell* faisait voile depuis ces ports, ce qui arrivait de temps en temps. Et s'il les traitait de façon aussi mesquine qu'il nous traitait, moi et mon équipage, alors, des ennemis, c'est pas ça qui lui manque.

– Mais tu es ici et Maître Underdown est mort, fis-je remarquer d'un ton suave et, pour la première fois, je vis la peur trembler dans ses yeux bleus brillants. De ton propre aveu, tu nous as suivis depuis Plymouth et tu étais aux abords de Trenowth la nuit dernière.

Silas bondit maladroitement sur ses pieds, les mains agrippées à ses basques.

– Dis donc ! Qu'est-ce que tu insinues là ? m'apostropha-t-il.

– Je n'insinue rien, je ne fais que répéter ce que tu as dit ce matin à Maîtresse Overy et à moi-même. Et tu auras certainement à rendre compte de ta présence à l'officier du shérif lorsqu'il arrivera.

Silas Bywater se rassit lentement, les lèvres décolorées. Il semblait sincèrement déconcerté à l'idée qu'il pourrait être impliqué dans le meurtre de Philip, réaction qui aurait pu plaider en faveur de son innocence ou, plus simplement, de son aptitude à dissimuler ses vraies pensées et émotions. Je ne le connaissais pas assez pour en juger, pas plus que je n'étais capable de savoir à ce moment si l'indifférence d'Edgar Warden était ou non habilement feinte. Je ne pouvais qu'attendre les informations que le temps et l'enquête officielle fourniraient sur eux.

Mais c'était la venue de l'officier du shérif de Launceston qui m'inquiétait vraiment. Si, comme je le soupçonnais, Philip avait été assassiné par un agent des Woodville ou des Tudors, le duc de Gloucester voudrait sûrement que l'affaire restât secrète, surtout si les parents de la reine y étaient mêlés. Une investigation officielle sur les causes de la mort de Philip pourrait s'avérer très nuisible et compromettre mes chances de porter en Bretagne la lettre du roi au duc François. Mais si je pouvais ce soir, dès son arrivée à Trenowth, révéler à l'officier du shérif l'identité du meurtrier ou lui démontrer, avec de solides arguments, qu'il ne devait pas procéder à une enquête officielle sur la mort de Philip, alors il me serait encore possible d'accomplir la mission du duc. Je n'avais su préserver Philip de la mort ; sur ce point, j'avais failli à ma parole, mais tout n'était pas perdu si je pouvais remplir la tâche presque impossible que je m'étais fixée.

13

Après avoir achevé la toilette mortuaire, Janet Overy et Isobel revinrent dans la cuisine. Ayant terminé leur vin, le régisseur et ses deux assistants étaient repartis travailler à la barrière orientale du domaine de Trenowth. Plus tatillon que jamais, Alwyn était allé vérifier que Thomas Sawyer n'était pas en train de blaguer avec le valet d'écurie mais qu'il était bien parti pour Launceston Castle. Quant à Silas, toujours recroquevillé près du feu, son visage buriné se plissait avec une expression saisissante d'innocence offensée chaque fois que je le regardais.

Quand les femmes entrèrent, je me levai et demandai :

– Tout est en ordre ? Puis-je le voir ?

Maîtresse Overy rangea la terrine vide à sa place sur une étagère et fit signe à Isobel Warden que, pour l'instant, elle n'avait plus besoin de ses services. La jeune femme n'était pas une domestique et, bien qu'elle aidât aux travaux ménagers quand on le lui demandait, elle était avant tout la femme du principal serviteur de Trenowth, après Alwyn et Janet elle-même.

– Évidemment, tout est en ordre, dit la gouvernante offensée. J'ai fait assez souvent la toilette de défunts pour savoir comment m'y prendre.

Plein de remords, je pensai à son mari et à son fils, et me mordis la langue. Mon visage devait dire combien j'étais contrit car elle ajouta d'un ton plus doux :

– Mais tu ne peux pas le voir. La porte du grand hall a été fermée sur les ordres d'Alwyn jusqu'à l'arrivée de l'officier du shérif, et c'est Alwyn qui a la clé.

Elle me regarda de plus près :

Tu es pâle et tu as les traits tirés, mon garçon. Assieds-toi donc un moment. Je vais te chercher un peu de vin. Tu n'aimais pas beaucoup l'homme mais tu accuses durement le coup.

A ces mots, je vis Silas tourner la tête avec curiosité et j'assurai vivement à la gouvernante que je n'avais pas besoin de vin.

– Mais, si c'est possible, ajoutai-je, j'aimerais parler à Maître Alwyn.

Janet secoua la tête d'un air dubitatif.

– Il est occupé ; si quelqu'un s'avise de le déranger en ce moment, il sera mal reçu. En plus de son travail habituel, il doit envoyer quelqu'un à Londres pour informer Sir Peveril et Milady de cet événement funeste. Il doit aussi s'occuper des préparatifs pour recevoir le représentant du shérif. Ce qui me fait penser qu'il faut lui préparer une chambre. C'est à moi qu'il revient d'attribuer les chambres à nos hôtes. Alwyn n'a pas à s'en occuper.

Elle souleva le trousseau de clés qui pendait à sa ceinture pour y faire son choix, aussitôt absorbée par ses tâches de gouvernante à l'exclusion de toute autre préoccupation. Le conseil qu'elle avait donné aux jeunes domestiques de reprendre leurs activités habituelles semblait faire merveille dans son cas. A la voir agir avec tant de calme et d'efficacité, on aurait difficilement soupçonné qu'un événement dramatique s'était produit ce matin.

Elle se dirigea d'un pas vif vers la porte de la cuisine et je la suivis dans la cour. Le jour avait renié les promesses du matin ; le ciel s'était assombri et des nuages de pluie venus du large s'entassaient à l'horizon, noirs et menaçants. La petite brise de la nuit, reparue depuis peu, agitait la cime des arbres qui apparaissaient au-dessus des toits du manoir. L'automne et ses humeurs variables s'installaient sur les terres et le timide soleil d'octobre n'était pas de taille à lutter contre bourrasques et tempêtes. De jour en jour, la traversée des mers deviendrait plus périlleuse, l'itinéraire des vaisseaux plus imprévisible. Il fallait que je sois à Plymouth, prêt à embarquer dès que le Falcon apparaîtrait, ce qu'il ferait certainement ; j'étais sûr que, sur les ordres du roi, son capitaine serait relevé de sa garde près du St Michael's Mount. Je ne pourrais me permettre aucun retard pendant que l'officier du shérif ferait son enquête sur la mort de Philip.

J'attrapai par le bras Janet Overy qui s'apprêtait à filer. Elle se retourna vers moi, l'air agacé.

– Vous-même ou Maître Alwyn verriez-vous une objection à ce que je pose quelques questions aux domestiques du manoir ? Je souhaite également mener une enquête à l'auberge du village. L'un de vous me mettrait-il des bâtons dans les roues ?

La gouvernante parut tout à fait déconcertée, puis elle haussa les épaules.

– En ce qui me concerne, cela m'indiffère et je ne pense pas qu'Alwyn puisse tenter de t'en empêcher. Plus tôt cette affaire sera élucidée, mieux cela vaudra pour nous tous. Je crois aussi qu'il serait plus judicieux de ta part d'attendre l'officier du shérif, mais c'est à toi d'en décider. D'après ce que tu m'as dit hier, tu as évidemment des soupçons. Cependant, ne t'avise pas de quitter les terres du manoir. Celui qui serait assez fou pour s'y risquer aurait des démêlés avec la justice et serait immédiatement suspecté. On crierait aussitôt haro sur lui.

De la tête, elle désigna la porte de la cuisine.

– Tu devrais bien en avertir ton ami, Silas Bywater. Depuis que tu l'as prévenu qu'on pourrait le soupçonner du meurtre, il est nerveux. Et maintenant, j'ai à faire. Je n'ai pas le temps de parloter pendant des heures.

Sur ce, elle s'éloigna d'un pas décidé vers la grande salle mais je courus derrière elle et la retins.

– Je viens de me rappeler quelque chose.

Cette fois, elle n'essaya pas de dissimuler sa contrariété et tourna vers moi un visage résolu et furieux.

– Au nom du ciel, quoi encore ?

Je me rendis compte que, malgré son attitude placide, le meurtre l'avait comme nous tous bouleversée ; elle s'imposait un calme apparent car elle mesurait ses responsabilités envers les jeunes membres de la maisonnée. En l'absence de Lady Peveril, c'était à elle de préserver le calme et la dignité face à un coup du sort imprévisible.

– Pardonnez-moi, dis-je, mais je dois vous demander quelque chose.

Avant qu'elle pût rejeter ma main et filer en me plantant là, je poursuivis rapidement :

– Hier soir, quand Maître Underdown et moi nous sommes couchés, j'ai vu qu'on avait posé un bouquet de marguerites sur le coffre, près du bougeoir ; au milieu des marguerites, il y avait la tige de renouée que j'avais jetée hier matin. Quelqu'un l'a récupérée dans la cour et portée dans notre chambre. A votre avis, qui a pu faire ça ?

La colère quitta le visage de Janet Overy. Elle fronça les sourcils.

– Qui a bien pu faire une chose pareille ? Les marguerites, je suppose qu'une des filles les y aura montées pour égayer la chambre mais, dans ce cas, elle les aurait mises dans l'eau. Quant à la renouée... cela ne rime à rien. Qu'a dit Maître Underdown à ce propos ?

– Il n'a rien vu et j'ai jugé préférable de ne pas lui en parler avant ce matin. Je les ai fait tomber entre le coffre et le mur, puis je les ai oubliées.

Je ne pouvais rien dire de plus sans lui révéler les événements de la nuit et le fait que j'avais appris le meurtre le premier. Il me déplaisait de la tromper mais je sentais que sa partialité à mon égard pourrait être mise à rude épreuve si elle connaissait la vérité.

– Et si tu me montrais ça ? dit-elle. De toute façon, il faut que je voie ta chambre dans la matinée pour vérifier qu'elle est en ordre, alors, autant y aller tout de suite. Attends : je vais d'abord dire à une des filles de s'y rendre après nous pour balayer et faire les lits.

Elle repartit vers la cuisine, y passa quelques minutes et revint. Nous traversâmes ensemble la grande salle et montâmes l'escalier pour nous arrêter devant la pièce que j'avais partagée avec Philip.

Maîtresse Overy me précéda pour ouvrir la porte et poussa un cri de détresse. Je regardai par-dessus son épaule. La chambre était sens dessus dessous. La paille et les plumes des matelas et des oreillers, éventrés à coups de couteau, se mêlaient aux joncs sur le plancher. Le couvercle du coffre de cèdre, dont on avait découvert qu'il était vide, était resté ouvert, appuyé contre le mur. Le contenu de mon ballot et celui des fontes de Philip étaient éparpillés dans la pièce. Accrochés à leurs paumelles, la fenêtre et le volet béaient. Je me rappelai avec consternation les avoir ouverts le matin pour examiner de plus près mon gourdin à la recherche de traces de sang ; j'avais négligé de les refermer avant de quitter la chambre. Une fois de plus, je fustigeai silencieusement ma bêtise, ma seule excuse étant mon ignorance des comportements tortueux

– Comment a-t-on pu pénétrer dans la pièce ? demanda Maîtresse Overy.

– En grimpant le long de la vigne ; et l'évasion s'est faite par la même voie. Exactement comme Maître Underdown s'y est pris la nuit dernière.

Elle se retourna brusquement pour me regarder, retenant son souffle.

– Évidemment, dit-elle. Quand la panique est telle, personne ne pense à... Il n'aurait pas pu sortir par la cour. Le grand portail et la poterne étaient verrouillés. Aucun de nous n'a jugé bon de se demander... On dirait bien que nous avons battu la campagne tous autant que nous sommes...

Je secouai la tête :

– Vous aviez d'autres choses en tête depuis que le corps a été découvert, et ce genre de questions, ce sera au sergent de les poser. Quoi qu'il en soit, il n'y a pas de dommages. Notre voleur frustré n'a pas trouvé ce qu'il était venu chercher.

Janet me jeta un curieux regard mais s'abstint de tout commentaire. Elle respectait le secret que je lui avais confié et, plus clairement que des mots ne l'auraient fait, ce silence me le disait : elle considérait que mes affaires ne la regardaient pas. Au bout d'un moment, cependant, elle fit remarquer :

– Tout de même, il faut informer l'intendant qu'un étranger s'est introduit dans la maison. Cela peut avoir un rapport avec le meurtre.

Elle hésita puis demanda :

– Qu'est-ce que Silas Bywater sait de toi et de Maître Underdown ?

– Il n'a jusqu'à présent aucune idée de la vraie situation. Il croit que Philip et moi sommes associés, que j'ai remplacé son frère défunt et que nous sommes ici en qualité de négociants pour écumer ce coin de Cornouailles, en quête d'objets peu coûteux à l'achat mais susceptibles d'être revendus avec profit à l'étranger. Y compris des enfants chétifs et malformés.

Le visage de la gouvernante se crispa ; l'idée d'un tel commerce la révoltait. Puis elle revint à notre sujet :

– Je vais aller chercher Alwyn et lui dire ce qui s'est passé. Et toi, mon garçon, agis comme tu l'entends. Pose tes questions.

– Avant que je parte, laissez-moi vous montrer ce que vous êtes venue voir.

Je fermai le couvercle du coffre, écartai de deux pouces le meuble du mur, me penchai et me relevai, la poignée de fleurs fanées à la main.

– La voici ! La tige de renouée est toujours au milieu des marguerites. Vous voyez comme elle est sèche et cassée par endroits. C'est la même, j'en suis sûr, que celle que Silas Bywater m'a donnée vendredi à Buckfast.

Janet Overy me prit des mains le bouquet pitoyable qu'elle considéra, l'air perplexe. Puis elle secoua lentement la tête.

– Ça ne peut pas être Silas, dit-elle enfin, il est arrivé ce matin. A moins qu'il ne soit entré dans la chambre de la façon dont Maître Underdown l'a quittée ; mais, à mon avis, c'est peu probable.

Elle leva les yeux et ajouta non sans perspicacité :

– Tu devais dormir très profondément pour n'avoir pas entendu que ton compagnon ouvrait la fenêtre et le volet, ni perçu le bruit qu'il a fait en enjambant la fenêtre et en cherchant un appui dans la vigne. Si tout ça ne t'a pas réveillé, j'aurais pensé que le vent froid de la nuit qui te soufflait au visage aurait dû le faire bien avant les premières lueurs de l'aube. Et qu'as-tu pensé quand, enfin réveillé, tu as découvert que le lit de Maître Underdown était vide, que la fenêtre et le volet étaient grands ouverts ?

Son visage aimable et toujours beau exprimait l'inquiétude et j'eus l'impression que, passé le premier choc provoqué par la découverte du meurtre, elle était en mesure d'appliquer sa raison au problème et que ma version des événements de la nuit lui paraissait soudain pleine de lacunes. Il m'apparut aussi qu'elle m'incitait discrètement à me tenir sur mes gardes et me prévenait de la nature des questions que l'officier du shérif pourrait me poser. Un instant, je fus tenté de me décharger une fois encore sur elle, de lui dire exactement ce qui s'était passé. Mais je repoussai la tentation. Il aurait été injuste de l'enserrer dans le réseau de mes mensonges et de la conduire, peut-être, à proférer des contre-vérités en vue de me protéger. Non, il était de loin préférable de chercher seul à démasquer le meurtrier.

J'avais trois principaux suspects : Silas Bywater, Edgar Warden et l'étranger qui avait séjourné cette nuit à l'auberge de Trenowth, celui que je pensais le plus susceptible de m'échapper. J'avais secrètement redouté jusqu'alors que ce voyageur n'eût déjà quitté le district mais le saccage de la chambre que nous avions partagée, Philip et moi, me rendit espoir : il était toujours dans le voisinage. De plus, un moment de réflexion me persuada que cet homme, quelle que fût son identité, n'était pas un agent des Woodville mais un lancastrien qui travaillait pour les Tudors. D'après Milord de Gloucester, les parents de la reine voulaient seulement la mort de Philip, au cas où le duc de Clarence l'aurait mis au courant de secrets dont la révélation les aurait discrédités ; dans ce cas, le meurtre de Philip était une fin en soi. Mais, pour les partisans de la maison de Lancastre, la découverte et la destruction de la lettre étaient presque aussi importantes. Ils espéraient sans doute que la mort du messager royal empêcherait que la lettre ne fût remise au duc François mais ne pouvaient en être certains, surtout après avoir découvert que Philip était pourvu d'un compagnon. Pour la première fois, il me vint à l'esprit que je pourrais moi-même être en danger.

– Tu as l'air inquiet, mon garçon.

La voix de la gouvernante me fit sauter en l'air ; j'avais un instant oublié sa présence. Elle se rapprocha de moi et, en écho à mes pensées, elle murmura :

– Et tu as de bonnes raisons de l'être si tu es résolu à exécuter ton plan. Une personne qui a tué une fois n'aura pas forcément de scrupules à tuer une seconde fois si quelqu'un se trouve sur son chemin. Suis mon conseil : laisse au sergent de Launceston Castle le soin de mener l'enquête.

– Je ne peux pas, répondis-je à contrecœur. Et pour répondre à votre question précédente, je suis un solide dormeur.

Ce n'était pas vrai. Au bout de trois ans, je me réveillais encore plus souvent qu'à mon tour au milieu de la nuit et au petit matin pour les offices de matines et de prime. La vieille discipline du noviciat continuait d'exercer son pouvoir.

Janet Overy soupira :

– Eh bien, s'il en est ainsi, je n'insiste pas. Mais fais attention à toi. Tâche de ne pas t'attirer d'ennuis. Et maintenant, au travail : je vais parler à l'intendant et tu commences ton enquête au village. Laisse-moi te dire pourtant que j'aurais préféré que tu ne t'en mêles pas...

Comme je l'ai déjà dit, le village de Trenowth n'était à l'époque qu'un semis de cottages blottis autour de l'église paroissiale et de l'auberge. Il s'est peut-être étendu au cours du demi-siècle qui s'est écoulé depuis – je n'y suis jamais retourné pour en juger –, mais j'en doute, à moins que ces dernières générations n'aient été plus fécondes. Comme la plupart des petites communautés, il se suffisait à lui-même et l'on n'y faisait pas fête aux étrangers.

L'auberge, à qui nul n'avait fait l'honneur de donner un nom, comprenait une grande pièce au rez-de-chaussée et, à l'étage, un logement pour le patron et sa femme, plus une pièce disponible pour les voyageurs de passage. Les dépendances comprenaient des lieux d'aisances, une cage à poules et une étable pour la vache. La bière était brassée dans la brasserie située parmi les arbres qui fournissait aussi Sir Peveril, sa femme et les domestiques du manoir. Le soir, deux jeunes filles servaient les fêtards et retournaient coucher chez elles. J'étais redevable de ces informations à Janet Overy qui me les avait fournies avant que je quitte le manoir. Il m'aurait fallu bien plus de temps pour les découvrir par moi-même.

Le patron me reçut froidement, comme il convenait pour un étranger. Quand j'entrai, il était en train de mettre en perce un nouveau tonnelet de bière et jeta vers moi, qui le dérangeais, un regard contrarié.

– Qui êtes-vous ? demanda-t-il d'un ton aigre.

– Je séjourne au manoir. Mon maître a été assassiné la nuit dernière. Le scieur a trouvé son corps tôt ce matin.

L'aubergiste redressa le dos et me regarda. De petite taille, il était massif et donnait une impression de force, un précieux atout pour qui faisait métier de trimballer caques et barils. Il avait le teint clair des Celtes, leurs cheveux noirs et leurs yeux bleus. Je le pensais plus jeune qu'il ne paraissait : une vie où les profits étaient minces et le bien-être presque inconnu avait marqué son visage soucieux.

– Alors, c'est vous. J'ai entendu dire que vous étiez deux. Qu'est-ce que vous voulez de moi ? Vous n'avez pas l'air d'un homme qui vient souper à la bière.

– Néanmoins, j'en prendrai un mazer, dis-je en m'asseyant sur un des bancs rangés contre les murs et en sortant ma bourse pour y prendre les pièces nécessaires. Après cela, peut-être voudrez-vous bien répondre à quelques questions.

– Ça dépend des questions.

Il prit un gobelet sur une étagère et le remplit au tonnelet qu'il venait de percer. Avec un coup d'œil rusé, il ajouta :

– C'est pas mon rôle de répondre à tout ce que vous pourriez demander. Si je savais quelque chose sur le meurtre – et c'est pas le cas –, seul l'homme du shérif aurait le droit de l'entendre.

– C'est juste, dis-je d'un ton égal, tout en buvant à sa santé. Pas plus que je ne vous demanderai de renseignements sur vos amis du village, poursuivis-je, magnanime. Non, mon enquête concerne un homme arrivé à Trenowth hier dans la matinée et qui, selon le père Anselm, a dormi dans cette auberge la nuit dernière. Il s'est fait servir tous ses repas dans sa chambre et n'a pas assisté aux vêpres, ce qui semble avoir chagriné le bon père.

– Oh, lui !

Les manières du patron se dégelaient un peu, encore qu'on eût difficilement pu les qualifier d'amicales.

L'est plus ici. Parti à l'aube. Payé sa note et sellé son cheval au lever du soleil. Dit qu'il avait deux longs jours de voyage devant lui.

– A-t-il dit où il allait ? demandai-je. Cette bière est excellente. Une des meilleures que j'aie jamais bues.

Une pâle lueur de satisfaction s'alluma dans l'œil du patron qui se garda pourtant de sourire.

– Il a dit qu'il avait affaire à Launceston. Vrai ou faux, je ne suis pas en mesure de le dire. Pour autant que je sache, c'est là qu'il allait quand il est parti d'ici. Pourquoi vous demandez ça ? En quoi il vous intéresse ?

Je ripostai en posant une nouvelle question.

– Comment s'appelle-t-il ? Vous l'a-t-il dit ?

– Il a dit s'appeler Jeremiah Fletcher. Et pour ce que j'en sais, c'est peut-être bien vrai.

– A quoi ressemble-t-il ? insistai-je, non sans percevoir que j'avais déjà nettement abusé de la patience de mon informateur.

– Poli et tranquille. Qui s'occupe que de ses oignons, contrairement à d'autres que je pourrais citer, dit le tenancier d'un ton vindicatif, mais il s'apaisa très vite et ajouta : Un long visage maigre. L'air triste. Un gentilhomme bien vêtu. Ma femme, elle pense qu'il est timide.

Je regardais pensivement devant moi, au point d'en oublier ma bière. Sauf grossière erreur de ma part, je venais d'entendre la description du gentleman de l'abbaye de Buckfast.

14

La voix du patron interrompit ma méditation.

– Vous connaissez cet homme ?

– Je... je crois l'avoir rencontré une fois.

Je demandai une autre mesure de bière et, tandis qu'il la tirait, je m'enquis :

– Serait-il possible... ? Un hôte pourrait-il quitter l'auberge pendant la nuit sans vous déranger, vous et votre dame ?

Cette façon de désigner sa femme lui arracha un rire rauque et bref. Il grommela :

– Une dame ? Dieu me préserve !

Avec un sourire aigre-doux, il posa devant moi le mazer avant de répondre à ma question.

– Ma foi ! Si un homme est assez fou pour quitter son lit douillet et aller baguenauder dans les bois, c'est possible.

Son visage mince s'aiguisa subitement : il avait compris.

– Oh ! Oh ! Parce que c'est comme ça que vous voyez les choses, pas vrai ? Vous pensez que notre beau gentilhomme serait peut-être bien le meurtrier, dit-il en secouant les épaules de façon désobligeante. Ma foi, ça se pourrait. Qui dira le contraire ? Tout homme est capable de tuer, je pense, bien qu'à mon avis certains le soient moins que d'autres. Et celui-là, il avait plutôt l'air d'un grand timide.

Sans évoquer l'hypothèse du loup qui dissimule sa nature sous la toison de l'agneau, je lui demandai, lorsque j'eus terminé et payé mon second mazer, si je pouvais jeter un coup d'œil à l'étage.

Le patron m'accorda la permission à contrecœur :

– Faites vite, avant que ma femme revienne de chez sa sœur ; elle peut arriver d'une minute à l'autre. L'avez sûrement remarqué en arrivant, l'escalier est à l'extérieur. Faut traverser notre chambre à coucher pour entrer dans celle des hôtes.

Cette information ébranla un instant ma conviction, puis je me dis que le patron et sa femme, épuisés par la besogne, devaient dormir si profondément que seul un grand tapage pouvait troubler leur sommeil, mais sûrement pas un individu qui se déplacerait sur la pointe des pieds en prenant soin justement de ne pas les éveiller. Je le remerciai, sortis et escaladai l'escalier. A la hauteur de l'étage, à gauche du minuscule palier, une porte dans le mur ouvrait directement sur le chaos de la première chambre où, bien que la matinée fût avancée, le lit n'était pas fait et le pot de chambre pas vidé ; les joncs écrasés dégageaient une odeur lourde et une bougie à mèche de jonc brûlait toujours. J'étouffai sa flamme entre mes doigts, supputant que tout serait remis en ordre avant qu'un autre voyageur se présente pour passer la nuit à l'auberge.

J'ouvris la porte qui donnait sur l'autre chambre ; là, le lit était proprement recouvert d'un couvre-lit teint de motifs bleus et verts, mais l'odeur qui régnait dans la pièce n'était guère plus plaisante. La jonchée sur le plancher datait de plusieurs jours et s'il y avait de vraies bougies, elles n'étaient pas de cire mais de suif. L'en-cas était intact et un examen plus poussé m'en apprit les raisons : le pain rassis était rebutant et une araignée s'était noyée dans le pichet de bière.

Je revins sur le petit palier en haut de l'escalier et, m'appuyant au mur, je respirai quelques grands coups d'air frais. L'odeur de la rivière et des herbages et le léger parfum des pins réjouirent mes narines et clarifièrent mes idées. Je me répétai mentalement la description que le patron m'avait faite de son hôte de la nuit dernière et me remémorai l'étranger rencontré quatre jours plus tôt à l'abbaye de Buckfast. J'étais sûr qu'il s'agissait du même homme. Mais si ce Jeremiah Fletcher était réellement ce qu'il semblait être, raffiné et délicat de manières, aurait-il choisi de descendre à Trenowth ? D'après le père Anselm, il était arrivé la veille au matin ; après avoir inspecté le logement, il aurait eu encore tout le temps nécessaire pour continuer au petit trot jusqu'à Launceston...

Pour arriver à Launceston, et bien avant la tombée du jour ! Non, parvenu à moins d'un jour de route de sa destination, jamais un voyageur ne se serait arrêté à l'auberge de Trenowth, à moins que les circonstances ne l'y contraignent. Décidément, la destination de Jeremiah Fletcher était bien Trenowth ; quant à son objectif, je ne l'imaginais que trop aisément. Et cependant, alors même que le bon sens me disait que je n'avais pas à chercher plus loin l'assassin de Philip, le doute m'assaillait. Le meurtre était trop malhabile pour être le fait d'un tueur entraîné qui jamais n'aurait attaqué sa victime de front, l'avertissant ainsi de ses intentions et lui donnant une chance, si mince soit-elle, de se défendre. Philip aurait été pris dans une embuscade et frappé par-derrière.

Plongé dans mes réflexions, je descendis lentement l'escalier et rejoignis la berge. Assis sur une roche au bord de la Tamar, j'écoutais l'eau clapoter sur les galets, un des bruits les plus reposants qui soient. Les fleurs devenaient rares à cette saison mais les feuilles larges et lisses des soucis d'eau étalaient dans l'herbe leurs taches noires et luisantes et les tiges de cardamine, grêles comme des pattes d'araignée, s'inclinaient avec grâce vers leur reflet dans le fleuve. Je posai mes coudes sur mes genoux et mon menton dans le creux de mes mains. A supposer que je me trompe et que Jeremiah Fletcher – si tel était vraiment son nom – ait tué Philip, par quelle ruse l'avait-il piégé et fait sortir du manoir au milieu de la nuit ? Philip n'était pas un imbécile, il savait pertinemment que quelqu'un voulait sa peau. Pas un message, si habilement formulé fût-il, n'aurait pu le convaincre de commettre pareille folie. Philip s'était rendu de son propre chef au rendez-vous qui l'avait conduit à sa mort.

S'agissant de Jeremiah Fletcher, j'étais confronté, semblait-il, à différentes hypothèses. Selon la première, lui et le gentilhomme de l'abbaye de Buckfast étaient deux individus différents, mais, je le sentais, c'était très improbable. La description que le patron m'avait faite de son client collait trop bien avec mes souvenirs personnels. Deuxième hypothèse, il s'agissait du même homme mais d'un voyageur banal qui vaquait à ses occupations parfaitement légitimes. Après en avoir terminé avec ses affaires à Tavistock, où il m'avait dit qu'il se rendait, il prenait à présent la route de Launceston. Mais, à ma connaissance, Tavistock se trouve à bonne distance au nord de Trenowth, de l'autre côté de la Tamar. Venir ici, ç'aurait été repartir en arrière et s'écarter nettement de sa route. Cela ne tenait pas debout et je rejetai cette proposition. Selon ma troisième hypothèse, ayant fixé son objectif qui était de tuer Philip, Jeremiah Fletcher était sorti la nuit dernière, sans autre but que reconnaître le terrain, mais il était tombé fortuitement sur sa victime qui attendait quelqu'un d'autre. Le côté imprévu de la rencontre expliquait ce meurtre maladroit qui avait requis l'emploi du couteau et du gourdin. Enfin, selon ma dernière hypothèse, Jeremiah Fletcher avait assisté en secret au meurtre de Philip, perpétré par un autre. Il avait donc quitté l'auberge ce matin, aux premières lueurs du jour, mais était demeuré dans les parages pour mettre ma chambre à sac.

Je me levai et revins à l'auberge. Le tenancier, heureusement toujours seul, lavait le sol de la taverne. Il ne manifesta aucun plaisir à me voir revenir.

– Qu'est-ce que vous voulez encore ? ronchonna-t-il.

– Deux choses, s'il vous plaît. Ce Jeremiah Fletcher, vous avait-il dit d'où il venait et combien de temps il resterait ?

Le tenancier secoua la tête.

– Désolé de ne pouvoir vous aider, fit-il, l'air réjoui.

Mais comme je faisais demi-tour en le priant poliment de m'excuser de l'avoir dérangé, il se laissa fléchir :

– Il a dit qu'il avait passé la nuit précédente chez les chanoines de St Germans.

Encore un mensonge, pensai-je. J'étais à présent certain que Philip et moi avions été suivis jusqu'à Plymouth, et même jusqu'ici, en dépit des précautions que nous avions prises. Après tout, cette ombre que j'avais vue en haut de la falaise, tandis que j'attendais sur la rive cornouaillaise de la Tamar, n'était pas pure élucubration. Et peu de temps après que Philip et moi étions arrivés au manoir de Trenowth, Jeremiah Fletcher avait frappé à la porte de l'auberge. Les choses se tenaient et me persuadèrent que les deux tentatives antérieures contre la personne de Philip avaient été l'œuvre de notre assassin. La volonté de tuer avait bien existé mais, pourtant, je n'étais toujours pas certain que Jeremiah Fletcher eût réellement commis l'acte.

Le soleil approchait du zénith quand je revins au manoir pour le dîner. Mon estomac me disait depuis longtemps qu'il était l'heure de manger et les parfums délicieux qui flottaient aux abords de la cuisine me firent presque baver d'envie. Quand j'entrai, Janet Overy et l'intendant Alwyn présidaient déjà la table qui réunissait Isobel et Edgar Warden, Silas Bywater et les autres domestiques. Apparemment, la tragédie de la matinée n'avait pas affecté le goût des convives pour les plaisirs de la table et si j'avais espéré détecter dans des appétits défaillants quelque indice de culpabilité, j'en aurais été pour mes frais.

– Tu es en retard, mon garçon, me gronda la gouvernante comme je m'installais près de Silas. Mais je t'ai gardé ton dîner au chaud sur le brasero.

S'adressant à une aide de cuisine à l'extrémité de la table, elle ordonna :

– Apporte son assiette à Maître Chapman et fais bien attention.

La jeune fille s'empressa d'aller chercher mon dîner : du lapin rôti, entouré d'oignons et de grains de poivre, et parfumé au thym et au romarin. Pendant plusieurs minutes, je ne pus m'occuper de rien ni de personne jusqu'à ce que soient apaisés les tiraillements de mon estomac. Quand je redevins conscient de ce qui se passait autour de moi mon assiette était presque vide.

– Où as-tu passé la matinée ? me souffla Silas Bywater dans l'oreille. Tu sais qu'ils ne nous laisseront pas partir avant l'arrivée de l'homme du shérif ? Du moins, pas sans se lancer à nos trousses.

J'avalai ma dernière bouchée de lapin et lui jetai un coup d'œil curieux.

– Qu'y a-t-il ? Tu veux partir ?

– Et comment, je le veux ! jappa-t-il. Et si tu avais un grain de bon sens, tu en ferais autant. Personne ne veut avoir affaire à la justice. De plus, il y a peut-être du travail qui m'attend. Si on envahit le St Michael's Mount, il faudra des capitaines.

– Tu aurais dû y penser avant de nous prendre en chasse, répondis-je durement, et je me détournai de lui pour sourire à la fille qui ramassait mon assiette vide.

On avait mis sur la table un plat de gaufres fourrées de pomme et de cannelle, et la plus jeune des aides de cuisine revenait de l'office, chancelant sous le poids de deux grands pichets de bière. Un court instant, le silence régna ; les convives se consacraient à la sérieuse occupation qui consiste à manger et à boire ; puis l'intendant frappa sur la table pour attirer notre attention.

– A présent que nous sommes tous réunis, déclara-t-il, je souhaite dire quelques mots au sujet des terribles événements de ce matin. D'abord et avant tout, Maître Underdown, ami et hôte de Sir Peveril, a été ignoblement assassiné. Deuxièmement, quelqu'un a mis sa chambre à sac, bien que rien n'y ait été volé, d'après ce que j'ai compris.

Son regard perçant pesa sur moi quelques secondes. De tous côtés l'on murmurait, comme si la plupart des personnes présentes avaient jusqu'alors ignoré ce fait.

– Donc, poursuivit l'intendant, je compte bien que chacun d'entre nous dira au sergent de Launceston absolument tout ce qu'il sait.

– Comme je ne sais rien et Isobel non plus, nous n'aurons rien à dire, déclara Edgar Warden, vindicatif, en faisant des yeux le tour de la table comme s'il nous défiait de le contredire. Nous avons passé la nuit ensemble comme il convient à des époux et nous n'avons pas quitté l'enceinte. Comment l'aurions-nous pu, d'ailleurs, alors que les portes étaient fermées ?

La blanchisseuse fronça les sourcils :

– Comment Maître Underdown est-il sorti ?

– Il a enjambé le rebord de la fenêtre de notre chambre et s'est laissé glisser le long de la vigne, répondis-je. Mais il y a sûrement d'autres moyens de sortir du manoir et d'y entrer la nuit. Il suffit de les connaître.

Tous ceux qui vivaient au manoir et n'étaient pas du village nièrent le fait avec acharnement. J'en fus un peu déconcerté ; puis il m'apparut avec clarté qu'en dépit des exhortations d'Alwyn ils se soutiendraient mutuellement, préférant croire ou se persuader que le crime était l'œuvre d'un étranger.

– Quelle que soit la raison pour laquelle votre maître rôdait dans les bois au plus noir de la nuit, reprit Edgar toujours belliqueux, ça n'a rien à voir avec les gens d'ici.

– Ni avec ceux d'en bas, au village, ajouta le boulanger.

Je cherchai du regard le soutien de Janet Overy, mais elle se contenta de sourire en disant :

– Laissons ça à l'officier du shérif, mon garçon, voilà mon avis. Il saura poser les questions qu'il faut.

Mais, plus tard, quand les autres repartirent à leur travail ou quittèrent la cuisine et que plats et marmites eurent été lavés et mis à sécher sur la grande pierre du rebord d'une fenêtre, elle me prit par le bras et dit :

– Viens dans ma chambre me raconter ce qui s'est passé ce matin.

Je quittai la cuisine derrière elle et la suivis vers l'aile des domestiques. Le temps avait encore changé ; le vent chassait les nuages vers l'intérieur des terres et un soleil timide donnait un semblant de chaleur à la cour bien abritée. Assis sur un banc, adossé au mur, Silas échangeait des propos décousus avec le valet d'écurie qui mangeait un quignon de pain et une tranche de fromage de chèvre. Je demandai pourquoi il ne s'était pas joint à nous pour le dîner. Ma question fit rire Janet ; elle répondit que c'était à cause d'Isobel Warden qui s'était élevée contre sa présence à table, sous prétexte qu'il sentait trop le cheval.

– Et il suffit qu'une femme ait la tournure qu'elle a pour que vous, grands imbéciles d'hommes, vous vous précipitiez pour satisfaire à ses désirs, ajouta Janet, méprisante.

Sous une arcade, nous nous engageâmes le long d'un passage dallé, puis entrâmes sur la gauche dans une pièce dont la petite fenêtre garnie de corne laissait pénétrer l'air et la lumière de la cour. Le lit étroit occupait presque tout un mur, le coffre à vêtements un autre ; un brasero qui fournissait la chaleur en hiver meublait un angle et près de lui était un fauteuil aux bras sculptés. Un sac contenant une pierre à briquet et de l'amadou pendait à un clou près de l'embrasure de la fenêtre, où se dressait un bougeoir de bois muni d'une chandelle. Il y avait aussi un tabouret bas pour y poser les pieds ; je le tirai près du fauteuil et, repliant de mon mieux mes longues jambes, je me baissai et m'y assis, dans une position fort incommode.

– Tu n'aurais pas dû tant grandir, plaisanta Janet qui, dans son fauteuil, me regardait de son haut. Alors ! Qu'as-tu découvert à l'auberge ?

Je lui racontai fidèlement ce qui s'était passé. Bien qu'elle fût encore beaucoup trop jeune et trop jolie femme, parler avec elle était un peu comme parler à ma mère ; je ressentais en sa présence la sensation de bien-être qui m'envahissait autrefois, du vivant de ma mère, quand je m'asseyais à ses genoux pour lui raconter mes aventures de la journée et que, mon récit terminé, j'attendais son approbation empli du même espoir.

Il y eut un silence, puis elle dit avec un profond soupir où je crus percevoir du soulagement :

– A mon avis, il ne fait aucun doute que tu as découvert le meurtrier. Si tu rapportes ce soir à l'officier du shérif ce que tu viens de me dire, avec la même franchise et en le faisant profiter de tes raisonnements, je suis sûre qu'il sera convaincu et se mettra à la recherche de ce Jeremiah Fletcher.

J'étais un peu déçu qu'elle n'ait pas suivi mon argumentation jusqu'au bout.

– Mais je ne suis pas certain qu'il soit l'assassin. Je suis sûr qu'il avait l'intention d'attenter à la vie de Maître Underdown et qu'il avait déjà fait deux tentatives en ce sens. Mais, comme je vous l'ai expliqué, je n'arrive pas vraiment à me ranger à l'idée que, finalement, ce fut sa main qui mania le couteau et le gourdin.

Elle rit doucement et secoua la tête :

– Et moi, je pense que tu veux créer un mystère là où il n'y en a pas. Tu es jeune. Tu es avide d'émotions fortes. Fie-toi à ce que te dit une femme d'âge mûr, plus avisée que tu n'es : tu tiens la solution de cette affaire.

– Non, Philip ne serait jamais allé retrouver Maître Fletcher, même si celui-ci s'était arrangé pour lui faire parvenir un message à mon insu.

– Bien sûr que non ! Je pense que c'est ta conjecture d'un rendez-vous clandestin avec Isobel Warden qui est la bonne. Ils ont très bien pu s'entendre hier matin quand tu étais sorti et qu'il était censé dormir.

Je me redressai sur mon tabouret et nouai mes bras autour de mes jambes. Le ciel se dégageait et le soleil atteignait la grande pierre de l'appui de fenêtre.

– Mais comment aurait-elle pu sortir pour le retrouver ? Au dîner, vous avez tous affirmé qu'il était impossible de sortir de l'enceinte une fois les portes fermées pour la nuit.

– Mon cher garçon, un peu de jugeote ! Il y a d'autres fenêtres à ce rez-de-chaussée. Le verrouillage des portes peut empêcher les intrus de pénétrer, mais il ne peut empêcher quiconque d'ôter la barre des volets de l'intérieur.

– Évidemment Vous avez raison, répondis-je lentement, j'aurais dû y penser. Mais alors, à votre avis, pourquoi Maître Underdown a-t-il pris le risque de descendre le long de la vigne ?

Elle haussa les épaules :

– Parce qu'il trouvait cela plus prudent que de parcourir une maison étrangère dans le noir. Parce qu'il avait peur de te réveiller en se levant, s'habillant et quittant la chambre, alors qu'en te faisant coucher de l'autre côté de la porte, il pouvait, sans crainte de ce genre, sortir par la fenêtre. Peut-être aussi parce que ce moyen lui donnait l'impression d'être jeune, galant et audacieux. Qui peut savoir ? Peut-être que toutes ces raisons ont contribué pour partie à sa décision.

Je pivotai sur mon siège pour la voir bien en face

– Alors, vous pensez que Maîtresse Warden a pu être témoin du meurtre ?

Manifestement, Janet n'avait pas encore envisagé cet aspect de la question mais elle l'examina avec grand sérieux.

– C'est possible, admit-elle enfin, mais si tu as pour elle quelque bonté, ne la questionne pas. Si elle a réellement accordé cette entrevue et assisté au crime, elle en est suffisamment punie. Je t'en prie, ne fais rien, absolument rien qui puisse éveiller les soupçons de son mari. Edgar est un homme très jaloux qui n'en est pas encore revenu de sa chance d'avoir capturé cette beauté. Et il a raison car la jeune femme, je crois, regrette déjà son mariage et se reproche de ne pas avoir attendu davantage avant de faire son choix. Elle ne se gêne pas pour lorgner les hommes, c'est sûr, et il est probable que les avances de Maître Underdown l'ont flattée bien plus qu'elles ne l'ont offensée. S'il lui a demandé de le retrouver la nuit dernière, il est peu probable qu'elle ait refusé.

15

Un silence prolongé s'étira entre nous tandis que je pesais ses mots. Puis je déclarai :

– Si ce que vous pensez est exact, il est possible que son mari se soit réveillé et aperçu de son absence. Parti à sa recherche, il aurait pu trouver la fenêtre ouverte, continuer sur sa lancée et tomber sur Isobel et Philip. Dans ce cas, ne pensez-vous pas qu'il pourrait être le meurtrier ?

Janet Overy sauta brusquement sur ses pieds et, dans son exaspération, claqua des mains.

– Pourquoi t'acharnes-tu à rendre les choses plus compliquées qu'elles ne sont ? Tu es convaincu et tu m'as convaincue qu'il y avait au village la nuit dernière un homme qui a essayé par deux fois d'attenter à la vie de Maître Underdown. Pourquoi chercher plus loin ? Ou, si tu le dois vraiment, pourquoi ne pas regarder en direction de Silas Bywater qui, de son propre aveu, est un ennemi juré d'Underdown et se trouvait dans les parages au moment du crime ?

Elle arpentait rageusement la petite pièce, tambourinant de ses poings fermés sur son tablier immaculé, ce qui faisait tressauter et cliqueter son trousseau de clés.

– Non que je le croie plus coupable qu'Edgar de ce crime, poursuivit-elle. Tu m'as dit que le duc de Gloucester t'a engagé dans le but précis de protéger son agent contre tout agresseur. Sa Grâce s'attendait à un épisode de ce genre et elle avait raison. Toi et Maître Underdown avez été suivis depuis Exeter jusqu'ici, en passant par Buckfast et Plymouth. Alors, pourquoi t'obstines-tu à chercher ailleurs le coupable ?

Ma sympathie flamba pour cette femme qui avait déjà connu tant de malheurs. Elle avait enfin trouvé une demeure agréable, un havre après les tempêtes qui l'avaient secouée, un lieu où elle était appréciée, où elle était utile. Et voici que la mort de nouveau avait frappé, une mort violente qui perturbait son existence paisible ; mais, s'il s'avérait que le meurtre avait été commis par un étranger, il n'était pas indispensable de démanteler son petit monde protégé. Je fus tenté de laisser l'affaire en l'état. Elle avait raison : avec les lettres de créance de Philip délivrées par le roi, j'avais assez de preuves pour convaincre l'officier du shérif que le meurtre était un assassinat politique et qu'il n'avait rien d'autre à faire qu'à envoyer une lettre à Westminster. J'étais sûr que les agents du roi Édouard pourchasseraient Jeremiah Fletcher et se chargeraient de lui. Ce serait la conclusion satisfaisante d'une affaire répugnante.

Et pourtant... Si peu disposé que je fusse à pleurer sur le sort de Jeremiah Fletcher, je n'en étais pas moins irrité à l'idée que le vrai meurtrier de Philip pourrait s'en tirer. Janet vit que j'hésitais et me saisit les mains :

– Roger, promets-moi de ne pas poursuivre ton enquête.

J'étais confronté à un dilemme. J'avais de l'amitié pour Janet et j'étais désolé pour elle. Je souhaitais désespérément agir selon son vœu mais ma volonté de découvrir la vérité était plus forte. S'il s'avérait que sa version des faits était exacte, nul ne s'en réjouirait plus que moi ; mais, tant que ce n'était pas certain, je n'étais pas disposé à abandonner l'affaire. Ma mère, quand j'étais jeune, me traitait de « fouineur » et m'accusait d'aller fourrer mon nez dans les affaires d'autrui. John Selwood, l'abbé de Glastonbury, avait été plus indulgent ; quand il avait donné son accord à ma sortie de l'ordre, il avait évoqué ma « curiosité insatiable » et pieusement souhaité que je la misse toujours au service de la vérité.

Je priai le ciel de m'accorder son conseil et ma prière fut entendue, du moins me sembla-t-il : un coup frappé à la porte précéda de peu l'apparition du père Anselm. Janet lâcha mes mains et se retourna pour l'accueillir, souriante comme toujours. Je me levai, soulagé de n'avoir rien promis, et me faufilai vers la porte ouverte, prêt à m'échapper.

– Attendez, mon fils ! dit le prêtre en posant une main sur ma manche. Vous serez certainement intéressé par ce que j'ai à dire. Un voyageur venu de Plymouth a traversé le village il y a moins d'une demi-heure. Il m'a informé que, tôt ce matin, l'on annonçait publiquement dans la ville que le roi a envoyé à Sir Henry Bodrugan et au shérif de Cornouailles l'ordre de lever le *posse comitatus*[1] et de réduire au plus vite à l'obéissance le St Michael's Mount. Le messager qui porte les ordres a déjà traversé la Tamar et s'en va trouver Sir John à Truro où il sera demain matin au plus tard, car il chevauche à bride abattue. Si bien que nous n'avons plus qu'à attendre les prochaines nouvelles et prier pour qu'elles soient bonnes.

Mon premier réflexe fut de m'interroger sur la nature des instructions adressées au capitaine du *Falcon*. Son bateau faisait-il partie de la flotte qui donnerait l'assaut au Mont ou recevrait-il l'ordre de cingler vers Plymouth pour y prendre Philip ? De toute façon, je devais retourner à Plymouth dès que je le pourrais. Nous étions mardi, jour de la Sainte-Foi, et il avait promis d'être de retour à *La Tête de Turc* à la fin de la semaine. Mais les messagers, partis pour Londres jeudi dernier dès que l'on avait appris l'attaque lancée par le comte d'Oxford, avaient réalisé un meilleur temps que prévu, étant donné l'état de la plupart des routes. Et le roi n'avait pas perdu une minute, lui non plus, avant de les renvoyer chargés de ses ordres. Il m'appartenait donc de quitter Trenowth dès que possible ; demain, de préférence, après avoir réglé l'affaire avec l'homme du shérif. Ce qui était une autre raison de me ranger aux sages conseils de

1. *Posse comitatus* (du bas latin : pouvoir comtal) : troupe d'hommes de plus de quinze ans que le shérif d'un comté pouvait requérir en cas de péril pour répondre par la force à une menace inattendue (notion coutumière de l'ancienne Angleterre). *(N.d.T.)*

Janet et d'admettre que j'avais résolu l'énigme du meurtre de Philip ; en mon for intérieur, j'y croyais plus qu'à moitié.

La voix du père Anselm interrompit mes réflexions. Il parlait à présent du terrible événement qui l'amenait au manoir – la mort de mon maître – et me présenta ses condoléances. Je fis de mon mieux pour paraître aussi affligé qu'un serviteur doit l'être.

– Quel réconfort, poursuivit le prêtre, qu'il se soit confessé hier au soir et ait reçu l'absolution ! Il était en état de grâce, cela ne fait aucun doute. J'ai cru comprendre que l'on a envoyé chercher le sergent de Launceston Castle et que vous attendez sa venue. Mais ensuite, mon fils, que comptez-vous faire, à propos de l'enlèvement ou de l'inhumation du corps ?

La question ne m'avait pas encore effleuré l'esprit et je réalisai, un peu suffoqué, que l'on me considérerait comme la personne toute désignée pour prendre ces dispositions. Je réalisai aussi que je ne savais rien de Philip, sinon que son frère était mort. Il n'avait pas mentionné devant moi d'autre parenté mais, pour autant que je sache, il pouvait avoir une femme et des enfants, peut-être ses parents, quelque part dans sa ville natale de Bristol. Toutefois, un corps ne peut demeurer longtemps sans être inhumé, pas même dans un cercueil scellé, et j'avais cent autres choses à faire qui allaient m'entraîner pendant des semaines au-delà des mers.

– Si vous voulez bien célébrer ses obsèques et l'enterrer dans votre cimetière, mon père, ce sera le mieux, dis-je d'un ton ferme.

« Une dernière demeure plus douce que tu ne méritais, Maître Underdown, ricanai-je en moi-même. Sur les berges de ce beau fleuve, dans l'herbe verdoyante des Cornouailles et l'odeur de la mer lointaine. »

– Il repose à présent dans le grand hall, repris-je. La porte est fermée mais l'intendant Alwyn a la clé. Je pense que si vous souhaitez le voir, Maîtresse Overy ira la lui demander pour vous.

Janet ne pouvait que s'exécuter ; de mauvais gré, elle partit avec le prêtre à la recherche d'Alwyn, non sans m'avoir lancé un dernier regard implorant.

« Ne t'en mêle plus, disait ce regard, tu tiens ta solution. C'est ici ma demeure, et toi et Philip Underdown y avez déjà semé trop de malheur. »

Je sortis de la chambre de la gouvernante en même temps que Maîtresse Overy et le père Anselm mais les quittai avant la cour pour emprunter, dans l'autre sens, le passage pavé dont j'examinai avec perplexité les portes réparties aux deux extrémités. L'une était celle de la chambre d'Edgar et d'Isobel Warden et je n'avais aucun moyen de la repérer. Je n'avais d'autre choix que de frapper à chacune d'elles à tour de rôle, dans l'espoir qu'Isobel répondrait en personne à mon appel. Elle avait quitté furtivement la cuisine sitôt après la fin du dîner, sans proposer d'aider à faire la vaisselle. Je ne l'avais pas vue dans la cour et j'estimais peu probable, étant donné les circonstances, qu'elle fût allée se promener seule dans les bois. J'espérais donc qu'elle s'était retirée dans sa chambre.

La chance me sourit. Les deux premières portes auxquelles je frappai demeurèrent closes mais, après avoir attendu un moment devant la troisième, j'entendis un froissement léger dans la pièce. Quelques secondes plus tard, la porte s'ouvrait, révélant Isobel Warden légèrement débraillée mais plus belle que jamais, ses cheveux roux cascadant librement de ses épaules jusqu'à ses genoux. Le regard brumeux des yeux verts était vague et le lit défait que j'apercevais à l'arrière-plan indiquait qu'elle avait dormi. Ce qui ne me surprit pas ; ses gestes étaient langoureux et je soupçonnais qu'un seul plaisir pouvait la tenir éveillée un long moment.

– Toi ! s'exclama-t-elle, étonnée mais guère contrariée.

A présent vifs et grands ouverts, ses yeux me jaugèrent de la tête aux pieds. Elle ouvrit plus largement la porte.

– Entre et assieds-toi.

La pièce où je pénétrai avait à peu près les mêmes proportions et le même mobilier que celle de la gouvernante ; là s'arrêtait la ressemblance. La chambre de Janet Overy était nette et pimpante comme un sou neuf tandis que l'aspect négligé de celle-ci me rappelait fortement l'auberge de Trenowth. Des vêtements débordaient du coffre, d'autres, dépliés, traînaient sur le plancher, les sièges et l'appui de la fenêtre. L'odeur rance des huiles et des onguents parfumés, qui provenait d'une collection de petits pots et de fioles débouchés, posés sur une étagère à la tête du lit, l'emportait de justesse sur les relents de linge sale. Une pièce de lourde soierie rouge, probablement venue d'Orient et achetée à un colporteur, recouvrait le lit. J'avais souvent transporté moi-même des rouleaux de soieries, directement acquis dans des navires de commerce amarrés dans les ports de Southampton, Londres ou Bristol. Mais ce couvre-lit était constellé de taches de suif et autres souillures moins identifiables. Quels que fussent les talents d'Isobel Warden, ceux de ménagère ne figuraient pas à l'inventaire.

Elle me désigna un tabouret et se pelotonna sur le lit, appuyée sur un coude. Un sourire languide retroussant ses lèvres rouges, elle me posa la question qu'elle aurait dû soulever plus tôt :

– Que veux-tu ?

Tout en réfléchissant à la meilleure réponse, je l'observais avec curiosité. Elle n'avait pas du tout l'air d'une jeune femme qui avait été témoin d'un crime violent douze heures plus tôt. Même une personne aussi dénuée de cœur qu'elle semblait l'être aurait été marquée par une telle expérience. Une vague horreur au moins aurait persisté au fond de ses yeux, une expression désolée ou terrifiée. Le regard d'Isobel était une invite et je fis de mon mieux pour l'ignorer.

Je passai ma langue sur mes lèvres subitement sèches et m'efforçai de trouver les mots qu'il fallait.

– Maître Underdown vous plaisait-il ? dis-je enfin.

Ses yeux s'élargirent : d'indignation, j'en aurais juré. Ce n'était pas à cela qu'elle s'attendait. Puis elle haussa les épaules.

– En fait d'hommes, j'ai vu pire, admit-elle. Mais il était vieux. Il avait l'âge d'être mon père.

Je réprimai un sourire en imaginant le sursaut outragé de Philip s'il l'avait entendue. Mais mon amusement fut de courte durée.

– Néanmoins, on peut dire que c'était un bel homme, insistai-je.

– Je te l'ai déjà dit, j'ai vu pire.

– Le trouviez-vous... attirant ?

Elle fronça les sourcils, ignorant encore, semblait-il la voie sur laquelle je la conduisais.

– Je l'ai à peine vu, un jour seulement, au petit déjeuner et au dîner. Un homme effronté, au regard audacieux, mais j'y suis habituée. Ça ne me dérange pas.

– Ni le fait qu'il vous ait enlacé la taille ? Et que votre mari ait été furieux ?

A ces mots, son visage s'assombrit ; son expression maussade parlait de mépris mais aussi de peur. Rien n'aurait pu me dire plus clairement qu'elle n'aimait pas Edgar et que Janet Overy avait raison : Isobel commençait à regretter un mariage auquel, certainement, ses parents et sa propre ambition l'avaient poussée car, en sa qualité de régisseur de Sir Peveril Trenowth, Edgar bénéficiait d'une situation sociale supérieure à la sienne dans la communauté.

– Mon mari est toujours furieux quand un homme me regarde.

Elle haussa les épaules et coula vers moi un regard appuyé sous ses longs cils épais.

– Je ne sais pas ce qu'il ferait s'il trouvait ici le beau grand costaud que tu es. Oh ! Ne te fais pas de mauvais sang ! Il ne rentrera pas avant l'heure du souper.

Elle s'étira de tout son long sur le lit, joignant ses mains derrière sa tête ; sous la robe de laine vert foncé, les seins saillaient avec ostentation. Elle avait retiré ses chaussures et ses pieds nus frétillaient, provocants. J'avais très chaud tout à coup, j'étais très gêné.

Cela faisait deux ans qu'à l'âge où beaucoup de jeunes gens sont déjà pères j'avais baisé ma première fille dans l'herbe folle et luxuriante des bords de la Stour ; depuis, je n'avais pas vraiment vécu comme le moine que ma mère souhaitait faire de moi. J'avais eu des filles dans les foires que je fréquentais pour vendre ma camelote, dans les villages que je traversais, dans les bourgs et dans les villes, et toutes étaient consentantes et averties. (Je n'aurais jamais pris une femme de force, pas plus que je n'aurais défloré une ingénue.) Mais il y avait quelque chose en Isobel Warden qui me mettait mal à l'aise. Elle était vraiment ravissante, une des plus jolies femmes que j'aie jamais vues, et l'on sentait à la voir que sa beauté s'épanouirait avec les années. Mais, pour je ne sais quelle raison, cela même me troublait. Aurait-elle été moins triomphalement femme, j'aurais pu être séduit mais cette féminité éhontée me déconcertait. Philip, pour sa part, aurait sûrement réagi à l'inverse et je résolus de poser ma question carrément, espérant que sa brusquerie stupéfierait assez Isobel pour qu'elle me dise la vérité.

– Vous et Maître Underdown, avez-vous eu un rendez-vous galant la nuit dernière dans les bois ?

Je ne sais à quelle réaction je m'attendais de sa part : un démenti hautain ou une indignation rageuse, révélatrice de culpabilité, peut-être. Mais je n'étais pas préparé au regard sincèrement étonné qu'elle tourna vers moi sous des sourcils soudain haussés qui exprimaient autant de curiosité que de perplexité.

– Qu'est-ce qui te fait croire ça ? demanda-t-elle.

– Philip est manifestement tombé victime de vos charmes quand il vous a vue hier au petit déjeuner et je ne pense pas que vous l'ayez découragé. C'était un homme qui prenait ce qu'il voulait et, pour moi, il n'y a pas l'ombre d'un doute : il vous désirait.

Isobel me dédia le petit sourire supérieur de la femme qui connaît les hommes.

– Pas assez pour encourir le risque d'une autre raclée de mon mari. Maître Underdown avait assez de bon sens pour reconnaître qu'il n'était pas de taille face à Edgar. Mon mari est jeune et, dans un combat, le plus jeune a toujours l'avantage. Dans ma vie, j'ai rencontré quelques hommes comme ton maître ; ils ont si haute opinion d'eux-mêmes qu'ils considèrent qu'aucune femme ne vaut la peine de risquer leur peau pour elle.

Je la dévisageais en mordillant ma lèvre inférieure, un tic auquel je cède quand je suis indécis, ce que mes enfants ne se privent pas de souligner. J'aurais voulu ne pas la croire et néanmoins je la croyais. D'une part, elle n'avait ni l'apparence ni le comportement du témoin d'un meurtre récent ou de quelqu'un qui a trébuché sur un cadavre. D'autre part, il y avait du vrai dans ce qu'elle avait dit du caractère de Philip. Il estimait sûrement que pas une femme ne valait la peine de risquer pour elle humiliation ou souffrance. J'admettais le bien-fondé de ses vantardises quant à son expérience des maris jaloux ; mais il s'agissait de sa jeunesse et du passé, de l'époque où il les surpassait en force et en habileté. Et pourtant...

– Il aurait pu vouloir se venger, dis-je. Votre mari l'a terrassé d'un coup de poing et lui a valu les reproches de Maître Alwyn. Mon... mon maître a dû trouver ça dur à pardonner.

De nouveau elle haussa les épaules et les commissures de ses lèvres rouges s'abaissèrent.

– Peut-être, et s'il avait vécu, sans aucun doute, il se serait vengé d'une façon ou d'une autre : une lettre à Sir Peveril exposant ses griefs ou un mot glissé à l'oreille d'une personne influente pour qu'Edgar soit relevé de ses fonctions. Mais séduire sa femme, non : trop dangereux. Par ailleurs, ajouta-t-elle, la voix soudain rauque de colère, pourquoi es-tu si sûr que j'aurais accepté une proposition galante, à supposer qu'il l'ait formulée ?

– Vous n'y seriez pas allée ? demandai-je sans détour.

Dénué de toute coquetterie, le regard candide de ses yeux grands ouverts, innocents, croisa le mien.

– Non. Il portait beau, je te l'accorde. Ce devait être un bel homme dans sa jeunesse, mais il y avait en lui quelque chose que je n'aimais pas. Quelque chose qui me répugnait, précisa-t-elle avec un petit frisson.

Elle parlait avec tant de sincérité que je ne pouvais que la croire. Et je comprenais ce qu'elle voulait dire à propos de Philip pour la bonne raison que j'avais éprouvé moi aussi ce sentiment de répulsion. C'était comme s'il était affligé de quelque difformité, non du corps mais de l'âme.

Je me frottai les yeux et, après une pause, je demandai :

– Jurez-vous que vous n'avez pas rencontré Maître Underdown sur les bords de la Tamar hier soir ? Que votre mari ne vous y a pas suivie ? Qu'il n'y a pas eu entre eux de combat dont s'ensuivit la mort de Maître Underdown ?

Elle leva de nouveau les sourcils

– Parce que c'est ça que tu penses ? Qu'Edgar l'a tué par jalousie ?

Elle se redressa, sortit ses jambes du lit et se retrouva face à moi. Penchée en avant, elle mit ses mains dans les miennes :

– Je te jure devant la Sainte Mère de Dieu que Maître Underdown ne m'a pas fait d'avances et que je n'aurais pas accepté pareilles avances.

Puis elle se coula hors du lit, inclina la tête et m'embrassa sur la bouche.

Je lâchai ses mains, bondis sur mes pieds et me réfugiai en hâte à l'autre bout de la chambre. Je lus aussitôt sur son visage qu'elle n'avait pas l'habitude de voir ses avances accueillies de telle façon. A sa manière, elle était aussi vaniteuse que Philip.

– Je dois partir, dis-je en reculant vers la porte.

Tout à coup, la pièce sentait le renfermé. Mais je ne pus échapper assez vite à son odeur fétide car la porte s'ouvrait. Edgar parut sur le seuil, soutenant sa main gauche de la droite.

– Je me suis enfoncé un clou dans le pouce, grommela-t-il à

l'adresse d'Isabel. As-tu encore de ce baume de brunelle que Janet t'a donné ?

Il prit conscience de ma présence, lâcha un juron et se tourna vers moi :

– Au nom du ciel, que fais-tu ici seul avec ma femme ?

Isobel, que j'avais éconduite, sauta sur sa vengeance.

– Il pense que tu pourrais être le meurtrier, dit-elle.

16

Sa blessure au pouce momentanément oubliée, Edgar Warden me fixait, abasourdi, et sa peau tannée blêmit.

– Hein ? balbutia-t-il. Qu'est-ce que tu veux dire ? Il croit que je suis le meurtrier ? Qu'est-ce que tu chantes là, femme ?

Isobel eut un sourire malveillant :

– Il croit que tu m'as surprise la nuit dernière avec Maître Underdown et que tu l'as tué dans un accès de jalousie. Quand je pense, poursuivit-elle d'un ton vertueux, que j'étais à ton côté tout au long des heures sombres, comme il convient à une bonne épouse ! Tu t'es réveillé au moins trois fois cette nuit, et j'étais toujours là.

Les yeux d'Edgar n'étaient plus que deux fentes dans un visage aussi rouge qu'il était blanc précédemment. Il dressa ses deux poings gros comme de petits jambons et s'avança vers moi, menaçant, en envoyant claquer la porte d'un coup de pied.

– Ah ! C'est ce qu'il pense, hein ? gronda-t-il en approchant tout près du mien son visage congestionné. Je me fous que tu me traites de meurtrier car si un homme s'avise de batifoler avec ma femme, je le tue. Mais je ne tolère pas que quiconque émette des doutes sur sa vertu et c'est pour ça que tu vas prendre la correction de ta vie !

S'il est une chose que j'avais apprise sur les routes au fil des ans dans l'art de préserver ma peau, c'était de réagir promptement à toute menace de violence. Quand un homme disait qu'il allait me casser la figure, je ne perdais pas de temps à m'interroger sur ses intentions. Je le prenais au mot et cognais le premier, ce que je fis cette fois encore. Edgar avait à peine refermé la bouche que mon poing droit le frappait à la mâchoire, lui faisant perdre l'équilibre ; il trébucha contre le pied du lit. Profitant de ce qu'il était à demi assommé, je fis une lâche tentative d'évasion vers la porte. Mais il était trop rapide pour moi : me ceinturant à la hauteur des hanches, il me flanqua par terre. C'était mon tour d'essayer de rassembler mes esprits égarés tandis que, ayant perdu tout contrôle de lui-même, Edgar refermait ses mains autour de ma gorge. Je tentai de les desserrer mais sa prise était trop puissante. Le sang me battait aux oreilles.

Réellement effrayée par la fureur qu'elle avait déchaînée, Isobel hurla et joignit ses efforts aux miens pour détacher son mari de sa proie. Pour finir, à nous deux, nous y réussîmes et je me redressai en titubant pendant qu'Isobel tentait de calmer Edgar. Il la repoussa brutalement pour s'élancer de nouveau sur moi mais je sautai de côté et son poing s'écrasa contre le mur. Il était hors d'état de sentir qu'il s'était blessé ; à mon avis, il n'avait plus conscience de la douleur. Avec un grognement de rage, il arma son bras pour un nouveau coup mais, cette fois encore, je prévins l'assaut et l'envoyai s'étaler au sol. Je me ruai vers la porte et bondis dans la cour avant qu'il ait pu se ramasser.

– Qu'est-ce qui se passe ? Qu'est-il arrivé ?

Coupante et sévère, c'était la voix de Janet Overy qui, venue du grand hall, s'avançait vers l'aile des domestiques.

Cheveux et vêtements en bataille, mes mains protégeant mon cou malmené, je n'avais sûrement pas l'air très frais. Edgar non plus, d'ailleurs, qui surgit comme un furieux de sa chambre, défiguré par une mâchoire qui enflait à vue d'œil et plusieurs zébrures rouge sombre. Quand il vit Janet, cependant, il laissa retomber ses poings mais continua de me regarder avec une malveillance qui était en soi presque une atteinte physique.

– C'est ma faute, dis-je. J'ai posé quelques questions à Maîtresse Warden et Edgar s'est mépris sur mes intentions. Il a cru que je l'accusais de meurtre.

– Et ma femme d'adultère ! cracha-t-il.

– C'était une erreur, dis-je maladroitement. Je veux découvrir qui a tué Maître Underdown, c'est tout.

– Je t'avais prévenu que tu ne ferais que des dégâts, me reprocha la gouvernante. Ces questions, c'est à l'officier du shérif de les poser, s'il estime nécessaire de le faire. Edgar, poursuivit-elle en regardant durement le régisseur, dis à Isobel de te rafistoler la figure et repars au travail. Quant à toi, mon garçon, suis-moi. Je vais trouver un onguent pour cette gorge qui te tourmente manifestement. Je veux qu'on en finisse avec toutes ces folies !

Marmonnant à mi-voix des insultes qui ne présageaient rien de bon, Edgar rentra dans sa chambre pour y recevoir les soins de sa femme. Se rappelant soudain son pouce transpercé, il le porta à sa bouche pour le sucer puis, d'un geste où, depuis la nuit des temps, mépris et défi se conjuguent, il le retourna dans ma direction. Je fis semblant de ne pas voir et accompagnai Janet jusqu'à sa chambre où elle gardait ses baumes et ses onguents.

Dressée sur la pointe des pieds, elle attrapa sur l'étagère un pot de faïence dont elle ôta soigneusement le couvercle.

– Huile de lin et miel, dit-elle en prélevant une cuillerée d'onguent qu'elle approcha du brasero. Appliqué chaud, il empêche les blessures d'enfler. Ouvre le col de ta chemise que je puisse te soigner. Tu as là de vilaines contusions.

– Je l'ai bien cherché, n'est-ce pas ? C'est ça que vous pensez, répondis-je d'un ton soumis en faisant ce qu'elle m'avait dit.

Elle étala un peu d'onguent sur ses doigts et mit à frotter doucement mon cou.

– Oui, répondit-elle sans détour, mais je pense que tu te sentais tenu de le faire. Alors, qu'as-tu appris de la belle Isobel et de son mari ?

Je grimaçai quand elle appuya sur un point particulièrement sensible et fus bien content lorsqu'elle prit du recul pour juger de son ouvrage.

– Pour le moment, cela suffit. Il se peut que tu aies des difficultés à avaler pendant quelque temps mais je doute qu'Edgar t'ait infligé une blessure plus grave.

Elle se dressa de nouveau pour prendre sur l'étagère une fiole de terre cuite dont elle sortit une pilule.

– Tiens, avale ça. Ces comprimés sont du jus de laitue séché. Si l'on en prend beaucoup, le produit vous endort, mais une seule pilule détend et apaise la douleur. Dis-moi, poursuivit-elle en rangeant ses médicaments, tu n'as pas encore répondu à ma question.

Je refermai mon col et avalai la pilule comme elle me l'avait ordonné. Après un temps de réflexion, je dis :

– Je pense que nous avons pu nous tromper en tenant pour assuré que Maître Underdown avait quitté la maison la nuit dernière pour rencontrer Isobel. Ou elle est encore plus habile dans l'art de tromper que je ne l'imaginais, ou je suis plus niais que je ne pense l'être. Quoi qu'il en soit, je la crois maintenant innocente ; son mari le serait donc aussi. Néanmoins, ajoutai-je d'un air de défi, il y a encore Silas Bywater.

Janet émit un soupir résigné.

– J'imagine que je ne peux t'empêcher de semer le désordre de ce côté-là aussi, alors même que tu as sous le nez la solution de l'énigme, dit-elle en posant affectueusement la main sur mon épaule. Mais, avec cet homme-là, vas-y prudemment, mon garçon. Je te connais depuis peu mais assez pour m'être attachée à toi. Mon fils aurait dû te ressembler : grand, blond, droit et musclé. Je ne voudrais pas qu'il t'arrive du mal et je pense que Silas Bywater est dénué de scrupule. Alors, fais attention. Mais j'aurais tant préféré que tu te fies à ton discernement, que tu admettes que Jeremiah Fletcher est le tueur, pour le motif qui t'a fait affecter à la protection de Philip Underdown...

Je levai une main et la posai sur la sienne :

– Je sais que vos propos sont pleins de sagesse mais...

Avec un léger haussement d'épaules, je me tus.

Elle retira sa main et sourit tristement.

– Tu dois faire ce que tu juges bon et je ne peux que t'exhorter à y réfléchir à deux fois. Mais si tu as besoin d'une amie, tu sais où me trouver : ici, dans la cuisine ou ailleurs dans le manoir. Ce qui me rappelle, ajouta-t-elle, soudain consternée, que le temps passe et qu'il sera bientôt quatre heures. Et mon souper... Dieu seul sait ce que mes propres-à-rien de gamines ont bien pu faire en mon absence.

Elle lissa son tablier et redressa son capuchon.

– Quant à toi, ta chambre a été remise en ordre. Alors, si tu veux te reposer un moment, vas-y.

Je sortis de sa chambre derrière elle au moment où Edgar Warden quittait la sienne. Il avait le pouce bandé et les zébrures de son visage étaient enduites d'onguent. Il me jeta un regard mauvais mais avait dû promettre à Isobel de ne pas provoquer une nouvelle querelle car, avec un bref signe de tête à Janet Overy, il pressa l'allure pour nous dépasser, traversa la cour et disparut sous le porche. La gouvernante, pour sa part, se hâtait vers la cuisine, agacée par les rires et les jacassements qui en émanaient et qui me firent, moi, sourire. « Quand le chat n'est pas là, les souris dansent », me dis-je. Mais je n'aurais pas aimé être à la place des filles de cuisine car le courroux de Janet devait être redoutable.

Je regardai autour de moi mais Silas Bywater avait disparu. Le valet d'écurie discutait avec le roulier qui venait d'apporter des balles de foin frais pour les écuries ; deux hommes étaient en train de décharger, sans doute James et Luke, dont Maîtresse Overy avait parlé la veille, des hommes du village qui prenaient leur repas chez eux. A en juger par leurs gesticulations et leurs visages excités et ardents, tous deux ainsi que John Groom faisaient part au roulier de l'extraordinaire histoire du meurtre. Difficile de voir les réactions du roulier ; comme tous ceux de sa profession, il portait un grand chapeau de feutre à large bord qui le protégeait des éléments. Sans me mêler de leurs histoires, je franchis le portail.

Je suivis le sentier qui, à travers bois, menait au village. J'avais besoin d'être seul pour mettre un peu d'ordre dans mes idées en pagaille. Plus elles tourbillonnaient dans ma tête, plus j'étais convaincu que Janet avait raison et que Jeremiah Fletcher était le meurtrier. Il était un agent des Tudors, maison qui représentait désormais pour les lancastriens l'unique et faible espoir de reprendre le pouvoir, bien qu'elle fût une branche bâtarde à qui le roi Henri IV avait interdit à jamais de monter sur le trône d'Angleterre. Ce fait semblait à présent bien ancré dans mon esprit et, cependant, je restais toujours confronté au même mystère : pourquoi Philip s'était-il échappé de notre chambre la nuit dernière ? Qui donc était-il allé retrouver, si ce n'était pas Isobel Warden ? Et plus je repensais à mon entretien avec elle, plus j'étais certain qu'elle m'avait dit la vérité : l'étonnement qu'elle avait manifesté quand j'avais parlé d'un rendez-vous galant était sincère et son analyse du caractère de Philip plus judicieuse que la mienne.

Je quittai le sentier pour rejoindre au bord du fleuve l'endroit où, la nuit dernière, je m'étais agenouillé près du corps de Philip et où, ce matin, le scieur l'avait trouvé. A part quelques brins qui se redressaient ici et là, l'herbe folle était toujours aplatie et de sombres taches de sang marquaient le sol. Après un examen méthodique de la zone environnante, je parvins à la conclusion que Philip avait été foudroyé sur le lieu même où il était tombé. Je n'avais trouvé rigoureusement aucun indice qui permît de dire qu'on l'avait traîné jusqu'à ce point, et nulle trace de sang plus éloignée qui aurait indiqué qu'on l'avait poignardé ailleurs que là. D'ailleurs, si ç'avait été le cas, on aurait retrouvé Philip couché sur le dos ; je savais d'expérience qu'il est plus facile de tirer un homme étendu sur le dos qu'à plat ventre.

D'autres marques indiquaient que l'herbe avait été piétinée par plus d'une personne, mais une partie des dégâts pouvait être attribuée à mes propres empreintes, et il était difficile de dire si deux ou trois personnes s'étaient trouvées sur place avant moi. Si Jeremiah Fletcher était l'assassin, quelqu'un d'autre avait sûrement assisté au crime car – sur ce point, ma conviction était inébranlable – Philip n'aurait jamais été assez fou pour se jeter dans un guet-apens hors du manoir au vu d'un message dont il n'aurait pas contrôlé d'abord l'authenticité. Et, mis à part Isobel Warden, la seule personne qu'il était susceptible de rencontrer au cœur des bois et de la nuit était Silas Bywater.

Je me rendis à l'auberge, avec l'espoir qu'une bière soulagerait mon mal de gorge et l'intention d'étudier au calme cette hypothèse. Comme je le pensais, la taverne était presque déserte à cette heure de l'après-midi où la plupart des gens travaillaient au manoir. Je n'y trouvai qu'un homme indolent, assis sur un banc sous la fenêtre, ses jambes maigres étendues devant lui, la tête nonchalamment appuyée contre le mur. Un mazer de bière à moitié vide était posé sur la table devant lui. Ses paupières somnolentes s'entrouvrirent pour jeter un coup d'œil dans ma direction. Je m'installai à l'autre bout de la pièce et l'ignorai.

Le patron n'était pas en vue mais la femme résolue et musclée qui s'enquit de mes désirs ne pouvait être que son épouse et je fus aussitôt d'avis qu'il avait de bonnes raisons de se méfier d'elle. Quand elle m'eut servi, je reposai moi aussi ma tête contre le mur et fermai les yeux, mais pas question de dormir. Je convoquai mentalement l'image de Silas Bywater et l'étudiai.

S'il avait réellement adressé un message à Philip, à quel moment Philip l'aurait-il reçu sans que je m'en aperçoive ? La réponse était toujours la même : hier matin après le petit déjeuner quand, persuadé que Philip dormait dans son lit, j'étais parti à la recherche de l'individu qu'il était censé avoir vu de la fenêtre de notre chambre. Ayant établi ce point, j'en vins à ma seconde question. Pourquoi Silas Bywater l'avait-il convoqué en vue de le rencontrer secrètement ? Parce qu'il détenait des informations préjudiciables à Philip qu'il avait l'intention de faire chanter pour obtenir l'argent qu'il estimait lui être dû ; Silas Bywater y avait fait plusieurs fois allusion devant moi. Mais pourquoi Philip s'était-il plié à cette exigence ? Comme je me l'étais déjà dit plus tôt, il n'y avait à cela qu'une raison. Philip avait pu suggérer l'heure et le lieu dans le but de se débarrasser d'un homme qui avait soudain reparu dans sa vie et menaçait de lui créer maintes difficultés. Philip avait conçu le projet d'assassiner Silas mais c'était lui qui s'était fait tuer, soit par sa victime désignée, soit par Jeremiah Fletcher qui était tombé par hasard sur eux.

Avant que j'aie eu le temps de pousser plus loin mon raisonnement, d'en découvrir les défauts ou le bien-fondé, l'autre buveur rompit le cours de mes pensées.

– C'est un drôle de tohu-bohu pour l' comté. Bien que ce soit trop loin pour nous tracasser, j'suppose.

Il me fallut quelques secondes pour réaliser qu'il parlait du débarquement du comte d'Oxford et non du meurtre de Philip qui m'obsédait, ce qui donnait à penser qu'il était étranger au village. J'acquiesçai d'un signe de tête laconique. Sans se laisser décourager, il poursuivit :

– Pour sûr que le roi réglera tout ça.

– Pour sûr, répétai-je, et je refermai les yeux, espérant qu'il ferait de même.

– Cet Édouard, c'est un bon roi. Meilleur pour les gens comme nous que le pauvre vieil Henri, et il a ses frères pour le soutenir. Du moins il a le duc Richard. J' sais pas si j' considère beaucoup l'autre.

Ayant ainsi disposé sans cérémonie de George de Clarence, il demanda :

– Vous êtes du village ?

Acculé, je rouvris les yeux et répondis avec réticence .

– Non. Juste de passage. Je loge au manoir pour quelques jours. J'ai des amis parmi les domestiques.

Ce n'était pas un mensonge. Je pouvais sûrement affirmer que Janet Overy était mon amie.

L'information parut l'intriguer.

- Alors, comme ça, vous les connaissez, ceux d' là-haut. Ben vrai, vous allez manquer la meilleure !

Ahuri, je regardai l'homme et répétai

- La meilleure ?

Il siffla le fond de sa bière et hocha la tête.

- Ben oui ! J' montais de St Germans ce matin avec un chargement d' foin pour les écuries de Sir Peveril. J' suis roulier de mon métier, précisa-t-il. Mais juste avant le village, un gars m'a arrêté pour m'offrir ça si j' lui cédais ma place pendant une heure ou deux...

Il plongea la main dans la sacoche fixée à sa ceinture et produisit fièrement un *farthing* d'or, comme on appelait *le noble*[1] à l'époque.

– Il a dit qu'il était un ami de l'intendant Alwyn et qu'il voulait lui jouer un tour. Il a dit qu'Alwyn avait parié avec lui deux anges qu'il pourrait pas entrer au manoir sans qu'il l' sache.

L'homme rangea la pièce et me regarda, un peu honteux :

– C'est pas sûr que je l'aie tout à fait cru mais, sur mon chariot, j'ai pas souvent l'occasion d' voir une pièce d'or. En plus, il causait bien et il était bien vêtu.

Il était clair que le roulier avait laissé son avidité l'emporter sur son discernement.

– Un gentilhomme, vous auriez dit, si bien qu'il y avait de grandes chances qu' son histoire elle soit vraie, après tout. Et qu'il soit vraiment un ami de cet Alwyn. Il a emprunté mon chapeau pour s' cacher le visage. « Vous voulez aussi ni' prendre ma tunique ? Vêtu comme vous êtes, personne y croira que vous êtes un roulier », je lui ai dit. Alors il l'a prise, mais j' crois pas qu'il m'a vraiment cru. Il l'a prise avec lui, sous les balles de fourrage.

Je me levai si précipitamment que je faillis renverser la table.

– Un homme au visage étroit ? demandai-je. Aux traits anguleux ?

– Oui, répondit-il, on peut dire les choses comme ça. Maintenant que vous l' dites, un peu comme une fouine. Mais quand même, un gentilhomme, insista-t-il d'un air de défi.

– Ça n'en est pas moins une crapule ! répliquai-je d'un ton

1. Ancienne monnaie d'or valant six shillings douze pence, une somme alors importante. *(N.d.T.)*

rogue avant d'appeler à tue-tête la femme du patron pour lui payer mon dû. Pauvre imbécile ! Vous n'avez jamais pensé qu'il y a des malfaiteurs parmi les grands tout comme il s'en trouve parmi les humbles ?

Le roulier avait pâli et la main qui reposa son mazer tremblait visiblement.

– Vous l' connaissez, cet homme ? me demanda-t-il craintivement.

Je fis brièvement signe que oui et lui tournai le dos pour payer la tenancière que mes appels impérieux avaient transformée en furie. Je lui donnai plus que son dû pour la calmer. Avant de sortir, je m'arrêtai pour poser sur le bras du roulier une main rassurante.

– Ne vous en faites pas. Si je peux attraper l'homme, vous m'aurez rendu service. Je sais pourquoi il est venu et suis presque sûr de savoir où le trouver. Où avez-vous prévu de vous rencontrer pour récupérer votre chariot ? Peu importe ! Suivez-moi au manoir quand vous serez prêt.

Je franchis le seuil de la taverne et remontai en courant le sentier avant que le roulier, à présent franchement inquiet, pût me questionner davantage.

17

Les ombres allongées d'octobre alternaient sur la route défoncée avec les flaques d'un pâle soleil qui perçait non sans peine le feuillage clairsemé des frondaisons. Une touffe de mauves à la floraison tardive luisaient, nostalgiques, dans l'herbe flétrie, leurs corolles délicates ployées à l'extrémité de tiges fragiles. Haut dans les branches au-dessus de ma tête, un oiseau chantait, et la rivière, comme à son habitude, murmurait doucement en contrebas. Tant de beauté pour laquelle je n'avais ni yeux ni oreilles car mes pensées étaient rivées à la personne de Jeremiah Fletcher.

L'homme devait être prêt à tout pour tenter en plein jour une ruse pareille, pour braver le danger de trouver quelqu'un dans ma chambre, moi ou un autre. En me voyant quitter la cour, il avait dû sentir que la chance était avec lui ; la mienne tenait au fait qu'il m'avait aperçu. Car, fortifié par un sentiment trompeur de sécurité, il devait estimer à présent avoir le temps de fouiller de nouveau ma chambre sans trop de risques d'être interrompu. Il regarderait plus à fond qu'il ne l'avait fait ce matin, tendu qu'il était après son ascension le long de la vigne et par la perspective de fuir par le même chemin. Ce moyen de s'introduire et de s'échapper, il n'avait pas osé l'utiliser au milieu de l'après-midi et je me demandai quel subterfuge il avait imaginé pour qu'on le laisse entrer dans la grande salle et l'escalier.

Mes pas suscitèrent un écho caverneux quand je passai sous le porche. Je crus d'abord que la cour était déserte car j'avais le soleil dans les yeux. Puis ma vision se rétablit et je vis James, Luke et John Groom près du chariot qui chargeaient des balles de foin sur leurs épaules pour les transporter aux écuries.

– Où est-il ? criai-je. Où est le roulier ?

Ils me regardèrent bouche bée tous les trois, interloqués par mon ton impérieux. Puis l'homme dont j'appris par la suite qu'il était James pointa l'index vers le manoir.

– Il avait besoin d'aller aux lieux d'aisances. J'y ai dit qu'y en avait trois et il a choisi ceux du manoir. Il a dit qu'il était jamais entré dans la maison d'un gentilhomme et que l'occasion se représenterait pas d' sitôt.

Il n'avait pas terminé ses explications que je filais vers la porte de la grande salle en leur criant :

– Suivez-moi en vitesse ! Ce n'est pas un roulier ! C'est un voleur !

Du coin de l'œil, je les vis échanger des regards dubitatifs ; ils se demandaient si je n'avais pas perdu la tête et s'ils devaient ou non obéir à mes ordres.

– Dépêchez-vous ! C'est vrai, je vous le jure ! hurlai-je, m'arrêtant un instant, la main sur le loquet de la porte de la grande salle. Que l'un de vous aille chercher Alwyn et secoue les puces aux domestiques ! Les autres, suivez-moi !

Avais-je parlé avec assez d'autorité pour les impressionner ? Pour qu'ils m'obéissent ? Je n'avais pas le temps de vérifier. Je fis demi-tour et entrai. Je traversai la salle en courant, grimpai quatre à quatre l'escalier sans m'arrêter pour contrôler les lieux d'aisances tant j'étais sûr qu'ils étaient vides. J'avais raison. Un coup d'œil dans le corridor m'apprit que la porte de ma chambre était entrebâillée et j'entendis le bruit de pas furtifs. Contrôlant ma hâte impétueuse, je pris quelques inspirations profondes pour me calmer avant de m'avancer doucement et de coller un œil à la fente de la porte. Puis j'en poussai le battant à toute volée.

– Vous ne trouverez pas ce que vous cherchez, dis-je. Elle n'est pas là.

Débarrassé du chapeau à large bord, le visage stupéfait qui se tourna vers moi était sans erreur possible celui de l'homme de l'abbaye de Buckfast et, tout aussi sûrement, celui de Jeremiah Fletcher qui avait passé la nuit dernière à l'auberge de Trenowth. Lors de sa première intrusion, il avait tout saccagé ; cette fois non. Pourquoi donc ? Si la lettre n'était pas antérieurement cachée dans les oreillers ou les matelas, il était peu probable qu'elle fût dissimulée dans la literie qui avait remplacé les précédents. En revanche, l'intrus avait entassé sur un lit tous les objets qui avaient appartenu à Philip et les miens ; accroupi devant le lit, il les fouillait avec minutie. Le bruit le fit bondir sur ses pieds et sa main tâtonna sous sa veste à la recherche du poignard dans sa ceinture. Il se souvint alors qu'il l'avait abandonné en même temps que sa tunique pour se déguiser en roulier. Une vague de panique le submergea et, pour la seconde fois en un peu plus d'une heure, je fis l'objet d'un assaut meurtrier. J'étais proprement terrifié car cet homme, entraîné à tuer, n'aurait aucun scrupule à m'assassiner s'il en trouvait le moyen. Ses mains agrippaient déjà ma gorge pour me réduire au silence, des mains déliées, assorties à sa charpente délicate, mais auxquelles la peur conférait force et puissance. S'il tombait sous les griffes de la loi, la pendaison l'attendait ; qu'il fût ou non responsable de la mort de Philip – je ne le savais toujours pas avec certitude –, d'autres sûrement l'en croiraient coupable, et des crimes antérieurs lui seraient probablement imputés. Il était peu vraisemblable que Philip fût le premier messager du roi Édouard liquidé du fait des agents lancastriens.

De mes doigts tremblants, je lui tordis les poignets tout en lui expédiant un coup de genou dans les testicules. Jeremiah Fletcher hurla sans lâcher prise. Face à la perspective de la corde au cou, rien d'autre ne compte et la terreur amortit la douleur. Pour la seconde fois de l'après-midi, le sang tambourinait dans mes oreilles et un brouillard jaune voilait mes yeux quand les secours tardifs m'arrivèrent : Luke et John Groom. si peu disposés tout à l'heure à me croire, avaient finalement cédé à la voix de la prudence. Hurlant de rage et de stupeur, ils se jetèrent sur mon agresseur et lui réglèrent son compte avant de le plaquer brutalement au sol et de s'asseoir tous deux sur sa poitrine pour l'immobiliser.

– Douce Vierge, vous aviez raison, Maître, s'exclama le valet d'écurie avec admiration. C'est bien un voleur ! Comment que vous le saviez ?

J'étais toujours affalé contre le mur de la chambre, cherchant ma respiration ; tout ce que je pus émettre en guise de réponse fut un coassement de grenouille. Heureusement, les frais de conversation me furent momentanément épargnés par l'apparition de l'intendant Alwyn et de James, bientôt suivis de Janet Overy armée d'un rouleau à pâtisserie, de la blanchisseuse, qui brandissait le bâton à lessive, et du boulanger muni de sa spatule à enfourner les miches. Abasourdis par l'abondance des péripéties du jour, leurs différents aides fermaient la marche.

– Et voilà, dit Alwyn, nous tenons notre voleur et sûrement aussi notre meurtrier.

Il se tourna vers moi :

– Connaissez-vous cet homme, Roger Chapman ?

Je hochai la tête et il poussa un grognement de satisfaction.

– Et attrapé en flagrant délit de tentative d'un second meurtre, semble-t-il. Vous deux, les hommes, et toi, James, emmenez-le. Nous allons veiller à sa sécurité derrière clés et verrous jusqu'à l'arrivée de l'officier du shérif.

Le soulagement dû à cette issue satisfaisante, sans qu'aucun membre de la maison de Sir Peveril pût encourir le moindre blâme, faisait de l'intendant un homme comblé : la tête haute, le pas allègre, il prit la tête du cortège qui sortit de la chambre. Lors du retour de son maître, il pourrait lui faire un compte rendu honorable des événements ; du moins, aussi honorable que le permettaient de telles circonstances.

Janet me prit par le coude.

– Viens avec moi, mon garçon. Ta pauvre gorge a reçu plus que sa part de mauvais traitements pour la journée. Mais le remède déjà employé fera merveille, tu verras.

Je la crus car elle avait vraiment l'air de bien connaître ses onguents et ses simples ; quand elle eut terminé ses soins, ma douleur était un peu calmée et j'étais en mesure de me faire comprendre, malgré ma voix exténuée. Quand je sortis dans la cour, j'appris que Jeremiah Fletcher, pieds et poings liés, était sous les verrous dans la sacristie de la chapelle où James, Luke et John Groom assuraient la garde à tour de rôle. Alwyn, qui m'en informa, me demanda de lui dire tout ce que je savais du prisonnier. Convaincu que seule la vérité serait utile désormais, je lui fis le récit complet de notre funeste voyage, depuis ma rencontre avec le duc de Gloucester à Exeter jusqu'à l'instant présent. J'omis cependant deux éléments : le rôle de Silas Bywater dans cette affaire et l'épisode de la renouée.

Je notai qu'Alwyn était impressionné par ce que ma version des événements ajoutait à ma stature. J'en profitai pour lui demander l'autorisation de voir Jeremiah Fletcher en tête à tête pendant quelques minutes.

– Je dois le questionner sur certains points, dis-je en m'efforçant de lui inspirer la conviction que ces questions étaient d'importance vitale pour la sûreté du royaume.

– Eh bien...

L'intendant étudia ma requête, puis se décida brusquement :

– Vous avez mon autorisation, mais assurez-vous que Luke, qui monte la garde en ce moment, restera à la porte.

– Si Fletcher a les poignets et les chevilles attachés, comme vous me l'avez dit, il peut difficilement être un danger pour quiconque.

– Quoi qu'il en soit, je ne suis pas disposé à prendre de risques. Je vous en prie, faites ce que je vous demande.

Je le lui promis et fus conduit dans les ténèbres de la chapelle située à l'angle nord de la cour. La sacristie où l'on avait reclus le prisonnier se trouvait à gauche de l'autel ; le chapelain l'utilisait pour revêtir ses habits sacerdotaux et dire ses prières avant la messe. Une puissante porte de chêne assurait son intimité pendant ces moments ; pour des raisons que je ne saurais dire, elle était équipée d'une forte clé et d'un verrou. Toutefois, en ce moment, ils avaient leur utilité ; après avoir tourné la clé, on l'avait retirée de la serrure et confiée aux grandes mains brunes de Luke qui, par ailleurs, était pourvu d'un bâton presque aussi impressionnant que ma cape de Plymouth. Mon bâton... Je m'en souvins subitement : ce matin, avant de m'installer devant mon petit déjeuner, je l'avais laissé appuyé contre un mur de la cuisine. L'arrivée du chariot du scieur et les vicissitudes de la journée me l'avaient fait oublier. Il fallait que je pense à l'ôter de la pièce où il encombrait Janet.

L'intendant ordonna à Luke de me laisser entrer dans la sacristie et ajouta sèchement :

– Tant que Maître Chapman est à l'intérieur, ne ferme pas à clé et tiens-toi prêt à lui porter secours à tout instant. Après son départ, n'oublie surtout pas de verrouiller.

Puis il s'éloigna d'un pas nerveux.

Luke me dévisageait avec curiosité mais ne me posa pas de questions et fit simplement ce qu'on lui avait ordonné. La clé rouillée grinça dans la serrure quand il la tourna : le chapelain de Sir Peveril n'éprouvait manifestement pas le besoin de s'abriter des yeux indiscrets. La porte, elle aussi, grinça sur ses gonds pendant que Luke l'ouvrait à demi. J'entrai.

Le mobilier de la sacristie était réduit au minimum : un banc de pierre qui courait le long d'un mur et un coffre placé dans un angle. Les rayons du jour devaient forcer leur voie à travers une petite fenêtre garnie de panneaux de corne plombés. Le sac habituel, contenant silex et amadou, pendait à un clou. Une chandelle et un chandelier étaient posés sur le coffre ; la chandelle n'était pas allumée. Pieds et poings liés, une contusion profonde marquant sa joue gauche, Jeremiah Fletcher était tassé à une extrémité du banc. Je m'assis à l'autre bout et me tournai pour le voir en face. Il me regarda d'un sale œil.

– Qu'est-ce que vous me voulez ?

– La vérité, si ce n'est pas trop vous demander.

Ma voix enrouée suscita chez lui un sourire malveillant qui exprimait sans fard combien il aurait aimé achever son travail.

Après quelques minutes de réflexion, il haussa les épaules.

– Pourquoi pas ? Je suis un homme mort de toute façon et n'ai plus rien à perdre. J'ai tué beaucoup d'hommes dans mon existence et l'ironie du sort veut que je sois pendu pour un crime que je n'ai pas commis. Oh non, je ne nie pas ! J'avais l'intention de faire passer Philip Underdown de vie à trépas : j'étais payé pour ça. J'ai fait deux tentatives qui ont mal tourné, une à l'abbaye, l'autre à l'auberge de Plymouth. Mais quand il a rencontré sa mort, ce n'a pas été par ma main. Croyez-moi ou non, c'est à votre choix.

– Je pense que je vous crois, répondis-je. Mais si vous ne l'avez pas tué, vous auriez pu voir qui l'a fait.

Il me regarda avec stupéfaction, ses sourcils disparaissant presque sous ses cheveux.

– Au nom du ciel, qu'est-ce qui vous fait penser cela ? Quand Maître Underdown a été tué tard hier soir – je tiens l'information du patron –, je dormais dans un lit infesté de puces de cette auberge tout entière infestée de puces. Pourquoi serais-je allé vadrouiller dans les bois au milieu de la nuit ?

– Pour la raison qui vous a fait vadrouiller à l'abbaye de Buckfast et dans les ruelles de Plymouth : pour obéir aux ordres de vos maîtres et empêcher le messager du roi d'arriver en Bretagne. Je vais être tout à fait franc avec vous. Vous nous avez suivis, Philip et moi, depuis Plymouth, et, selon le père Anselm, vous êtes arrivé à Trenowth hier matin, peu après nous. Toujours selon le bon père, vous êtes resté dans votre chambre toute la journée, sans même descendre pour les repas. Il a donc fallu que vous reconnaissiez le terrain pendant la nuit. Je pense que vous étiez dehors dès la nuit tombée et que vous avez pu, de près ou de loin, assister au crime.

Jeremiah Fletcher eut un mince sourire.

– Très bien, puisque vous en avez tant deviné, j'admets que vous avez raison jusqu'à un certain point. Je suis effectivement sorti la nuit dernière pour reconnaître les lieux. Mais longtemps après le moment du crime. Alors que je suivais le sentier qui monte vers le manoir, quelque chose que je suis toujours incapable de préciser a attiré mon attention sur la rive du fleuve, où j'ai trouvé le corps de Philip Underdown, déjà raidi et froid. Ce fut un choc de découvrir que quelqu'un d'autre avait fait mon travail à ma place, avec une telle ardeur. Mais, l'usage malhabile du couteau ayant obligé l'agresseur à fracasser l'arrière du crâne pour achever son travail, j'en conclus que cette personne obligeante était novice dans l'art de tuer.

– Avez-vous fouillé le corps pour y trouver la lettre ? demandai-je.

Son visage s'assombrit.

– Ah ! cette lettre ! C'est elle qui a causé ma perte.

Il se tortilla pour essayer de réduire la pression qu'exerçaient ses liens.

– Ou, plutôt, c'est vous qui êtes ma Némésis. Mes maîtres m'avaient enjoint de trouver et de détruire la lettre adressée au duc François, si je le pouvais, mais ils ignoraient que Philip

Underdown serait couvert par un autre homme qui voyagerait avec lui. De fait, jusqu'à son arrivée à Exeter, il circulait seul comme c'est l'habitude des messagers du roi, qui préfèrent voyager vite sans s'encombrer d'une escorte. Mais l'attaquer avant son entrevue avec le duc Richard aurait été inutile. Il n'avait pas encore la lettre.

– Comment vos maîtres, comme vous dites, le savaient-ils ? insistai-je en fronçant les sourcils.

Il se mit à rire.

– Mais qui êtes-vous ? Et d'où sortez-vous pour poser pareilles questions ? Ignorez-vous que les cours, toutes les cours sont autant de nids d'espions ? Même les amis et les alliés s'espionnent mutuellement. Il n'est pas un noble digne de ce nom qui puisse se dispenser d'avoir dans la demeure de tous les autres nobles des informateurs rétribués. Le frère épie son frère, le père son fils. Ainsi va le monde. Où que vous alliez, en France, en Italie, en Espagne, vous constaterez que celui que Maître Chaucer a appelé « l'homme qui sourit, un couteau caché sous sa cape », est universel.

Il avait raison. J'étais encore très innocent à l'époque ; j'ignorais la cupidité des hommes, mais j'apprenais vite. Je répétai ma question

– Avez-vous fouillé le corps ?

– Bien sûr que j'ai fouillé le corps !

Mes questions commençaient à le lasser et sa gêne était extrême.

– Ensuite, comme vous le savez, j'ai fouillé la chambre mais, comme vous le savez aussi, je n'ai pas eu de chance.

– Comment avez-vous su quelle chambre il fallait fouiller ?

Jeremiah Fletcher poussa un gémissement et se laissa lourdement aller contre le mur derrière lui.

– Vous êtes tenace ! Il faut vous rendre cette justice ! Je ne savais pas. J'ai vu un volet et une fenêtre ouverts, et une vigne qui incitait à l'escalade. C'est seulement quand je me suis retrouvé sain et sauf à l'intérieur que j'ai réalisé, en voyant vos affaires de voyage étalées partout, que c'était votre chambre et celle de Maître Underdown. Et maintenant, ajouta-t-il d'un ton las, si vous en avez fini avec moi, laissez-moi à ma misère. Je ne vous demande pas comment vous avez découvert la ruse que j'ai utilisée pour procéder à une seconde fouille. Le roulier est aussi bavard qu'il est naïf et vous êtes tombé sur lui. Finissons-en.

Il ferma les yeux et serra fermement ses lèvres minces, manifestement déterminé à ne plus répondre à la moindre question.

Mais j'étais tout aussi déterminé à lui en poser une de plus.

– Qu'est-ce que les renouées signifient pour vous ? demandai-je.

Il fut si surpris qu'il lâcha une réplique :

– Les renouées ? répéta-t-il en écarquillant les yeux. Ce sont des plantes, non ? De la mauvaise herbe ? Pourquoi devraient-elles signifier quelque chose pour moi ?

– Oh, comme ça, répondis-je en me levant. Vous êtes bien sûr qu'elles n'ont pas de signification particulière pour vous ?

– Pas la moindre, dit-il avec vigueur.

Je fis un signe d'assentiment et tambourinai sur la porte pour prévenir le garde que j'étais sur le point de sortir, au cas où il penserait que Jeremiah Fletcher tentait de s'évader.

– Tout va bien, Maître ?

– Je pense que votre prisonnier a besoin d'eau et de nourriture. Je vais demander à Maîtresse Overy de veiller à ce qu'il soit nourri.

Je fis une génuflexion devant l'autel et sortis. On avait déchargé tout le foin mais le chariot vide stationnait toujours au milieu de la cour. Le roulier était arrivé quelque temps plus tôt pour réclamer son bien ; c'est du moins ce que je déduisis en le voyant assis près de John Groom sur le banc devant l'aile des domestiques où ils buvaient de la bière comme de vieux amis. Ils étaient si absorbés par leur conversation qu'ils ne me virent pas traverser la cour vers la cuisine pour plaider devant Maîtresse Overy la cause du prisonnier. Comme je m'y attendais, la gouvernante au bon cœur compatit.

– Le souper ne va pas tarder, dit-elle en envoyant une fille de cuisine préparer un plateau de nourriture pour Jeremiah Fletcher. Comment va ta gorge ? Peux-tu avaler ?

Je humai l'air.

– Si les saveurs du souper sont aussi bonnes que ses arômes, je me forcerai, si grand soit l'effort exigé.

Elle rit et je poursuivis :

– Où est Silas Bywater ? L'avez-vous vu dernièrement ?
Elle parut surprise :
– Il est parti... Tu ne le savais pas ?

18

Je la regardai, muet de surprise. Quand je retrouvai ma voix, je demandai :
– Comment peut-il être parti ? Qui lui en a donné l'autorisation ? Et pourquoi ne l'a-t-on pas encore pris en chasse ? Nous devions tous demeurer au manoir jusqu'à l'arrivée de l'officier du shérif :
– Mais à présent, objecta placidement Janet, les choses se présentent différemment. Le meurtrier est sous les verrous. Tu le connais. D'après ce que tu nous as dit, c'est l'homme qui a déjà tenté par deux fois de tuer Maître Underdown. De plus, on l'a pris sur le fait en train de t'étrangler, alors que toi-même l'avais surpris qui volait vos affaires. Silas Bywater voulait reprendre sa route et ni Alwyn ni moi n'avons trouvé de motif pour le retenir plus longtemps. A part toi, le sergent n'aura pas besoin d'interroger quiconque.
Janet se détourna pour remuer le contenu de la marmite suspendue dans l'âtre et ajouta sur un ton curieux :
– A propos, ce Jeremiah Fletcher, a-t-il trouvé ce qu'il était venu chercher ?
Je secouai distraitement la tête.
– Depuis combien de temps Silas est-il parti ? Elle se redressa, la cuiller à la main, et me regarda, hésitante.
– Il nous a quittés pendant que tu questionnais le prisonnier dans la sacristie. Pourquoi ? Tu n'as quand même pas l'intention de te lancer à ses trousses !
– Je veux encore lui poser quelques questions. En faisant vite, je peux le rattraper.
La gouvernante jeta brutalement la cuiller sur la table.
– Toi et tes questions ! s'exclama-t-elle avec une impatience rageuse. A quoi servent-elles si ce n'est à nous empoisonner la

vie ? Pourquoi ne peux-tu accepter le fait que le meurtrier est pris ?

Je me dirigeais déjà vers la porte mais sa véhémence était telle que je m'arrêtai pour la regarder. Et je me demandai pour la première fois si Janet n'en savait pas plus qu'elle n'avait bien voulu dire sur la mort de Philip. Elle avait fait de son mieux pour me convaincre que les gens de Trenowth et des environs ignoraient absolument tout du crime. Et elle s'était littéralement jetée sur la personne de Jeremiah Fletcher pour me persuader qu'il ne pouvait y avoir qu'un tueur possible.

J'hésitai, puis décidai de ne pas formuler mes soupçons. Si je me trompais, je m'exposerais vainement à sa rancune ; en revanche, si j'avais raison, mon silence pourrait l'inciter à commettre une erreur qui m'aiguillerait vers le vrai meurtrier de Philip. Je ne pouvais m'expliquer pourquoi ce qui semblait évident à tout le monde me laissait sceptique, à savoir que Jeremiah Fletcher, tueur à gages, de son propre aveu, avait exécuté avec efficacité les ordres qu'il avait reçus. Avec le recul du temps, je crois tenir aujourd'hui la réponse : au plus profond de mon être, je pressentais déjà l'identité du tueur. A l'exception d'une pièce cruciale, toutes les informations voulues étaient réunies, dans l'attente de l'assemblage adéquat.

Je poussai un grand soupir et laissai mes bras retomber le long de mon corps.

– Vous avez raison, dis-je doucement. Je ne vous ai causé que des ennuis, à vous d'abord, puis à Isobel Warden et à son mari. Je suis désolé.

Le soulagement qu'elle ressentit à me voir capituler lui rendit instantanément sa cordialité :

– Tout va bien, mon garçon. Tu n'es pas fait pour ce genre d'aventures, pas plus que les gens d'ici. Et je reconnais que j'ai eu tort au début de diriger tes soupçons vers Isobel. Je pensais que c'était elle que Maître Underdown était allé retrouver, alors que tout du long, c'était ce Jeremiah Fletcher. Il avoue être l'auteur du crime, n'est-ce pas ?

– Il reconnaît avoir commis les deux premières tentatives, mais il nie avoir commis le meurtre.

Janet émit un grognement méprisant.

– Personne ne croira jamais ça ! Surtout pas l'officier du shérif. Il a eu affaire à trop de canailles pour se laisser prendre à une histoire pareille. Et quand il aura entendu de ta bouche la vraie version des faits, il n'aura plus le moindre doute.

Sur ce point, je tombais d'accord avec elle. Une solution aussi simple à l'énigme du meurtre ne pouvait que séduire un homme déjà débordé par les événements autrement importants qui se déroulaient dans le comté. Les Cornouaillais s'armaient en vue d'une invasion possible, pour ne pas dire probable ; ils n'avaient pas de temps à perdre avec des désordres mineurs. Le sergent de Launceston Castle serait trop heureux de pouvoir rapporter à Sir John Arundel l'issue satisfaisante de l'affaire car l'échec de l'enquête aurait attiré sur leur tête le mécontentement royal. Si bien qu'il ne chercherait pas d'autre solution au mystère du meurtre de Philip Underdown. Les protestations d'innocence de Jeremiah Fletcher, s'il se donnait la peine d'en émettre, ne seraient pas prises en considération. Je me rappelai avec un sourire désabusé l'espoir que j'avais entretenu de pouvoir taire à l'envoyé du shérif la mission de Philip. J'avais été trop optimiste et trop naïf mais, au moins, les proches de la reine n'étaient pas impliqués, ce qui épargnerait au roi et à la famille royale beaucoup de désagréments. Je commençais à me rendre compte à quel point j'avais manqué de discernement, innocent à la dérive dans une mer d'intrigues. Si le comte d'Oxford n'avait pas envahi le St Michael's Mount et si l'opération s'était déroulée selon le plan prévu, ç'aurait été sans importance. Philip aurait été en Bretagne à l'heure voulue, la lettre du roi remise à qui de droit et j'aurais déjà retrouvé mes grandes routes, satisfait et heureux.

La voix de Janet mit fin à ces réflexions :

– Tu l'as toujours, cette lettre qui nous a valu tant d'ennuis ?

Si j'avais tâté le côté gauche de mon pourpoint, j'aurais senti crisser le parchemin rigide entre le cuir et la doublure du vêtement, mais je me retins de le faire et répondis par une question :

– A quand le dîner ? J'ai faim !

– Je voudrais bien savoir quand tu n'as pas faim ! se moqua-t-elle gentiment.

Elle plongea la cuiller dans la marmite et goûta le bouillon.

– Pas tout à fait cuit mais il s'en faut de peu. Va prendre l'air un moment, mais ne t'éloigne pas. Et surtout ne te lance pas sur les traces de Silas Bywater.

– C'est promis, dis-je.

Je me sentais soudain très las. Toutes les péripéties de la journée, depuis la découverte du corps de Philip jusqu'aux deux tentatives d'étranglement dont j'avais été victime, sans parler des efforts que j'avais fournis, m'écrasaient subitement de leur poids. Quelle importance si les questions que je voulais poser à Silas Bywater ne lui étaient jamais posées ? Si un homme qui, de son propre aveu, était un tueur à gages était reconnu coupable d'un crime qu'il n'avait pas commis ? L'énergie bouillonnante qui m'avait servi tout ce jour s'était brusquement tarie. La seule chose que je souhaitais en cet instant, c'était dormir. J'étirai mes bras dont les jointures craquèrent et bâillai démesurément.

Janet sourit.

– Tu es harassé, mon garçon. Va t'étendre un moment. J'enverrai une des petites te chercher quand il sera temps de souper.

– Bonne idée, répondis-je. Je viens seulement de me rendre compte à quel point je suis fatigué. Et ma gorge me fait toujours mal.

Je jetai un coup d'œil dans la pièce.

– J'ai laissé mon gourdin ici ce matin, après le petit déjeuner. Je croyais l'avoir posé là, près de la porte, mais il n'y est plus. Ou bien je me trompe, ou quelqu'un l'a déplacé.

– C'est moi qui l'ai déplacé, dit Janet. J'ai failli me prendre les pieds dedans, là où tu l'avais posé. Il est au fond, dans le coin.

Elle aussi semblait anéantie, je le sentais bien, et rongée par les soucis. La journée avait été cauchemardesque pour nous tous et je ne fus pas surpris de la voir s'asseoir à la table et s'éventer avec son tablier. Elle me regarda.

– Peut-être ferais-tu mieux de le laisser là pour l'instant. L'officier du shérif voudra sans doute le voir. Nous avons posé le couteau près du corps dans le grand hall mais il se peut qu'il souhaite examiner les deux armes utilisées. Je veillerai à ce que personne ne le prenne par erreur. Je sais à quel point les hommes tiennent à leur épée ou à leur gourdin.

Je la remerciai et me levai. Mes membres semblaient de plomb, comme il arrive souvent quand après de rudes efforts s'annonce la perspective du repos. Deux petites aides de cuisine gloussaient et chuchotaient en rassemblant les couteaux à manche d'os et les tranchoirs à pain émoussés pour mettre la table du souper. Elles sourirent timidement quand je passai devant elles. Leurs yeux écarquillés exprimaient l'adoration pour le héros qui avait démasqué le dangereux criminel et j'étais trop humain pour ne pas trouver cela délicieux. Je souris en retour et leur fis un clin d'œil.

La cour était tranquille à présent. Le roulier était reparti avec son chariot et j'entendais John Groom qui sifflotait dans l'écurie : affreusement faux. Un cheval hennit et je me demandai si c'était mon bourrin ou le cheval de Philip, à présent propriété de Sir Peveril, qui réclamait son maître. Luke était sans doute dans la chapelle, montant la garde, à moins que James ne l'eût relevé. Quoi qu'il en fût, la cour était déserte mais l'arôme suave du pain fraîchement cuit que l'on mangerait au souper s'échappait de la boulangerie. Et demain, il y aurait encore une nouvelle fournée sur la table du petit déjeuner. La buanderie était vide, elle aussi : la blanchisseuse et ses aides étaient rentrées chez elles au village ; séché, plié dans de grands paniers, le linge attendait les fers polis qui le repasseraient.

Je traversai la grande salle et montai l'escalier pour retrouver ma chambre. Mes affaires et celles de Philip étaient toujours empilées au milieu de son lit, telles que Jeremiah Fletcher les avait laissées quand je l'avais surpris. Plus tard, je les entasserais dans les fontes afin que tout soit prêt le lendemain matin pour mon retour à Plymouth. Pour l'instant, j'avais trop sommeil. J'ôtai mon pourpoint, glissai la main sous sa doublure pour m'assurer que la lettre était bien là, je retirai mes bottes et m'allongeai, épuisé, sur mon lit à roulettes. Encore quelques secondes et je dormais profondément.

Encore quelques secondes et j'étais éveillé, assis raide comme un I, la bouche ouverte, le regard fixe. Puis je posai les pieds par terre et, les mains tremblantes, j'enfilai mes bottes et remis mon pourpoint. Je quittai la chambre, dégringolai l'escalier et traversai la cour jusqu'aux écuries sans vraiment savoir ce que je faisais. Je jetai un coup d'œil furtif vers la cuisine pour voir si Janet était dans les parages et me faufilai dans l'écurie pour y chercher John Groom.

Perché sur une échelle, il hissait les balles de fourrage dans le grenier à foin et ne m'entendit pas immédiatement quand je l'appelai. De toutes les stalles alignées devant moi, deux seulement étaient occupées, l'une par mon cob et la deuxième par le gris pommelé de Philip. L'un des chevaux du domaine avait pris la route de Launceston, monté par le scieur, et Sir Peveril avait probablement emmené les autres à Londres avec lui.

– John ! appelai-je d'une voix pressante en agrippant les montants de l'échelle que je secouai aussi fort que je l'osai.

Il s'immobilisa, surpris, et pencha vers moi un visage que l'effort empourprait.

– Oh ! c'est toi ! dit-il. Donne-moi donc un coup d' main pour monter les balles qui restent, veux-tu ? C'est le roulier qu'aurait dû le faire mais il avait hâte de filer d'ici. L'était plutôt penaud après c' tour idiot qu'il nous a joué.

– Je ne peux pas, répondis-je. Il faut que je rattrape Silas Bywater. J'ai besoin de mon cheval. Tout de suite !

Il ronchonna et jura tout son soûl mais sa bonne nature eut vite raison de cet accès d'humeur. Il déposa son fardeau dans le grenier et descendit seller mon cheval. Il était lent et minutieux et je dus réprimer mon impatience, craignant à tout instant d'entendre Janet Overy frapper sa cuiller contre le poêlon pour prévenir qu'on allait servir le souper. Quand enfin je pus monter mon cob fringant, il piaffa, tout heureux de renouer connaissance. Nous étions encore dans la cour lorsque Edgar Warden et ses aides, leur besogne terminée, apparurent sous le portail, impatients de s'attaquer à leur repas du soir. Le régisseur prit un air renfrogné quand nous nous croisâmes mais borna là l'expression de son hostilité ; pour être tout à fait franc, il s'arrangea pour manifester une légère nuance de honte. Je me demandai si lui, Colin et Ned avaient entendu parler des événements de l'après-midi, si les nouvelles s'étaient déjà répandues dans tout le domaine du manoir ou s'ils allaient seulement les apprendre maintenant.

Mais ce fut une pensée fugace. J'avais bien d'autres préoccupations en tête, à commencer par la nécessité de rattraper Silas Bywater et l'obliger à me dire ce que j'avais besoin de savoir. Seules deux personnes détenaient la clé de l'énigme de la mort de Philip Underdown et Silas était l'une d'elles, j'en étais sûr. Je savais à présent avec une certitude absolue qui était le meurtrier mais j'ignorais encore ses mobiles. Tout en cheminant, je repassais mentalement les événements des deux derniers jours, depuis notre arrivée à Trenowth la veille au matin : un schéma commençait à s'esquisser plus clairement. Des choses avaient été dites et faites qui, en elles-mêmes, ne signifiaient rien mais, une fois regroupées, elles ébauchaient un tableau. Je pouvais même remonter plus loin dans le temps, à l'une de mes premières conversations avec Philip et à une remarque de John Penryn.

Il y a toujours les caves, avait dit ce dernier à Philip. *Pas un seul fantôme ! Juste la meilleure bière et le meilleur vin disponibles de ce côté de la Tavy.*

Et j'entendais encore la voix de Philip qui avouait : *Je ne supporte pas d'être enfermé ! Cela me taraude de rester très longtemps dans un espace confiné.* Puis il m'avait confié qu'il avait des cauchemars où il se voyait enchaîné dans le noir.

Je m'arrêtai un court instant au village pour m'assurer que Silas Bywater n'avait pas retardé son départ, le temps d'une visite à l'auberge, mais le patron ne l'avait pas vu. Sa femme, en revanche, se montra plus utile.

– Je l'ai croisé il y a moins d'une heure, juste au-delà de l'enceinte du manoir. Il allait vers le sud. Il a dit qu'on avait trouvé le meurtrier et qu'il était libre de retourner à Plymouth. Je pense qu'il se dirige vers le bac.

Je la remerciai, me remis en selle et lâchai la bride à mon cob autant que le permettaient les inégalités du chemin et mon inexpérience de cavalier. Je ne reconnaissais pratiquement rien de la région que je parcourais, car il faisait noir quand Philip et moi l'avions traversée en sens inverse la veille, avant l'aube. Au fur et à mesure que s'allongeaient les ombres de l'après-midi, le temps s'éclaircissait et il n'y avait plus trace de la tempête matinale. Une très belle soirée se préparait. Les collines lointaines chatoyaient, noyées sous une brume ambrée.

Il me semblait avoir chevauché bien longtemps et je commençais à m'inquiéter à l'idée que Silas Bywater aurait pu, pour quelque raison, bifurquer vers un village voisin quand, à mon grand soulagement, au sortir d'un boqueteau, je le vis à quatre ou cinq cents yards devant moi. Aussi fort que ma gorge me le permettait, je lui criai de s'arrêter et plantai mes talons dans les flancs du cob, l'encourageant de mon mieux pour rattraper ma proie.

En entendant son nom, Silas s'était retourné ; alarmé, il envisageait visiblement la possibilité de prendre la fuite. Finalement, il décida de faire front et, quand je parvins à sa hauteur, m'opposa le visage même du défi.

– Que me veux-tu ? fit-il d'une voix hargneuse. Alwyn Steward et Maîtresse Overy m'ont donné l'autorisation de partir puisque tu as pincé le meurtrier.

Subitement, le soupçon obscurcit ses yeux bleus.

– L'officier du shérif n'est pas encore arrivé, pas vrai ? C'est pas lui qui t'a dit de me poursuivre ? Il veut pas que tu me ramènes ?

Je me laissai choir au sol avec un soupir de soulagement. A l'époque, je ne faisais pas vraiment corps avec ma monture.

– Ne t'en fais pas sur ce point, le rassurai-je. Thomas Sawyer et le sergent n'étaient pas encore en vue quand j'ai quitté Trenowth ; mais ils arriveront sûrement avant la tombée de la nuit. Non, c'est moi qui veux causer avec toi. J'ai besoin de renseignements que tu peux me fournir et comme je suis déterminé à les obtenir par tous les moyens, tu te faciliteras la vie en répondant à mes questions. Devant moi, tu ne fais pas le poids.

Il reconnut ce fait avec une parfaite mauvaise grâce.

– Que veux-tu savoir ?

– Il y a une chaumière là-bas, dis-je, le doigt tendu, et comme l'heure du souper sera passée quand je reviendrai à Trenowth, allons voir si la maîtresse du lieu dispose de pain, de fromage et d'un peu de bière pour deux voyageurs fatigués. Le cheval, lui aussi, se trouvera bien d'une pause et d'un seau d'eau.

Voyant que j'étais plus amical qu'il ne l'avait d'abord supposé, Silas se détendit.

– Très bien, dit-il en réglant son pas sur le mien. Autant nous mettre à l'aise... Mais je pourrais te dire ici et à l'instant ce que tu veux savoir, car je sais d'avance pourquoi tu es venu.

Il faisait presque noir quand je revins au manoir de Trenowth. Les portes de l'enceinte étaient encore ouvertes et l'agitation ambiante signifiait que la maisonnée attendait l'arrivée imminente du sergent de Launceston. Fanaux et torches illuminaient la cour que dominait Alwyn, fiché en haut des marches à l'entrée du grand hall, son bâton d'intendant à la main, vêtu de sa plus belle robe fourrée. Les domestiques qui habitaient le village et auraient dû regagner leurs chaumières depuis longtemps s'attardaient dans l'espoir de capter un aperçu du drame qui pourrait se dérouler. Isobel et Edgar Warden étaient assis sur le banc de pierre devant l'aile des domestiques et John Groom, qui m'avait vu arriver de son poste à l'entrée de l'écurie, vint à ma rencontre pour prendre mon cob. Il ne manquait que Janet Overy. On m'apprit aussitôt qu'elle était à la cuisine où elle mettait la dernière main au repas spécialement préparé pour l'envoyé du shérif.

– T'obtiendras rien d'elle, m'informa le valet d'écurie. L'était hors d'elle quand elle s'est aperçue d' ton absence au souper.

Sans répondre, j'allai à la cuisine, espérant contre tout espoir y trouver Janet seule. Ma prière fut exaucée ; on avait expédié dehors les petites soubrettes pour qu'elles préviennent de l'approche du sergent dès qu'elle serait connue. Quand j'entrai, Janet, que je voyais de trois quarts, crut que c'était une des petites qui revenait mais son visage se durcit quand elle me vit.

– Où étais-tu ? demanda-t-elle avec irritation. Tu étais censé te reposer sur ton lit !

Je fermai la porte de la cuisine derrière moi.

– J'ai poursuivi Silas Bywater, dis-je.

– Pourquoi ? demanda-t-elle d'une voix perçante. Tu m'avais promis de...

– Je sais et je suis désolé d'avoir manqué à ma promesse. Mais il fallait que je sache, voyez-vous. Il fallait que je sache pourquoi vous avez tué Philip Underdown.

19

J'attendis qu'elle récusât l'accusation mais le silence s'étirait et elle n'en fit rien. Au lieu de cela, elle s'avança et s'assit lourdement à la table de la cuisine.

– Qu'est-ce qui a dirigé tes soupçons vers moi ?

Je balançai mes jambes par-dessus le banc pour m'asseoir en face d'elle.

– Vous vous êtes trahie vous-même, par deux fois. Plus tôt cet après-midi, je vous ai demandé pourquoi vous pensiez que Philip Underdown avait préféré quitter la chambre par la fenêtre de l'étage supérieur plutôt que par celle du rez-de-chaussée et vous m'avez répondu qu'il aurait pu craindre de me réveiller en se levant, en s'habillant et en descendant. Alors qu'en m'envoyant coucher de l'autre côté de la porte, il pouvait descendre le long de la vigne sans ce souci. J'aurais dû saisir sur-le-champ ce que j'ai compris plus tard, à savoir que seul Philip avait pu vous parler du stratagème qu'il avait utilisé. Moi-même ne vous en avais rien dit et personne d'autre n'était au courant.

Elle baissa les yeux sur ses mains étroitement serrées et posées devant elle sur la table.

– Et comment me suis-je trahie la seconde fois ?

– Vous étiez très fatiguée, tout comme moi. Les événements du jour avaient embrouillé vos idées. Elles étaient si confuses que vous n'arriviez plus à faire la distinction entre ce que vous saviez et ce que vous étiez censée savoir. Vous saviez que mon bâton avait été utilisé pour achever Philip Underdown après que l'attaque au couteau eut échoué. Là encore, lui seul aurait pu vous informer qu'il s'agissait du mien. Ne vous êtes-vous jamais demandé pourquoi on ne l'avait pas trouvé près du cadavre ? Ni comment il était revenu ici ?

C'est alors qu'elle leva les yeux pour me regarder bien en face, les sourcils légèrement froncés.

– Bien sûr, je me le suis demandé mais, comme tu viens de le dire, il y avait des choses que je n'étais pas supposée savoir et je ne pouvais donc pas poser de questions.

– Mais vous saviez que j'avais découvert le corps avant Thomas Sawyer ?

– Je ne le savais pas. Je ne le pouvais pas sans te demander la vérité. Et je ne pouvais pas t'interroger sans éveiller tes soupçons. Mais j'avais deviné. Tu t'es rendu compte bien plus tôt que tu ne l'as dit que Maître Underdown avait quitté son lit. Tu es parti à sa recherche et tu l'as trouvé mort. Tu as aussi découvert qu'il avait pris ton gourdin et qu'on l'avait utilisé pour le tuer. Bien entendu, tu l'as rapporté pour ne pas être soupçonné du crime.

J'acquiesçai de la tête et elle poursuivit :

– Ne crois pas que je te le reproche, mon garçon. Tout individu doué de bon sens aurait fait de même.

Elle poussa un soupir proprement accablé.

– Et puis, stupidement, je me suis trahie, reprit-elle. J'étais désespérément fatiguée, incapable de réfléchir clairement plus longtemps. Alors, j'ai prié : Mon Dieu, faites que Roger ne remarque pas mon erreur. Mais je savais que Dieu ne m'entendrait pas. Quel droit avais-je à Sa protection ? J'avais pris la vie d'un de mes frères humains.

Elle posa un moment ses mains sur ses yeux puis les retira.

– Ma première erreur, je reconnais ne pas l'avoir remarquée. Tu as l'oreille fine et tu es intelligent.

– Oh non ! Vous me surestimez, croyez-moi, fis-je en secouant la tête. Sur le moment, elle m'a échappé. Même votre seconde erreur ne m'a pas frappé sur le coup, il m'a fallu du temps pour mettre le doigt dessus. Toutefois, si cela peut vous consoler, je suspectais déjà que vous en saviez plus sur le meurtre que vous ne vouliez l'admettre.

– Pourquoi ? me pressa Janet. En quoi me suis-je encore trompée ?

– Je ne vois pas d'autre maladresse précise, fis-je en haussant les épaules. Mais, quand j'y réfléchissais, votre conduite était pleine de contradictions. D'abord, vous avez affirmé que personne ne pouvait quitter l'enceinte pendant la nuit parce que les portes étaient verrouillées. Puis vous m'avez assuré que n'importe qui, homme ou femme, aurait pu en sortir par les fenêtres du rez-de-chaussée, s'il le voulait. Par ailleurs, vous avez exploité ma conviction que Philip avait dû aller retrouver Isobel Warden ; vous l'avez renforcée en insistant sur le fait que son mari était très jaloux, jusqu'à ce que votre conscience commence à vous tourmenter. Ensuite, vous vous êtes employée à me convaincre que Jeremiah Fletcher était le meurtrier, ce qu'il aurait été indéniablement si une nouvelle occasion s'était présentée. D'autre part, vous avez tenté de me dissuader de mener plus loin mon enquête. Et c'est encore vous, j'imagine, beaucoup plus qu'Alwyn, qui vouliez à tout prix laisser Silas Bywater filer avant que je l'interroge plus précisément sur ce que signifiait la renouée. Avec votre savoir sur les simples et les plantes médicinales, vous connaissez ses propriétés mortelles.

Il y eut un nouveau silence avant qu'elle répondît avec un soupir douloureux :

– Oui, je les connais. Quelles autres fautes ai-je commises ?

– Il n'y a pas eu faute à proprement parler, juste des détails qui en eux-mêmes ne signifiaient rien mais qui, ajoutés au reste, prenaient un certain sens. Vous m'avez dit que vous aviez perdu votre fils, mais vous n'avez pas dit qu'il était mort.

Naturellement, c'est ce que j'en ai conclu mais, je le répète, vous ne l'avez pas dit. Et cet après-midi, pendant que vous me soigniez, après avoir dit que vous aviez de l'affection pour moi, vous avez ajouté : « Mon fils aurait dû te ressembler... » Vous n'avez pas dit « il t'aurait ressemblé », sous-entendu « s'il avait vécu », mais « aurait dû », ce qui suggère qu'il m'aurait ressemblé si un terrible accident ne lui était advenu. Et, pour finir, vous avez dit vous-même que vous êtes responsable de la répartition des chambres entre les visiteurs en l'absence de Lady Trenowth. Au début, j'ai cru que c'était simple hasard si la chambre vers laquelle grimpe la vigne nous avait été attribuée, à Philip et à moi. Mais, en fait, vous avez reconnu Philip dès que vous nous avez vus dans la cour. A mon avis, dès cet instant, l'idée de vous venger de lui a jailli dans votre esprit. Vous n'aviez pas de plan, bien sûr, mais déjà l'intuition qu'une chambre à deux issues présentait un avantage. Ai-je raison ?

Le regard de Janet rencontra le mien.

– Sitôt que mes yeux se sont posés sur toi, j'ai su que tu étais un brillant jeune homme ; c'était te sous-estimer. Je sais à présent que tu es encore plus intelligent que je ne pensais.

Elle se leva, alla jusqu'à la porte de la cuisine, l'ouvrit et posa une question à l'un des domestiques. Puis elle revint s'asseoir à la table.

– L'officier du shérif et Thomas Sawyer ne sont toujours pas en vue, dit-elle. Tu as le temps de me raconter ce que tu as pu tirer de Silas Bywater.

– Laissez-moi remonter plus loin, dis-je, à ma première rencontre avec Philip Underdown, jeudi dernier.

Cinq jours s'étaient écoulés depuis cette rencontre. Cinq jours seulement... j'avais peine à le croire. Je poursuivis :

– C'est alors qu'il m'a parlé, sans la moindre gêne et sans se chercher d'excuses, de la vie qu'il avait menée avant de devenir messager royal. Il était négociant en chair humaine, entre autres marchandises. Il achetait et revendait de malheureux enfants de petite taille qui n'atteindraient jamais une stature normale et dont les parents étaient désireux de se débarrasser ou de les échanger contre une petite fortune facilement acquise. Je lui ai demandé comment son frère et lui pouvaient trouver assez d'enfants difformes pour en faire un commerce rentable. Il m'a répondu qu'il y avait toujours moyen de s'arranger, qu'il suffisait de connaître les méthodes. A ce moment-là, je n'avais pas la moindre idée de ce qu'il voulait dire.

– Et maintenant, tu sais ?

– Oui. Silas Bywater me l'a dit. Ma mère, Dieu ait son âme, se trompait, mais pas tellement, elle qui croyait que la renouée contient un poison mortel.

– Non, elle ne se trompait pas tellement, répondit Janet d'une voix presque inaudible. Absorbée en quantité suffisante, une infusion de renouée et de marguerite freine la croissance des enfants, dont elle fait des nains. Je sais avec certitude que c'est ce qui est arrivé à mon fils après qu'on me l'eut volé ; je sais aussi avec la même certitude qui en est responsable. Je t'ai écouté et te demande à présent d'écouter cette histoire telle que je l'ai vécue.

Janet Overy était veuve depuis environ cinq ans, pensait-elle, quand son fils disparut. Comme elle nous l'avait dit, son mari s'était noyé en mer une semaine avant la naissance du petit Hugh. Il était pêcheur et son bateau, le seul bien de valeur qu'il possédait, avait sombré avec lui. La mère et l'enfant étaient sans ressources. Janet était couturière et son travail opiniâtre les avait sauvés de la famine. Elle n'avait mesuré ni son temps ni sa peine chaque fois que son bel enfant avait besoin de quelque chose qu'elle pouvait lui donner.

De temps en temps, elle allait à Plymouth acheter ce qu'elle ne pouvait faire pousser ou élever dans son bout de jardin. Ce fut là qu'elle vit pour la première fois Philip Underdown et son frère.

– Deux hommes que l'on remarquait, dit-elle. Hardis, beaux, énigmatiques, arpentant les quais comme s'ils leur appartenaient, surveillant le chargement de leur vaisseau, le *Speedwell*. Ensuite, je ne les ai pas revus pendant un an ou davantage et j'ai appris qu'ils commerçaient à partir d'autres ports, Bristol et Londres. Mais ils finissaient toujours par revenir.

Elle n'en savait pas plus sur les deux frères et elle avait trop à faire pour s'arrêter dans la rue et bavarder, d'autant qu'elle connaissait très peu de gens dans la ville. Elle ne savait rien du genre de marchandises que transportait le *Speedwell* et, si elle l'avait su, mis à part une répulsion naturelle, elle n'y aurait guère songé. Son petit Hugh était un gamin ravissant ; son corps sain et bien fait était exempt des difformités qui, hélas, affligeaient trop d'enfants.

Puis, par un beau jour ensoleillé, peu après son cinquième anniversaire, l'enfant disparut. Occupée par sa couture, Janet avait expédié son fils jouer dehors pour ne pas l'avoir sans cesse dans les jambes. Une heure plus tard à peu près, quand elle l'appela pour le souper, il ne répondit pas. Elle le chercha et l'appela sans trêve jusqu'à la nuit tombée ; il était introuvable. Le lendemain, dès l'aube, elle tira ses voisins du lit pour qu'ils cherchent et fouillent avec elle, mais en vain. Hugh s'était évanoui.

Folle d'angoisse, Janet avait poursuivi ses recherches jusqu'à Plymouth au sud et Tavistock au nord, l'espoir de retrouver son enfant s'amenuisant au fil du temps. Puis, un jour, elle tomba sur un vieux mendiant boiteux qui se souvenait avoir vu deux hommes aux alentours du village de Janet à l'époque de la disparition de Hugh.

Il se les rappelait parce que c'était deux semaines après Pâques et que le *hocking*[1] avait commencé. Il avait vu deux hommes à cheval, dont l'un tenait un petit garçon blond, à califourchon sur le pommeau. L'enfant pleurait désespérément et l'homme l'avait giflé pour le faire taire.

La description que le mendiant fit des deux hommes rappela instantanément à Janet le souvenir de Philip Underdown et de son frère. Elle repartit pour Plymouth. Quand elle y parvint, elle apprit que le *Speedwell* avait fait voile pour Gênes quelques semaines plus tôt, emportant les deux hommes et leur cargaison. En questionnant les débardeurs sur les quais du port de Sutton, elle apprit alors qu'ils faisaient commerce de nains. Mais elle n'avait pas prêté grande attention à cette information qui, pensait-elle, ne la concernait pas. Des années plus tard seulement, après avoir trouvé refuge comme gouvernante au paisible manoir de Trenowth et retrouvé là un peu de la paix du cœur, elle avait appris par hasard, d'un frère mendiant, le sort probablement échu à son enfant.

1. De *hock* : gage. Cette ancienne fête anglaise avait lieu les deuxièmes lundi et mardi après Pâques. A tour de rôle, les femmes et les hommes s'emparaient des passants de l'autre sexe qu'ils relâchaient contre un peu d'argent, le gage. *(N.d.T.)*

– Il me parla, dit Janet, de cas qu'il avait connus. La demande de nains de compagnie était devenue si importante dans la noblesse de tous les pays que la réserve d'hommes et d'enfants naturellement nains n'y suffisait pas. Alors les négociants volaient des enfants normaux qu'ils tenaient enchaînés dans des caves ténébreuses pendant des mois, parfois pendant un an ou plus ; ils les affamaient et les contraignaient à boire d'énormes quantités d'infusion de renouée et de marguerite qui entravaient leur croissance naturelle. Le frère connaissait Plymouth et je lui demandai s'il avait entendu parler de rumeurs de ce genre à propos des maîtres du *Speedwell*. Il admit avec réticence que c'était le cas, mais que l'on n'avait jamais rien pu prouver contre les frères Underdown. Et s'ils volaient des enfants, où les auraient-ils séquestrés ?

– Dans les caves de *La Tête de Turc*, l'interrompis-je avec force. C'est là qu'ils les gardaient. Et il y avait sûrement à Londres et à Bristol des tenanciers tout aussi désireux de coopérer, à condition de partager le profit.

Il n'y avait pas lieu de s'étonner, me dis-je, que les auberges et les tavernes aient si mauvaise réputation, quand elle est si souvent méritée. Je me rappelai une auberge que j'avais connue à Londres deux ans plus tôt et ce souvenir me fit frémir.

Après le départ du frère mendiant, Janet était retournée à Plymouth où elle apprit que le plus jeune des frères Underdown était mort, mais nul ne savait ce qu'était devenu l'aîné. Une seule chose était sûre : il n'exerçait plus son commerce à partir de la ville.

– Il a fallu que je m'oblige à les oublier, lui et son frère. Je n'avais plus aucun doute ; c'étaient eux qui m'avaient ravi mon enfant et lui avaient infligé ce sort révoltant. Mais l'un d'eux était en Enfer, hors de toute atteinte, et l'autre l'y suivrait un jour. C'était ma seule consolation. Et puis...

– Et puis, hier matin, vous l'avez vu plastronnant dans la cour, prospère et infatué de sa personne. C'était plus que vous n'en pouviez supporter.

Janet hocha la tête :

– A cette seconde même, j'ai décidé de le tuer. Le reste, tu le sais.

– Vous l'avez convaincu de vous retrouver près de la rivière à une heure avancée de la nuit.

Elle sourit :

– Je n'ai pas eu besoin de le convaincre. D'emblée, il a joué mon jeu. Au petit déjeuner, je lui avais clairement fait entendre qu'il me plaisait et, quoi que tu en penses, mon garçon, je ne suis pas si vieille ni si décrépite qu'un homme ne puisse me désirer.

Je rougis de ce qu'elle avait lu si aisément dans mon esprit.

– C'était un homme à femmes, une évidence pour la femme expérimentée que je suis, et s'il devait séjourner quelque temps à Trenowth, il aurait besoin de distraction. Je ne crois pas qu'il aurait harcelé Isobel. Il avait pris la mesure d'Edgar et Philip Underdown tenait comme un forcené à l'intégrité de sa peau. Si bien que je ne fus pas surprise quand je le vis paraître à la cuisine hier matin... après s'être débarrassé de moi, sous prétexte qu'il avait aperçu par la fenêtre de la chambre un homme qui rôdait sous les arbres.

– Il a passé son bras autour de ma taille et m'a embrassée. J'ai joué les matrones indignées au bénéfice des gamines que j'ai aussitôt expédiées faire des commissions aux quatre coins de la maison. Maître Underdown et moi avons bu de la bière et nous sommes bientôt arrivés à un accord, du moins c'est ce qu'il a cru. Il a été un peu déconcerté quand j'ai insisté pour le rencontrer dehors et non dans ma chambre confortable, mais je lui ai dit que je n'osais prendre le risque d'être découverte car Alwyn me courtisait. Il a gobé ce mensonge sans poser d'autres questions et s'est également plié à mon autre demande : nous nous rendrions chacun de notre côté au lieu du rendez-vous, au cas où, par malchance, on nous aurait aperçus. Je sortirais par le portillon dont j'avais la clé, et je lui ai suggéré de passer par la fenêtre en utilisant la vigne, à moins qu'il ne se sentît trop vieux ou trop rassis. Il n'y aurait ainsi aucun danger que quelque bonne âme insomniaque nous repère tous les deux en train de traverser la cour.

– Et bien sûr, il a relevé ce défi lancé à sa virilité.

– Bien sûr, et je le savais d'avance.

Janet leva les mains et s'en couvrit les yeux un instant. Quand elle les retira, elle semblait prête à défaillir.

– Je n'avais jamais imaginé qu'il fût si difficile de tuer un homme. J'avais emporté un couteau de cuisine soigneusement aiguisé et je croyais qu'il me suffirait de le plonger dans sa poitrine pour le frapper à mort. Quelle erreur ! Quand je suis arrivée, il m'attendait et m'a aussitôt étreinte et baisée sur les lèvres. Dieu me garde, j'ai senti mon corps en émoi lui répondre ! J'essayais de le repousser mais il caressait mes cheveux dénoués que je n'avais pas couverts et se vantait de l'astuce grâce à laquelle il avait réussi à t'envoyer coucher sur le palier, devant la porte de sa chambre. Je lui ai demandé pourquoi il avait apporté un gourdin ; quand il vagabondait la nuit, m'a-t-il répondu, il portait une arme pour se défendre des voleurs et des bandits. Je sais maintenant qu'il avait à craindre d'autres ennemis.

– Vous a-t-il dit que c'était le mien ?

– Le gourdin ? Il a dû me le dire, oui, sinon je ne l'aurais pas su. Mais je ne me rappelle pas bien ses mots. Je rassemblais mes forces pour le frapper. J'ai réussi enfin à me dégager de ses bras, j'ai sorti le couteau de ma poche et l'ai plongé dans sa poitrine.

Un son lui échappa dont je n'aurais su dire s'il s'agissait d'un rire ou d'un sanglot.

– Son expression stupéfaite était grotesque, reprit-elle. Il ne pouvait croire à ce qui lui arrivait. Rien ne lui avait permis de soupçonner les mobiles qui me conduisaient à le tuer. Il est tombé agenouillé, en essayant de retirer le couteau qui avait pénétré jusqu'au manche. Un filet de sang coulait à la commissure de ses lèvres mais il était toujours vivant. Horrifiée, j'ai ramassé le gourdin, ton gourdin, qu'il avait posé à terre, et j'ai commencé à le frapper derrière la tête, encore et encore.

Elle frissonna.

– J'étais couverte de sang. C'était horrible mais je ne pensais qu'à mon petit garçon, arraché à sa mère et à sa propre vie, transformé en nain pour le plaisir de quelque noble milanais ou florentin. Quand j'ai enfin eu la certitude que Philip Underdown était mort, j'ai jeté le gourdin et j'ai couru jusqu'ici aussi vite que possible. Tu trouveras dans ma chambre, dissimulée au fond du coffre sous mes autres vêtements, ma robe éclaboussée de sang.

Nos regards se rencontrèrent de part et d'autre de la table.

– Tu sais à présent ce qui s'est réellement passé, dit-elle enfin. Qu'as-tu l'intention de faire ?

– Je l'ignore, répondis-je lentement. Je n'ai pas le cœur à

vous blâmer. Je crois qu'à votre place j'aurais fait la même chose.

– Mais tu estimes qu'il serait injuste de laisser condamner quelqu'un d'autre, fût-ce un tueur patenté, pour un crime qu'il n'a pas commis ?

On cria dans la cour et l'agitation bruyante d'une arrivée se fit entendre. Thomas Sawyer était de retour avec l'officier du shérif. Il était temps de sortir, de l'accueillir et de lui dire ce que je savais.

– Est-ce vous, demandai-je, qui avez mis le bouquet de marguerites et de renouées dans notre chambre ?

Janet s'était levée et lissait sa jupe.

– Oui. Je ne sais vraiment pas pourquoi je l'ai fait, si ce n'est pour lui rappeler ses forfaits, les vies qu'il a brisées à jamais. Mais tu les as soustraites à son regard. S'il les avait vues, peut-être aurait-il compris, lors de sa fin dernière, pourquoi il était tué.

Épilogue

Au cours des années qui se sont écoulées depuis cette histoire – un demi-siècle témoin de multiples changements, qui a rendu notre mode de pensée plus cynique –, je me suis souvent demandé si j'avais bien agi en laissant Janet Overy en liberté, en lui permettant d'échapper aux conséquences de son acte. Je n'ai jamais trouvé la réponse. Laisser un autre payer pour vos méfaits doit toujours être un crime au regard de Dieu, même si cette personne est mauvaise, même si elle aurait payé ses propres crimes de la peine capitale prévue par la loi. Quoi qu'il en soit, je ne pus alors me résoudre à la dénoncer pour ce qu'elle avait fait à Philip Underdown ; et depuis que j'ai tenu dans mes bras mes enfants, que je les ai vus grandir et parvenir à la maturité, pas un instant je n'ai regretté ma décision. Que se passera-t-il au jour du Jugement, quand enfin je me présenterai devant notre Créateur à tous, l'Être qui connaît le secret des cœurs ? Je l'ignore. Serai-je jugé plus durement pour avoir étouffé la vérité, de connivence avec Janet, ou pour mon absence de repentir ? Dieu seul peut en décider.

Le fait que je n'aie rien dit qui soit faux à l'officier du shérif plaide en ma faveur, je l'espère. Simplement, je ne lui ai pas dit toute la vérité. Je n'ai pas porté d'accusation contre Jeremiah Fletcher, mais seulement confirmé les aveux qu'il avait faits : il avait tenté par deux fois de trucider Philip au cours des cinq jours précédents et il était un agent à la solde des ennemis du roi, c'est-à-dire un traître et un tueur. Mais ce ne fut pas la faute du sergent s'il ne chercha pas plus loin le tueur d'un messager royal, porteur d'une missive importante pour le duc de Bretagne.

Le lendemain matin, Janet et moi regardâmes en silence Jeremiah Fletcher que l'on emmenait dans les chaînes. En fait, après notre conversation dans la cuisine, nous nous parlâmes très peu et nous évitâmes l'un l'autre. Nos adieux furent brefs et je repartis pour Plymouth, emmenant avec moi le bourrin que l'on m'avait prêté mais laissant le gris pommelé de Philip prospérer dans sa nouvelle demeure. L'officier du shérif avait promis d'envoyer un messager à Simon Whitehead à Falmouth, mais il approuva mon projet d'aller moi-même en Bretagne, sauf ordre contraire, lorsque le *Falcon* mouillerait dans le port de Sutton.

Qu'ajouter à ce récit ? Je me rendis en Bretagne et remis en mains propres la lettre du roi Édouard au duc François. C'était la première fois que je quittais les rivages de notre île de Grande-Bretagne, la première fois que j'abordais ceux de la Petite-Bretagne, terre d'accueil de nos lointains aïeux envahis. Quand je revins à Plymouth quelques semaines plus tard, mon cob m'attendait patiemment dans l'écurie où je l'avais laissé et nous reprîmes ensemble le chemin d'Exeter et du palais de l'évêque. Je fis mon rapport à Sa Grâce, flattai une dernière fois l'encolure du bai, ramassai ma balle et repris avec gratitude mon existence sur les routes.

Des mois plus tard, j'appris par des voies détournées que les hommes du duc de Gloucester étaient venus me chercher à Exeter deux semaines après que j'eus quitté la ville et que le duc en voulait beaucoup à l'évêque John Bothe qui m'avait laissé partir sans me récompenser. Mais en ces jours lointains, j'étais jeune, libre comme l'air et ma liberté m'importait plus que tout. La vie que j'avais choisie était jalonnée d'épreuves et d'embûches mais je n'avais de compte à rendre à quiconque, je ne devais rien à personne d'autre qu'à moi.

Quant à l'issue de ma mission, chacun sait aujourd'hui que le duc François n'intervint pas et n'offrit aucun secours au comte d'Oxford assiégé sur le St Michael's Mount. Après le premier assaut héroïque contre la forteresse, quand Sir John Arundel et une grande partie de ses troupes tombèrent glorieusement dans le sable au pied de l'escalier principal, le nombre des attaques diminua jusqu'à ce que, finalement, le nouveau shérif, Sir John Fortescue, se contentât de faire le siège du Mont sur terre et sur mer, affamant ainsi le comte et ses hommes, qu'ils obligèrent à la reddition au mois de février suivant. Envoyé à Calais, Oxford fut pendant neuf ans prisonnier au château de Hammes. Henri Tudor et son oncle Jasper demeurèrent en Bretagne en qualité d'« invités ».

Je n'ai jamais revu Janet Overy mais, au cours d'une de mes

randonnées dans ce comté, quelqu'un qui l'avait connue m'apprit qu'elle avait quitté le manoir de Trenowth très brusquement pour partir en pèlerinage à Rome et qu'elle n'était jamais revenue. Elle hante parfois mes rêves, triste fantôme égaré, mélancolique, qui erre d'une ville à l'autre en Italie, à la recherche perpétuelle d'un pauvre nain estropié qui aurait été jadis son bel enfant. Et je me réveille le visage inondé de larmes, souhaitant que Philip Underdown et moi n'ayons jamais mis les pieds à Trenowth ; qu'il ait été donné à Janet de vivre en paix son existence brisée.

Composition : P.F.C. Dole
Impression réalisée sur CAMERON par

BUSSIÈRE CAMEDAN IMPRIMERIES
GROUPE CPI

à Saint-Amand-Montrond (Cher)
pour le compte des Éditions France Loisirs
en juin 2002

N° d'édition : 37129. N° d'impression : 022865/4.
Dépôt légal : avril 1999.

Imprimé en France